黄河中游典型支流
水土保持措施减洪减沙作用研究

冉大川 刘 斌 王 宏 罗全华 马 勇 等著

黄河水利出版社

内 容 提 要

本书是有关黄河中游水土保持措施减洪减沙作用研究的一本专著。全书以河龙区间及晋西北地区为重点研究区域，以泾河、北洛河、渭河及皇甫川等为典型支流，对以上区域及支流水土保持措施的减洪减沙作用进行了较为深入细致的分析研究；对水土保持措施减水减沙作用计算方法、水土保持坡面措施减洪指标体系、林草措施保存率、水土保持措施保存面积、人为新增水土流失及20世纪90年代黄河中游水土保持措施的减洪减沙作用等关键问题进行了重点研究和阐述。全书共分九章。可为今后黄河治理的基础研究、黄河河情年度咨询及跟踪研究、黄河中游水土保持措施减洪减沙作用研究以及编制黄土高原水土保持生态工程建设规划时提供参考，还可供大专院校相关专业的师生阅读参考。

图书在版编目(CIP)数据

黄河中游典型支流水土保持措施减洪减沙作用研究/冉大川等著.—郑州：黄河水利出版社，2006.8
ISBN 7-80734-073-8

Ⅰ.黄… Ⅱ.冉… Ⅲ.黄河流域-中游河段-水土保持-研究 Ⅳ.S157

中国版本图书馆CIP数据核字(2006)第055621号

组稿编辑：雷元静　电话：0371-66024764

出 版 社：黄河水利出版社
地址：河南省郑州市金水路11号　邮政编码：450003
发行单位：黄河水利出版社
发行部电话：0371-66026940　传真：0371-66022620
E-mail：hhslcbs@126.com
承印单位：河南第二新华印刷厂
开本：787 mm×1 092 mm　1/16
印张：22.75
字数：526千字　印数：1—1 400
版次：2006年8月第1版　印次：2006年8月第1次印刷

书号：ISBN 7-80734-073-8/S·83　定　价：70.00元

前 言

黄河中游河口镇至龙门区间(以下简称河龙区间),总面积约11.3万km^2,是黄河流域水土流失最为严重的地区。这里黄土层深厚,土质疏松,地形破碎,沟壑纵横,植被稀少,而且暴雨集中、强度很大,是黄河中游洪水及粗泥沙的集中来源区,是黄河泥沙问题的症结和关键所在。河龙区间年输沙模数大于5 000 t/(km^2·a)的强度侵蚀面积为6.93万km^2,年粗泥沙输沙模数大于1 300 t/(km^2·a)的粗沙区面积为5.99万km^2。多年平均(1950~1996年)径流量56.2亿m^3,占三门峡以上对应的多年平均径流量387.9亿m^3的14.5%;多年平均输沙量7.3亿t,占三门峡以上对应的多年平均输沙量12.20亿t的59.8%。

河龙区间的皇甫川、孤山川、窟野河和秃尾河等四条入黄一级支流(简称"两川两河"),是黄河中游水土流失最为严重、生态特别脆弱的地区。"两川两河"总面积1.66万km^2,仅占黄河流域面积的2.2%,而年均输沙量却占黄河年均输沙量的12.7%,其中粗泥沙输沙量占多沙粗沙区粗泥沙输沙量的32%,皇甫川尤为突出。

泾河、北洛河、渭河流域地处黄河中游地区,三大流域面积合计13.56万km^2,占黄河流域总面积的18%,占黄河中游总面积的39.4%,是黄河泥沙及粗泥沙的重要来源区,水土流失严重。多年平均(1954~1996年)径流量合计86.85亿m^3,占三门峡以上对应的多年平均径流量的22.3%;多年平均输沙量合计4.75亿t,占三门峡以上对应的多年平均输沙量的38.9%。

作为黄河中游水土流失的重点治理区域和黄河水沙变化研究的热点支流,河龙区间、"两川两河"中的皇甫川以及泾河、北洛河、渭河流域水土保持措施减洪减沙作用研究一直为人们所关注。从1988年至1992年,先后有水利部黄河水沙变化研究基金、黄河流域水土保持科研基金、国家自然科学基金等"三大基金"及国家"八五"重点科技攻关项目、黄委会黄河上中游管理局"八五"重点课题等五大项目,相继开展了对河龙区间及泾河、北洛河、渭河流域水沙变化的研究,取得了许多可贵的成果,有的研究甚至有重大突破。但由于黄河中游地区水土保持措施减洪减沙作用研究的复杂性,许多问题尚未得到根本解决。如对水土保持措施减洪减沙作用计算方法、坡面措施特别是林草措施减洪指标体系、淤地坝减洪减沙作用计算方法等难点问题的研究有待进一步加强;对水土保持措施特别是林草措施保存率及保存面积的调查研究方法有待进一步科学化和规范化;对20世纪不同年代、重点是90年代(1990~1996年)"水保法"减洪减沙作用尤其需要下大的工夫进行深入细致地研究。为此,水利部黄河水沙变化研究基金会分别于1996年和1999年先后设立了第二期黄河水沙研究基金项目“河龙区间水土保持措施减水减沙作用分析”和“泾河、北洛河、渭河流域水土保持措施减水减沙作用分析”，对河龙区间及泾河、北洛河、渭河流域水沙变化继续进行深化研究。该研究在总结以往研究成果的基础上，以“水保法”为重点，采用“水文法”和“水保法”两种方法相互验证，对以上区域水土保持措施减洪减沙作用进行了分析计算。研究中，注意把握黄河中游近期水沙变化特点，加强了宏观调研和典型分析，将泥沙研究与洪水研究并重；对坡面措施减洪指标体系、林草措施保存率、水保措施保存面积、人为新增水土流失及20世纪90年代（1990～1996年）水土保持措施的减洪减沙作用等关键问题进行了重点研究。研究工作分别于1999年1月和2001年5月全部结束。根据黄河中游水土保持生态建设的新形势，于2001年6月至2003年12月进行了后续研究。

自1999年以来，笔者还参加了原全国政协副主席钱正英院士和两院资深院士、清华大学教授张光斗先生联合主持的中国工程院重大咨询项目《中国可持续发展水资源战略研究》专题——《黄河流域水土保持与水资源保护利用》（1999年）、黄河水利委员会（以下简称黄委会）黄河上中游管理局《黄河中游多沙粗沙区“两川两河”汇报材料》（2000年）及《黄河中游水土保持生态工程建设水资源开发利用规划》（2001年）等重大项目研究工作。2003年春参加了水利部2003年三大“亮点”工程之一的《黄河流域黄土高原地区水土保持淤地坝建设规划》编制工作。

为了总结以上历时8年的研究成果，使其能在黄河治理的基础研究、黄河河情年度咨询及跟踪研究和黄河中游水土保持措施减洪减沙作用深化研究中发挥应有的作用，为“三条黄河”建设尤其是“模型黄河”及“模型黄土高原”建设、黄土高原水土保持生态建设及黄土高原水土保持淤地坝建设提供科技支撑，为“维持黄河健康生命”尽绵薄之力，笔者将上述研究成果整理、归纳、提炼，编著成书。

全书以河龙区间及晋西北地区为重点研究区域，以泾河、北洛河、渭河及“两川两河”中的皇甫川为典型支流，并涉及到自1983年开始就被列为国家级重点治理区的晋西北地区三川河流域。全书共分九章：第一章为概论；第二章为黄河中游水土保持措施减洪减沙作用综合研究；第三章为黄河中游地区淤地坝减洪减沙及减蚀作用研究；第四章为晋西北地区坝库工程减洪减沙作用研究；第五章为黄河中游地区水土保持坡面措施减洪减沙作用研究；第六章为泾河流域水土保持措施减洪减沙作用研究；第七章为渭河流域水土保持措施减洪减沙作用研究；第八章为北洛河流域水土保持措施减洪减沙作用研究；第九章为皇甫川流域水土保持措施减洪减沙作用研究。

全书由冉大川拟定编写大纲并主笔撰写。各章具体撰稿人员如下：

第一章：冉大川；

第二章：冉大川，刘斌，王宏，马勇，王存荣；

第三章:冉大川,罗全华,刘斌,王宏;

第三章第四节:冉大川,王正杲,胡建军,马勇,庞小明;

第四章:罗全华,冉大川,刘斌,吴永红;

第五章:冉大川,赵力毅,王宏,刘斌,白志刚,马勇;

第六章:冉大川,刘斌,罗全华,张志萍;

第七章:王宏,冉大川,马勇,赵俊侠;

第八章:刘斌,冉大川,罗全华,张志萍;

第九章:冉大川,白志刚。

全书最后由冉大川统稿。

在水利部第二期黄河水沙变化研究基金项目研究过程中,曾得到中国工程院院士、水利部黄河水沙变化研究基金专家委员会主任徐乾清先生的关注和指导;自始至终得到水利部黄河水沙变化研究基金专家委员会副主任徐明权教授、钱意颖教授和水利部黄河水沙变化研究基金会办公室主任杨小庆教授、副主任汪岗教授的悉心指导;钱意颖教授和汪岗教授还亲临西安和西峰、天水检查并指导研究工作。国际泥沙研究培训中心、水利部国际合作与科技司、黄委会国际合作与科技局、黄委会黄河上中游管理局国际合作与科技处等各级领导及黄委会西峰水土保持科学试验站、天水水土保持科学试验站、绥德水土保持科学试验站领导给予了高度重视和大力支持;河龙区间及泾河、北洛河、渭河和皇甫川等典型支流涉及的各县(市)水利水保局也给予了大力协助。在此一并谨致谢忱!

水土保持界德高望重、年届95岁高龄的黄委会黄河水利科学研究院吴以敩教授,从第一期“水保基金”研究开始就对泾河水沙变化研究予以关心和支持,并亲自审查、修改过泾河支流马莲河(环江)流域的有关研究报告,对吴老的关心和厚爱,谨致以衷心的感谢!水利部第二期黄河水沙变化研究基金项目的研究也先后得益于黄委会黄河上中游管理局原总工程师刘万铨、黄委会水土保持局教授级高级工程师于一鸣,以及黄委会黄河水利科学研究院教授级高级工程师张胜利、戴明英、赵业安、焦恩泽等的指导和帮助,耳濡目染,受益匪浅。中国科学院、水利部水土保持研究所周佩华研究员、清华大学张仁教授、黄委会水文局牛玉国局长及黄委会水文局水文水资源科学研究院副院长徐建华也对本次研究给予过有益的指导和帮助,在此一并表示深深的谢意!

水利部第二期黄河水沙变化研究基金项目“河龙区间水土保持措施减水减沙作用分析”和“泾河、北洛河、渭河流域水土保持措施减水减沙作用分析”,自1996年启动至2003年研究全部结束,历时8年,参加研究的人员共有40余人。对于他们在研究工作中付出的艰辛劳动,笔者作为两大项目总主持人,代表本书全体编著人员向他们表示衷心的感谢!

河龙区间及泾河、北洛河、渭河和皇甫川等四大流域面积大,水土流失类型区多,水沙变化情况复杂，研究难度很大。在研究过程中尽可能地考虑了各种因素对水沙变化的影响，分区计算与合并计算相结合，“水文法”研究和“水保法”研究相佐证；努力做到宏观着眼，微观着手，注意对典型支流的剖析和一般规律的总结；突出了水土保持措施对洪水的拦蓄和减洪减沙作用；注意吸收以往研究的精华，正视研究存在的不足。在计算方法阐述和成果表达上，力求简明清晰，雅俗共赏，以便为宏观治黄决策和黄土高原地区水土保持生态工程建设提供比较可靠的依据。在全书的编写过程中，力求资料准确、论证科学、观点明确、重点突出、畅达易读；力求以方法论为先导，以计算成果为归宿，以黄河中游水土保持生态建设为落脚点，高屋建瓴，使研究成果及结论具有高起点、高水平和前瞻性。但由于笔者水平有限，心有余而力不足，研究成果仍难以达到以上期盼的要求，不足之处在所难免。“聊做白鹿，待于青崖”。竭诚欢迎关心黄河中游地区水土保持措施减洪减沙作用研究及水土保持生态建设工作的各级领导、专家和同仁批评指正。

作者

2006 年 3 月于郑州

目　录

第一章　概　述

第一节　黄河中游水土保持工作成就简述

黄河中游水土保持是有效地保护和合理开发利用水资源、减轻黄河下游河道淤积的一项基础工程和治本之举，历来受到党和国家的高度重视。新中国成立以来，国家累计投入近百亿元，在黄河流域尤其是黄河中游黄土高原地区开展了大规模的水土流失治理活动，大大改善了生态环境，增加了农民收入，在发展区域经济和减少入黄泥沙方面发挥了重要作用，取得了重大成就，主要表现在以下几个方面。

一、改善了生态环境

水土保持改善了生态环境，提高了水资源利用率，减少了入黄泥沙。根据黄河中游水沙变化多家研究成果综合分析，20 世纪 70 年代以来，黄河中游水土保持措施多年平均减少入黄泥沙 3 亿 t 左右，占黄河多年平均输沙量的 18.8%。水土保持措施的实施减缓了黄河下游河床的淤积抬高速度，为“维持黄河健康生命”做出了重大贡献。

二、示范区建设初见成效

利用世界银行贷款 3 亿美元开展的黄土高原生态建设项目，被世界银行誉为农业项目的“旗帜工程”。黄河水土保持生态工程和黄土高原淤地坝工程已先后启动实施，水土保持治沟骨干工程建设规模不断扩大，黄河水土保持生态工程示范区建设初见成效。

三、有效地改变了一些地区的农业生产条件

黄河流域现有水土保持措施每年可增产粮食约 50 亿 kg，生产果品 280 亿 kg，解决了 1 200 多万农民的温饱和农村生活用水问题，综合经济效益达 2 000 多亿元。

四、水土保持措施完善

据最新资料统计，截至 2004 年，黄河流域共建设水土保持治沟骨干工程 1 800 多座，淤地坝 11.2 万座；营造水土保持林 887 万 hm^2，人工种草 267 万 hm^2，建设基本农田 647 万 hm^2，修建各类小型水利水土保持拦蓄工程 400 万处(座)。水土保持措施初步治理面积累计达到 20 万 km^2。

五、在研究与治理方面有了重大突破

在黄河流域水土保持科学研究中，寻找并界定了水土流失最严重、对黄河下游淤积影响最大的黄河中游“多沙粗沙区”，同时确认了“淤地坝”是黄河中游水土保持措施中减沙

最为有效的工程治理措施。从而进一步明确了黄河中游地区的治理重点与重要治理途径，取得了黄河中游地区水土流失研究与治理的重大突破。

(1)黄河水利委员会水土保持科学研究基金第二期项目“黄河中游多沙粗沙区区域界定及产沙输沙规律研究”结果表明[1]，黄河中游河口镇至龙门区间右岸的皇甫川、孤山川、窟野河、秃尾河、佳芦河、无定河、清涧河、延河等8条入黄一级支流，左岸的浑河、偏关河、县川河、朱家川、岚漪河、蔚汾河、湫水河、三川河、屈产河、昕水河等10条入黄一级支流，河龙区间左、右岸合计共18条入黄一级支流中的多沙粗沙区面积为59 900 km^2；泾河支流马莲河河口以上和蒲河巴家嘴以上的多沙粗沙区面积为12 392 km^2；北洛河刘家河以上的多沙粗沙区面积为6 308 km^2。以上区域即为黄河中游多沙粗沙区，面积共计7.86万km^2，仅占黄土高原水土流失面积的17%，而输沙量却占全河的63%，粒径大于0.05 mm的粗泥沙量占全河粗泥沙总量的73%，对黄河下游河道淤积影响最大，是黄河中游水土流失治理的重点区域。

(2)水利部黄河水沙变化研究基金第二期项目“河龙区间水土保持措施减水减沙作用分析”研究结果表明[2]，1970～1996年，河龙区间淤地坝减洪减沙量分别占水土保持措施减洪减沙总量的59.3%和64.7%。其中1970～1979年淤地坝减洪减沙量分别占水土保持措施减洪减沙总量的76.7%和80.0%。淤地坝减洪效果十分明显，减沙效果尤为突出，是黄河中游减沙最为有效的水土保持工程治理措施，在黄土高原水土流失治理和生态环境建设中具有不可替代的重要作用。河龙区间多沙粗沙区面积5.99万km^2，占黄河中游多沙粗沙区总面积的76.2%，全为黄土丘陵沟壑区，长度在0.5～30 km的沟道达8万多条；沟壑密度3～7 km/km^2，以沟道侵蚀为主。河龙区间小流域沟谷地面积占总面积的40%～50%，产沙量却占总产沙量的50%～70%，是淤地坝建设最为适宜的地区。

根据2005年9月13日在青海省西宁市召开的黄河中游水土保持委员会第八次会议的有关最新资料，1999年中央实施西部大开发战略以来，国家加大了对黄土高原地区水土保持生态建设的支持力度。遵循人与自然和谐相处的理念，黄土高原地区实现了由单纯依靠人工治理到人工治理与自然修复相结合的转变。“十五”期间，黄土高原地区累计完成水土流失综合治理面积7.8万km^2，建设基本农田124.1万hm^2，修建大中型淤地坝4 800座，完成水土保持林草626.7万hm^2，水土保持成效显著。

1999年以来，国家先后启动实施了淤地坝建设、退耕还林、封山禁牧等一大批水土保持生态建设重点项目，中央先后安排黄河上中游水土保持专项资金14.4亿元，利用外资11.82亿元，投资标准从“九五”期间的每平方公里1.5万～3万元提高到4万～6万元。投资力度之大、覆盖面之广、效果之显著前所未有。黄河上中游各省(自治区)及时调整思路，实现了由单纯依靠人工治理到人工治理与自然修复相结合的转变，加快了水土流失防治步伐；贯彻以点带面、整体推进的要求，实现了由分散治理向集中规模治理，由一般治理向突出重点、强化示范的转变；按照小流域进行坝系建设的方略，确立以多沙粗沙区为重点，骨干坝与中小型淤地坝配套的举措，促进了淤地坝建设的健康发展；针对黄河粗泥沙的危害，把粗泥沙作为治理黄河泥沙的突破口和核心目标，并将黄土高原水土流失治理作为控制黄河泥沙的第一道防线，集中资金，强化治理，提高了治理精度，加快了治理步伐，产生了巨大效应。

一批重点项目建设，取得了显著的生态效益、经济效益和社会效益。黄河水土保持生态工程自2000年启动实施以来，已累计治理水土流失面积7 186 km^2；淤地坝建设试点工程作为水利部2003年“三大亮点”工程之一，已开展了83条小流域坝系建设，建成各类淤地坝1 849座；黄土高原水土保持世界银行贷款项目作为我国首次利用外资开展的大型水土保持项目，一期、二期工程共引进世界银行贷款3亿美元，累计治理水土流失面积9 200 km^2。生态修复项目自2001年启动以来，已在黄河上中游7省（区）54个地（市）的294个县（市、旗），实施封禁保护面积近30万 km^2。水土保持预防监督工作以《中华人民共和国水土保持法》为依据，进一步加大了水土保持方案监督管理与执法的力度，全面落实水土保持“三同时”制度，6年来，共查处各类水保违法案件7 200多起，审批开发建设项目水土保持方案1 900多个。黄河流域水土保持监测网络体系建设全面启动，先后建成流域监测中心站1个，省（区）级的监测总站7个，地市级监测分站39个，并开展了重点区域、重点流域和项目区的水土保持动态监测，定期向社会发布水土流失监测公告。1999年以来国家累计投入216亿元，共完成退耕还林面积509.4万 hm^2，使黄土高原地区生态面貌得到有效改善，工程区林草覆盖率平均增加2个百分点，已使黄河上中游7省（区）1 400多万农户、6 700多万农民直接受益，每年人均获得生活费补助40元、粮食补助247 kg，被广大干部群众称为“德政工程”、“民心工程”。

第二节　黄河中游水土流失概况及存在的问题

黄河流域黄土高原地区，西起日月山，东至太行山，南靠秦岭，北抵阴山，涉及青海、甘肃、宁夏、内蒙古、陕西、山西、河南7省（区）的46个地（盟、州、市），306个县（旗、市、区）。全区总面积64万 km^2，其中水土流失面积45.4万 km^2，占总面积的70.9%，是我国乃至世界上水土流失最严重、生态环境最脆弱的地区。黄土高原地区水土流失面积中，侵蚀模数大于5 000 $t/(km^2 \cdot a)$的强度水蚀面积14.6万 km^2，占黄河中游地区水土流失面积的32%，占全国同类面积的39%；侵蚀模数大于8 000 $t/(km^2 \cdot a)$的极强度水蚀面积8.5万 km^2，占黄河中游地区水土流失面积的18.7%，占全国同类面积的64%；侵蚀模数大于15 000 $t/(km^2 \cdot a)$的剧烈水蚀面积3.67万 km^2，占黄河中游地区水土流失面积的8%，占全国同类面积的89%。局部地区的侵蚀模数甚至超过30 000 $t/(km^2 \cdot a)$。黄土高原多年平均进入三门峡的泥沙达16亿t，年均含沙量37.8 kg/m^3，居世界各大河流之冠。黄土高原由于自然条件与人类活动的交织作用，形成了举世闻名的严重的水土流失。黄土高原的水土流失具有以下特点：①水土流失面积大、强度高；②形态多样，而沟蚀特别严重；③产沙区域集中；④水土流失的年际和年内季节分布不均；⑤人为破坏新增水土流失十分严重。黄河中游7.86万 km^2 的多沙粗沙区，水土流失尤为严重，是黄河流域水土保持综合治理的重中之重。

黄河中游黄土高原地区水土流失类型多样，成因复杂。黄土丘陵沟壑区、黄土高塬沟壑区、土石山区、风沙区等主要类型区的水土流失特点各不相同。水蚀、风蚀等相互交融，特别是由于深厚的黄土土层和其明显的垂直节理性，沟道崩塌、滑塌、泻溜等重力侵蚀异常活跃。严重的水土流失不仅造成了该地区贫困，制约了经济社会的可持续发展，而且加剧了荒漠化的发展和其他灾害的发生,特别是大量泥沙淤积在黄河下游河道,使河床不断抬高,成为地上悬河,大大加剧了洪水威胁。同时,为减轻下游河道淤积,必须保证一定的冲沙用水,客观上又减少了黄河流域的可调水量,加剧了水资源的供需矛盾[3]。黄河流域水资源利用率已达到70%,远大于40%的国际限制标准。黄河已由过去的"善淤、善决、善徙"转变为"水少、水脏、河悬"。

目前,黄河中游黄土高原地区水土流失治理中存在的主要问题是:

(1)长期以来投入严重不足,治理速度缓慢;现有水土保持措施治理标准较低,工程不配套,林草成活率低。

(2)多沙粗沙区治理滞后,沟道坝系工程少,加上现有不少坝系已到了运用后期,病险坝库多,蓄洪拦沙作用衰减较大,坝库工程减沙作用的时效性明显,治理效果还不显著。

(3)由于目前水土保持措施的治理标准较低,虽然中常降雨条件下减水减沙效果明显,但若遭遇大暴雨,减水减沙效果明显降低。黄河中游发生高含沙量大洪水的可能性依然存在。

(4)预防监督和管理不力,边治理、边破坏的现象在一些地方还相当严重。

第三节 黄河中游典型支流水土保持措施减洪减沙作用研究的背景

一、研究的目的意义

黄河中游是指内蒙古河口镇至河南郑州桃花峪区间。该区间流域面积34.4万km^2,干流河道长1 206 km,汇入的较大支流有30条。皇甫川、孤山川、窟野河和秃尾河(简称"两川两河")及泾河、北洛河、渭河等支流均在该区间汇入黄河。黄河中游绝大部分支流地处黄土高原地区,暴雨集中,水土流失十分严重,是黄河洪水和泥沙的主要来源区。

黄河中游河龙区间及泾河、北洛河、渭河流域,合计面积约24.85万km^2,占黄河流域面积79.5万km^2(含内流区4.2万km^2)的31.2%;合计多年平均径流量142.8亿m^3,多年平均输沙量12.0亿t,分别占黄河流域多年平均天然径流总量580亿m^3的24.6%,多年平均输沙量16亿t的75.0%。由于河龙区间及泾河、北洛河、渭河等三大流域在黄河中游地区具有"承东启西"的过渡作用,在治黄大业中也占有重要的战略地位,因此,分析河龙区间"两川两河"等典型支流及泾河、北洛河、渭河流域水土保持措施的减洪减沙作用,研究其水沙变化趋势,评价黄河中游地区水土保持生态建设的减沙作用及潜力,对于正确制定我国未来的水土保持战略和21世纪前50年治黄战略目标的实施,对于西部大开发中黄土高原地区水土保持生态环境建设和水资源合理开发利用,对于减轻渭河下游河道淤积和黄河下游的洪水威胁,降低潼关高程,进行三门峡库区治理,建设"模型黄土高原"等,均具有重要的现实意义。开展"黄河中游典型支流水土保持措施减洪减沙作用研究",对业已开展16年的黄河中游水沙变化研究,也具有重要的促进作用。

黄河中游水沙变化研究有一个跟踪研究的任务,以往"五大研究"的研究时段均截止于1989年。但自1990年以来,随着国家对生态环境保护的重视,黄河流域面上的水利水保工程又有了较大的发展。特别是干流龙羊峡水库投入运用后，黄河中下游来水来沙发生了很大变化：黄河下游1997年以前出现连年断流，河道主槽淤积严重，中常洪水位超过历史最高水位，河道泄洪能力衰减，增加了防洪抢险的难度，对黄河水沙变化研究提出了更高的要求。例如：黄河中游地区典型支流进入90年代后水利水土保持措施的减水减沙作用；水利水保工程对不同强度暴雨的减水减沙作用；不同治理程度的支流在大暴雨条件下的减洪减沙作用；大型水利工程调蓄对径流泥沙在年际、年内分配及其对防洪、防凌和水资源利用的影响等。

由此可见，进行"黄河中游典型支流水土保持措施减洪减沙作用研究"很有必要。

二、"两川两河"治理对减少入黄粗泥沙的重大意义

黄河之患，源于泥沙，关键在粗泥沙。黄河目前存在的洪水威胁严重、水资源供需矛盾尖锐、水土流失和水环境恶化等三大问题，无一不与泥沙相关联。河龙区间"两川两河"总面积1.66万km^2，仅占黄河流域面积的2.2%，占多沙粗沙区面积的21%，而年输沙量却达2.03亿t，占黄河年输沙量的12.7%，其中一半是造成下游河道严重淤积的粗泥沙。根据实测水文资料统计，20世纪60年代以来，"两川两河"输沙量占河龙区间的比例由24.2%上升到32%，粗泥沙比例由36.5%上升到56.8%。说明"两川两河"泥沙减少的速率慢于河龙区间其他支流，急需加快治理速度，集中力量，加大投入，以快速减少入黄粗泥沙。

作为河龙区间粗颗粒泥沙的集中来源区，"两川两河"中又以窟野河和皇甫川为甚。在不足黄河中游龙门以上流域3%的面积上，其粗沙量占到整个流域粗沙量的近70%，因此，减少黄河粗泥沙的重点应放到这两个流域上来。该区域的大洪水年必然是黄河的多粗沙年，控制了这里的粗泥沙入黄，将大大改善目前黄河下游严重淤积的不利局面[4]。坚持科学发展观，树立强烈的粗泥沙意识，实施"先粗后细"的工作策略，以构筑减少黄河粗泥沙的第一道防线为目标，强力推进"两川两河"等粗泥沙集中来源区支流的水土保持拦沙工程体系建设，重点加强该区域的水土保持生态建设，是实现黄河长治久安和下游"河床不抬高"的战略性措施。

参考文献

[1] 徐建华，吕光圻，张胜利，等．黄河中游多沙粗沙区区域界定及产沙输沙规律研究．郑州：黄河水利出版社，2000

[2] 冉大川，柳林旺，赵力仪，等．黄河中游河口镇至龙门区间水土保持与水沙变化．郑州：黄河水利出版社，2000

[3] 黄河水利委员会．黄河近期重点治理开发规划．郑州：黄河水利出版社，2002

[4] 韩鹏，倪晋仁．黄河中游粗泥沙来源探析．泥沙研究，1997(3)

[5] 吕娜．黄河上中游水土保持成效显著．中国水利网站，2005－09－14

第二章　黄河中游水土保持措施减洪减沙作用综合研究

第一节　研究区域概况

黄河中游河口镇至龙门区间(简称河龙区间),是黄河流域水土流失最为严重的地区。这里黄土层深厚,土质疏松,地形破碎,沟壑纵横,植被稀少,而且暴雨集中,强度很大,是黄河中游洪水及粗泥沙的集中来源区。河龙区间干流全长725.1 km,总面积约11.3万 km^2,其中年土壤侵蚀模数大于5 000 t/(km^2·a)的面积6.93万 km^2。多年平均(1950~1969年)径流量73.25亿 m^3,占三门峡以上对应的多年平均径流量438亿 m^3 的16.7%;多年平均输沙量9.940 5亿 t,占三门峡以上对应的多年平均输沙量14.416亿 t的69.0%。有关研究表明,河龙区间洪水出现几率只有黄河下游洪水几率的10%,但造成黄河下游泥沙淤积量却占下游总淤积量的40%~60%。因此,控制和减少该区间的洪水、泥沙,特别是粗颗粒泥沙,是黄河下游防洪减淤的根本途径[1]。

泾河干流全长455.1 km,流域总面积45 421 km^2,其中水土流失面积33 220 km^2,占流域总面积的73.1%。全流域涉及黄土丘陵沟壑区、黄土高塬沟壑区、土石山区、黄土丘陵林区和黄土阶地区等五个地貌类型区,其中以黄土丘陵沟壑区、黄土高塬沟壑区所占面积最大,分别占流域总面积的41.3%和39.7%。黄土丘陵沟壑区多年平均土壤侵蚀模数为10 000 t/(km^2·a),黄土高塬沟壑区为4 000 t/(km^2·a)。土石山区、黄土丘陵林区和黄土阶地区面积分别占流域总面积的7.3%、6.5%和5.2%。泾河流域多年平均(1952~1996年)降水量为532.7 mm,径流量为17.998亿 m^3,输沙量为2.54亿 t。

北洛河干流全长680 km,平均比降1.52‰,流域面积26 905 km^2。北洛河流域横跨黄土丘陵沟壑区、黄土高塬沟壑区、黄土丘陵林区、黄土阶地区和冲积平原区等五个水土流失类型区。其中黄土丘陵林区面积最大,达10 542 km^2,占流域总面积的39.2%,著名的子午岭林区和黄龙山林区较大部分均在本流域内。黄土丘陵沟壑区面积6 755 km^2,占流域面积的25.1%,是北洛河流域的主要产沙区,土壤侵蚀模数在10 000 t/(km^2·a)以上;高塬沟壑区土壤侵蚀程度居中,其余类型区较轻微。北洛河流域多年平均(1954~1996年)降水量为514.2 mm,径流量8.652亿 m^3,输沙量0.865亿 t。

渭河是黄河最大的一级支流。流域面积(不包括泾河张家山站以上)63 282 km^2,干流全长818 km,主河道平均比降为2.23‰。流域地貌类型大致可划分为黄土丘陵沟壑区、黄土阶地区、河谷冲积平原区和土石山区。渭河流域水土流失面积47 461 km^2,占流域总面积的75%,其中以黄土丘陵沟壑区为主要的侵蚀类型区,主要分布在流域的上游,约占流域总面积的50%,为泥沙的集中产区,年均土壤侵蚀模数5 000~15 000 t/(km^2·a),局部地区高达30 000 t/(km^2·a)以上。渭河流域多年平均(1954~1996年)降水量为

613.4 mm，径流量 59.93 亿 m^3，输沙量 1.339 亿 t。

黄河中游河龙区间及泾河、北洛河、渭河流域基本概况见表 2-1。黄河中游地区支流水系分布简图见图 2-1。河龙区间水系分布图见图 2-2。

表 2-1　　　　　　　　　　黄河中游研究区域基本概况

河流（区间）	干流长（km）	流域面积（km^2）	多沙粗沙区面积（km^2）	多年平均降水量（mm）	多年平均径流量（亿 m^3）	多年平均输沙量（亿 t）
河龙区间	725.1	113 000	59 900	438.0	54.7	7.2
泾河	455.1	45 421	12 400	532.7	18.0	2.54
北洛河	680.0	26 905	6 300	514.2	8.65	0.865
渭河	818.0	63 282	—	613.4	59.9	1.34

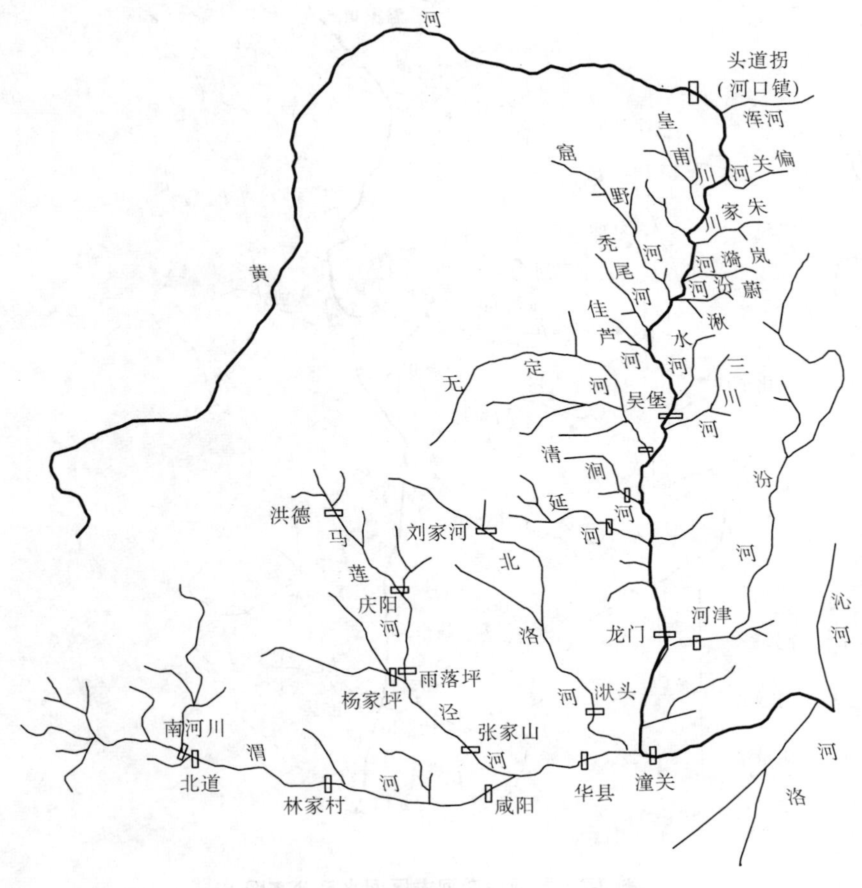

图 2-1　黄河中游地区支流水系分布简图

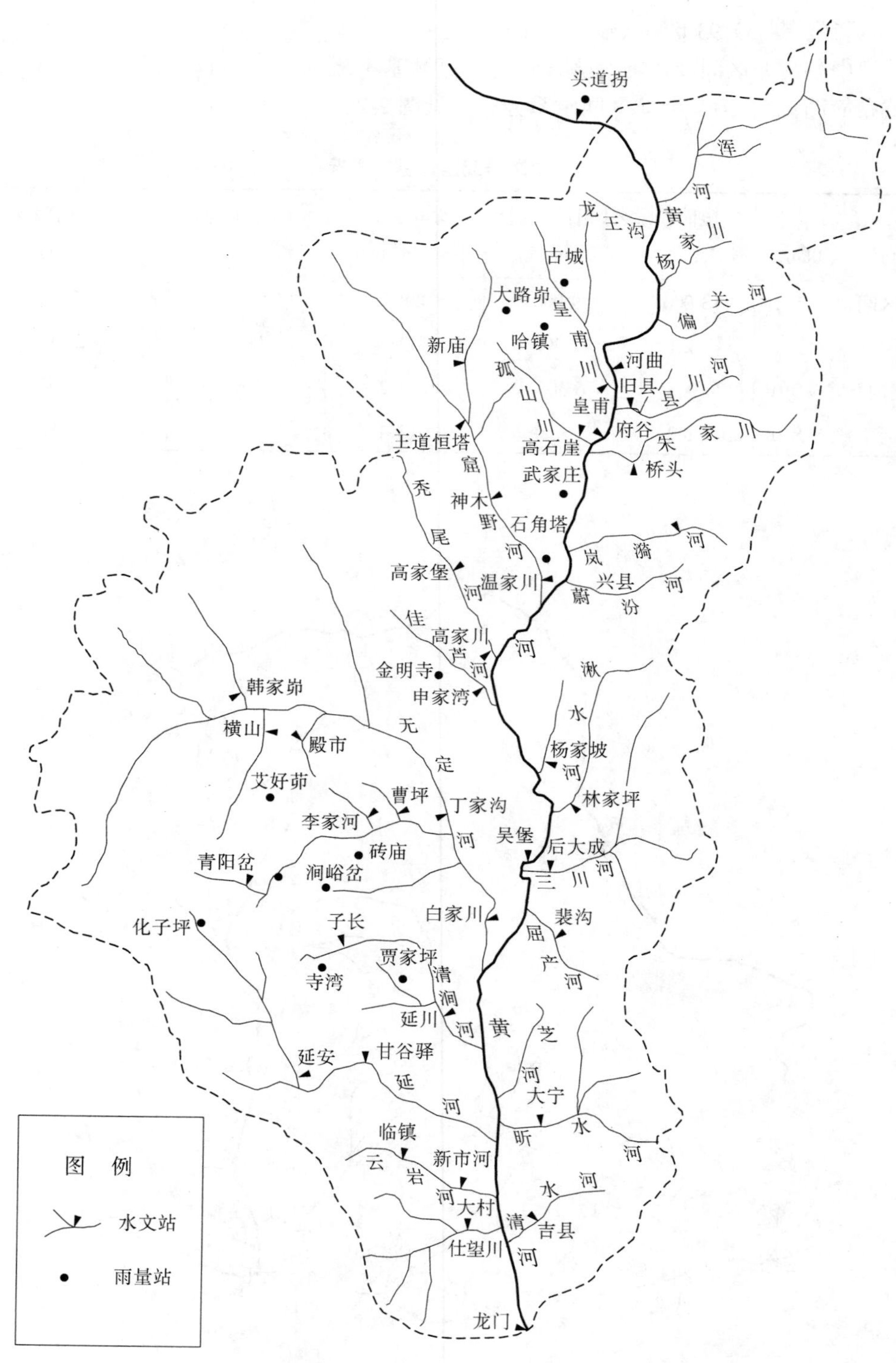

图 2-2　黄河中游河龙区间水系分布图

第二节 汇总成果综合分析

一、黄河中游水土保持措施减洪减沙作用计算成果

河龙区间及泾河、北洛河、渭河流域四大水土保持措施(包括梯田、造林、种草、淤地坝等四项)不同年代年均减洪减沙作用"水保法"计算成果见表 2-2[1];四大水土保持措施不同年代减洪减沙作用"水保法"计算成果柱状图分别见图 2-3、图 2-4。以往研究以"水利水土保持措施减水减沙效益"或以"水利水土保持措施减沙量"给出计算成果,二者混在一起,应用时容易造成误解,分不清水利措施和水土保持措施各自具体的减洪减沙量有多大。本次研究单独给出四大水土保持措施的减洪减沙量,使计算结果的表达更为清晰和准确。

表 2-2 黄河中游水土保持措施年均减洪减沙作用计算成果

时段(年)	减洪(亿 m^3)					减沙(亿 t)				
	河龙区间	泾河	北洛河	渭河	合计	河龙区间	泾河	北洛河	渭河	合计
1970 ~ 1979	3.352	0.298	0.310	0.579	4.539	1.458	0.224	0.143	0.168	1.993
1980 ~ 1989	3.521	0.592	0.227	1.364	5.704	1.398	0.463	0.136	0.230	2.227
1990 ~ 1996	3.993	0.573	0.418	1.425	6.409	1.688	0.437	0.206	0.274	2.605
1970 ~ 1996	3.581	0.478	0.307	1.090	5.456	1.495	0.368	0.157	0.218	2.238

由表 2-2 可见,1970 ~ 1996 年,河龙区间及泾河、北洛河、渭河流域水土保持措施年均减少洪水 5.456 亿 m^3,年均减沙 2.238 亿 t,分别占对应区间及流域多年平均来水来沙量总和的 4.6%和 22.9%。水土保持措施减洪减沙量依时序递增:20 世纪 80 年代水土保持措施减洪减沙量比 70 年代分别增大了 25.7%和 11.7%,90 年代(1990 ~ 1996 年)又比 80 年代分别增大了 12.3%和 17.0%,比 70 年代分别增大了 41.2%和 30.7%。从宏观上看,随着时间的延续,以上区域水土保持措施减洪量增长的百分比明显降低,但减沙量增长的百分比 90 年代却比 80 年代提高了 5 个百分点。由于河龙区间 90 年代实测洪水径流量和洪水输沙量分别比 80 年代增大了 27.6%和 44.5%,泾河流域 90 年代实测洪水径流量和洪水输沙量分别比 80 年代增大了 28.6%和 48.9%,北洛河流域 90 年代实测洪水输沙量比 80 年代增大了 60.8%,说明进入 90 年代后水土保持措施的质量有了明显提高。这与以上区域 90 年代水土保持工作开展的实际情况相符。

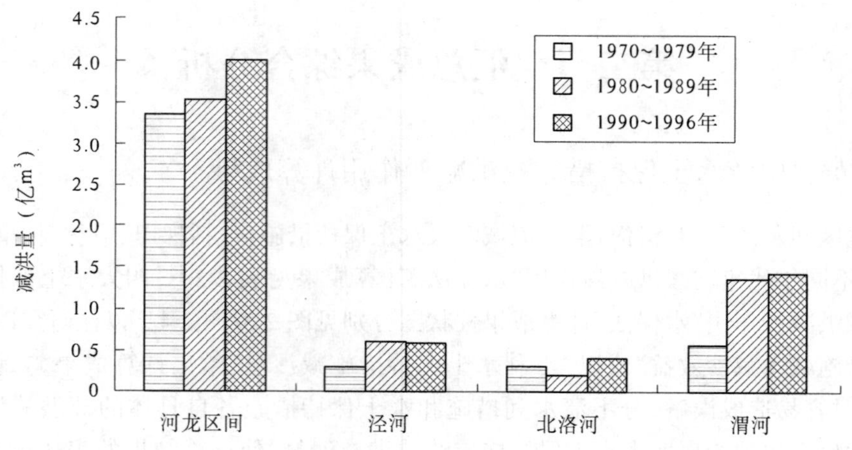

图 2-3　黄河中游水土保持措施减洪作用计算成果柱状图

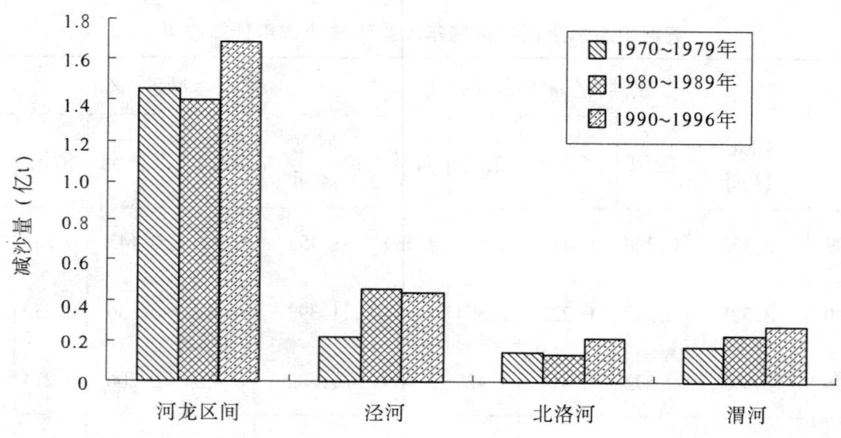

图 2-4　黄河中游水土保持措施减沙作用计算成果柱状图

二、河龙区间水土保持措施减洪减沙作用综合分析

由于河龙区间多沙粗沙区面积占区间总面积的 53.7%，所以对河龙区间不同年代水土保持措施减洪减沙作用进行重点分析。

从分年代计算结果来看，河龙区间水土保持措施减洪量依时序递增，20 世纪 80 年代水土保持措施减洪量比 70 年代增大了 5.0%，90 年代（指 1990～1996 年，后同）又比 80 年代增大了 13.4%，比 70 年代增大了 19.1%。减沙量依时序有波动，80 年代比 70 年代减小了 4.1%，90 年代比 80 年代增大了 20.7%。

河龙区间各支流未控区总面积 26 475 km²，占河龙区间总面积 11.3 万 km² 的 23.4%。本次研究对河龙区间未控区水土保持措施的减洪减沙作用进行了较为深入的分析，成为研究的一个“亮点”。河龙区间未控区水土保持措施的减洪减沙作用计算方法同已控区，按各支流分片计算后再汇总，其汇总计算结果见表 2-3；不同年代汇总计算成果对比柱状图如图 2-5 所示。

表 2-3　　河龙区间及其未控区水土保持措施年均减洪减沙作用计算成果

时段(年)	减洪量(亿 m^3)			减沙量(亿 t)		
	已控区	未控区	合计	已控区	未控区	合计
1969 年以前	1.339	0.619	1.958	0.460	0.261	0.721
1970～1979	3.352	1.324	4.676	1.458	0.576	2.034
1980～1989	3.521	1.339	4.860	1.398	0.535	1.933
1990～1996	3.993	1.834	5.827	1.688	0.735	2.423
1970～1996	3.581	1.462	5.043	1.495	0.602	2.097

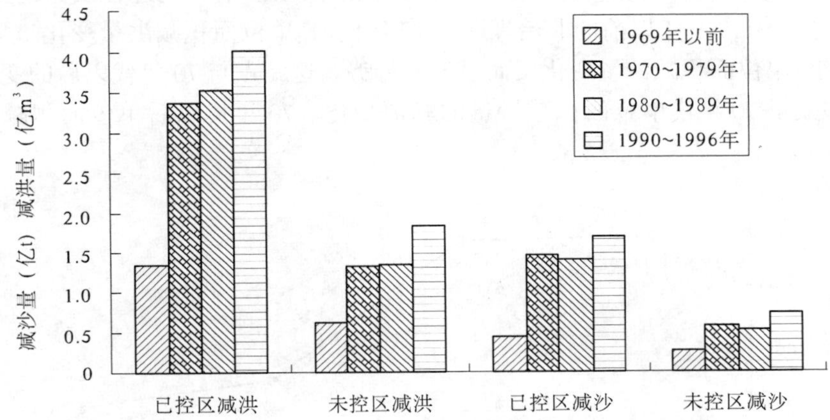

图 2-5　河龙区间及未控区水土保持措施减洪减沙作用计算成果对比

由此可见，1970～1996 年，河龙区间未控区水土保持措施减洪减沙量分别占总减洪减沙量的 29%和 28.7%，均接近 30%，数量很大，不容忽视。以往的研究未曾涉及未控区水土保持措施的减水减沙作用，未能充分反映河龙区间水土保持措施减水减沙的全貌；“减水”的提法也掩盖了水土保持措施减水的本质——减少洪水。其计算结果并不完整，这也是以往研究“水保法”计算结果偏小的主要原因之一。根据本次研究结果，自 70 年代以来，河龙区间水土保持措施年均减洪量为 5 亿 m^3，年均减沙量为 2.1 亿 t。

河龙区间水土保持措施单位面积减洪减沙量(含未控区)计算成果见表 2-4。从表 2-4 计算结果来看，自 70 年代以来，河龙区间水土保持措施(含未控区)单位面积减洪减沙量随着时间的延续呈下降趋势。70 年代初在中央北方农业工作会议和 1973 年延安黄河中游水土保持工作会议的推动下，河龙区间水土保持措施大量实施。在这一阶段，晋、陕、蒙 3 省(区)组织开展科技攻关并推广“水坠法”筑坝、机械修梯田及飞机播种林草等新技术，均取得突破性进展，水土保持工作大大加快。由于“水坠法”筑坝技术的大力推广，在河龙区间多沙粗沙区兴建了大量减沙作用较强的淤地坝。因此，70 年代四大水土保持措施减沙作用强劲，单位面积减沙量最大，属于巅峰时期；80 年代由于降雨量偏少，水土保持措施单位面积的减洪减沙作用未能充分发挥，减沙量急剧下降；90 年代继续下降，但下降幅度变缓。四大水土保持措施减洪减沙作用衰减的时效性比较明显，加大河龙区间水土保持措施治理力度和速度势在必行。

表 2-4　　　　河龙区间水土保持措施单位面积减洪减沙量(含未控区)计算成果

时段(年)	水土保持措施保存面积(万 hm^2)					单位面积减洪减沙量	
	梯田	林地	草地	坝地	合计	减洪量(m^3/hm^2)	减沙量(t/hm^2)
1959～1969	7.445	24.681	3.701	0.907	36.734	533	196
1970～1979	17.314	61.207	7.138	2.742	88.401	529	230
1980～1989	28.768	143.399	15.797	4.790	192.754	252	100
1990～1996	41.536	226.174	22.613	6.226	296.549	196	82
1970～1996	27.836	134.418	14.357	4.404	181.015	279	116

河龙区间水土保持措施(含未控区)单位面积减洪减沙量变化过程线分别见图 2-6～图 2-8。显然,从 1969 年以前的非治理期到 70 年代,其单位面积减洪量变化呈下降趋势,但幅度很小;单位面积减沙量变化反而呈上升趋势。这一点与 70 年代以后的变化趋势不同,由此构成了 70 年代单位面积减沙量的峰值变化。70 年代以后单位面积减洪减沙量下降趋势明显。

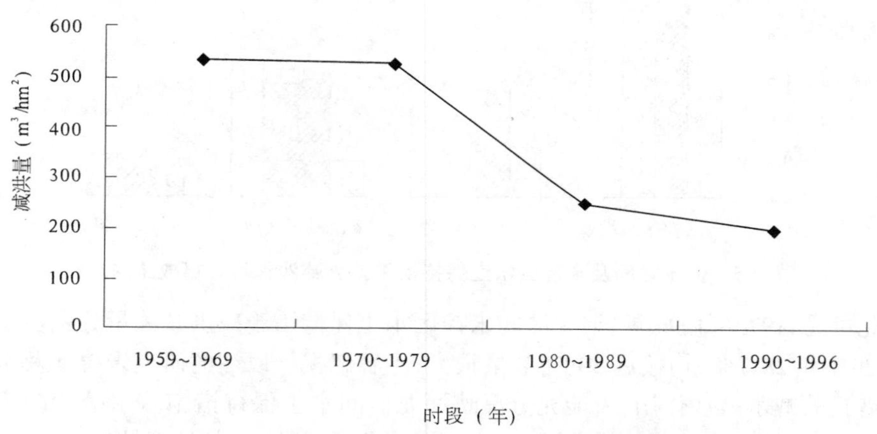

图 2-6　河龙区间水土保持措施单位面积减洪量变化过程

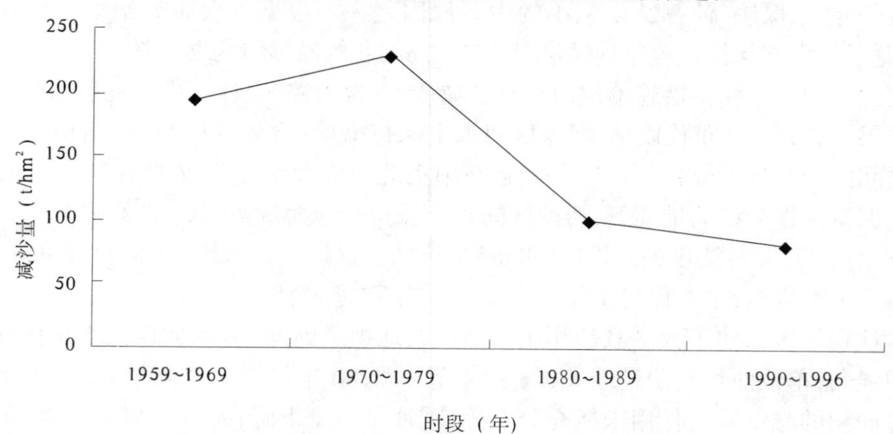

图 2-7　河龙区间水土保持措施单位面积减沙量变化过程

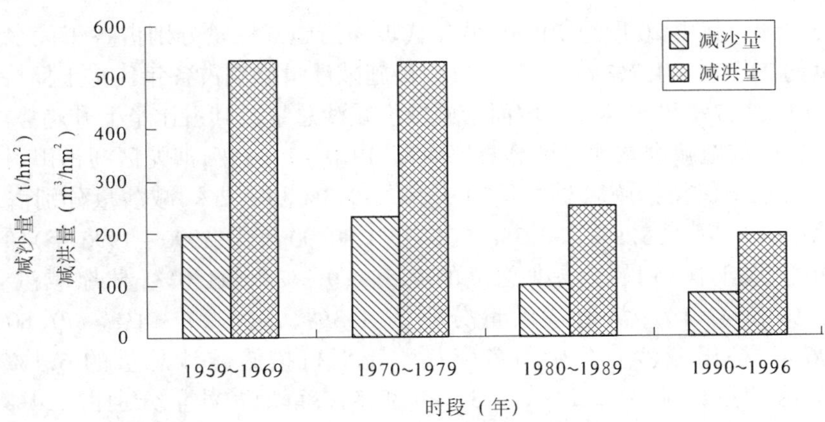

图 2-8　河龙区间水土保持措施单位面积减洪减沙量变化对比柱状图

三、河龙区间水土保持坡面措施减洪减沙作用综合分析

河龙区间梯田、造林、种草、淤地坝等水土保持单项措施减洪减沙作用计算成果及减洪减沙占比(即单项措施减洪减沙量占水土保持措施总体减洪减沙量的百分比)分别见表2-5、表2-6。兹对梯田、造林、种草等水土保持三大坡面措施减洪减沙作用进行分析。淤地坝减洪减沙作用分析详见第三章。

表 2-5　河龙区间水土保持单项措施减洪作用计算成果　（单位:万 m^3）

时段(年)	梯田	林地	草地	坝地	合计
1970 ~ 1979	2 510	4 850	430	25 730	33 520
占比(%)	7.5	14.5	1.3	76.7	100.0
1980 ~ 1989	3 270	11 740	750	19 450	35 210
占比(%)	9.3	33.3	2.1	55.3	100.0
1990 ~ 1996	4 410	16 820	1 350	17 350	39 930
占比(%)	11.0	42.1	3.4	43.5	100.0
1970 ~ 1996	3 290	10 500	790	21 230	35 810
占比(%)	9.2	29.3	2.2	59.3	100.0

表 2-6　河龙区间水土保持单项措施减沙作用计算成果　（单位:万 t）

时段(年)	梯田	林地	草地	坝地	合计
1970 ~ 1979	934	1 790	198	11 660	14 582
占比(%)	6.4	12.2	1.4	80.0	100.0
1980 ~ 1989	1 080	3 750	301	8 850	13 981
占比(%)	7.7	26.8	2.2	63.3	100.0
1990 ~ 1996	1 680	6 550	600	8 040	16 870
占比(%)	10.0	38.8	3.6	47.6	100.0
1970 ~ 1996	1 180	3 750	340	9 680	14 950
占比(%)	7.9	25.1	2.3	64.7	100.0

1970 ~ 1996 年,河龙区间坡面措施减洪减沙量分别占水土保持措施减洪减沙总量的

40.7%和35.3%。其中20世纪70、80、90年代坡面措施减洪量分别占各年代水土保持措施减洪总量的23.3%、44.7%和56.5%;坡面措施减沙量分别占各年代水土保持措施减沙总量的20.0%、36.7%和52.4%。坡面措施减洪减沙总量及其占比呈上升趋势。

就单项坡面措施减洪减沙量计算成果而言,1970～1996年,河龙区间梯田、林地、草地减洪量分别占水土保持措施减洪总量的9.2%、29.3%和2.2%,减沙量分别占水土保持措施减沙总量的7.9%、25.1%和2.3%。其中70、80、90年代(1990～1996年)梯田减洪量分别占各年代水土保持措施减洪总量的7.5%、9.3%和11.0%;林地减洪量分别占14.5%、33.3%和42.1%;草地减洪量分别占1.3%、2.1%和3.4%。70、80、90年代(1990～1996年)梯田减沙量分别占各年代水土保持措施减沙总量的6.4%、7.7%和10.0%;林地减沙量分别占12.2%、26.8%和38.8%;草地减沙量分别占1.4%、2.2%和3.6%。单项坡面措施减洪减沙量及其占比亦呈逐年代上升趋势,其中林地减洪减沙量及其占比在不同年代均居于首位,梯田次之,草地最小。

四、河龙区间水土保持措施配置比与减洪减沙占比综合分析

所谓"水土保持措施配置比",即某一单项水土保持措施保存面积占四大水土保持措施保存总面积的百分比;所谓"水土保持措施减洪占比"和"水土保持措施减沙占比",分别为某一单项水土保持措施减洪减沙量占四大水土保持措施减洪减沙总量的百分比。河龙区间水土保持措施配置比与减洪减沙占比计算成果见表2-7;不同年代四大水土保持措施保存面积变化柱状图及保存面积累积变化过程线分别见图2-9、图2-10;单项水土保持措施配置比与减洪减沙占比的关系分别见图2-11～图2-18;不同年代坝地配置比变化过程线见图2-19。

表2-7　河龙区间水土保持措施配置比与减洪减沙占比计算成果

时段(年)	项目	梯田	林地	草地	坝地	合计
1959～1969	保存面积(万 hm^2)	7.445	24.681	3.701	0.907	36.734
	配置比(%)	20.3	67.2	10.1	2.5	100.0
	减洪占比(%)	8.2	37.5	2.0	52.3	100.0
	减沙占比(%)	9.0	15.8	3.0	72.2	100.0
1970～1979	保存面积(万 hm^2)	17.314	61.207	7.138	2.742	88.401
	配置比(%)	19.6	69.2	8.1	3.1	100.0
	减洪占比(%)	7.5	14.5	1.3	76.7	100.0
	减沙占比(%)	6.4	12.2	1.4	80.0	100.0
1980～1989	保存面积(万 hm^2)	28.768	143.399	15.797	4.790	192.754
	配置比(%)	14.9	74.4	8.2	2.5	100.0
	减洪占比(%)	9.3	33.3	2.1	55.3	100.0
	减沙占比(%)	7.7	26.8	2.2	63.3	100.0
1990～1996	保存面积(万 hm^2)	41.536	226.174	22.613	6.226	296.549
	配置比(%)	14.0	76.3	7.6	2.1	100.0
	减洪占比(%)	11.0	42.1	3.4	43.5	100.0
	减沙占比(%)	10.0	38.8	3.6	47.6	100.0

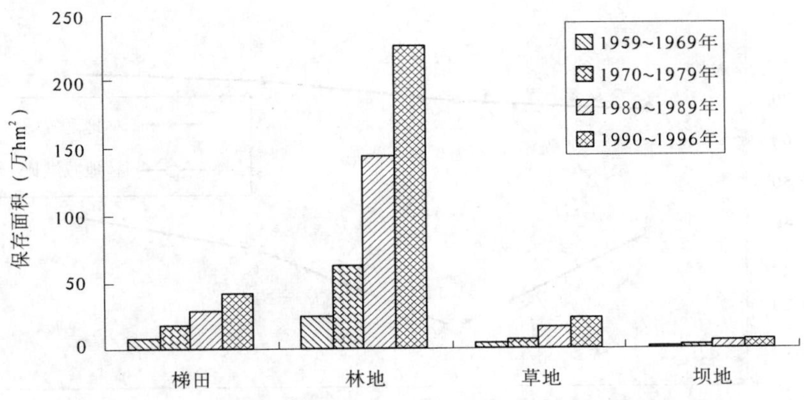

图 2-9 河龙区间不同年代水土保持措施保存面积变化柱状图

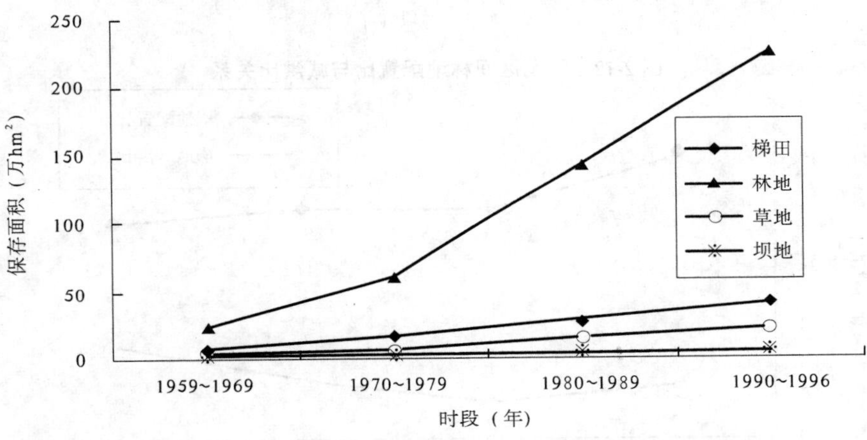

图 2-10 河龙区间不同年代水土保持措施保存面积累积变化过程线

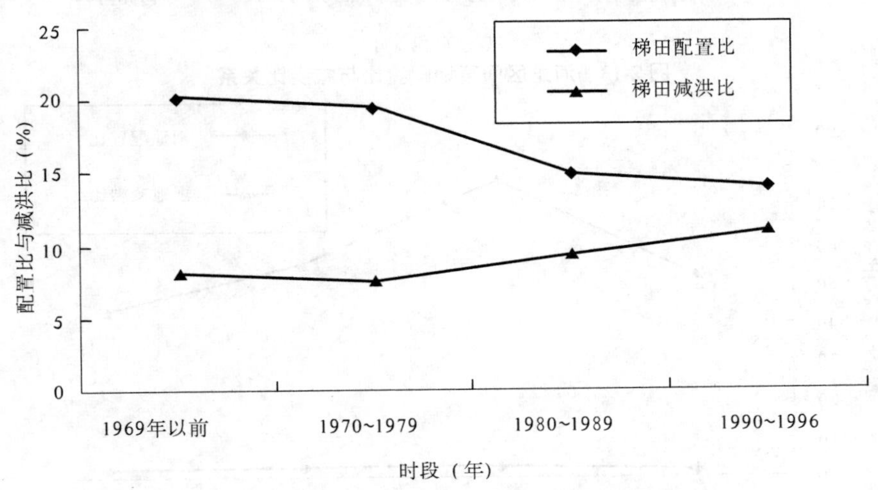

图 2-11 河龙区间梯田配置比与减洪比关系

90
80
70
60
50
40
30
20
10
0
配置比与减洪比（%）
林地配置比
林地减洪比
1969年以前
1970~1979
1980~1989
1990~1996
时段（年）

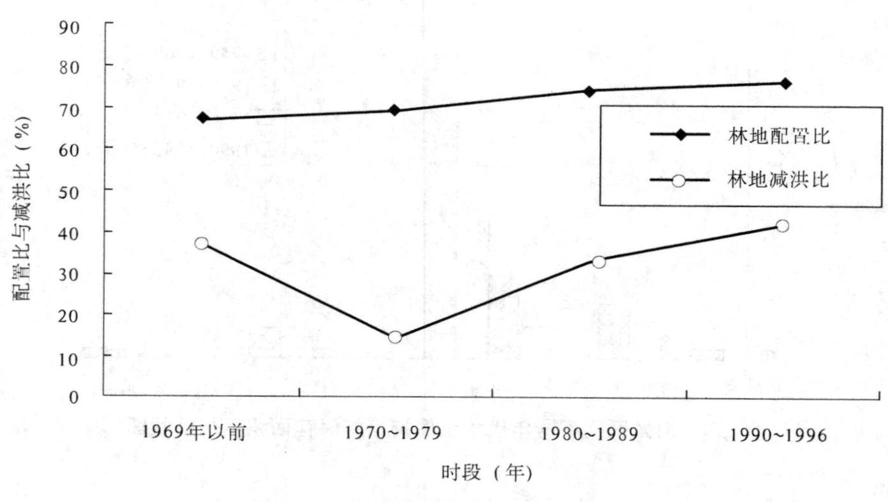

图 2-12　河龙区间林地配置比与减洪比关系

12
10
8
6
4
2
0
配置比与减洪比（%）
草地配置比
草地减洪比
1969年以前
1970~1979
1980~1989
1990~1996
时段（年）

图 2-13　河龙区间草地配置比与减洪比关系

90
80
70
60
50
40
30
20
10
0
配置比与减洪比（%）
坝地配置比
坝地减洪比
1969年以前
1970~1979
1980~1989
1990~1996
时段（年）

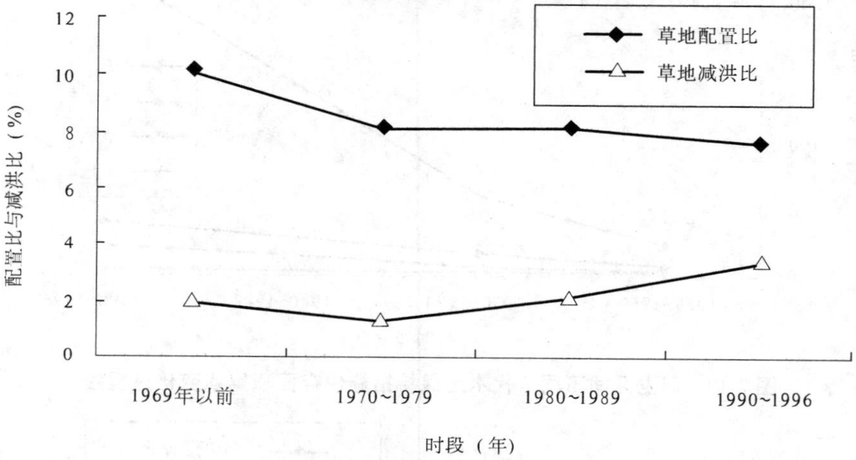

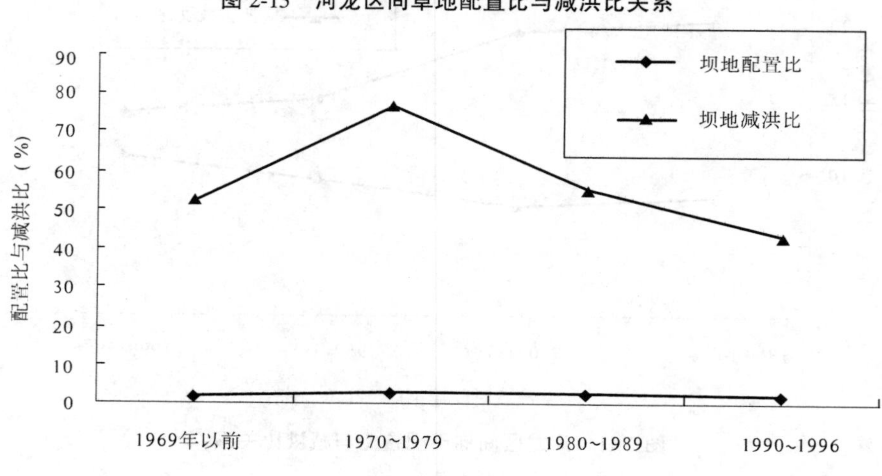

图 2-14　河龙区间坝地配置比与减洪比关系

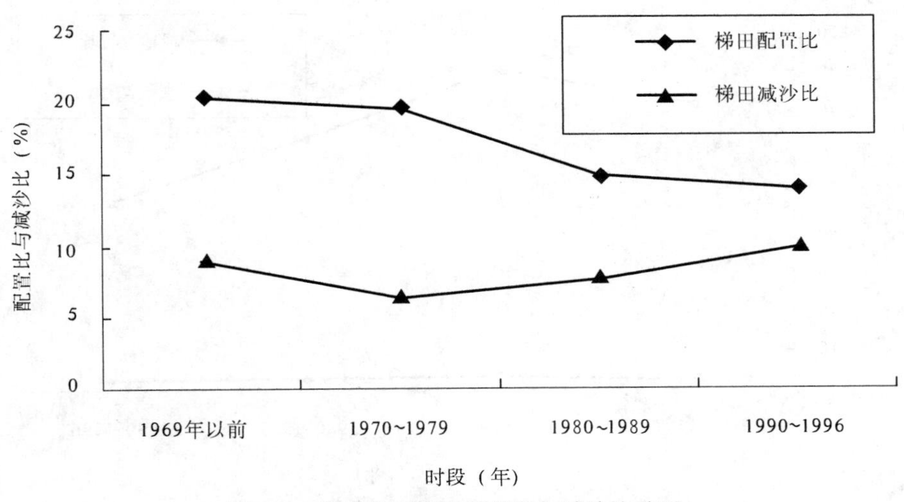

图 2-15　河龙区间梯田配置比与减沙比关系

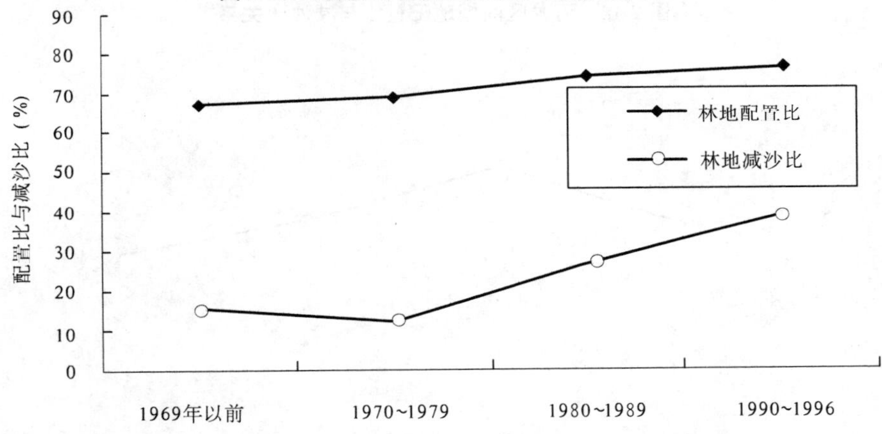

图 2-16　河龙区间林地配置比与减沙比关系

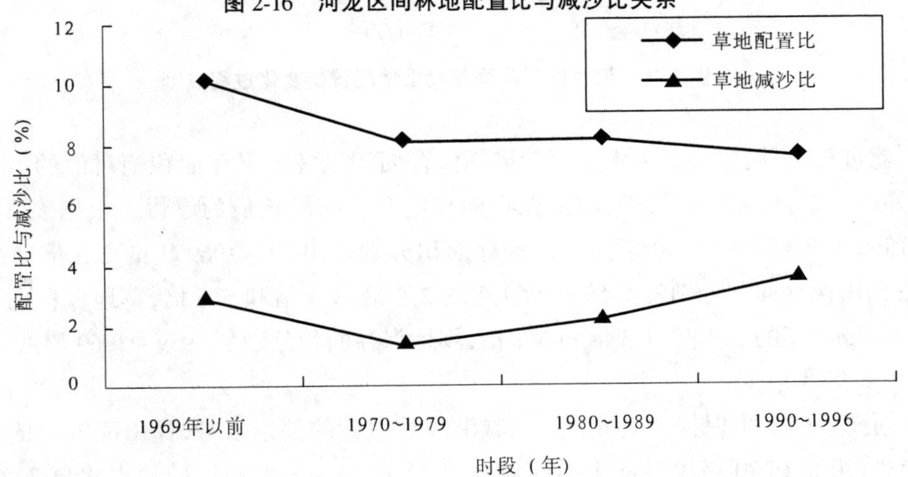

图 2-17　河龙区间草地配置比与减沙比关系

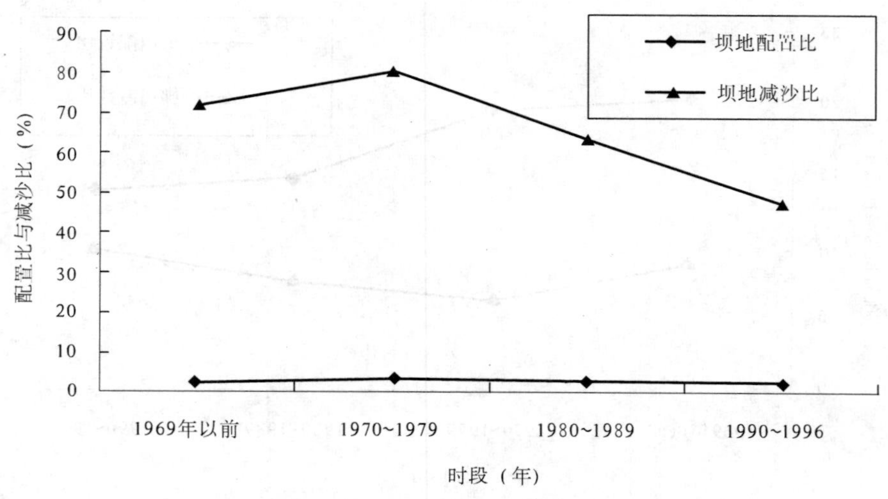

图 2-18　河龙区间坝地配置比与减沙比关系

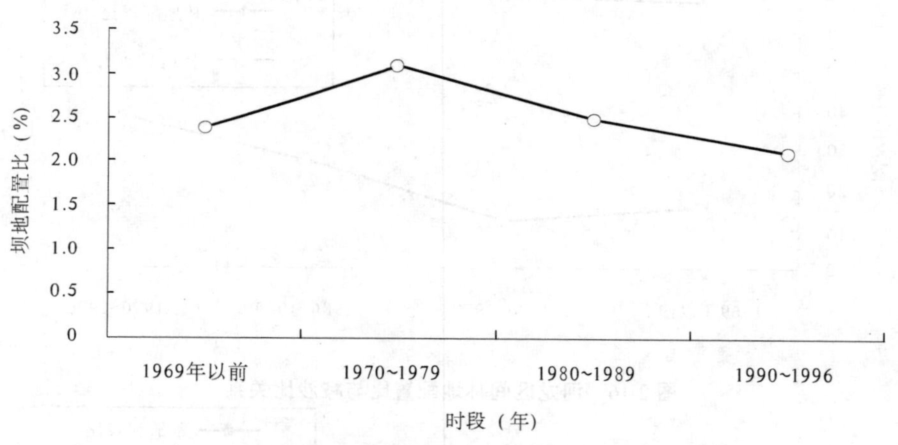

图 2-19　河龙区间不同年代坝地配置比变化过程线

由此可见,不同年代四大水土保持措施保存面积以林地保存面积绝对值的增长最为明显,梯田次之,草地位居第三,坝地保存面积绝对值的增长最为缓慢。根据表 2-7 结果计算可知,20 世纪 70、80、90 年代林地保存面积分别是 1959 ~ 1969 年的 2.5 倍、5.8 倍和 9.2 倍;梯田保存面积分别是 1959 ~ 1969 年的 2.3 倍、3.9 倍和 5.6 倍;草地保存面积分别是 1959 ~ 1969 年的 1.9 倍、4.3 倍和 6.1 倍;坝地保存面积分别是 1959 ~ 1969 年的 3.0 倍、5.3 倍和 6.9 倍。

从河龙区间水土保持措施配置比与减洪减沙占比的关系来看,梯田配置比依时序呈下降趋势,20 世纪 70 年代至 80 年代下降梯度较大,但梯田的减洪减沙占比自 70 年代以来却呈几乎同步的上升趋势,与配置比变化趋势相反,说明河龙区间梯田的质量和标准在逐步提高，拦蓄能力不断增大。1970～1996年平均16.4%的梯田配置比可以实现的平均减洪减沙占比分别为9.1%和7.8%，减洪占比高出减沙占比1.3个百分点。梯田配置比明显高于其减洪减沙占比。

林地配置比依时序呈上升趋势，对应的减洪减沙占比经过20世纪60年代的下降后，从70年代开始依时序上升，90年代达到最大，与配置比变化趋势相同且上升梯度较大。由于起点配置比较大，1970～1996年林地配置比平均为73.0%，对应的平均减洪减沙占比分别为28.6%和24.5%，减洪占比高出减沙占比4.1个百分点。林地配置比明显高于其减洪减沙占比。

草地配置比很小且依时序呈下降趋势，但并不明显。对应的减洪减沙占比变化过程与梯田、林地类似：60年代下降，从70年代开始依时序同步上升，90年代达到最大。1970～1996年草地配置比平均仅为8.0%，对应的平均减洪减沙占比分别只有2.1%和2.3%，均不足2.5%；减洪占比略低于减沙占比。因此，草地的减洪减沙作用很小，草地配置比也明显高于其减洪减沙占比。

和梯田、林地、草地等水土保持三大坡面措施相比，河龙区间坝地的配置比最小且远远低于其减洪减沙占比。在坝地配置比依时序变化不大的情况下，其减洪减沙占比自60年代开始上升，70年代达到峰值，以后依时序下降，趋势十分明显。减沙占比大于减洪占比且下降幅度尤甚。1970～1996年坝地配置比平均仅为2.6%，但其减洪减沙占比平均分别达到60%和65%，减沙占比高出减洪占比5个百分点。因此，河龙区间2.5%左右的坝地配置比可以实现的减洪减沙占比在60%以上，淤地坝的减洪减沙作用和效果非常明显。

综上所述，为千方百计减少入黄泥沙，在水土保持措施的配置上，河龙区间应以沟道坝系工程建设为重点；在水土保持坡面措施的配置上，河龙区间应以灌木林为主；在治理力度上，应该强调高起点、高标准。

河龙区间单项水土保持措施不同年代减洪减沙量及其占比变化情况分别见图2-20～图2-23。

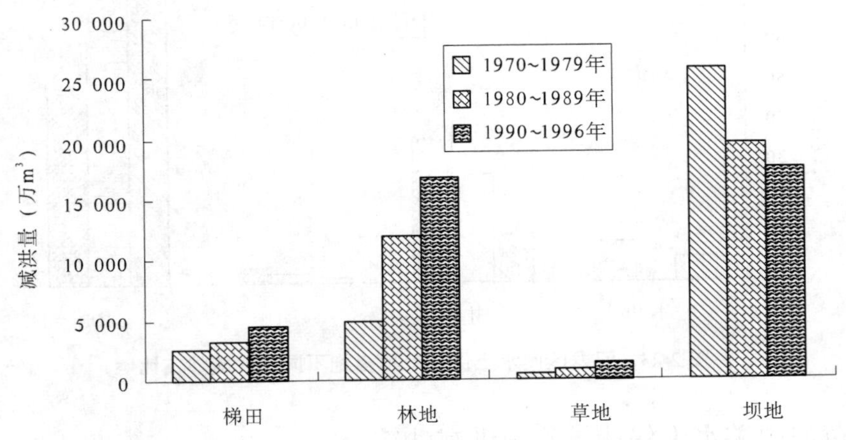

图2-20　河龙区间水土保持单项措施不同年代减洪量

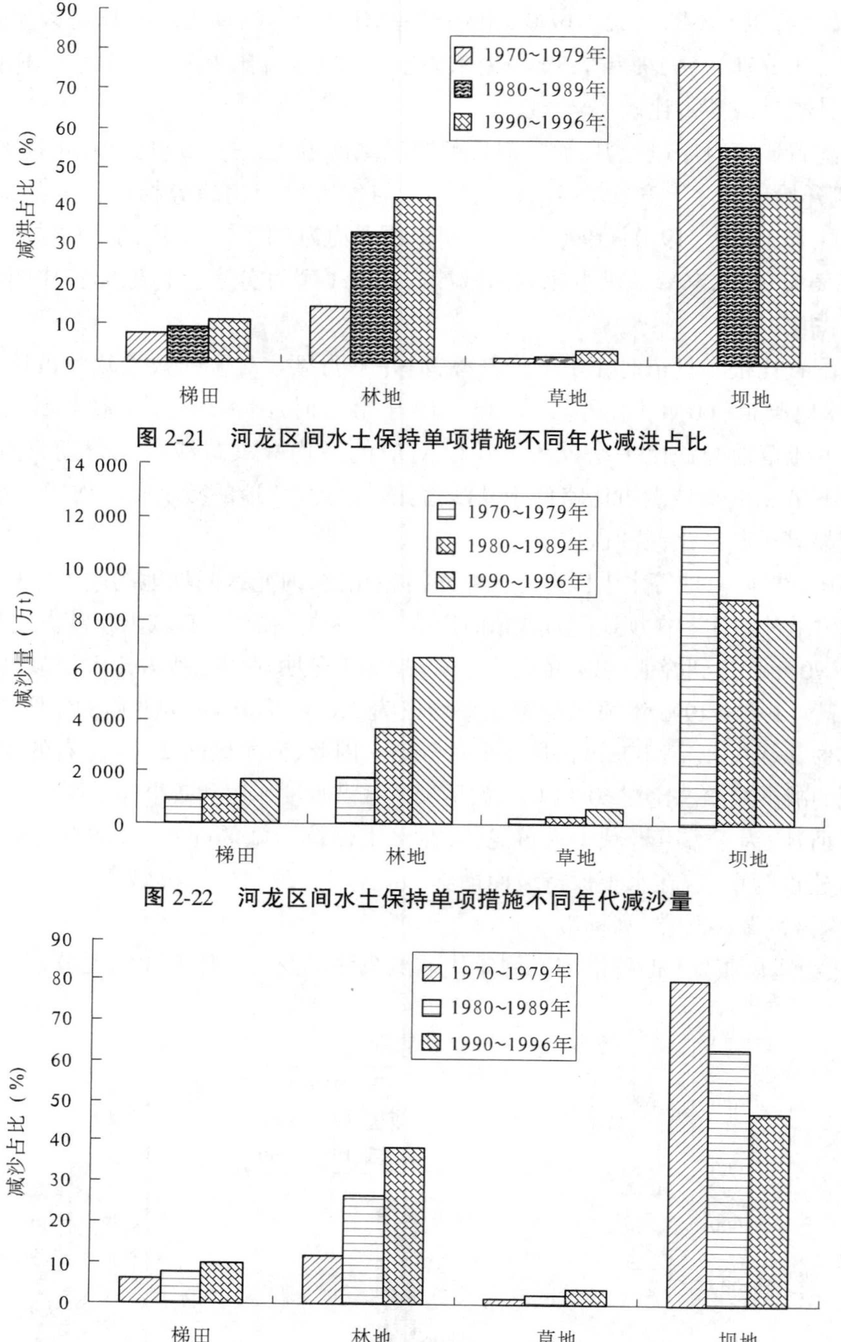

图 2-21　河龙区间水土保持单项措施不同年代减洪占比

图 2-22　河龙区间水土保持单项措施不同年代减沙量

图 2-23　河龙区间水土保持单项措施不同年代减沙占比

五、黄河中游水土保持措施减洪减沙综合效应

由于水土保持措施减水的本质是减洪——减少的是相对难以利用的洪水，并且汛期

拦蓄的洪水有相当一部分在非汛期释放,增加了河川基流。因此,水土保持措施减洪减沙对流域水资源的可持续利用也起到了十分重要的促进作用。水土保持措施在减沙的同时也减少了黄河下游冲沙用水。黄河下游为了减轻河道淤积,平均每年需要 200 亿 m^3 的水量用于冲沙。根据表 2-2 计算成果,若按照冲沙 1 t 需要 20 m^3 的水量计算,黄河中游河龙区间及泾河、北洛河、渭河流域,1970～1996 年水土保持措施年均减沙 2.238 亿 t,可减少冲沙用水 45 亿 m^3,亦即可为黄河下游增加用于输沙以外的可调水量 45 亿 m^3。

此外,根据有关研究成果,按照三门峡以上减沙 1 亿 t、黄河下游减淤 0.7 亿 t 的比例粗略推算,以上区域水土保持措施年均减沙 2.238 亿 t,可为黄河下游减少淤积 1.57 亿 t。因此,黄河中游水土保持是实现黄河下游"河床不抬高"的治本之举。

黄河中游水土保持措施的实施,不仅取得了显著的生态效益和社会效益,也取得了显著的经济效益。若按泥沙干容重 1.35 t/m^3 计算,以上区域水土保持措施年均可为黄河下游河道减少淤积 1.16 亿 m^3,1970～1996 年的 27 年间累计减少淤积 31.3 亿 m^3;清淤费若按 2 元/ m^3 计算,累计可为国家节约清淤费用约 63 亿元,其间接经济效益相当可观。

未来黄河中游地区水土保持治理战略应当是:治理水土流失,减少入黄泥沙,恢复植被,改善环境和群众的生活生产条件,维持黄河健康生命;调整产业结构,节约保护,合理开发,优化配置水土资源,建设黄土高原地区的生态屏障;利用高科技技术加强流域监测,为全流域可持续发展及西部大开发提供支撑和保障。

第三节　水土保持措施相关参数与减沙效益关系研究

从 1988 年至今,黄河中游水沙变化研究已进行了 18 年,取得了丰硕的研究成果。水利部第一期黄河水沙变化研究基金、黄河流域水土保持科研基金、国家自然科学基金(统称"三大基金")、国家"八五"重点科技攻关项目(85-926-03-01)、黄河水利委员会黄河上中游管理局"八五"重点课题、水利部第二期黄河水沙变化研究基金项目等六大研究,硕果累累。在黄河中游水土保持措施减水减沙作用以往研究中,侧重于各单项水土保持措施减沙效果的分析和计算成果的综合评价,对水土保持措施相关参数与水利水土保持措施减沙效益关系的研究很少涉及。因此,对此问题进行研究很有必要。

一、研究区域水文泥沙概况

黄河中游河口镇至龙门区间(简称河龙区间),是黄河流域水土流失最为严重的地区。这里黄土层深厚,土质疏松,地形破碎,沟壑纵横,植被稀少,而且暴雨集中,强度很大,泥沙粒径粗,是黄河中游洪水及粗泥沙的集中来源区。河龙区间干流全长 725.1 km,总面积约 11.3 万 km^2,其中土壤侵蚀模数大于 5 000 t/(km^2·a)的面积 6.93 万 km^2;多沙粗沙区面积 5.99 万 km^2;粗泥沙集中来源区面积 1.88 万 km^2。河龙区间多年平均(1950～2004 年)径流量 47.4 亿 m^3,多年平均输沙量 5.754 亿 t。其中大规模治理以前(1950～1969 年)多年平均径流量 73.25 亿 m^3,占三门峡以上对应的多年平均径流量 438 亿 m^3 的 16.7%;多年平均输沙量 9.940 5 亿 t,占三门峡以上对应的多年平均输沙量 14.416 亿 t 的 69.0%;大于 0.05 mm 的粗泥沙约占总输沙量的 41.6%,是造成黄河下游河床淤积的主要粗沙来源区。

多年的实践表明,水土保持综合治理措施是减少入黄泥沙的根本措施,是实现黄河下游"河床不抬高"的治本之举。根据水利部第二期黄河水沙变化研究基金项目"河龙区间水土保持措施减水减沙作用分析"研究成果,截至1996年,河龙区间(含未控区)水土保持治理措施保存面积333.22万 hm^2,其中梯田48.59万 hm^2,林地253.73万 hm^2,草地24.08万 hm^2,坝地6.82万 hm^2,水土流失治理度为40%。根据"水保法"计算成果,1970~1996年河龙区间年均减少入黄泥沙2.4亿t。

河龙区间晋西北片系指山西省吕梁山脊以西、河龙区间以东的广大地区,其中包括绝大部分属于内蒙古的浑河流域。该区总面积约2.93万 km^2,其中水土流失面积1.774万 km^2。除浑河、偏关河、县川河、朱家川、岚漪河、蔚汾河、湫水河和三川河等8条支流控制的2.17万 km^2 面积以外,还有7 577 km^2 的未控区。晋西北片多年平均(1956~1996年)径流量7.7亿 m^3,多年平均输沙量1.132亿t,分别占河龙区间对应的多年平均径流量和多年平均输沙量的13.7%和15.5%。

晋西北片大部分属于黄土丘陵沟壑区,另有部分缓坡风沙区及少量的土石山区。黄土丘陵沟壑区北起山西省偏关县,自北向南涉及河曲、保德、兴县、临县、离石、中阳等县(市),包括偏关河、县川河、朱家川、蔚汾河、湫水河和三川河。该类型区丘陵起伏,沟壑纵横,地形支离破碎,土质疏松,植被稀少;年降水量在460 mm左右,主要集中在汛期,汛期降雨量占全年降水量的75%,降雨在年内、年际的分配都极不均匀。该区水土流失情况十分严重,侵蚀模数在8 000~12 000 t/(km^2·a),每年向黄河输送大量的泥沙。缓坡风沙区主要分布在右玉、平鲁、神池、五寨及岢岚等县(区),水蚀和风蚀均较严重,植被稀少,气候干旱,属西北沙漠区的边缘地区,年降水量400 mm左右,侵蚀模数2 000~4 000 t/(km^2·a)。土石山区主要分布在吕梁山较高的山脊周围地区,山势陡峭,石厚土薄,植被较好,年降水量在520~680 mm,夏季降水多以暴雨形式出现,易引起山洪形成泥石流,土壤多属壤质或沙壤质,侵蚀模数为2 500~4 000 t/(km^2·a)。截至1996年,晋西北片(含未控区)水土保持治理措施保存面积81.8万 hm^2,其中梯田15.3万 hm^2,林地61.6万 hm^2,草地3.15万 hm^2,坝地1.75万 hm^2,水土流失治理度为47%。

河龙区间陕北片包括黄河北干流右岸的清涧河、无定河、佳芦河、秃尾河、窟野河、孤山川、皇甫川等7条较大的入黄一级支流,总面积约5.2万 km^2,其中水文站控制面积约5.06万 km^2,未控区面积8 700 km^2,研究区域面积合计6.07万 km^2;水土流失面积5.051万 km^2。陕北片多年平均(1954~1996年)径流量27.64亿 m^3,多年平均输沙量3.994 5亿t,占河龙区间对应的多年平均径流量的49.2%,多年平均输沙量的54.7%。

陕北片涉及内蒙古自治区的鄂尔多斯市、陕西省的榆林市和延安市,共计21个县(旗、区),是黄河中游水土流失最为严重、治理难度最大的地区,也是黄河粗泥沙的集中来源区,多年平均侵蚀模数在10 000 t/(km^2·a)左右。侵蚀地貌类型复杂,从宏观上看,水力侵蚀、重力侵蚀和风力侵蚀是主要的水土流失类型。侵蚀强度大,尤其是皇甫川、孤山川及窟野河、佳芦河、无定河下游一带,侵蚀模数达15 000 t/(km^2·a)以上;窟野河下游(面积1 347 km^2)流域输沙模数高达37 500 t/(km^2·a);佳芦河(水文站控制面积1 121 km^2)的年输沙模数达68 700 t/km^2(1970年)。强烈的土壤侵蚀使河流含沙量普遍较高,皇甫川、孤山川、窟野河、佳芦河、无定河、清涧河等6条支流多年平均(1954~1996年)含沙量分别为317、254、169.5、225、109、253 kg/m^3,皇甫川曾有含沙量1 570 kg/m^3的记录。截至1996年,陕北片(含未控区)水土保持治理措施保存面积191.88万hm^2,其中梯田21.14万hm^2,林地151.7万hm^2,草地15.26万hm^2,坝地3.78万hm^2,水土流失治理度为38%。

二、晋西北片坝库参数与减沙效益关系

根据黄河水利委员会黄河上中游管理局"八五"重点课题"黄河中游河口镇至龙门区间水土保持措施减洪减沙效益研究"和水利部第二期黄河水沙变化研究基金项目"河龙区间水土保持措施减水减沙作用分析"收集的基本资料,整理得到河龙区间晋西北片8条支流截至1989年坝库工程基本参数和1970~1989年水利水土保持措施减沙效益等数据,见表2-8。

表2-8　晋西北片8条支流截至1989年坝库工程基本参数与减沙效益

河　流	流域面积(km^2)	坝库库容(万m^3)	坝库单位面积库容(万m^3/km^2)	坝库控制面积(km^2)	坝库控制面积占比(%)	减沙效益(%)
浑　河	5 530	11 310	2.04	1 538	27.8	45.8
偏关河	2 040	318	0.16	89	4.4	16.2
县川河	1 587	2 780	1.75	235	14.8	22.6
朱家川	2 915	2 400	0.82	266	9.1	18.3
岚漪河	2 167	988	0.46	320	14.8	19.5
蔚汾河	1 478	2 310	1.56	341	23.1	24.6
湫水河	1 989	3 370	1.69	456	22.9	25.0
三川河	4 161	4 070	0.98	740	17.7	30.0

(一)坝库控制面积占比与减沙效益关系

根据表2-8数据绘出晋西北片坝库控制面积占比与减沙效益关系见图2-24。

由图2-24看出,晋西北片8条支流坝库控制面积占比与减沙效益关系为指数函数关系,其关系式为:

$$y = 13.05e^{0.0362x} \tag{2-1}$$

式中:y为水利水土保持措施减沙效益(%);x为坝库控制面积占比(%),即坝库控制面积占流域面积的百分比;e为自然对数的底。

式(2-1)相关系数$R = 0.86$,说明二者关系较好。随着坝库控制面积占比的增大,减沙效益呈增大趋势,二者为正相关关系,但减沙效益的增幅低于坝库控制面积占比的增幅。坝库控制面积占比增大10%,减沙效益增大约8%,同比偏低2个百分点。由式(2-1)求出当坝库控制面积占比$x = 10\%$时,减沙效益$y = 18.7\%$。当$x = 0$时,y为13.0%,说明晋西北片若没有坝库工程,仅靠水土保持坡面治理措施只能取得13%的减沙效益。因此,要迅速提高流域减沙效益,必须实施水土保持综合治理,坡面治理措施和沟道坝库工

程相结合才能取得较好的减沙效果。

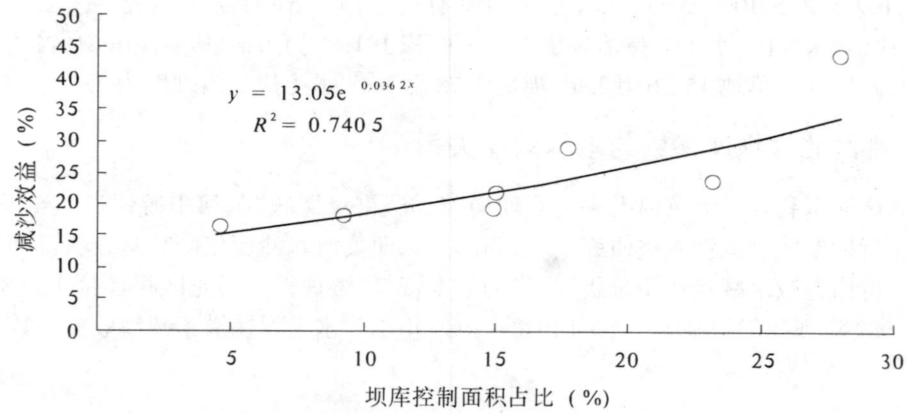

图 2-24 晋西北片坝库控制面积占比与减沙效益关系

(二)坝库控制面积与减沙效益关系

晋西北片坝库控制面积与减沙效益关系见图 2-25。

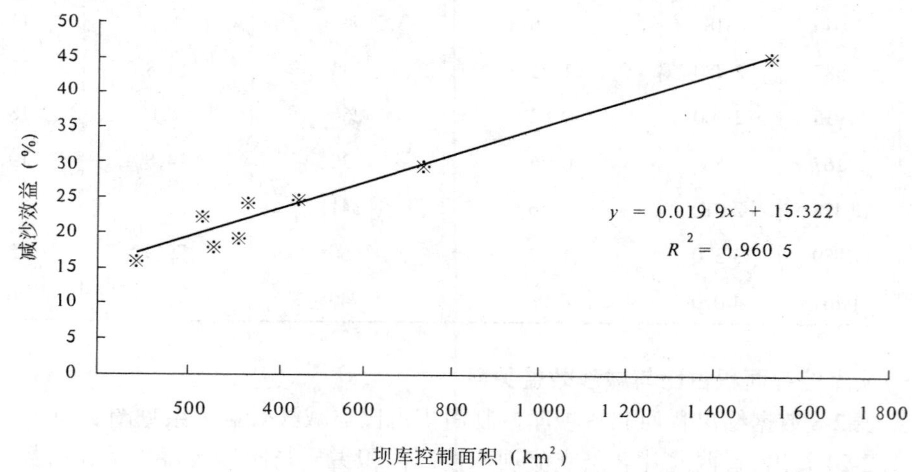

图 2-25 晋西北片坝库控制面积与减沙效益关系

由图 2-25 可以看出，晋西北片坝库控制面积与减沙效益关系非常好。其线性关系式为：

$$y = 0.019\,9x + 15.322 \tag{2-2}$$

式中：y 为水利水土保持措施减沙效益(%)；x 为坝库控制面积，km^2。

式(2-2)相关系数 R 值为 0.98。坝库控制面积 x 增加 100 km^2，减沙效益 y 可以提高 2%。因此，提高流域减沙效益不能单靠坝库工程，实施水土保持综合治理才是最为有效的途径。当 $x=0$ 时，y 为 15.3%，说明晋西北片若没有坝库工程，仅靠水土保持坡面治理措施只能取得约 15% 的减沙效益，这与前述坝库控制面积占比与减沙效益关系的研究结论基本一致。取其平均值，则晋西北片在现状治理水平下若没有坝库工程，仅靠水土保持坡面治理措施只能平均取得14%的减沙效益。

（三）坝库库容与减沙效益关系

晋西北片坝库库容与减沙效益关系见图2-26。由此可以看出二者关系很好；随着坝库库容的增大，减沙效益提高，呈明显的正相关关系。其线性关系式为：

$$y = 0.002\,7x + 16.022 \tag{2-3}$$

式中：y 为水利水土保持措施减沙效益（%）；x 为坝库库容，万 m^3。相关系数 $R = 0.97$。

由式(2-3)斜率的倒数可以求出单位减沙效益的库容约为400万 m^3。说明在晋西北片，每增加400万 m^3 的库容，即可提高1%的减沙效益；每增加1 000万 m^3 的库容，即可提高减沙效益约3%。

在黄河中游地区淤地坝建设中，骨干坝（又称为治沟骨干工程）一般控制流域面积3～5 km^2，库容在50万 m^3 以上。根据以上研究结论推算，在晋西北片每新修建20座骨干坝，即可增加流域坝库控制面积约100 km^2，相应至少增加坝库库容1 000万 m^3，提高流域减沙效益3%左右。

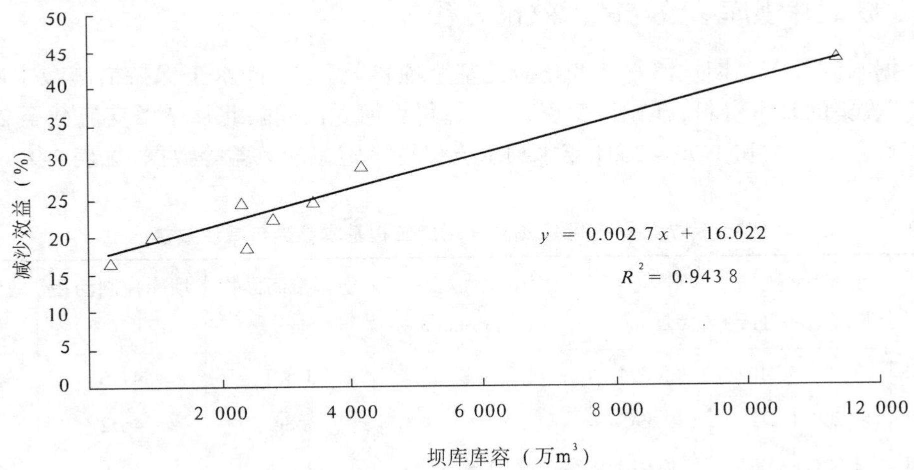

图2-26　晋西北片坝库库容与减沙效益关系

（四）坝库单位面积库容与减沙效益关系

晋西北片坝库单位面积库容与减沙效益关系见图2-27。二者也为指数函数关系。其关系式为：

$$y = 15.662e^{0.361\,3x} \tag{2-4}$$

式中：y 为水利水土保持措施减沙效益（%）；x 为坝库单位面积库容，万 m^3/km^2，单位面积指单位流域面积。

式(2-4)相关系数 $R = 0.75$，说明二者关系较差。随着坝库单位面积库容的增大，减沙效益也呈增大趋势，二者仍为正相关关系。

由式(2-4)求出当坝库单位面积库容 $x = 1$ 万 m^3/km^2 时，减沙效益 $y = 22.5\%$。当 $x =$ 2万 m^3/km^2 时，y 为32.3%。说明晋西北片坝库单位面积库容每提高1万 m^3/ km^2，减沙

效益即可提高约10%。

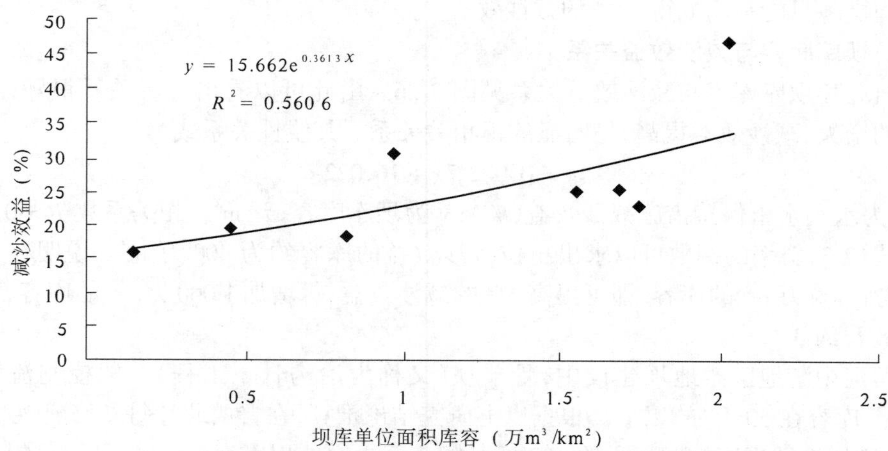

图 2-27　晋西北片坝库单位面积库容与减沙效益关系

三、陕北片坝库参数与减沙效益关系

根据水利部第二期黄河水沙变化研究基金项目“河龙区间水土保持措施减水减沙作用分析”收集的基本资料，补充最新资料，计算得到河龙区间陕北片7条支流截至2004年坝库工程基本参数和1970～2004年水利水土保持措施减沙效益等数据，见表2-9。

表 2-9　　陕北片7条支流截至2004年坝库工程基本参数与减沙效益

河流	粗泥沙集中来源区面积(km^2)	坝库库容（万 m^3）	坝库单位面积库容（万 m^3/km^2）	坝库控制面积（km^2）	坝库控制面积占比(%)	减沙效益(%)
皇甫川	3 195(3 246)	23 324	7.3	1 521	47.6	24.6
孤山川	1 268(1 272)	9 890	7.8	586	46.2	22.5
窟野河	4 001(8 706)	30 010	7.5	1 632	40.8	21.8
秃尾河	1 088(3 294)	10 336	9.5	462	42.5	25.2
佳芦河	932(1 134)	16 124	17.3	674	72.3	40.5
无定河	5 253(30 261)	94 554	18.0	3 976	75.7	45.2
清涧河	0(4 080)	60 300	14.8	3 050	74.8	38.7

注：表中括号内数字为流域面积。其他支流按粗泥沙集中来源区面积计算坝库工程基本参数。清涧河按流域面积计算坝库参数。

(一)坝库控制面积占比与减沙效益关系

根据表2-9数据绘制的陕北片坝库控制面积占比与减沙效益关系见图2-28。由此可以看出，陕北片7条支流坝库控制面积占比与减沙效益关系同晋西北片一样，也为指数函数关系，其关系式为：

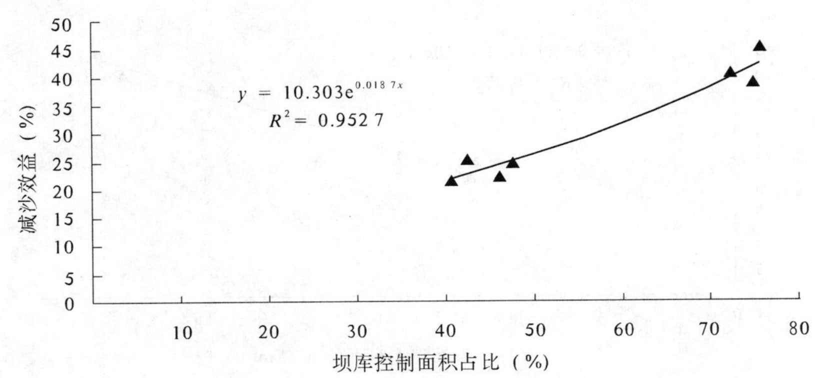

图 2-28　陕北片坝库控制面积占比与减沙效益关系

$$y = 10.303e^{0.0187x} \qquad (R = 0.98) \tag{2-5}$$

式中：y 为水利水土保持措施减沙效益(%)；x 为坝库控制面积占比(%)；e 为自然对数的底。

显然，陕北片各支流的坝库控制面积占比与减沙效益关系要比晋西北片好得多。随着坝库控制面积占比的增大，减沙效益也明显增大，二者为正相关关系。减沙效益的增幅基本上与坝库控制面积占比的增幅同步，说明只要提高坝库控制面积占比，各支流减沙效益将迅速增大。认识陕北片各支流坝库控制面积占比与减沙效益关系的这一重要特点，对该区域大规模开展淤地坝建设具有重要的指导意义。

由式(2-5)可以求出，当坝库控制面积占比 $x = 40\%$ 时，减沙效益 $y = 21.8\%$。显然，与晋西北片相比，陕北片各支流取得相同减沙效益所需要的坝库控制面积占比要大得多。当坝库控制面积占比 $x = 0$(即没有坝库工程)时，减沙效益 y 只有 10.3%，此即水土保持坡面措施的减沙效益。根据表 2-9 计算结果，7 条支流平均减沙效益为 31.2%，因此陕北片的减沙效益主要是由坝库工程产生的；坝库工程对水利水土保持措施减沙效益的贡献率最大。实施水土保持生态建设，坝库工程应当先行。

(二)坝库单位面积库容与减沙效益关系

陕北片坝库单位面积库容与减沙效益关系见图 2-29。二者呈很好的线性正相关关系，其关系式为：

$$y = 2.0275x + 7.4061 \qquad (R = 0.99) \tag{2-6}$$

式中：y 为水利水土保持措施减沙效益(%)；x 为坝库单位面积库容，万 m^3/km^2。

由式(2-6)不难推出：

(1)减沙效益 y 提高 10%，坝库单位面积库容 x 需要提高 5 万 m^3/km^2。

(2)当减沙效益为 15%时，对应的坝库单位面积库容为 3.75 万 m^3/km^2；当减沙效益为 20%时，对应的坝库单位面积库容为 6.2 万 m^3/km^2；当减沙效益为 40%时，对应的坝库单位面积库容为 16 万 m^3/km^2。因此，在水土流失特别严重的陕北片，要使流域水土保持综合治理减沙效益达到 20%以上，除了配置相应的坡面治理措施外，坝库单位面积库容应在 6 万 m^3/km^2 以上。

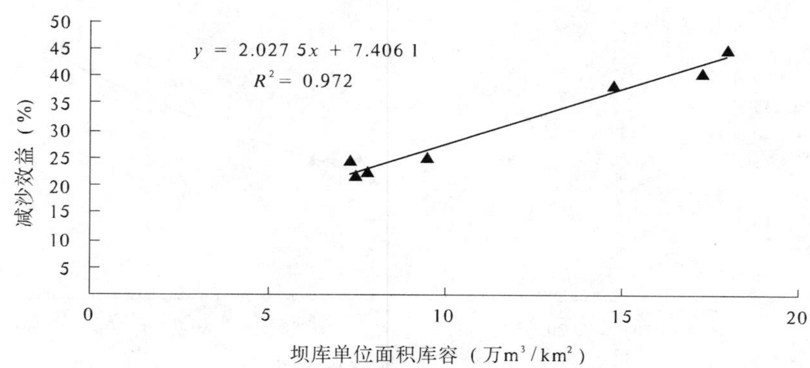

图 2-29　陕北片坝库单位面积库容与减沙效益关系

图 2-28、图 2-29 有一个共同特点，点据分布在相关曲线的两头。由表 2-9 知，陕北片由北向南，坝库单位面积库容增大，水利水土保持措施减沙效益也随之明显提高。北部的“两川两河”，由于坝库单位面积库容只有 7 万 ~ 10 万 m^3/km^2，减沙效益为 21% ~ 25%；南部的佳芦河、无定河和清涧河，由于坝库单位面积库容达到了 15 万 ~ 18 万 m^3/km^2，比北部增大了 8 万 m^3/km^2，减沙效益高达 40%左右，由此形成点据两头分布。由以上研究可以推断，在黄河中游多沙粗沙区，要实现 40%左右的减沙效益，坝库单位面积库容应达到 16 万 m^3/km^2 以上。因此，加强陕北片“两川两河”的坝库工程建设势在必然。

四、河龙区间水土流失治理度与减沙效益关系

根据水利部第二期黄河水沙变化研究基金项目“河龙区间水土保持措施减水减沙作用分析”中“水保法”年均减沙效益（1970 ~ 1996 年）研究成果，统计各支流截至 1996 年水土保持措施全部保存面积（含未控区）和水土流失面积，计算各支流的水土流失治理度，得到河龙区间 20 条支流截至 1996 年水土流失治理度与减沙效益数据，见表 2-10。据此点绘河龙区间各支流水土流失治理度与减沙效益关系见图 2-30。由图 2-30 可以看出，河龙区间各支流水土流失治理度与减沙效益关系明显分为两个区：

第一区：包括无定河、清涧河、延河、浑河、朱家川、湫水河、三川河、屈产河和昕水河等 9 条支流，其线性关系式为：

$$y = 0.830\,2x + 4.219\,3 \tag{2-7}$$

式中：y 为水利水土保持措施减沙效益，%；x 为水土流失治理度，%。

式（2-7）相关系数 $R = 0.93$，说明这一区水土流失治理度与减沙效益关系十分密切。

第二区：包括皇甫川、孤山川、窟野河、秃尾河、佳芦河、汾川河、仕望川、偏关河、县川河、岚漪河、蔚汾河等 11 条支流，其线性关系式为：

$$y = 0.807\,3x - 11.854 \tag{2-8}$$

式（2-8）相关系数 $R = 0.94$，说明这一区水土流失治理度与减沙效益关系比第一区更为密切。由式（2-7）、式（2-8）可知，河龙区间水土流失治理度与减沙效益二者呈正相关关系，治理度越高，减沙效益越大。图 2-30 中的两条直线近似平行（斜率基本相等），说明两个区单位治理度的减沙效益基本相等。在相同的治理度下，第一区的减沙效益平均高出

第二区 16 个百分点，说明第二区的治理难度大于第一区；当水土流失治理度 $x=0$ 时，第一区尚有 4%的减沙效益（水利措施），第二区减沙效益为负值且接近 -12%，说明如不进行水土保持综合治理，增沙将非常严重。

表 2-10　　河龙区间水土流失治理度与减沙效益计算结果

河流	水土保持措施保存面积（万 hm^2）	水土流失面积（km^2）	治理度（%）	减沙效益（%）
皇甫川	12.12	3 068	39.5	13.9
孤山川	3.97	1 148	34.6	16.7
窟野河	19.2	8 305	23.1	8.3
秃尾河	12.27	2 965	41.4	25.2
佳芦河	6.03	1 125	53.6	34.5
汾川河	7.56	1 528	49.5	29.5
仕望川	5.6	1 691	33.1	15.5
偏关河	7.73	1 822	42.4	20.9
县川河	6.85	1 326	51.7	28.1
岚漪河	8.29	1 857	44.6	22.2
蔚汾河	5.35(8.55)	1 143	46.8(74.8)	26.4
无定河	130.65	29 893	43.7	43.0
清涧河	11.07	4 006	27.6	28.1
延河	24.17	7 127	33.9	33.0
浑河	16.98	4 619	36.8	41.7
朱家川	9.0	2 398	37.5	33.1
湫水河	7.71	1 776	43.4	36.7
三川河	14.04	2 800	50.1	44.2
屈产河	1.91(6.17)	1 055	18.1(58.5)	18.3
昕水河	10.54	3 700	28.5	25.2

注：蔚汾河和屈产河水土保持措施保存面积一栏中，括号外数字分别为已控区保存面积，括号内数字分别为全部保存面积（含未控区），治理度一栏括号内外的数字与之对应。

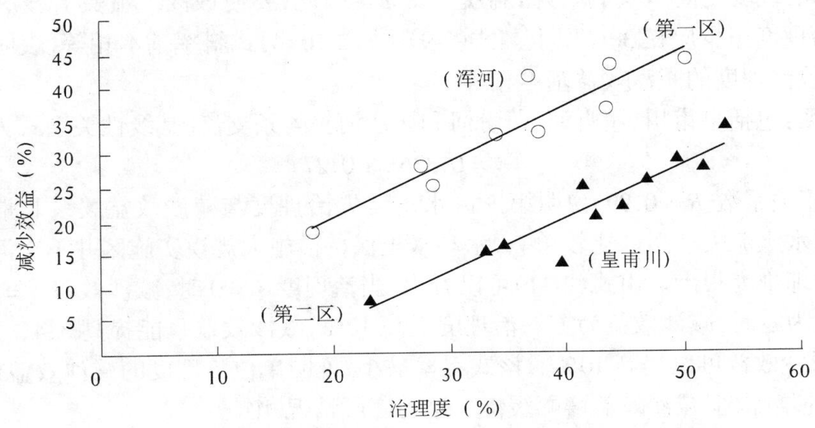

图 2-30　河龙区间水土流失治理度与水土保持减沙效益关系

此外，由式(2-8)可知，当第二区的治理度小于15%时，基本没有减沙效益。第二区大部分支流位于陕北片和晋西北片中部，基本为黄土丘陵沟壑区，水土流失极为严重，治理难度相当大。尤其是“两川两河”，要想取得10%以上的减沙效益，治理度至少应在30%以上。因此，该区水土流失综合治理任重道远。第一区的浑河流域点据高于关系线，说明在同样的治理度下水土保持措施配置比较合理，总体减沙效益明显。第二区的皇甫川流域点据低于关系线，在同样的治理度下减沙效益明显偏小，显然与水土保持治理措施的分布有关。由于该流域淤地坝等主要水土保持治理措施都集中在黄土丘陵沟壑区的十里长川等地，纳林川沙圪堵以上的砒砂岩地区因治理难度较大，水土保持措施尤其是坝库工程较少，但其又是该流域泥沙的主要来源地，因而减沙效益偏小。

研究中发现，蔚汾河和屈产河未控区面积太大，分别为2 310 km^2 和2 132.5 km^2，分别是各自流域面积的1.56倍和1.75倍，因此点绘图2-30时这两条支流水土保持措施保存面积采用的是已控区保存面积(即表2-10中括号外的数字)。当这两条支流采用全部水土保持措施保存面积(即表2-10中括号内的数字)时，据此点绘的河龙区间各支流水土流失治理度与减沙效益关系如图2-31所示。此时，河龙区间各支流水土流失治理度与减沙效益关系可以分为三个区：

第一区：包括无定河、清涧河、延河、浑河、朱家川、湫水河、三川河和昕水河等8条支流，其线性关系式为：

$$y = 0.786x + 5.98 \tag{2-9}$$

上式相关系数 $R = 0.87$，说明第一区水土流失治理度与减沙效益关系较为密切。该区点据较为分散，减沙效益受制于众多因子。治理度提高10%，减沙效益可以提高约8%。

第二区：包括孤山川、秃尾河、佳芦河、汾川河、仕望川、偏关河、县川河和岚漪河等8条支流，其线性关系式为：

$$y = 0.815\,1x - 11.677 \tag{2-10}$$

上式相关系数 $R = 0.94$，说明第二区水土流失治理度与减沙效益关系十分密切。由式(2-10)可以求出当减沙效益 $y = 0$ 时，对应的治理度 $x = 14.3\%$；如不治理($x = 0$)，增沙12%左右；治理度提高10%，减沙效益提高8%。因此，要使该区支流具有较为明显的减沙效益，治理度至少应在30%以上。式(2-9)、式(2-10)两式斜率基本相等，表明第一区和第二区单位治理度的减沙效益基本相等。

第三区：包括皇甫川、窟野河、蔚汾河和屈产河等4条支流，其线性关系式为：

$$y = 0.336x + 0.27 \tag{2-11}$$

上式相关系数 $R = 0.99$，说明第三区水土流失治理度与减沙效益关系非常密切。这四条支流，水土流失类型区比较单一，水利水土保持措施大规模实施区并不在河流的主要产沙区，治理难度很大。由式(2-11)可以看出，当治理度 $x = 0$ 时，减沙效益 $y = 0.27\%$，因此，治理度为零时，减沙效益为零。治理度提高10%，减沙效益只能提高3.4%；治理度提高30%，减沙效益可以提高10%。该式斜率最小，说明单位治理度的减沙效益最小；尽管治理度快速增加，但减沙效益增幅缓慢。这与实际情况相符。

由图2-31还可以看出，在相同治理度下的减沙效益第一区最大，第二区次之，第三区最小。由于第三区减沙效益增幅远小于治理度增幅，第二区减沙效益增幅也小于治理度增幅，只有第一区减沙效益增幅大于治理度增幅，说明第三区治理难度最大，第二区次之，第一区最小。

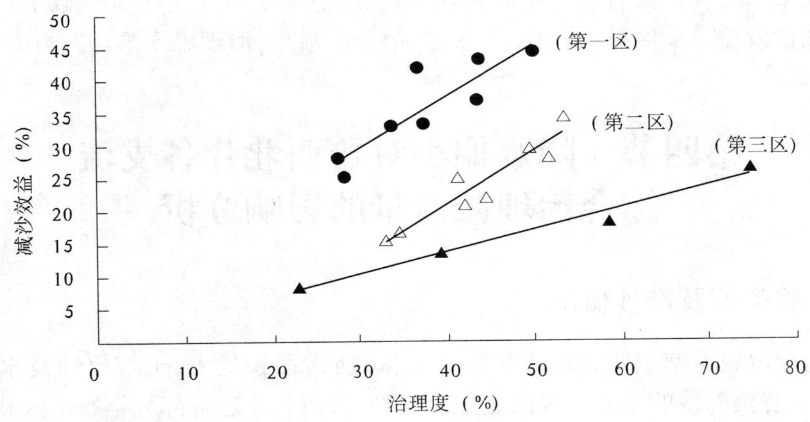

图 2-31　河龙区间水土流失治理度与水土保持减沙效益关系

五、结论

(1)在河龙区间晋西北片，当坝库控制面积占比为 10%时，减沙效益为 18.7%；若没有坝库工程，仅靠水土保持坡面治理措施只能取得 14%的减沙效益；每增加 100 km^2 的坝库控制面积，即可提高 2%的减沙效益；每增加 400 万 m^3 的库容，即可提高 1%的减沙效益；坝库单位面积库容每提高 1 万 m^3/km^2，减沙效益即可提高约 10%。

(2)在河龙区间陕北片，当坝库控制面积占比为 40%时，减沙效益为 21.8%。当坝库控制面积占比为 0 时，减沙效益只有 10.3%。减沙效益主要由坝库工程产生。减沙效益提高 10%，坝库单位面积库容需要提高 5 万 m^3/km^2。要使流域水土保持综合治理减沙效益达到 20%以上，坝库单位面积库容应在 6 万 m^3/km^2 以上。在黄河中游多沙粗沙区，要实现 40%左右的减沙效益，坝库单位面积库容应达到 16 万 m^3/km^2 以上。

(3)河龙区间水土流失治理度与减沙效益呈正相关关系，治理度越高，减沙效益越大。二者关系可以明显分为两个区，其单位治理度的减沙效益基本相等；当第二区的治理度小于 15%时，基本没有减沙效益。“两川两河”要想取得 10%以上的减沙效益，治理度至少应在 30%以上。在相同的治理度下，第一区的减沙效益平均高出第二区 16 个百分点；第二区的治理难度大于第一区；如不进行水土保持综合治理，第二区增沙将非常严重。

(4)当河龙区间水土流失治理度与减沙效益关系分为三个区后，第一区水土流失治理度与减沙效益关系较为密切，但减沙效益增幅小于治理度增幅：治理度提高 10%，减沙效益只能提高约 8%。第二区水土流失治理度与减沙效益关系十分密切，但减沙效益增幅仍小于治理度增幅：治理度提高 10%，减沙效益提高 8%。同比增幅降低 2%。第三区水土流失治理度与减沙效益关系最为密切，但减沙效益增幅远小于治理度增幅：治理度提高 10%，减沙效益只能提高 3.6%。同比增幅降低 6.4%。提高治理度的减沙响应最为缓慢。单位治理度的减沙效益最小。因此,河龙区间水土保持减沙效益增幅总体上小于水土流失治理度增幅。

(5)第一区和第二区单位治理度的减沙效益基本相等,第三区单位治理度的减沙效益最小。要使第二区支流具有较为明显的减沙效益,治理度至少应在30%以上。在相同治理度下的减沙效益第一区最大,第二区次之,第三区最小;治理难度第三区最大,第二区次之,第一区最小。

第四节 降水偏小对晋西北片各支流综合治理减沙量的影响分析

一、地貌类型及产沙概况

晋西北片地貌类型主要为黄土丘陵沟壑区,所占面积最大,土壤侵蚀及水土流失严重,是黄河中游粗泥沙的主要来源区之一。此外,晋西北片还有部分土石山区和缓坡风沙区,其中缓坡风沙区所占面积较小,主要分布在岢岚、五寨、神池、右玉等县,地形较平缓,土质疏松,气候干旱,植被稀少,风沙较大,风蚀、水蚀严重,风蚀模数可达11 000~12 000 t/(km^2·a),水蚀模数为4 000~5 000 t/(km^2·a)。土石山区主要分布在吕梁山及其余脉地区,海拔高,气候寒冷,植被好,雨量较多,石厚土薄,土少而肥,耕地治理较好,洪水时有泥石流危害,侵蚀模数在2 000~3 000 t/(km^2·a)。黄土丘陵沟壑区丘陵起伏,地形破碎,植被稀少,气候干旱,水土流失剧烈,侵蚀模数可达10 000~20 000 t/(km^2·a),是晋西北片粗泥沙的主要来源区,也是主要产沙区。尽管风沙侵蚀也很严重,但因其占流域面积比例较小,影响甚微。

晋西北片属大陆性干旱半干旱季风气候,年平均降水量大部分支流在400~600 mm之间。降水量在地区上的分布及时间上的分配都有巨大差异,降水年际变化大,年内分配不均,汛期(5~9月)降雨量占年降水量的70%以上,而非汛期降水量占年降水量的百分比不足30%。该区地处黄土高原,沟壑纵横,植被覆盖率低,汛期暴雨频繁,水蚀严重,河流含沙量大。如偏关河1960年出现了最大含沙量达1 460 kg/m^{3}的洪水,在8条支流水文资料系列内为一极值。8条支流1969年以前累积平均每年向黄河输送泥沙1.881亿t,1970~1996年平均每年输沙0.778亿t,分别占河龙区间同期实测年均输沙量的18.9%和14.4%[3],是减少入黄泥沙的重点治理地区之一。

二、降雨指标及产沙量的时段变化

将统计的水文资料按年代划分为4个时段,以1969年以前作为对比的基准期,以此来分析20世纪70、80、90年代(1990~1996年)降雨和产沙量的变化。

(一)不同时段降雨指标的变化

1. 年降水量的变化

由表2-11各时段实测降雨资料统计结果可知,晋西北片8条支流20世纪70、80、90年代(1990~1996年)年均降水量 P_N 较基准期的1969年以前有明显减少,80年代尤为突出，是三个统计时段内降水量最少的10年，平均年降水量仅425.2 mm，较晋西北片年降水量多年平均值454.9 mm偏少6.5%，比多雨的基准期偏少11.9%。而70年代比基准期减少7.1%，90年代比基准期仅减少2.3%，减少量最小。1970～1996年平均年降水量较基准期减少了7.7%。

2．其他降雨指标的变化

(1)统计8条主要支流各年代最大7日降雨量 $P_{7\,d}$及汛期降雨量 P_x 可知，20世纪70、80、90年代(1990～1996年)两个指标都呈减少趋势。相对于基准期而言，$P_{7\,d}$及 P_x 70年代分别减少了9.9%和6.1%；80年代分别减少了10.1%和9.0%；90年代分别减少了6.6%和1.2%。80年代减少百分比仍为最大，90年代最小。

(2)统计汛期有效降雨量(日雨量≥10 mm的降雨量之和)P_y，会发现同样的减少趋势。70、80年代较基准期分别减少了7.9%和13.2%；90年代汛期有效降雨量明显增大，较基准期增大了10.0%。

表2-11　　晋西北片各支流年均降雨指标时段变化统计

时段(年)	类型	均值(mm)	与1969年以前相差		时段(年)	类型	均值(mm)	与1969年以前相差	
			ΔP	%				ΔP	%
1969年以前	$P_{7\,d}$	100.5			1990～1996	$P_{7\,d}$	93.9	6.6	6.6
	P_y	288.2				P_y	316.9	－28.7	－10.0
	P_x	392.6				P_x	387.9	4.7	1.2
	P_N	482.9				P_N	471.6	11.3	2.3
1970～1979	$P_{7\,d}$	90.6	9.9	9.9	1970～1996	$P_{7\,d}$	91.4	9.1	9.1
	P_y	265.5	22.7	7.9		P_y	273.1	15.1	5.2
	P_x	368.5	24.1	6.1		P_x	369.4	23.2	5.9
	P_N	448.4	34.5	7.1		P_N	445.8	37.1	7.7
1980～1989	$P_{7\,d}$	90.3	10.2	10.1					
	P_y	250.1	38.1	13.2					
	P_x	357.2	35.4	9.0					
	P_N	425.2	57.7	11.9					

注：各降雨指标为8条支流的平均值。

(二)不同时段输沙量的变化

1．洪水输沙量的变化

晋西北片8条支流大部分地处黄土丘陵沟壑区，河道泥沙主要因暴雨洪水引起，并以高含沙水流形式输移。洪水输沙量占年输沙量的95%以上，基本上反映了流域的年产沙水平。各时段洪水输沙量统计结果见表2-12。20世纪70、80、90年代(1990～1996年)洪水输沙量较1969年以前有明显的减少趋势。70年代相对于基准期减少了38.8%,80年代减少的百分比高达71.0%,90年代为62.4%;1970~1996年平均较基准期减少了56.8%。以朱家川流域为例,基准期洪水输沙量为2 610万t,70、80、90年代分别为873万t、357万t和642万t,较基准期分别减少了66.6%、86.3%和75.4%,洪水输沙量呈锐减的波动变化趋势。

表2-12　　晋西北片各支流年均输沙量时段变化统计

时段(年)	洪水输沙量 S_H			年输沙量 S_N		
	均值(万t)	ΔS_H	S_H(%)	均值(万t)	ΔS_N	S_N(%)
1969年以前	17 540			18 810		
1970~1979	10 730	6 810	38.8	11 050	7 760	41.2
1980~1989	5 090	12 450	71.0	5 300	13 510	71.8
1990~1996	6 600	10 940	62.4	6 640	12 170	64.7
1970~1996	7 570	9 970	56.8	7 780	11 030	58.6

注:(1)洪水输沙量及年输沙量为8条支流时段平均累加值;(2)输沙量时段变化统计以1969年以前为基准。

2. 年输沙量的变化

年输沙量的时段变化情况跟洪水输沙量变化具有相同的趋势,统计结果仍见表2-12。20世纪70年代相对于基准期减少了41.2%,80年代相对于基准期减少更为显著,达71.8%,90年代(1990~1996年)减少百分比为64.7%,有所下降。1970~1996年年均输沙量相对于基准期平均减少58.6%,减幅接近60%。

由以上统计结果不难看出,1970~1996年晋西北片8条支流的来沙量较基准期明显减少,在年降水量减少8%左右的情况下,年输沙量及洪水输沙量减幅接近60%,其根本原因在于20世纪70、80年代大雨及暴雨相对于基准期减少很多。暴雨是流域产沙最主要的动力,没有暴雨就产不了沙,输沙量自然锐减。

通过对晋西北片各支流不同时段大雨(日降雨量≥25 mm)及暴雨(日雨量≥50 mm)的统计,20世纪70、80年代无论从大暴雨日次还是次降雨量都较基准期有明显减少。以三川河流域为例,暴雨雨量基准期及20世纪70、80年代三个阶段值分别为212.5 mm、184.9 mm和129.3 mm,70年代及80年代分别比基准期减少了13.0%和19.2%。降雨尤其是大雨及暴雨的显著减少,必然导致晋西北地区径流泥沙的锐减。进入20世纪90年代后,晋西北片大雨及暴雨有明显增加。仍以三川河流域为例,根据统计结果,90年代(1990~1996年)暴雨雨量为160.3 mm,比80年代增大了24%,洪水输沙量由此比80年代增大了11.9%。这是一个值得注意的迹象。

三、降雨减少对产沙量的影响分析

(一)降雨产洪沙模型

利用各支流治理前(1969年以前)的降雨洪沙资料,通过逐步回归分析,即可建立相

应的降雨产洪沙模型，此方程反映流域天然状态下降雨与洪沙的关系，公式形如

$$S_H = aP_1^b \cdot P_2^c \cdot P_3^d \tag{2-12}$$

式中：S_H 为流域产洪沙量，万 t；P_1、P_2、P_3 分别为降雨指标，由相关分析筛选；a 为反映流域产洪沙的综合系数；b、c、d 分别为反映降雨指标对洪沙量影响的指数。

各支流在建立降雨产洪沙模型时，既考虑降雨分配对产沙的影响，又考虑模拟精度及公式结构。总的要求是：考虑因素周全、模拟精度高且公式形式比较简单。晋西北片降雨－产洪沙模型可以归纳为以下几种类型：

(1)以汛期有效降雨 P_y 及汛期降雨 P_x 为指标而建立的模型，如浑河：

$$S_H = 0.061\ P_y^{2.272\,5} / P_x^{0.367} \quad (R = 0.89) \tag{2-13}$$

(2)以 7、8 两月降雨之和 P_{7+8} 与年最大 7 d 降雨量 $P_{7\,d}$ 为指标而建立的模型，如偏关河：

$$S_H = 1.72 \times 10^{-4} P_{7+8}^{1.999\,3} \cdot P_{7\,d}^{1.104\,7} \quad (R = 0.94) \tag{2-14}$$

(3)多指标共同建立的模型，如湫水河：

$$S_H = 0.395 P_{7+8}^{1.657} \cdot [P_{7+8}/P_x]^{0.838} \quad (R = 0.93) \tag{2-15}$$

从以上列举的代表性降雨产洪沙模型可以看出，虽然模型形式比较简单，但相关系数都比较高，表明降雨指标(P_y、P_x、P_{7+8}、$P_{7\,d}$ 等)决定或影响着流域的产沙，是流域产沙的主要动力因素。经过运用，所建模型在晋西北片各支流减洪沙效益计算中均取得了满意的效果。因此，所建模型基本上反映了各支流的降雨产沙规律。晋西北片各支流降雨产洪沙模型及治理前洪沙关系见表 2-13。

表 2-13　晋西北片各支流降雨产洪沙模型及治理前洪沙关系

流域	降雨产洪沙模型		治理前洪沙关系	
	降雨 P－洪沙 S_H	相关系数 R	洪水 W_H－洪沙 S_H	相关系数 R
浑　河	$S_H = 0.061\ P_y^{2.272\,5}/P_x^{0.367}$	0.89	$S_H = 0.015\ W_H^{1.226}$	0.95
偏关河	$S_H = 1.72 \times 10^{-4} P_{7+8}^{1.999\,3} \cdot P_{7\,d}^{1.104\,7}$	0.94	$S_H = 0.402\ W_H^{1.024}$	0.98
县川河	$S_H = 1\,928\ P_y^{3.972}/P_N^{3.712}$	0.95	$S_H = 0.06\ W_H^{1.263}$	0.97
朱家川	$S_H = 8.722 \times 10^{-3} P_{7+8}^{4.345\,4}/P_x^{2.0}$	0.90	$S_H = 0.512\ W_H^{1.007}$	0.99
岚漪河	$S_H = 0.023\ P_{7+8}^{2.743}/P_y^{0.794\,2}$	0.93	$S_H = 0.104\ W_H^{1.084}$	0.97
蔚汾河	$S_H = 5.21 \times 10^{-3}\ P_{7+8}^{2.205}$	0.94	$S_H = 0.113\ W_H^{1.091}$	0.97
湫水河	$S_H = 0.395\ P_{7+8}^{1.657}(P_{7+8}/P_x)^{0.838}$	0.93	$S_H = 0.370\ W_H^{0.998}$	0.95
三川河	$S_H = 0.024\,8\ P_{7+8}^{2.978}/P_N^{0.759\,5}$	0.92	$S_H = 0.725\,5\ W_H^{0.911\,5}$	0.97

(二)治理前的洪沙关系

流域治理前的洪水泥沙关系是表征流域水沙特征最重要的关系式，是流域下垫面为原始状况或准原始状况下产洪产沙的综合反映。晋西北片各支流治理前的洪水泥沙关系仍见表 2-13。由此可以看出，各支流治理前的洪水－洪沙关系普遍较好，相关系数均在

0.95 以上;部分支流治理前洪沙关系式中的指数在 1.0 左右,如湫水河、朱家川和偏关河等,表明这三条支流洪水期接近高含沙水流。由洪沙关系式的物理意义不难得出这三条支流洪水期的平均含沙量分别为 370 kg/m³、512 kg/m³ 和 402 kg/m³,均大于 350 kg/m³。

(三)降雨减少对实测输沙量的影响分析

晋西北片 8 条支流 1969 年以前平均年降水量为 482.9 mm,年均输沙量合计值为 18 810 万 t,若沟道泥沙输移比为 1,则治理前 1 mm 降雨所产生的泥沙量为 38.95 万 t。进入 20 世纪 70 年代后,由于降雨减少,产沙量也明显减少:70 年代 1 mm 降雨所产生的泥沙量为 24.64 万 t,80 年代锐减为 12.46 万 t,90 年代(1990 ~ 1996 年)1 mm 降雨所产生的泥沙量比 80 年代有所增加,为 14.08 万 t。因此,各时段单位毫米降雨所产生的泥沙量呈减少趋势,依时序递减,80 年代为最小值。

(四)降雨减少对计算产沙量的影响

各支流降雨产洪沙模型中所涉及的主要降雨指标,自 1970 ~ 1996 年比基准期都有不同程度的减小,因此导致根据模型计算的产洪沙量也呈减小趋势。虽然降雨产洪沙模型中个别指标有负指数存在,如县川河流域降雨产洪沙模型 $S_H = 1\,928\ P_y^{3.972}/P_N^{3.712} = 1\,928\ P_y^{3.972} \cdot P_N^{-3.712}$,其中 P_N 为负指数,表面上看好像随着 P_N 的减小,S_H 应该是增大,但将上式做一个简单的数学变换有:

$$S_H = 1\,928(P_y/P_N)^{3.712} P_y^{0.260}$$

由此式不难看出,S_H 的变化除了与 P_y 有关外,还与(P_y/P_N)这个比值有关。因此,随着治理后各年代降雨指标的减小,流域计算产沙量同样也是减小的。

四、降雨减少对综合治理减沙量的影响分析

在黄河中游河龙区间水土保持措施减洪减沙效益计算中,“水文法”分析计算的主要任务是区分降雨和水利水土保持综合治理措施对流域水沙变化的影响程度。降雨影响如何计算呢?传统的做法是根据 1970 年(黄河中游地区公认的治理与非治理的分界年)以前的(前期)实测降雨径流泥沙资料,建立降雨产流产沙模型,再将综合治理措施实施后(后期)的降雨指标代入模型中,计算出产流产沙量,然后与前期实测值相比,即得降雨影响减洪减沙量。此做法的前提是前期降雨径流泥沙模型验算时计算值与实测值相等,但事实并非如此。在实际工作中,虽然我们对降雨产流产沙模型进行了验证,但仍存在着偏大或偏小的可能;一些特殊点偏离关系线,有的分居关系线两侧而互相抵消,尽管我们可以剔除偏离关系线较大的特殊点而使验算误差为零或在 1% 以内,但这种模型由于剔除了特殊点,未必能反映降雨产流产沙的真实规律。在水文分析中,特殊点十分重要,轻易剔除明显不妥。由于治理前根据降雨产流产沙模型的计算值与其实测值并不一定相等,所以传统的降雨影响减洪减沙量计算方法有待改进。

(一)传统的降雨影响计算方法

传统的降雨影响减洪沙量计算公式为:

$$\Delta R_{雨1} = R_{前实} - R_{后计} \tag{2-16}$$

式中:$\Delta R_{雨1}$为降雨影响减少的洪沙量;$R_{前实}$为前期实测洪沙量;$R_{后计}$为根据降雨产洪沙模型,将后期降雨代入计算的后期产洪沙量。

由于总减洪沙量为：

$$\Delta R = \Delta R_{雨} + \Delta R_{人} = R_{前实} - R_{后实} \tag{2-17}$$

故

$$\Delta R_{人1} = \Delta R - \Delta R_{雨1} = R_{后计} - R_{后实} \tag{2-18}$$

式中：$\Delta R_{人1}$为人类活动综合治理影响的减洪沙量；$R_{后实}$为后期实测洪沙量。

(二)改进的降雨影响计算方法[1]

改进的降雨影响计算公式为：

$$\Delta R_{雨2} = R_{前计} - R_{后计} \tag{2-19}$$

则

$$R_{人2} = \Delta R - \Delta R_{雨2} = R_{前实} - R_{后实} - R_{前计} + R_{后计} \tag{2-20}$$

式中：$R_{前计}$为前期降雨产洪沙量计算值。

改进的降雨影响计算方法的优点在于：由于降雨影响是由前、后期的计算值推算出来的，其偏差倾向是一致的，即要偏大(或偏小)则前、后期的计算值都偏大(或偏小)，因而其相对差变化较小。在 $R_{前实} \neq R_{前计}$的情况下，用这种方法推算尤为恰当。

(三)晋西北片 8 条支流降雨影响计算

根据传统及改进的降雨影响计算公式(2-16)及式(2-19)，晋西北片 8 条支流降雨影响减洪沙量计算成果见表 2-14。表中 S 代表洪沙量，ΔS 代表减少量。由表 2-14 可见，根据传统计算方法，晋西北片 8 条支流 1970 ~ 1996 年降雨影响年均减洪沙量占总减洪沙量的 46%(实际为 45.7%)；改进计算方法后，降雨影响则上升为 53%(实际为 53.2%)，增加了 7%。因此，改进计算方法后，降雨影响较之传统计算方法，其结果呈上升趋势；人类活动即综合治理影响减洪沙量所占比重则下降了 7%。由此可见，尽管各支流降雨产洪沙模型相关性较好，相关系数均在 0.90 以上，但由于多沙粗沙区降雨产沙关系的复杂性，使得各支流均存在 $R_{前实} \neq R_{前计}$的问题，降雨影响计算结果因此发生变化。

表 2-14　　晋西北片 8 条支流降雨影响减洪沙量计算成果　　(单位：万 t)

时段(年)	模型计算法		ΔS	$\Delta S_{雨}$(传统)		$\Delta S_{雨}$(改进)		$\Delta S_{人}$(传统)		$\Delta S_{人}$(改进)	
	$S_{实}$	$S_{计}$		绝对值	%	绝对值	%	绝对值	%	绝对值	%
1969 年以前	17 540	18 280									
1970 ~ 1979	10 730	14 000	6 810	3 540	52.0	4 280	62.8	3 270	48.0	2 530	37.2
1980 ~ 1989	5 090	9 200	12 450	8 340	67.0	9 080	72.9	4 110	33.0	3 370	27.1
1990 ~ 1996	6 600	16 910	10 940	630	5.8	1 370	12.5	10 310	94.2	9 570	87.5
1970 ~ 1996	7 570	12 980	9 970	4 560	45.7	5 300	53.2	5 410	54.3	4 670	46.8

(四)讨论

两种方法计算降雨影响，孰大孰小，有以下讨论。

用式(2-16)减去式(2-19)有：

$$\Delta R_{雨1} - \Delta R_{雨2} = R_{前实} - R_{前计} \tag{2-21}$$

(1)若 $R_{前实} = R_{前计}$，则 $\Delta R_{雨1} = \Delta R_{雨2}$，两种计算方法结果一致；

(2)若 $R_{前实} > R_{前计}$，则 $\Delta R_{雨1} > \Delta R_{雨2}$，传统方法计算的降雨影响结果大于改进方法计算结果；

(3)若 $R_{前实} < R_{前计}$，则 $\Delta R_{雨1} < \Delta R_{雨2}$，传统方法计算结果小于改进方法计算结果。晋西北片8条支流就是这种情况。

显然，$R_{前实}$与$R_{前计}$相差越大，计算结果变化也就越大。从河龙区间21条有控支流降雨影响计算结果看，采用传统计算方法，1970～1996年因降雨减少影响的减洪沙量占总减洪沙量的22.6%，水土保持综合治理减洪沙量占总减洪沙量的77.4%；采用改进的降雨影响计算方法，降雨影响占比上升为35.6%，综合治理占比下降为64.4%。降雨影响占比上升了13.0%[1]。经采用其他计算方法验证，改进的降雨影响计算结果比传统计算结果更符合实际。

五、结语

(1)与基准期相比，晋西北片8条支流特征降雨指标自1970年至1996年均有减少。8条支流20世纪70、80、90年代(1990～1996年)年均降水量分别比基准期减少了7.1%、11.9%和2.3%。

(2)对应于特征降雨指标的变化，与基准期相比，晋西北片8条支流治理后各年代的实测洪水输沙量亦呈减少趋势。8条支流合计，20世纪70、80、90年代(1990～1996年)实测洪水输沙量较基准期分别减少了38.8%、71.0%和62.4%。80年代的减沙幅度明显高于70年代及90年代。

(3)在年降雨量和其他降雨指标减少幅度较小的情况下，晋西北片洪水输沙量大幅度减少，其主要原因是暴雨减少。80年代的沙量锐减，是“和风细雨”的结果。

(4)从改进的降雨影响计算结果看，20世纪70年代是晋西北片人类活动综合治理初见成效时期，综合治理影响减沙量占63%，居主导地位，降雨影响只占37%；进入80年代后各降雨指标不但较基准期有明显减少，同时也较70年代有所减少。80年代晋西北片综合治理影响减沙量仅占总减沙量的27.0%，约为1/4；降雨减少影响减沙量占总减沙量的73.0%，高达3/4。90年代是晋西北片综合治理大见成效的时期，水利水土保持措施数量大幅增加，质量明显提高，三川河流域综合治理成绩斐然，因而该时段综合治理影响减沙量占绝对主导地位，降雨减少影响减沙量只占12.5%。因此，水土保持综合治理是实现晋西北地区“山川秀美”的治本之举，是减少入黄泥沙的根本措施。

第五节　三川河流域水沙变化水文分析

一、流域概况

三川河发源于山西省方山县东北赤坚岭，流经方山、离石、中阳、柳林四县(市)，在柳林县石西乡上庄村汇入黄河，全长176.4 km，流域面积4 161 km^2。主要支流有北川河、东川河和南川河。全流域共有三个水文站：北川河圪洞站，控制面积749 km^2；南川河陈家湾站，控制面积286 km^2；干流把口站后大成站，控制面积4 102 km^2。

三川河流域属于大陆性气候。根据1957～1996年资料统计,流域多年平均降雨量496.5 mm,其中汛期(5～9月)降雨量404.5 mm,占多年平均降雨量的81.5%,非汛期降雨量92.0 mm,占18.5%;有效降雨量(汛期日雨量≥10 mm的降雨量之和)303.1 mm,占多年平均降雨量的61.0%。降雨的地区分布特征是:上游大于下游,山区大于丘陵区。如北川河圪洞站多年平均降雨量547.8 mm,其上游的开府站最大年降雨量856.0 mm;南川河河源区的开府站多年平均降雨量588.7 mm;后大成站多年平均降雨量只有477.9 mm,最大年降雨量仅686.1 mm。三川河流域多年平均径流量24 790万 m^3,多年平均输沙量2 090万 t,多年平均含沙量84 kg/m^3。

三川河流域水土保持综合治理始于50年代,自1982年以后开始大规模治理,成绩斐然。根据抽样调查和典型调查结果,截至1996年底,三川河流域梯田保存面积33 360 hm^2,林地94 180 hm^2,草地3 240 hm^2,坝地3 885 hm^2;四大水土保持措施累计保存面积13.466 5万 hm^2,保存率分别为66.7%、57.8%、25.9%和86.1%。

二、流域水沙特性分析

(一)水沙来源

三川河流域径流泥沙来源见表2-15。

表2-15　三川河流域治理前(1957～1969年)的径流泥沙来源

研究区域	控制面积		年径流量			年输沙量		
	面积(km^2)	占后大成(%)	径流量(万 m^3)	占后大成(%)	径流模数[$m^3/(km^2·a)$]	输沙量(万 t)	占后大成(%)	输沙模数[$t/(km^2·a)$]
圪洞站以上	749	18.3	9 068	28.1	121 068	230.5	6.3	3 077
陈家湾站以上	286	7.0	2 007	6.2	70 175	8.85	0.2	309
后大成站以上	4 102	100	32 305	100	78 754	3 687	100	8 988

从表2-15中可以看出,其支流陈家湾以上来水量占后大成以上来水量的6.2%,来沙量仅占0.2%(很小);干流圪洞以上来水量占后大成以上来水量的28.1%,来沙量仅占6.3%;两站之和来水量占后大成以上来水量的34.3%,约为1/3,来沙量仅占6.5%(比例很小)。由流域水土流失类型分区可知,圪洞及陈家湾以上均为土石山区,植被较好,土壤侵蚀轻微;两站以下来水量占后大成以上的65.7%,而来沙量则占后大成以上的93.5%,水沙异源。可见,流域的泥沙主要来自三川河中下游黄土丘陵沟壑区。

(二)洪水泥沙关系

流域洪水泥沙关系是表征流域水沙特性最重要的关系式,是流域下垫面变化的综合反映。三川河流域位于黄河中游多沙粗沙区,径流主要来源于大气降水,暴雨产洪、产沙量集中,形成高含沙洪水,该流域1967年曾出现过含沙量高达988 kg/m^3 的洪水。1966年7月17日20时至7月18日2时,三川河流域中下游普降暴雨,18日3时30分,后大成水文站出现有水文记载以来的最大洪峰流量4 070 m^3/s;18日一天实测输沙量3 990万 t,占全年输沙量的48.3%。1959年流域实测年洪水量26 820万 m^3,实测年洪沙量8 330万 t,均为资料系列之最。

根据统计分析,三川河流域洪水－洪沙相关方程为:

$$W_{HS}=0.307\ W_H^{0.988}$$

式中:W_H 代表洪水径流量,万 m^3;W_{HS}代表洪水输沙量,万 t;相关系数 $r=0.94$。

由于三川河流域98%的产沙来源于汛期,而汛期径流占年径流的64.9%,洪水径流占汛径流的50%,因此洪水径流量与洪水输沙量的水沙关系更具代表性。如变该式为输沙率 Q_s 与流量 Q 的关系 $Q_s=kQ^n$,则 n 趋近于1,这正好反映了三川河流域汛期高含沙水流的输沙特性。由上式得出流域洪水期多年平均含沙量约为307 kg/m^3。

三、水文基本资料的处理

(一)各时期降雨径流泥沙的变化

三川河流域各时期降雨径流泥沙的变化见表2-16。

表2-16　　三川河流域各时期降雨径流泥沙的变化

统计时段(年)	降雨量(mm)			W_H(万 m^3)	W_{HS}(万 t)	W_H/P_x(万 m^3/mm)	W_{HS}/P_x(万 t/mm)	W_H/P_y(万 m^3/mm)	W_{HS}/P_y(万 t/mm)	洪水输沙模数[t/(km^2·a)]
	P_N	P_x	P_y							
1957~1969	527.4	425.2	313.0	11 521	3 670	27.1	8.6	36.8	11.7	8 947
1970~1979	471.7	385.8	278.4	6 781	1 822	17.6	4.7	24.4	6.5	4 442
1980~1989	480.3	401.7	293.2	4 552	960	11.3	2.4	15.5	3.3	2 340
1990~1996	497.7	396.9	334.4	4 366	1 074	11.0	2.7	13.1	3.2	2 618
1957~1996	496.5	404.5	303.1	7 342	2 076	18.2	5.1	24.2	6.8	5 061

注:P_N、P_x、P_y 分别代表年降雨量、汛期降雨量和有效降雨量;W_H、W_{HS}分别代表洪水径流量和洪水输沙量。

由表2-16可以看出,与系列多年平均值(1957~1996年)相比,三川河流域基准期(1957~1969年)年降雨量明显偏丰,占系列多年平均值的106.2%;进入70年代后年降雨量明显减少,比基准期减少了10.6%,占系列多年平均值的95.0%;80年代流域年降雨量有所回升,仅比系列多年平均值偏小3.3%;90年代(1990~1996年)年降雨量与70、80年代相比回升明显,占系列多年平均值的100.2%,基本持平。汛期降雨量和有效降雨量与年降雨量有相近的变化趋势,只是90年代汛期降雨量比80年代略有减少。各时期洪水径流量依次递减,单位毫米汛期降雨对应产洪量也有相同的变化趋势;单位毫米有效降雨对应产洪、产沙量也依时序递减。与基准期相比,70、80年代洪沙量减少的比例大于洪水量减少的比例,洪水和洪沙减少的比例都大于降雨量减少的比例,说明流域降雨与产流产沙的关系呈高于1.0次方的指数变化。但进入90年代后,由于年降雨量尤其是有效降雨量比80年代分别增大了3.6%和14.1%,使得洪沙量较80年代增加了11.9%。虽然单位毫米有效降雨产洪沙量(W_{HS}/P_y)90年代比80年代减少了3.0%,但单位毫米汛期降雨产洪沙量(W_{HS}/P_x)却比80年代增大了12.5%。在三川河流域90年代持续进行大规模治理的情况下,洪水输沙量及洪水输沙模数的增大现象值得注意。

(二)基本资料的获取与处理

分析计算流域减洪减沙作用是以流域实测的径流泥沙资料为依据,其准确可靠程度直接影响分析精度,为此,必须广泛收集水文资料并对缺测、漏测资料进行插补展延。三川河流域1957~1996年期间共设立雨量站30余处(其中1970年以前为7处,1971~1978年发展为17处,1979年以后达到30余处),水文站3处,特别是把口站后大成水文站径流泥沙资料系列比较完整,而降雨量资料存在问题较多,主要是1970年以前雨量站点偏少且分布不均匀,长短系列降雨平行观测资料对应点据不呈45°直线分布,存在系统偏差。为完善资料系列和提高其代表性,减少或消除因雨量站代表性欠佳而带来的偏差,应对降雨资料进行所谓"系列化处理":以站点数较多的资料系列为标准,将站点数较少的系列通过与站点数较多的系列建立相关关系,统一到站点数较多的资料系列上来。本节分析采用线性相关分析法,基本回归方程为 $y = kx + b$(k、b 均为常数);用长系列同期观测的多站与少站的流域平均降雨指标建立关系,通过回归分析确定系数 k 和常数 b;当关系式高度相关时,对少数站或缺测年份的降水要素进行插补。三川河流域降雨资料系列化处理过程可简单地表示为:$P_7 \sim P_{17} \sim P_{30}$。其中 P_7 代表1957~1996年逐年7站降雨指标算术平均数,P_{17}代表1971~1996年逐年17站降雨指标算术平均数,P_{30}代表1979~1996年逐年30站降雨指标算术平均数。以有效降雨量 P_y 为例,其线性插补公式分别为:

$$P_7 \sim P_{30}: \quad y_1 = 0.981x_1 + 3.79 \qquad (R = 0.97)$$

$$P_{17} \sim P_{30}: \quad y_2 = 0.905x_2 + 18.88 \qquad (R = 0.99)$$

通过系列化处理后,以流域内三个水文站各自的控制区为单元,将单元内及全流域各雨量站的降雨指标统一到了同一资料系列的水平上,这样做既充分利用了资料,又保证了资料系列的一致性。

四、"水文法"减洪减沙作用计算

流域的水沙变化可以通过流域实测水文资料的变化来反映。"水文法"就是利用流域实测水文资料,建立水文统计模型分析水土保持措施减洪减沙作用的一种方法。本次研究采用经验公式法、不同系列对比分析法、双累积曲线相关分析法、单位毫米降雨产洪产沙量对比分析法和径流系数还原法等5种水文分析方法,对三川河流域的水沙变化进行了详细的分析计算。其中,"经验公式法"为基本的水文分析方法。

(一)经验公式法

该方法是"水文法"减洪减沙作用计算中最重要的一种方法。其基本原理是:通过对流域降雨产洪产沙基本规律的分析,以水土保持措施明显产生效益前的基准期(黄河中游地区一般以1969年底为界)降雨、洪水和洪沙实测资料为依据,建立降雨产洪产沙数学模型;将1970年以后的实测降雨资料代入此模型中,计算出相当于下垫面不变时应产生的水量和沙量;计算的水沙量和同期实测的水沙量之差即为人类活动(水土保持综合治理)影响的减洪减沙量;计算的水沙量和基准期实测的水沙量之差即为降雨影响的减洪减沙量。三川河流域降雨产洪产沙数学模型如下。

(1)降雨产洪模型(降雨－洪量)。即:

$$W_{H}=0.003\ 65P_{7+8}^{2.665}\quad (R=0.94)$$

(2)降雨产沙模型(降雨－洪沙量)。即:

$$W_{HS}=0.024\ 8P_{7+8}^{2.978}/P_{N}^{0.759\ 5}\quad (R=0.92)$$

式中:P_N为流域年降雨量;P_{7+8}为流域7~8月份降雨量。

据此进行三川河流域水土保持措施综合治理减洪减沙作用计算,结果分别见表2-17、表2-18。

表2-17　　三川河流域减洪作用计算结果　　(单位:万 m^3)

计算系列(年)	实测值	总减洪量	综合治理		降雨影响		减洪作用(%)
			减少量	比例(%)	减少量	比例(%)	
1957~1969	11 521						
1970~1979	6 781	4 740	2 962	62.5	1 778	37.5	30.4
1980~1989	4 552	6 969	1 979	28.4	4 990	71.6	30.3
1990~1996	4 366	7 155	4 978	69.6	2 177	30.4	53.3
1970~1996	5 329	6 192	3 120	50.4	3 071	49.6	36.9

表2-18　　三川河流域减沙作用计算结果　　(单位:万 t)

计算系列(年)	实测值	总减沙量	综合治理		降雨影响		减沙作用(%)
			减少量	比例(%)	减少量	比例(%)	
1957~1969	3 670						
1970~1979	1 822	1 848	1 483	80.2	365	19.8	44.9
1980~1989	960	2 710	1 164	43.0	1 546	57.0	54.8
1990~1996	1 074	2 596	2 555	98.4	41	1.6	70.4
1970~1996	1 309	2 361	1 640	69.6	718	30.4	55.7

由表中可以看出,20世纪70年代及90年代综合治理减洪减沙量效益显著,居于主导地位,90年代更为明显,减沙作用尤甚;80年代则是降雨影响占主导地位,人类活动(综合治理)居其次。1970~1996年因水土保持综合治理年均减洪3 120万 m^3,减洪效益36.9%;年均减少洪沙1 640万t,减洪沙效益55.7%。

通过对三川河流域水土保持措施减洪减沙作用的计算发现,该流域70、80年代在年均降水量相差不多的情况下,实测洪水洪沙量80年代比70年代明显偏小;80、90年代减洪沙效益明显大于70年代。究其原因,首先,自1982年三川河流域被列入全国水土保持重点治理区后,综合治理成效显著;其次,通过对最大洪峰流量出现的次数统计分析可知,后大成站500 m^3/s 以上洪峰基准期出现18次(其中2 000 m^3/s 以上的洪峰出现次数多达6次),70年代出现12次,80年代为3次,90年代为5次;70年代以后未出现过2 000 m^3/s 以上的洪峰。峰高量大的洪水70年代发生次数明显多于80、90年代,导致70年代产沙明显大于80、90年代。但80、90年代比较显著的减沙作用,是在"和风细雨"的条件下取得的，虽然三川河流域十余年重点治理成效显著，但若遇大暴雨年，减沙作用有可能降低。

本次研究给出的三川河流域降雨产洪产沙数学模型简洁明了，实用性强。降雨产洪产沙数学模型的降雨因子是7、8两月降雨量之和，经统计其占全年降雨量的一半以上，占汛期降雨量的65%，而三川河流域实测水文资料系列中，场次最大洪水均发生在7、8两月，由于该时期的暴雨形成的洪水及洪沙量均很大，因而其对流域的产流产沙有着决定性的影响。以此进行流域减洪减沙作用计算，可以更准确地反映流域水土保持措施减水减沙的本质，计算结果比较客观、合理、可信。

（二）其他方法计算结果[1,4]

1.1970～1996年系列分析计算结果

（1）不同系列对比法：1970～1996年年降雨量比基准期减少12.5%，汛期降雨量减少7.2%，有效降雨量减少4.7%；洪水径流量年均减少6 515万m^3，比基准期减少了55.0%；洪水输沙量年均减少2 460万t，比基准期减少了65.3%。

（2）双累积曲线相关分析法：1970～1996年累计减少洪水径流量145 600万m^3，年均减少5 390万m^3，减洪效益50.3%；累计减少洪水输沙量55 330万t，年均减少2 050万t，减洪沙效益61.0%。

（3）单位毫米降雨产洪产沙量对比分析法：与同期实测值相比，1970～1996年洪水径流量年均减少5 660万m^3，减洪效益51.5%；洪水输沙量减少2 190万t，减洪沙效益62.6%。

（4）径流系数还原法[1]：与同期实测值相比，1970～1996年年均减少年径流量7 095万m^3，减水作用25.1%。

2.1990～1996年系列分析计算结果

三川河流域90年代水沙变化情况是本次水文分析研究的重点，以往的黄河水沙变化研究未曾涉及。本次研究不同方法计算结果如下：

（1）不同系列对比法：1990～1996年年降雨量比基准期减少5.6%，汛期降雨量减少6.6%，有效降雨量增加6.8%；洪水径流量年均减少7 480万m^3，比基准期减少了63.1%；洪水输沙量年均减少2 690万t，比基准期减少了71.5%。

（2）双累积曲线相关分析法：1990～1996年累计减少洪水径流量44 928万m^3，年均减少6 420万m^3，减洪效益59.5%；累计减少洪水输沙量16 148万t，年均减少2 310万t，减洪沙效益68.2%。

（3）单位毫米降雨产洪产沙量对比分析法：与同期实测值相比，1990～1996年洪水径流量年均减少7 940万m^3，减洪效益64.5%；洪水输沙量减少2 850万t，减洪沙效益72.6%。

（4）径流系数还原法与同期实测值相比，1990～1996年年均减少年径流量11 410万m^3，减水作用37.4%。

三川河流域年径流系数逐年变化过程线见图2-32。由此可以看出，1957～1996年，径流系数总的变化呈减小趋势；1970年前后有一转折点，这与前述流域水土保持措施产生效益的年份基本一致；1982年以后，径流系数又开始呈明显增大趋势，这与三川河流域被列为全国水土保持重点治理区后开展大规模治理有密切关系。它说明：水土保持措施对减少洪水、增加常水量，对拦蓄地表径流量、增加基流和河道回归径流量，对涵养水源等都有十分重要的作用。水土保持综合治理对流域水资源的保护利用至关重要。

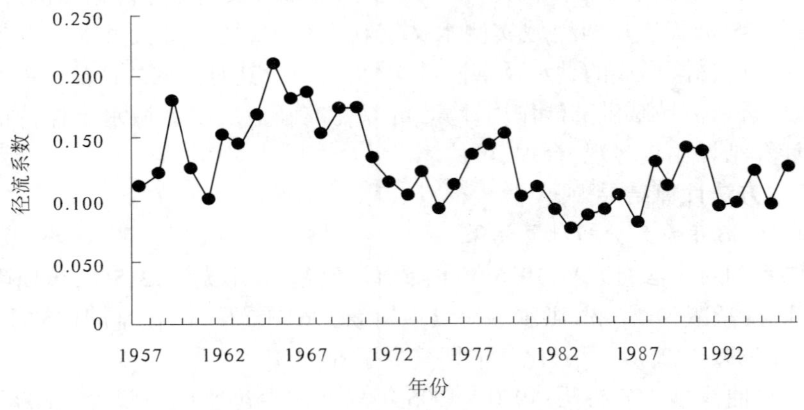

图 2-32　三川河流域年径流系数变化过程线

(三)相似降雨年份产洪产沙量对比分析

为重点分析三川河流域 90 年代水土保持措施对径流泥沙的拦蓄作用，采用“相似降雨年份产洪产沙量对比分析”的方法，以年降水量、汛期降雨量、有效降雨量为控制，选取与以上三个降雨指标均接近的 60 年代的洪水、泥沙相似年份进行对比分析，亦可粗略地反映出水土保持措施大规模实施后引起的水沙变化。本次研究中，共选取 4 组数据进行对比：1996 年和 1969 年，1990 年和 1966 年，1993 年和 1962 年，1995 年和 1962 年。如三川河流域 1995 年的年降水量、汛期降雨量、有效降雨量分别为 459.0 mm、408.0 mm 和 303.9 mm，与其接近的 1962 年各降雨量对应指标分别为 465.9 mm、397.1 mm 和 292.6 mm；1962 年实测年径流量、洪水量、洪沙量分别为 27 880 万 m^3、9 165 万 m^3、4 070 万 t，1995 年对应的实测值分别为 15 420 万 m^3、3 160 万 m^3、680 万 t。二者相比较，年径流量减少 44.7%，洪水量减少 65.5%，洪沙量减少 83.2%。从 4 组对比数据平均值看，年径流量减少 42.1%，洪水量减少 64.3%，洪沙量减少 81.4%。由此可以看出，三川河流域 90 年代综合治理减洪减沙作用比较显著。水土保持综合治理措施是减少入黄泥沙、实现“河床不抬高”的治本之举。

(四)河道冲淤变化分析

后大成水文站以上河道为卵石河床，河道比降 1.25%。通过套绘大断面图可以看出，冲淤变化主要发生在底部，冲淤幅度最大时为 0.7 m。以历年冲淤面积计算结果来看，最大年冲刷面积为 16.5 m^2，最大年淤积面积为 13.3 m^2。1965～1969 年累计淤积面积 0.3 m^2，1970～1979 年累计冲刷 0.5 m^2，1980～1989 年累计淤积 16.7 m^2，1990～1996 年累计淤积 17.4 m^2。点绘后大成水文站累计冲淤面积变化过程线可以看出，自 1975 年开始至 1996 年，大断面持续淤积；80 年代淤积比较严重。

进入 90 年代后，后大成水文站以上河道淤积更为严重。经计算，1990～1996 年平均每年淤积 9.4 万 t，分别是 70、80 年代年均淤积量的 1.6 倍和 4.5 倍。1970～1996 年累计淤积 145.8 万 t,平均每年淤积 5.4 万 t,这对减少入黄泥沙十分不利。因为淤积在河道中的泥沙,最终还是要被冲走,增加入黄泥沙。因此,三川河流域水土保持生态环境建设依然任重道远。

参考文献

[1] 冉大川,柳林旺,赵力仪,等．黄河中游河口镇至龙门区间水土保持与水沙变化．郑州:黄河水利出版社,2000

[2] 徐建华,吕光圻,张胜利,等．黄河中游多沙粗沙区区域界定及产沙输沙规律研究．郑州:黄河水利出版社,2000

[3] 王玲,徐建华,李雪梅．黄河流域的来沙及其水利水保减沙效益．水土保持学报,2002,16(1)

[4] 张胜利,于一鸣,姚文艺．水土保持减水减沙效益计算方法．北京:中国环境科学出版社,1994

第三章　黄河中游地区淤地坝减洪减沙及减蚀作用研究

第一节　坝地保存率及保存面积

淤地坝是一项重要的水土保持治沟工程措施,在黄河中游地区具有较长的历史和广泛的群众基础,它不仅可以改善当地的农业生产条件,而且在控制沟谷侵蚀、减少入黄泥沙、调节地表径流、改善生态环境等方面也发挥了明显的作用。相对于其他水土保持措施来讲,修建淤地坝后所淤成的坝地,其本身面积占比(即坝地面积占水土保持措施总面积的百分比)虽小但减洪减沙作用巨大。因此,坝地面积准确与否,对黄河中游地区水土保持措施减洪减沙作用的分析研究至关重要。而要确定坝地的保存面积,首先要分析确定坝地的保存率。

一、坝地保存率研究

保存率是水土保持治理措施保存面积与实施面积的比值。根据对黄河中游河龙区间各县(旗、市)以及泾河、北洛河、渭河流域应用1989年土地详查资料核实的各项水保措施保存率的分析,各县(旗、市)水土保持措施的保存率存在较大差异。从淤地坝较多的河龙区间46县(市、旗)四大水土保持措施保存率平均值来看,梯田为70.9%、林地为53.0%、草地为24.2%、坝地为68.6%。坝地保存率位居第二,与梯田保存率基本接近。

从黄河中游地区各县(旗、市)核实的结果来看,坝地的保存率大小不等,有的高达100%,有的却不足40%。从1985年成数抽样调查、1989年土地详查、1996年土地面积变更调查资料核实的保存率结果分析来看,虽然不同地区、不同时期也存在一定的差异,但就一定范围而言却具有一定的相似性。经过综合分析,研究中以1989年土地详查资料所核实的坝地保存率为基本控制数,80年代与90年代坝地保存率分别根据1985年"成数抽样法"调查结果、1996年土地面积变更调查资料、1997年采用"二阶等距抽样"调查法所得结果综合确定;70年代坝地的保存率根据1985年的"成数抽样法"调查结果,参考国家"八五"重点科技攻关项目(85-926-03-01)有关研究成果,同时考虑这一时期河龙区间和泾河、北洛河、渭河流域水土保持工作发展的实际情况确定。对于河龙区间缺少1985年成数抽样调查资料和1996年土地面积变更调查资料的部分支流,则以1989年以前的保存率逐年递推,确定出各个支流不同时期坝地的保存率。

黄河中游地区坝地保存率研究成果见表3-1。不同年代坝地保存率变化过程线分别见图3-1~图3-4。

由此可以看出,河龙区间坝地保存率呈波动下降趋势,20世纪80年代保存率最低,90

年代虽有回升但仍不及高峰期的 70 年代。泾河流域坝地保存率则呈直线下降趋势,90 年代保存率最低;北洛河流域坝地保存率呈波动上升趋势,80 年代保存率最高,90 年代虽有下降但仍比 70 年代高。相比之下,渭河流域坝地保存率则呈明显的上升趋势,90 年代保存率最高。因此,加强河龙区间及泾河流域淤地坝建设势在必行。北洛河流域上游(刘家河水文站以上)的淤地坝建设也要加大力度和步伐。否则,以上区域增大入黄泥沙不可避免。

表 3-1　**黄河中游地区坝地保存率**　(%)

时段(年)	河龙区间	泾河	北洛河	渭河
1970 ~ 1979	75.2	86.8	74.7	85.4
1980 ~ 1989	73.0	82.4	81.4	88.2
1990 ~ 1996	74.5	78.5	76.3	93.6

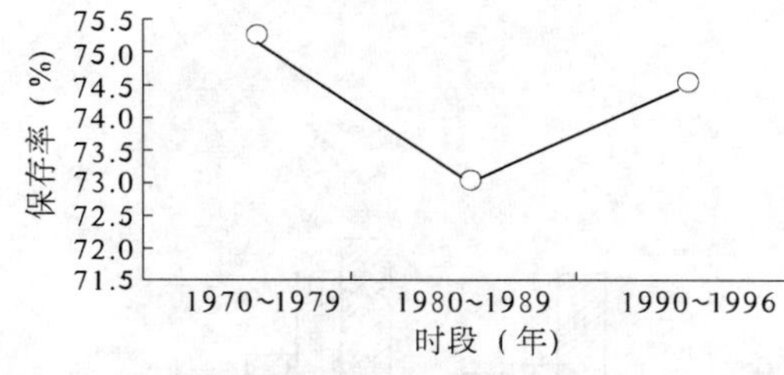

图 3-1　河龙区间不同年代坝地保存率变化过程线

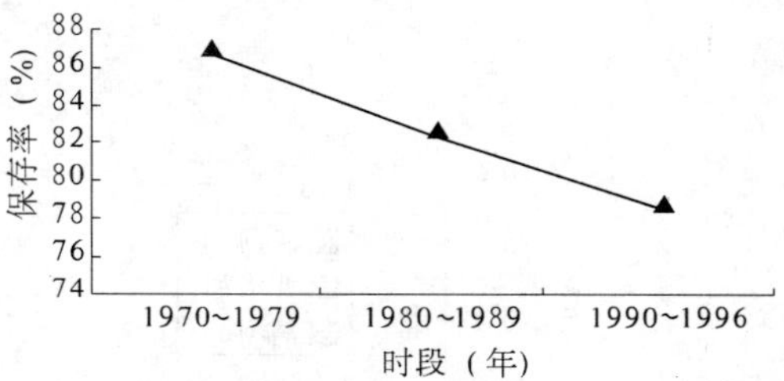

图 3-2　泾河流域不同年代坝地保存率变化过程线

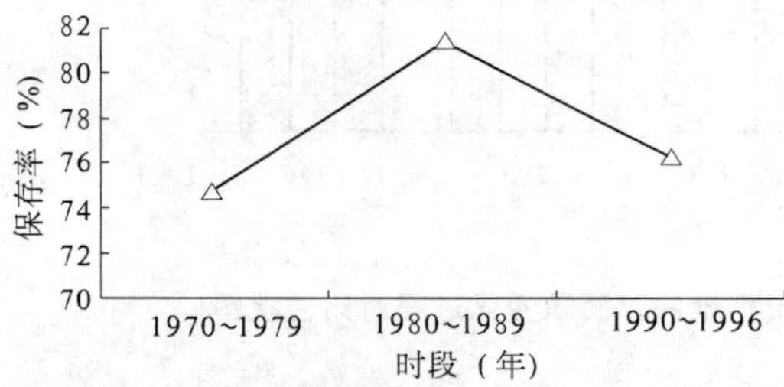

图 3-3　北洛河流域不同年代坝地保存率变化过程线

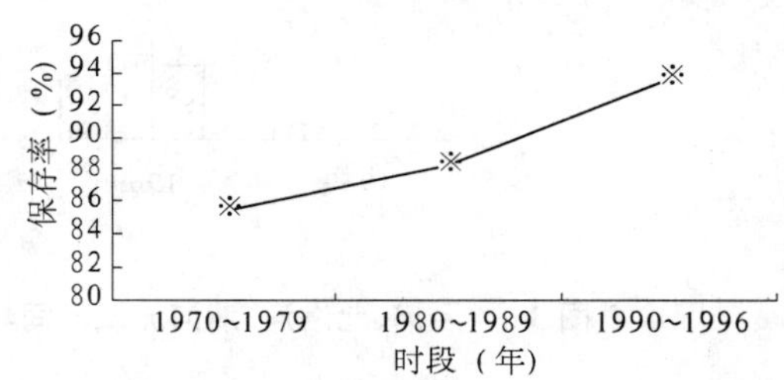

图 3-4　渭河流域不同年代坝地保存率变化过程线

二、坝地保存面积研究成果与分析

黄河中游地区不同年份坝地累积保存面积研究成果见表 3-2。其中 1969 年以前的数据根据调查的历史资料确定;1970 年以后的数据根据前述坝地保存率研究成果确定。根据表 3-2 绘制的黄河中游地区不同年份坝地保存面积柱状图及不同年份变化过程线分别见图 3-5 ~ 图 3-9。

表 3-2　**黄河中游地区坝地保存面积**　(单位:万 hm^2)

年份(年)	河龙区间	泾河	北洛河	渭河
1959	0.278	0.040	0.016	0.023
1969	1.537	0.104	0.119	0.091
1979	3.947	0.176	0.312	0.221
1989	5.632	0.436	0.306	0.296
1996	6.820	0.489	0.440	0.323

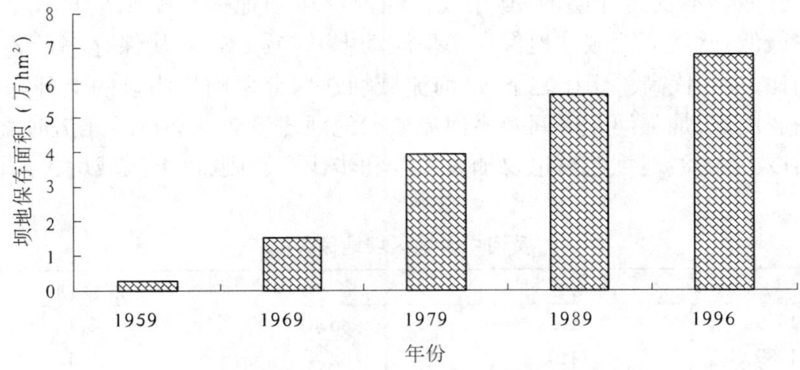

图 3-5　河龙区间不同年份坝地保存面积变化过程柱状图

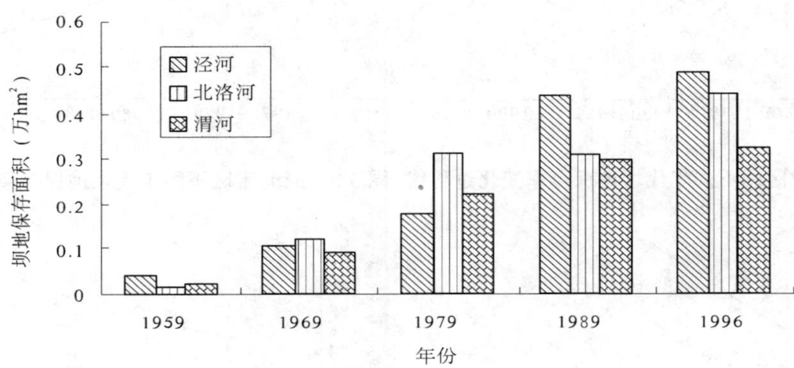

图 3-6　泾河、北洛河、渭河流域不同年份坝地保存面积变化过程对比柱状图

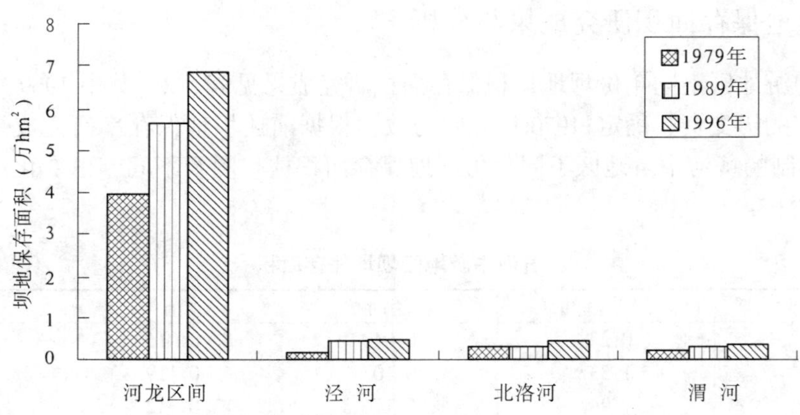

图 3-7　黄河中游地区不同年份坝地保存面积变化柱状图

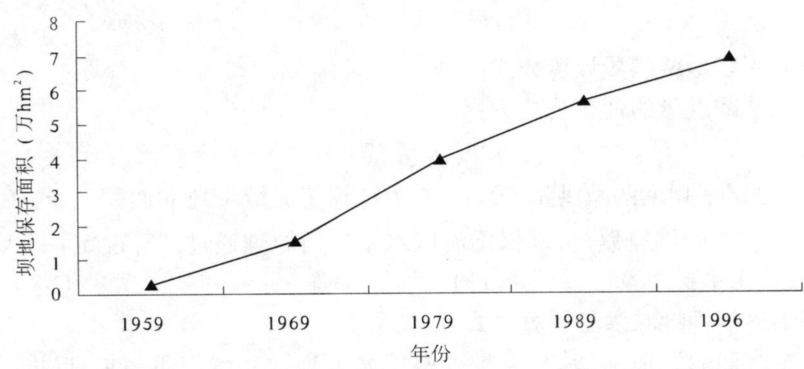

图 3-8　河龙区间不同年份坝地保存面积变化过程线

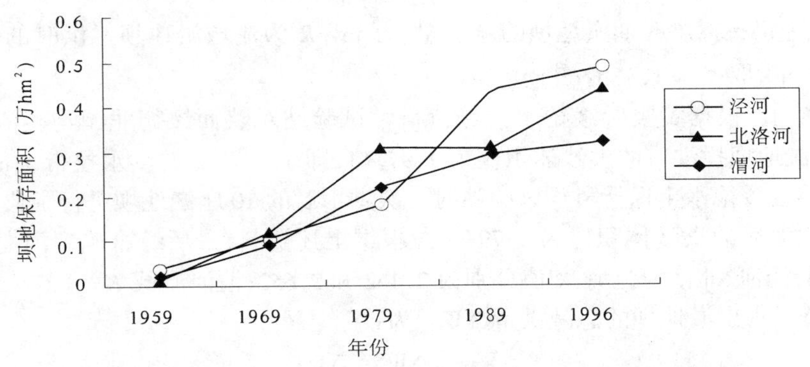

图 3-9　泾河、北洛河、渭河流域不同年份坝地保存面积变化过程线

由此可以看出，河龙区间、泾河、渭河流域坝地面积依时序呈增长趋势，河龙区间增幅最为明显。北洛河流域 20 世纪 80 年代坝地保存面积有所下降，但 90 年代开始明显回升。与 80 年代相比，进入 90 年代后河龙区间及泾河、北洛河、渭河流域坝地保存面积分别上升了 21.1%、12.2%、43.8% 和 9.1%，北洛河流域增幅最大，其次是河龙区间，泾河流域位居第三，渭河流域增幅最小。坝地保存面积增幅的大小实际上反映了各区域淤地坝建设的客观实际。

第二节　淤地坝减洪减沙作用计算方法

一、淤地坝减洪量计算方法

淤地坝的减洪量计算包括两部分：一部分是计算已经淤平后作为农地利用的坝地减洪量；另一部分是计算仍在拦洪时期的淤地坝减洪量。淤地坝淤平后，坝地已经利用，其减洪作用就与有埂的水平梯田一样。仍在拦洪时期的淤地坝，其拦泥和拦洪是同时进行的，拦洪的目的是拦泥，泥中有水。淤泥中所含的水分，有一大部分将耗于蒸发，另有一小部分渗入地下后又流入河中。据此分析计算这部分减洪量时，不能考虑其蓄水量，只能计算淤泥中所含的水量。

(一)已淤平坝地减洪量计算公式

已淤平坝地减洪量的计算公式为:

$$\Delta W_1 = f_i \cdot W_i \cdot \eta \tag{3-1}$$

式中:ΔW_1 为已淤平坝地的减洪量,万 m^3;f_i 为计算年流域坝地的面积,km^2;W_i 为计算年流域天然状况下的产洪模数,可以根据流域水量平衡原理通过试算确定;m^3/km^2;η 为减洪系数,以有埂水平梯田看待,取 $\eta = 1.0$。

(二)拦洪时期坝地减洪量计算公式

仍在拦洪时期的淤地坝,其减洪量可根据淤地坝的总拦泥量 ΔW_{sg}反推。计算公式为:

$$\Delta W_2 = K \cdot (\Delta W_{sg}) / \gamma_s \tag{3-2}$$

式中:ΔW_2 为仍在拦洪时期淤地坝的减洪量,万 m^3;K 为流域淤地坝拦洪时的洪沙比;γ_s 为淤泥干容重,取 $\gamma_s = 1.35\ t/m^3$。

对于 K 值,根据黄委会绥德水土保持科学试验站对陕西绥德韭园沟实测资料的分析,黄丘区淤地坝拦洪时的洪沙体积比为 1.977∶1,即 1.977 m^3 的洪水挟带 1 m^3 的淤泥;1991 年黄委会绥德水土保持科学试验站对三次洪水后的 10 座淤地坝进行了典型调查,得出淤地坝拦泥后的洪沙体积比为 1.797∶1。根据上述资料,最后综合确定河龙区间 $K = 1.433 \sim 2.4$;泾河、北洛河流域 K 值分别为 2.462 和 2.652;渭河流域 $K = 1.5 \sim 2.0$。

由此可以求出淤地坝的总减洪量 $\Delta W_{坝}$ 为:

$$\Delta W_{坝} = \Delta W_1 + \Delta W_2 \tag{3-3}$$

二、淤地坝减沙量计算方法

淤地坝减沙量包括淤地坝的拦泥量、减轻沟蚀量以及由于坝地滞洪及流速减小对坝下游沟道侵蚀量的影响减少量。目前拦泥量、减蚀量可以通过一定的方法来进行计算,削峰滞洪对下游沟道的影响减少量还无法计算,因此仅计算前两部分量。

(一)拦泥量计算公式

淤地坝总拦泥量的计算分两部分:

第一部分是截至 1996 年已淤成坝地部分的拦泥量。计算公式为:

$$W_{sg1} = f \cdot M_s \cdot (1 - \alpha_1) \cdot (1 - \alpha_2) \tag{3-4}$$

式中:W_{sg1}为截至 1996 年已淤成坝地的拦泥量,万 t;f 为截至 1996 年坝地的累积面积,hm^2;M_s 为拦泥定额,即单位面积坝地的拦泥量,万 t/hm^2;α_1 为人工填垫及坝地两岸坍塌所形成的坝地面积占坝地总面积的比例,黄河中游地区取 $\alpha_1 = 0.1 \sim 0.2$;α_2 为推移质在坝地拦泥量中所占的比例系数,黄河中游地区取 $\alpha_2 = 0.1$。

第二部分是截至 1996 年未淤成坝地部分的拦泥量。这部分拦泥量由于缺乏实测资料,无法直接进行计算,但在淤地坝总拦泥量中占有一定的比例。根据大量的调查资料分析,淤地坝的拦泥年限一般在 12 年左右,因而采用了淤积年限 n($n = 13$ 年)这一指标,并根据历年坝地累积面积的变化趋势,将截至 1996 年仍在拦洪的淤地坝进行"淤成"预测,以此求出未淤成坝地部分的拦泥量。计算公式为：

$$W_{sg2} = \frac{1}{13}(\sum_{i=1}^{12} f_i - 12f) \cdot M_s \cdot (1 - \alpha_1) \cdot (1 - \alpha_2) \tag{3-5}$$

式中：W_{sg2}为截至1996年未淤成坝地部分的拦泥量；f_i 为1996年后预测年每年"淤成"的坝地面积，hm^2。

由此可得淤地坝总拦泥量 ΔW_{sg} 为：

$$\Delta W_{sg} = W_{sg1} + W_{sg2} \tag{3-6}$$

对于各年代的拦泥量，按照各年代坝地面积的增长值占1996年累积面积的百分比，将总拦泥量分配到各年代；在各年代内，按照每年侵蚀模数的大小将各年代值分配到具体年份。

上述分配计算方法的依据是：淤地坝每年拦泥量的多少，与淤地坝的库容和坡面产沙量的多少有关。而经过数年之后，这两个值的大小被充分反映在坝地增长面积上。因此，用以上分配方法分配的年代值和具体年份值，符合流域坡面来沙量多、库容大时淤地坝拦泥多、坝地面积增长快这一客观事实。

（二）减蚀量计算公式

淤地坝的减蚀作用在沟道建坝后即行开始。其减蚀量一般与沟壑密度、沟道比降及沟谷侵蚀模数等因素有关，其数量包括被坝内泥沙淤积物覆盖下的原沟谷侵蚀量和波及影响的淤泥面以上沟道侵蚀的减少量。后一部分的数量较难确定，通常是在计算前一部分的基础上乘一扩大系数。减蚀量的计算公式是：

$$\Delta W_{sj} = 1.0 \times 10^{-6} F \cdot W_{si} \cdot k_1 \cdot k_2 \tag{3-7}$$

式中：ΔW_{sj}为计算年淤地坝减蚀量，万 t；F 为计算年淤地坝的面积，hm^2；W_{si}为计算年内流域的侵蚀模数，t/km^2，按各控制区的年输沙模数扩大1.15倍而得；k_1 为沟谷侵蚀量与流域平均侵蚀量之比。根据黄委会西峰水土保持科学试验站南小河沟流域多年小区及小流域的观测资料，多年平均侵蚀模数为6 870 $t/(km^2 \cdot a)$，沟谷地侵蚀模数为152 00 $t/(km^2 \cdot a)$，按此推算，黄土高塬沟壑区的 k_1 值为2.20；黄河中游黄土丘陵沟壑区取 $k_1 = 1.75$；k_2 为坝地以上沟谷侵蚀的影响系数。

在淤地坝中还有一部分是修建在沟道比较平缓、沟床已不再继续下切、沟坡多年来比较稳定、沟谷侵蚀已达到相对稳定程度的流域内，当坝建成后基本无减蚀作用，在计算减蚀量时还应扣除这一部分。由于对这一部分不减蚀坝地目前还没有更好的办法来分割，但又确实存在，研究中可假设这一部分未扣除的减蚀量和对坝地以上沟谷侵蚀的减少量相互抵消，即取 $k_2 = 1.0$。由此可以求出淤地坝的减沙量 $\Delta W_{s坝}$为：

$$\Delta W_{s坝} = \Delta W_{sg} + \Delta W_{sj} \tag{3-8}$$

三、计算方法的优点

（1）计算年内各流域的年产洪模数及年输沙模数参与计算。

（2）在研究中将淤地坝的减洪量分为已淤平坝地的减洪量和仍在拦洪时期淤地坝的减洪量两部分，分别进行计算；将淤地坝的减沙量分为拦泥量和减蚀量两部分，分别进行计算；在拦泥量计算中又分为已淤成坝地拦泥量和未淤成坝地拦泥量两部分，分别进行计算;考虑因素比较周全。

(3)比较符合淤地坝蓄洪拦泥的实际情况,实用价值较高。如对于某一年内淤地坝面积和上一年相同或小于上一年时,按以往计算方法,淤地坝减洪减沙量为零或为负数,而采用本方法不会出现类似情况,比较符合实际。

第三节 研究成果与分析

黄河中游河龙区间及泾河、北洛河、渭河流域淤地坝减洪减沙量计算成果见表3-3[1,2];淤地坝减洪占比和减沙占比(即淤地坝减洪减沙量分别占四大水土保持措施减洪减沙总量的百分比)计算成果见表3-4。对应的不同年代减洪减沙柱状图及其减洪减沙占比分别见图3-10~图3-13。

表3-3 黄河中游地区淤地坝减洪、减沙量计算成果

时段(年)	减洪量(亿 m^3)				
	河龙区间	泾河	北洛河	渭河	合计
1970~1979	2.573	0.119	0.179	0.085	2.956
1980~1989	1.945	0.227	0.044	0.053	2.269
1990~1996	1.735	0.127	0.202	0.030	2.094
1970~1996	2.123	0.161	0.135	0.059	2.478
时段(年)	减沙量(亿 t)				
	河龙区间	泾河	北洛河	渭河	合计
1970~1979	1.166	0.049	0.066	0.087	1.368
1980~1989	0.885	0.084	0.015	0.056	1.040
1990~1996	0.804	0.055	0.066	0.030	0.955
1970~1996	0.968	0.063	0.047	0.060	1.138

表3-4 黄河中游地区淤地坝减洪、减沙占比

时段(年)	减洪占比(%)				减沙占比(%)			
	河龙区间	泾河	北洛河	渭河	河龙区间	泾河	北洛河	渭河
1970~1979	76.7	39.9	57.7	14.6	80.0	21.8	46.3	51.6
1980~1989	55.2	38.3	19.3	3.9	63.3	18.2	10.7	24.2
1990~1996	43.4	22.1	48.4	2.1	47.6	12.5	31.8	10.9
1970~1996	59.3	33.6	43.9	5.4	64.7	17.2	29.9	27.6

显然,作为淤地坝分布最为集中的河龙区间,1970~1996年的27年间不论是淤地坝减洪减沙量还是减洪减沙占比,均明显高于泾河、北洛河、渭河流域。尤其是不同年代淤地坝减洪减沙量变化柱状图对比更为明显。1970~1996年,泾河、北洛河、渭河流域淤地坝减洪量合计值仅为0.355亿 m^3,仅占河龙区间的16.7%;淤地坝减沙量合计值仅为0.170亿t,仅占河龙区间的17.6%。

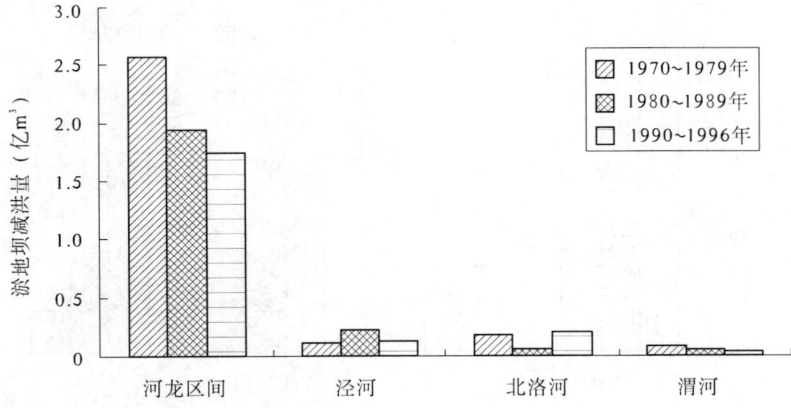

图 3-10 黄河中游地区淤地坝减洪量变化柱状图

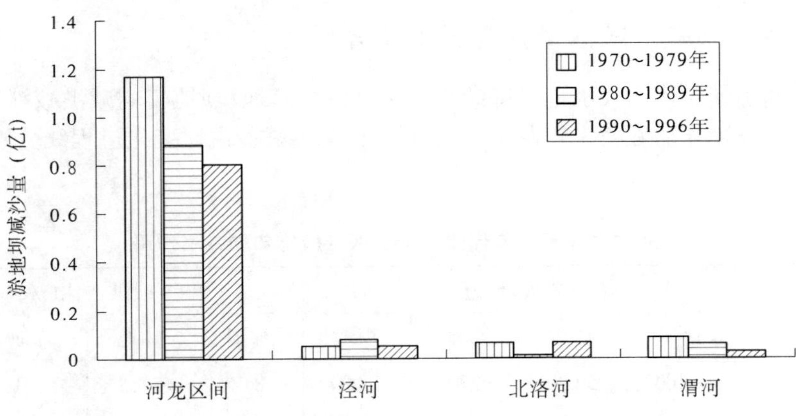

图 3-11 黄河中游地区淤地坝减沙量变化柱状图

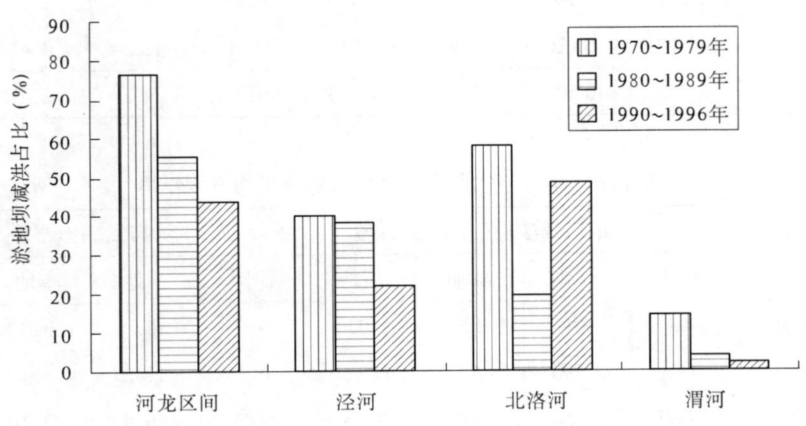

图 3-12 黄河中游地区不同年代淤地坝减洪占比柱状图

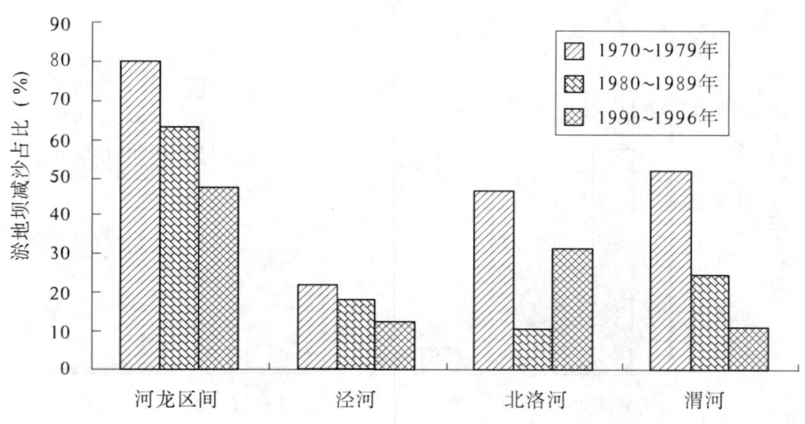

图 3-13　黄河中游地区不同年代淤地坝减沙占比柱状图

一、河龙区间减洪减沙量计算成果与分析

河龙区间不同年代四大水土保持措施梯田、林地、草地、坝地年均减洪减沙量及其减洪减沙占比计算成果分别见表 3-5、表 3-6。不同年代减洪减沙占比变化过程线分别见图 3-14、图 3-15。

表 3-5　　河龙区间不同年代四大水土保持措施年均减洪作用

时段(年)	年均减洪量(万 m^3)				减洪占比(%)			
	梯田	林地	草地	坝地	梯田	林地	草地	坝地
1969 年以前	1 100	5 020	270	7 000	8.2	37.5	2.0	52.3
1970 ~ 1979	2 510	4 850	430	25 730	7.5	14.5	1.3	76.7
1980 ~ 1989	3 270	11 740	750	19 450	9.3	33.3	2.1	55.2
1990 ~ 1996	4 410	16 820	1 350	17 350	11.0	42.1	3.4	43.4
1970 ~ 1996	3 290	10 500	790	21 230	9.2	29.3	2.2	59.3

表 3-6　　河龙区间不同年代四大水土保持措施年均减沙作用

时段(年)	年均减沙量(万 t)				减沙占比(%)			
	梯田	林地	草地	坝地	梯田	林地	草地	坝地
1969 年以前	413	728	136	3 320	9.0	15.8	3.0	72.2
1970 ~ 1979	934	1 790	198	11 660	6.4	12.2	1.4	80.0
1980 ~ 1989	1 080	3 750	301	8 850	7.7	26.8	2.2	63.3
1990 ~ 1996	1 680	6 550	600	8 040	10.0	38.8	3.6	47.6
1970 ~ 1996	1 180	3 750	340	9 680	7.9	25.1	2.3	64.7

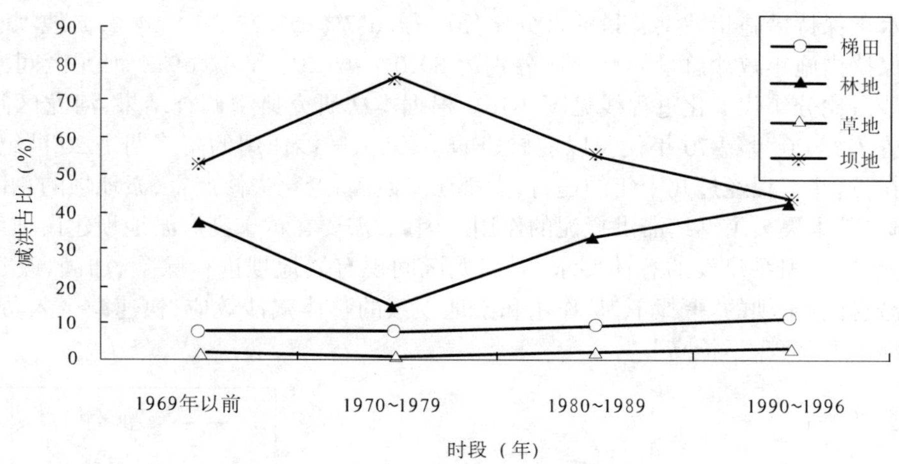

图 3-14 河龙区间四大水保措施不同年代减洪占比变化过程线

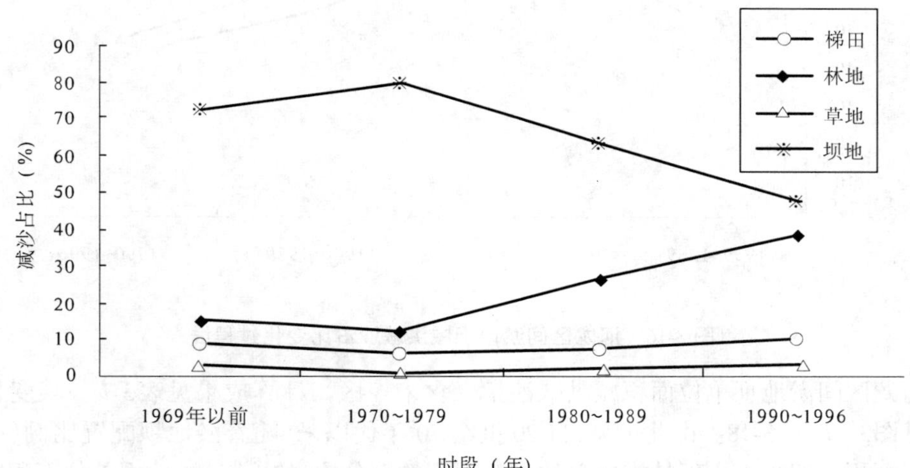

图 3-15 河龙区间四大水保措施不同年代减沙占比变化过程线

1970～1996年，河龙区间淤地坝减洪减沙量分别占水土保持措施减洪减沙总量的59.3%和64.7%。特别是20世纪70年代，河龙区间淤地坝减洪减沙量分别占到四大水土保持措施减洪减沙总量的76.7%和80.0%。因此，沟道坝系工程是实现黄河快速减沙、减轻黄河下游粗泥沙淤积、实现黄河下游“河床不抬高”的关键措施，在黄河中游地区小流域治理中具有对泥沙的绝对控制性作用。从河龙区间淤地坝较多的四大重点支流皇甫川、窟野河、无定河、三川河流域计算结果看，1970～1996年淤地坝减洪量分别占水土保持措施减洪总量的56.6%、40.8%、62.3%和71.2%；淤地坝减沙量分别占水土保持措施减沙总量的57.8%、37.2%、62.1%和72.2%。除窟野河外，其余三大支流淤地坝的减洪减沙作用均占主导地位，三川河流域最高。最低的窟野河流域淤地坝减洪减沙量占比也在40%左右。

从分年代计算结果看，河龙区间淤地坝的减洪减沙作用随着时间的延续呈明显下降趋势，具有时限性及非持续性。1970～1979年、1980～1989年和1990～1996年淤地坝减洪量占水土保持措施年减洪总量的百分比分别为76.7%、55.2%和43.4%；淤地坝减沙量占水土保持措施年减沙总量的百分比分别为80.0%、63.3%和47.6%。河龙区间淤地坝减洪减沙占比分年代变化过程线见图3-16。根据本次研究典型调查结果，河龙区间淤地坝85%左右是20世纪70年代及以前修建的，其减洪减沙作用的高峰期是20世纪70年代。现在，这些工程经过几十年的运行，大都已经淤满，老化失修严重，淤地坝的总体质量明显下降，基本失去了继续滞洪拦泥的作用。因此，需要在黄土高原淤地坝建设坝系规划的基础上，按照坝系建设的总体要求，对河龙区间现有淤地坝进行除险、加固、改建和配套，充分发挥骨干坝的"上拦下保"作用和淤地坝系的整体减沙效应，快速减少入黄泥沙，实现黄河下游"河床不抬高"。

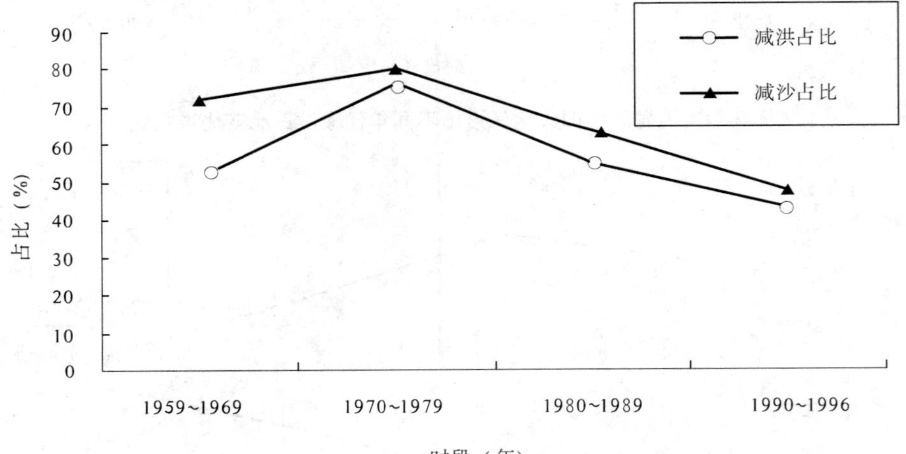

图3-16　河龙区间淤地坝减洪减沙占比变化过程线

河龙区间淤地坝单位面积减洪减沙量（含未控区）计算成果见表3-7。其变化过程分别见图3-17、图3-18。由此可见，自20世纪70年代以来，随着淤地坝配置比例（即淤地坝保存面积占四大水土保持措施总体保存面积的百分比）的下降，淤地坝单位面积减洪减沙量也呈下降趋势，说明河龙区间淤地坝的减洪减沙能力正在降低，应该引起高度重视。

表3-7　　河龙区间淤地坝单位面积减洪减沙量（含未控区）计算成果

时段（年）	坝地保存面积（hm^2）	配置比例（%）	减洪量（万m^3）	减沙量（万t）	单位面积减洪量（m^3/hm^2）	单位面积减沙量（t/hm^2）
1969年以前	9 070(3 115)	2.4	11 540(4 540)	5 320(2 000)	12 720	5 870
1970~1979	27 420(8 910)	3.1	34 950(9 220)	15 810(4 150)	12 750	5 770
1980~1989	47 900(14 220)	2.5	25 500(6 050)	11 410(2 560)	5 320	2 380
1990~1996	62 260(18 130)	2.1	24 700(7 350)	11 250(3 210)	3 970	1 810
1970~1996	44 040(13 270)	2.6	28 790(7 560)	13 000(3 320)	6 540	2 950

注：括号内数字分别为未控区坝地保存面积和未控区坝地减洪减沙量。

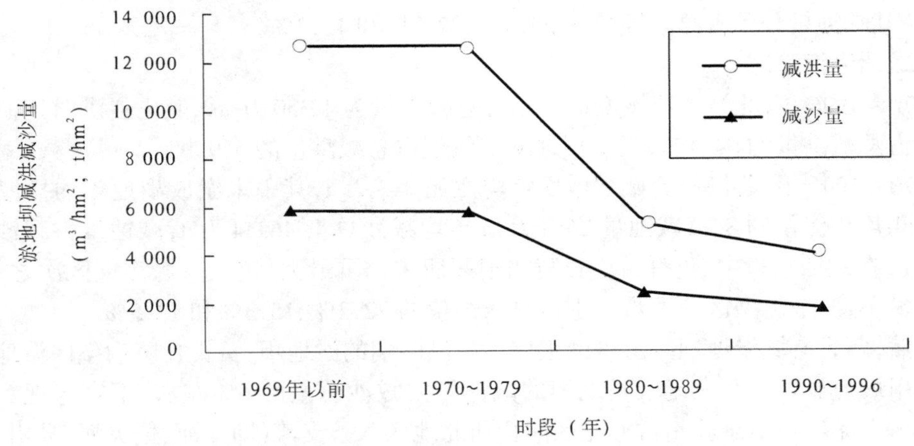

图 3-17　河龙区间淤地坝单位面积减洪减沙量变化过程线

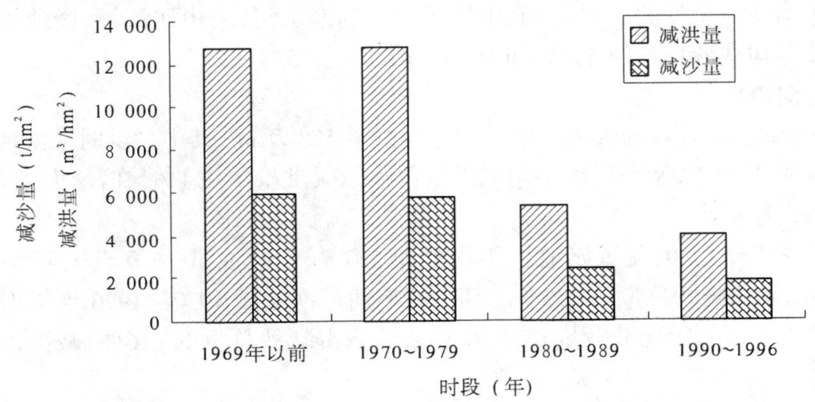

图 3-18　河龙区间淤地坝单位面积减洪减沙量变化柱状图

二、泾河、北洛河、渭河流域减洪减沙量计算成果与分析

1970～1996 年，泾河、北洛河、渭河流域淤地坝减洪量分别占水土保持措施减洪总量的 33.6%、43.9%和 5.4%，淤地坝减沙量分别占水土保持措施减沙总量的 17.2%、29.9%和 27.6%。显然，淤地坝减洪减沙占比明显低于河龙区间，这与各流域淤地坝保存面积的大小和水土流失类型区的分布密切相关。从分年代计算结果看，泾河、渭河流域淤地坝的减洪减沙作用随着时间的延续亦呈下降趋势，但渭河流域下降趋势更为明显。北洛河流域则不同，虽然淤地坝的减洪减沙占比总体呈下降趋势，但 1980～1989 年的减洪减沙占比最小，1970～1979 年和 1990～1996 年的减洪减沙占比明显高于 1980～1989 年，呈马鞍形变化。

（一）泾河流域

1970～1996 年，泾河流域淤地坝年均总减洪量为 1 610 万 m³，其中拦洪时期淤地坝减洪量占总减洪量的 95.9%，淤平坝地年均减洪量仅占总减洪量的 4.1%。

1970～1996 年，泾河流域淤地坝年均拦泥 595 万 t，其中未淤成坝地年均拦泥 53.6 万 t，占年均拦泥量的 9%；减蚀量 39.6 万 t；年均减沙总量 634.6 万 t，减蚀量占减沙总量的 6.2%。在减蚀总量中，黄土丘陵沟壑区所占的比重最大，黄土高塬沟壑区次之，其他类型区最小，其减蚀量分别占总减蚀量的55.5%、32.3%和12.2%。

（二）北洛河流域

1970～1996年，北洛河流域淤地坝年均总减洪量为1 350万m^3，其中拦洪时期淤地坝减洪量占总减洪量的94.1%，淤平坝地减洪量仅占总减洪量的5.9%。

1970～1996年，北洛河流域淤地坝年均拦泥443万t，其中未淤成坝地年均拦泥35.4万t，占年均拦泥量的8%；减蚀量26.4万t；年均减沙总量469.4万t，减蚀量占减沙总量的5.6%；在减蚀总量中，仍是黄土丘陵沟壑区所占比重最大，黄土高塬沟壑区次之，其他类型区最小，三个类型区减蚀量分别占总减蚀量的72.2%、15.3%和12.5%。

显然，两大流域淤地坝减洪量的主体是拦洪时期的淤地坝，黄土丘陵沟壑区淤地坝的减蚀作用最为显著。两大流域淤地坝的减蚀量占减沙总量的6%左右，不容忽视。黄委会西峰水土保持科学试验站对河龙区间晋西北地区八条支流（即浑河、偏关河、县川河、朱家川、岚漪河、蔚汾河、湫水河、三川河）淤地坝的减蚀作用研究结果表明：淤地坝的减蚀量占淤地坝年均减沙总量的2.7%。其中坝库较多的湫水河、三川河流域，淤地坝减蚀量分别占淤地坝年均减沙总量的5.3%和5.8%，均超过了5%。

（三）渭河流域

1970～1996年，渭河流域淤地坝年均总减洪量588万m^3，其中拦洪时期淤地坝减洪量占总减洪量的97.9%，淤平坝地年均减洪量仅占总减洪量的2.1%，在泾河、北洛河、渭河三大支流中占比最小。

1970～1996年，渭河流域淤地坝年均拦泥587万t，减蚀量16.9万t，年均减沙总量604万t，减蚀量占减沙总量的2.8%。其中支流葫芦河流域1970～1996年年均拦泥87.5万t，减蚀量6.2万t，年均减沙量93.7万t，减蚀量占减沙总量的6.6%，减蚀作用明显高于其他地区。

葫芦河流域地处黄土丘陵沟壑区，属于黄河流域多沙区，水土流失严重，侵蚀强烈。其把口站秦安水文站控制面积9 805 km^2，多年平均（1957～1996年）径流量37 140万m^3，仅占渭河华县水文站（不包括泾河张家山水文站以上）多年平均径流量的6.2%；多年平均输沙量5 640万t，占华县水文站多年平均输沙量的42.1%，是渭河流域泥沙的主要来源区。根据实测资料统计，葫芦河流域次洪水含沙量最高达1 210 kg/m^3（1970年），最大年输沙模数21 620 $t/(km^2 \cdot a)$（1973年），一般年份次洪水含沙量都在500 kg/m^3以上，属高含沙水流。葫芦河流域筑坝的地理条件和水文泥沙条件较好，是渭河流域淤地坝建设的重中之重地区。在葫芦河流域大力兴建淤地坝，对减轻渭河下游河道淤积、降低潼关高程意义十分重大。

三、水土保持措施减蚀作用研究途径

在黄河中游多沙粗沙区，以淤地坝和治沟骨干工程为主的沟道坝系工程建设，是近期黄河中游水土保持生态环境建设的重中之重。沟道坝库工程不仅有直接拦泥作用，还有明显的间接减蚀作用。黄委会西峰水土保持科学试验站，曾于20世纪60年代在地处黄土高塬沟壑区的西峰南小河沟流域对淤地坝减轻沟蚀的作用进行过观测，其结果说明：由于局部沟段坝地的固沟作用，使小流域的沟蚀量减轻了16.2%；徐建华[5]对大理河支流岔巴沟流域的间接减蚀作用分析表明:坝库间接减蚀量平均占天然输沙量的20.7%;熊贵枢[6]对无定河赵石窑以上坝地的间接减蚀作用分析表明:坝库间接减蚀量占赵石窑水文站多年平均输沙量的24.3%。

以往有的研究未曾考虑淤地坝的减蚀作用,在淤地坝拦泥量的计算中未计算尚未淤成坝地的拦泥量。根据本次研究结果,河龙区间未淤成坝地的拦泥量约占淤地坝拦泥总量的14%。利用传统采用的计算公式(3-4)所计算的淤地坝拦泥量,正是忽略了这一部分实际存在又占有相当比重的拦泥量。因此,对淤地坝减沙量的计算是不全面的。

此外,水土保持坡面治理措施实施后也有减轻沟蚀的作用。黄委会西峰水土保持科学试验站经对南小河沟流域内的杨家沟、董庄沟两条支沟对比观测,塬面水不下沟比水下沟减轻沟蚀30%~70%;山西省水土保持科学研究所在地处黄土丘陵沟壑区的离石王家沟进行对比观测的结果,坡面水不下沟比水下沟减轻沟蚀50%。囿于实测资料太少,本次研究未专门进行水土保持坡面措施减轻沟蚀的作用计算,但在坡面措施减沙量"以洪算沙"计算模型中得以体现[1]。坡面措施因减洪而对减少沟道侵蚀的贡献量——减蚀量的定量计算,有待今后进一步研究。

坝库工程及坡面措施的减蚀作用研究是黄河水沙变化研究中一个非常薄弱的环节。今后的研究需设站进行专项观测,积累较长系列的实测资料,为计算大面积水土保持综合治理措施减轻沟蚀的作用提供科学依据。在这个问题上无捷径可走,必须脚踏实地,在不同类型区设立测站,积累原始资料,完善观测站网,进行原型观测。实测资料与计算模型研究的有机结合,是解决这一悬而未决问题的根本途径。

四、淤地坝的节水减淤效应

由于淤地坝减少的是相对难以利用的洪水,并且汛期拦蓄的洪水有相当一部分在非汛期释放,增加了河川基流和沟道常流水;淤地坝的有效滞洪调节了汛期高含沙洪水,涵养了水源,对流域水资源的可持续利用也起到了十分重要的促进作用;淤地坝在减沙的同时也减少了黄河下游冲沙用水。黄河下游为了减轻河道淤积,平均每年需要200亿 m^3 的水量用于冲沙。若按照冲沙1 t需要20 m^3 的水量计算,以上区域淤地坝年均减沙1.138亿t,可减少冲沙用水22.8亿 m^3,亦即可为黄河下游增加用于输沙以外的可调水量22.8亿 m^3。

黄河中游淤地坝建设的实施,不仅取得了显著的生态效益和社会效益,也取得了显著的经济效益。淤地坝的减淤量一般占其拦泥量的1/4。按此比例粗略推算,以上区域淤地坝年均减沙1.138亿t,可为黄河下游减少淤积0.285亿t。若按泥沙干容重1.35 t/m^3 计算,以上区域淤地坝年均可为黄河下游河道减少淤积0.211亿 m^3,1970~1996年的27年间累计减少淤积5.7亿 m^3;清淤费若按15元/ m^3 计算,累计可为国家节约清淤费用85.5亿元,其间接经济效益相当可观。

五、坡面治理与淤地坝减洪减沙的关系

在黄河中游水土保持生态建设中,要正确处理工程措施、生物措施和耕作措施的关系。以淤地坝为主的工程措施、以退耕还林(草)为主的生物措施和以改进生产方式为主

的耕作措施，都是治理水土流失的重要措施，三者相辅相成，互为补充。单打一搞淤地坝工程，没有退耕还林等生物措施，淤地坝的"生存"将面临严峻挑战；同样，离开工程单纯搞退耕还林，不仅林草生长所需的水分得不到保证，而且老百姓的吃饭问题也难以有效解决，"越穷越垦、越垦越穷"的恶性循环就难以改变。要把林草措施作为淤地坝建设的配套工程，以淤地坝建设巩固退耕还林成果，工程措施、生物措施和耕作措施并举，最终达到综合治理的目的。

六、淤地坝减沙量计算成果的验证

根据本次研究成果综合分析，河龙区间及泾河、北洛河、渭河流域淤地坝实际拦泥指标平均值见表 3-8。经过对比，其值均小于河龙区间及三大流域治理前(1970 年以前)的平均洪水输沙模数 M_S，说明淤地坝减沙量计算结果合理可信。

表 3-8　　第二期"水沙基金"淤地坝拦泥指标推算成果

河流(区间)	时段(年)	坝地面积(hm^2)	时段总拦泥量(亿 t)	拦泥指标(t/hm^2)	治理前平均洪水输沙模数 M_S ($t/(km^2\cdot a)$)
河龙区间	1970 ~ 1979	24 106	15.81	65 550	9 510
	1980 ~ 1989	16 844	11.4	67 650	
	1990 ~ 1996	11 856	7.875	66 450	
泾河	1970 ~ 1979	723	0.489	67 650	6 250
	1980 ~ 1989	2 597	0.841	32 400	
	1990 ~ 1996	528	0.383	72 600	
北洛河	1970 ~ 1996	3 211	1.268	39 450	3 830
渭河	1970 ~ 1996	3 233	1.631	50 400	3 710

此外，根据本次研究成果综合分析，黄河中游地区单座淤地坝可淤地面积平均为 3 hm^2，淤成 0.067 hm^2(1 亩)坝地需要 5 000 t 泥沙，则每座淤地坝淤满共需要泥沙 22.5 万 t。根据笔者 2003 年春参加编制的《黄河流域黄土高原地区水土保持淤地坝建设规划》的要求，要实现 2020 年新增高产稳产坝地面积 50.6 万 hm^2 的目标，需要新建淤地坝 16.9 万座(含骨干坝)，可拦沙 379.5 亿 t。

七、小结

(1)1970 ~ 1996 年，河龙区间淤地坝年均减洪减沙量分别占水土保持措施年均减洪减沙总量的 59.3% 和 64.7%，居于主导地位；泾河、北洛河、渭河流域淤地坝年均减洪量分别占水土保持措施年均减洪总量的 33.6%、43.9% 和 5.4%，淤地坝年均减沙量分别占水土保持措施年均减沙总量的 17.2%、29.9% 和 27.6%。

(2)河龙区间淤地坝的减洪减沙作用随着时间的延续呈下降趋势，具有时限性及非持续性。1970 ~ 1979 年、1980 ~ 1989 年及 1990 ~ 1996 年淤地坝减洪量占水土保持措施年减洪总量的百分比分别为 76.7%、55.2% 和 43.4%；淤地坝减沙量占水土保持措施年减沙总量的百分比分别为 80.0%、63.3% 和 47.6%。

(3)1970 ~ 1996 年，泾河、北洛河、渭河流域已淤平坝地年均减洪量分别占淤地坝年均减洪总量的 4.1%、5.9% 和 2.1%，淤地坝年均减蚀量分别占淤地坝年均减沙总量的 6.2%、5.6% 和 2.8%；黄土丘陵沟壑区淤地坝的减蚀作用最为显著。

(4)河龙区间未淤成坝地的拦泥量约占淤地坝拦泥总量的 14%；泾河、北洛河流域未淤成坝地的拦泥量分别占淤地坝拦泥总量的 9% 和 8%。未淤成坝地的拦泥量不容忽视。

(5) 1970 ~ 1996 年，河龙区间及泾河、北洛河、渭河流域淤地坝年均合计减沙 1.138 亿 t，可为黄河下游减少淤积 0.285 亿 t；可减少冲沙用水 22.8 亿 m^3；节约清淤费用 85.5 亿元。淤地坝建设的生态效益、社会效益和经济效益十分显著。黄河中游黄土高原地区应以淤地坝建设为重点，全面推进水土保持生态建设。

第四节　基于粮食需求的黄土高原地区淤地坝建设规模论证

中共"十六大"提出了全面建设小康社会的宏伟目标，强调在西部大开发中，要重点抓好基础设施和生态环境建设，争取十年内取得突破性进展。加快黄土高原水土流失治理，已成为一项紧迫而重大的战略任务。

长期的水土保持实践经验证明，淤地坝是黄土高原水土流失防治的重要措施。加大黄土高原淤地坝建设力度，开发利用当地的洪水泥沙资源，控制水土流失，既是发展当地经济的必由之路，又是治黄的根本措施。大规模开展淤地坝建设，充分发挥其拦沙、蓄水、淤地等综合功能，对促进当地农业增产、农民增收和农村经济发展，巩固退耕还林还草成果，改善生态环境，实现全面建设小康社会的宏伟目标，再造秀美山川；对有效减少入黄泥沙，实现黄河下游"河床不抬高"，确保黄河长治久安，具有非常重大的现实意义。

根据《全国生态环境建设规划》和《黄河近期重点治理开发规划》，水利部组织黄河水利委员会于 2003 年 1 月至 6 月编制完成了《黄土高原地区水土保持淤地坝规划》，此系水利部 2003 年三大"亮点"工程之一，意义重大。笔者参加了该规划的编制和淤地坝建设规模论证报告的编写。规划重点从黄土高原地区粮食需求、总来沙量和建设能力三方面论证了黄河流域黄土高原地区淤地坝的建设规模。论证结果表明，到 2020 年，《黄土高原地区水土保持淤地坝规划》提出的淤地坝建设目标切实可行。

一、基本概况

黄河流域黄土高原地区，西起日月山，东至太行山，南靠秦岭，北抵阴山，涉及青海、甘肃、宁夏、内蒙古、陕西、山西、河南 7 省(区)的 50 个地(盟、州、市)，317 个县(旗、市、区)。全区总面积 64 万 km^2，其中水土流失面积 45.4 万 km^2(水蚀面积 33.7 万 km^2，风蚀面积 11.7 万 km^2)，占总面积的 70.9%，是我国乃至世界上水土流失最严重、生态环境最脆弱的地区。黄土高原多年平均进入黄河的泥沙约为 16 亿 t，多年平均含沙量 35 kg /m^3，居世界各大河流之冠。由于自然条件与人类活动的交织作用，形成了举世闻名的、严重的水土流失。

从黄河水系来看，黄土高原地区流域面积大于 1 000 km^2 的直接入黄支流有 48 条，其中对干流影响较大、水土流失严重的支流有 32 条，另有 6 个沿黄河段以及黄河内蒙古河段右岸的"十大孔兑"，共 39 条支流(片)，涵盖了黄河上中游侵蚀模数大于 5 000

t/(km^2·a)的强度水土流失区，是本次规划淤地坝建设的重点区域。现有淤地坝11.3万座，其中骨干坝1 480座。

根据《全国生态环境建设规划》和《黄河近期重点治理开发规划》，《黄土高原地区水土保持淤地坝规划》到2020年的目标是：到2020年，在黄土高原地区的主要入黄支流，累计建设淤地坝16.3万座，建成较为完善的沟道坝系，年减少入黄泥沙达到7亿t。工程发挥效益后，可拦截泥沙能力达到400亿t，建设高产稳产坝地面积50万hm^2；促进退耕还林还草220万hm^2，封育保护面积400万hm^2。

二、基于粮食需求的淤地坝建设规模

基于粮食需求论证淤地坝建设规模的技术路线框图见图3-19。

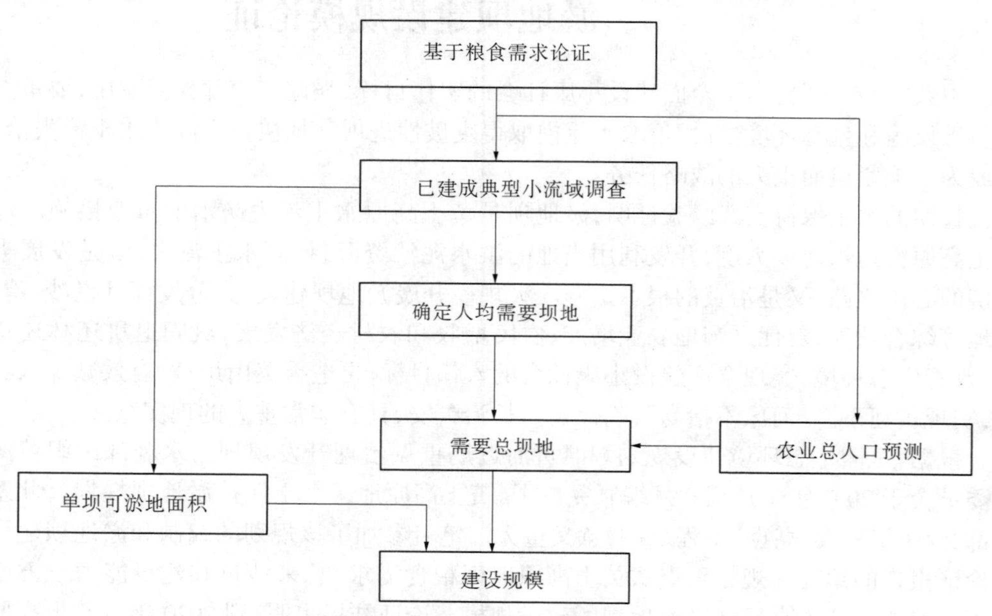

图3-19 淤地坝建设规模的技术路线框图

根据本次规划统计，截至2000年，黄土高原地区总人口为8 742万，其中农业人口6 907万，农业劳动力3 190万个，人口平均密度为137人/km^2；共有坡耕地823万hm^2，共有梯田364.026万hm^2，坝地25.453万hm^2，水地111.54万hm^2，人均坝地面积为0.003 6 hm^2，人均水地面积为0.016 hm^2。

黄河中游多沙粗沙区包括河口镇至龙门区间的18条支流、泾河的支流蒲河和马莲河上游、北洛河刘家河以上地区，涉及山西、陕西、甘肃、内蒙古和宁夏5省(区)、44个县(旗、市)。该区面积仅占黄土高原地区水土流失面积的17%，但年输入黄河的泥沙高达11.8亿t，占全河的63%。其中粒径大于0.05 mm粗沙量占全河粗沙总量的73%，是黄河下游河道淤积泥沙的主要来源。多沙粗沙区土壤侵蚀模数大于5 000 t/(km^2·a)，粒径大于0.05 mm的粗泥沙量均超过1 300 t/(km^2·a)。该区截至2000年总人口610万，其中农业人口520万，梯田37.92万hm^2，坝地5.017万hm^2，水地6.59万hm^2；人均坝地面积0.01

hm^2,人均水地面积 0.013 hm^2。根据多沙粗沙区典型小流域调查结果,通过建坝淤地,人均稳产高产坝地面积可以达到 0.067 hm^2(1 亩),人均收入达到 2 156 元,见表 3-9。

表 3-9　**黄河中游多沙粗沙区典型小流域现有坝地面积**

流域	县(市、区)	流域面积 (km^2)	坝地面积 (hm^2)	坝地单产量 (kg/hm^2)	人口 (人)	人均坝地 (hm^2/人)	人均收入 (元/人)
范四夭	内蒙古清水河县	42.5	121.2	4 725	1 734	0.07	2 500
阿不亥	内蒙古东胜区	121.6	246	5 040	2 578	0.095	2 200
碾庄沟	陕西省宝塔区	54.2	225	5 775	4 500	0.05	2 160
任家沟	山西省离石市	24.8	66.4	5 505	967	0.07	1 570
艾好峁	陕西省横山县	40.9	21	5 970	368	0.057	1 730
合计(平均)		284	679.6	5 403	10 147	0.067	2 156

兹以多沙粗沙区为重点,通过分析论证,确定满足粮食需求的淤地坝建设规模。论证方法如下。

(一)通过调查分析,求出有关指标

通过典型小流域坝系调查分析,求出坝地单位面积产量、可实现人均拥有坝地数量、单坝(包括骨干坝、中型淤地坝和小型淤地坝)可淤成坝地、单位面积坝地产量与单位面积坡耕地产量的倍比和骨干坝、中型淤地坝和小型淤地坝占总坝数的比例等指标。

在黄河中游地区,骨干坝又叫水土保持治沟骨干工程,属于大型淤地坝的范畴。其库容在 50 万 m^3 以上,校核标准 200 ~ 500 年,设计淤积年限 10 ~ 30 年;中型淤地坝库容为 10 万 ~ 50 万 m^3,校核标准 50 年,设计淤积年限 5 ~ 10 年;小型淤地坝库容在 10 万 m^3 以下,校核标准 30 年,设计淤积年限 5 年。

根据多沙粗沙区典型小流域坝系建设成果(见表 3-10),在沟道坝系中,骨干坝数量占总量的 14%,平均单坝可淤地 9.533 hm^2;中型淤地坝占总量的 24%,平均单坝可淤地 2.6 hm^2;小型淤地坝占总量的 62%,平均单坝可淤地 0.667 hm^2。骨干坝、中型淤地坝、小型淤地坝数量占总量之比为 14:24:62。

表 3-10　**黄河中游多沙粗沙区典型小流域坝系建设成果**

流域	县(市)	淤地坝(座)	骨干坝		中型淤地坝		小型淤地坝		平均单坝已淤地(hm^2/座)		
			座	%	座	%	座	%	骨干坝	中型淤地坝	小型淤地坝
碾庄沟	陕西宝塔	169	12	7.1	30	17.8	127	75.1	8	4.2	0.667
榆林沟	陕西米脂	121	16	13.2	37	30.6	68	56.2	7.33	2	0.467
王家沟	山西离石	29	7	24.1	10	34.5	12	41.4	4.2	2	0.467
园坪沟	陕西横山	145	30	20.7	34	23.4	81	55.9	11.6	2.56	0.82
平均(合计)		464	65	14.0	111	24.0	288	62.0	9.53	2.6	0.667

此外，根据典型调查，坝地平均产量为 4 500～6 000 kg/hm^2，高者可达 13 500 kg/hm^2，是梯田的 2～3 倍，坡耕地的 6～10 倍；0.067 hm^2（1 亩）坝地可退耕陡坡地约 0.4 hm^2（6 亩）。如陕西省延安市清涧县老舍古流域，大力发展淤地坝后，人均基本农田 0.18 hm^2，人均产粮 415 kg，退耕 1 937 hm^2，占原耕地面积的 43.9%。

（二）预测人口数，推算坝地面积

根据多沙粗沙区现有农业人口数，预测 2020 年的农业人口数；根据典型调查的人均坝地面积，推算各区坝地面积总数。

人口城市化水平的提高是现代人口发展的必然趋势。随着国家西部大开发力度的加大和黄土高原地区社会经济的发展，城镇人口比例将不断上升。到 2020 年要实现全面建设小康社会的宏伟目标，人口的自然增长率应在现有水平上有所下降；人口总量虽有所增加，但农业农村人口比例将呈下降趋势。因此，多沙粗沙区及黄土高原其他地区的人口按如下方法进行预测。

多沙粗沙区农业人口预测公式为：

$$M = M_0(1 + r)^n \tag{3-9}$$

式中：r 为各阶段人口平均增长率（‰）；M_0 为各阶段人口基数；n 为预测年限。

根据全国人口控制目标和国家有关部门的研究预测，结合黄土高原地区的实际情况和对多沙粗沙区典型支流皇甫川、孤山川、窟野河、秃尾河的调查结果，2001～2010 年（$n_1 = 10$）、2011～2015 年（$n_2 = 5$）、2016～2020 年（$n_3 = 5$）的人口平均增长率分别按 $r_1 = 12‰$、$r_2 = 10‰$和 $r_3 = 8‰$取值比较合理。

多沙粗沙区 2000 年人口基数 $M_0 = 520$（万人）。2020 年的农业人口总数 $M_{总}$ 为：

$$M_{总} = M_0 + \Delta M_1 + \Delta M_2 + \Delta M_3$$

其中，ΔM_1、ΔM_2、ΔM_3 分别为 2001～2010 年、2011～2015 年和 2016～2020 年的农业人口增长数。其计算公式分别为：

$$\Delta M_1 = M_1 - M_0 \qquad \Delta M_2 = M_2 - M_1 \qquad \Delta M_3 = M_3 - M_2$$

$$M_1 = M_0(1 + r_1)^{n_1} \qquad M_2 = M_1(1 + r_2)^{n_2} \qquad M_3 = M_2(1 + r_3)^{n_3}$$

分别将各阶段 n 及 r 值代入人口预测公式有：$M = 640.8$（万人）。

根据国务院 2002 年 7 月 14 日批复的《黄河近期重点治理开发规划》，黄土高原地区农业人口粮食基本自给水平为人均占有粮食 380 kg。2000 年黄土高原地区人均占有粮食 320 kg，粮食平均产量在 3 000 kg/hm^2 左右，均低于全国平均水平，不能满足粮食基本自给的要求。在进行大规模淤地坝建设后，该区人均占有粮食应达到 380 kg，即在现有基础上提高 60 kg，以满足粮食基本自给、陡坡地退耕还林还草、改善生态环境和推动大面积植被恢复的要求，但不宜定得过高。对于气候干旱的黄土高原地区尤其是多沙粗沙区来说，粮食产量的提高主要是依靠打坝淤地和发展灌溉，然而，由于黄土高原地区水资源紧缺，生态环境脆弱，随着社会经济的发展和人民生活水平的提高，全面建设小康社会目标的逐步实现，工业、生活和生态用水的需求量将逐渐增大，农业用水的比重会越来越小，这将在一定程度上制约灌溉的发展和粮食总产量的提高。因此，黄土高原地区的人均粮食占有指标不宜定得过高，应以满足该区粮食基本自给为宜。

对于多沙粗沙区来说，到 2020 年农业人口将达到 640.8 万，按人均占有粮食 380 kg 计算，农业人口共需要粮食 24.35 亿 kg。由于坝地产量较高，按人均占有粮食基本自给的要求，根据典型调查和测算，确定多沙粗沙区人均坝地面积为 0.067 hm^2。据此计算，农业人口共需要坝地 42.73 万 hm^2，在现有基础上共需要新增坝地 37.73 万 hm^2；按坝地平均产量 6 000 kg/hm^2 计算，可增产粮食约 22.6 亿 kg。考虑到现有坝地的粮食总产量为 3.0 亿 kg，到 2020 年多沙粗沙区坝地可生产粮食总量为 25.6 亿 kg，可以实现农业人口粮食基本自给，满足巩固退耕还林还草成果、改善生态环境的要求。

（三）推算骨干坝、中型淤地坝、小型淤地坝数量

根据单坝可淤成坝地面积和骨干坝、中型淤地坝、小型淤地坝占总坝数的比例，推算各区和全区骨干坝、中型淤地坝、小型淤地坝数量。

根据典型调查结果，加权平均推求出多沙粗沙区现状每座淤地坝可淤地 3 hm^2。到 2020 年要实现新增坝地 37.73 万 hm^2 的目标，多沙粗沙区共需布设淤地坝 12.6 万座。按前述骨干坝、中型淤地坝、小型淤地坝数量占总量的比例 14∶24∶62 推算，其中骨干坝为 1.8 万座，中型淤地坝为 3.0 万座，小型淤地坝为 7.8 万座。

黄土高原地区淤地坝建设范围中，除去 7.86 万 km^2 的多沙粗沙区外，其他地区还有水土流失面积 25.84 万 km^2，其中可建坝面积为 18.57 万 km^2。在这些地区中，基本农田数量较大，需要建设的坝地较少，沟道坝系中以骨干坝为主，中小型淤地坝比例相对较小。根据其他地区典型小流域坝系配置比例（见表 3-11），该区平均每 20 km^2 左右布设 1 座骨干坝，骨干坝与中小型淤地坝的比例按 1∶3 配置，由此可以推算出到 2020 年需布设骨干坝 0.93 万座，中小型淤地坝 2.8 万座。按骨干坝平均每座淤地 7 hm^2、中小型淤地坝平均每座淤地 2 hm^2 计算，可新增坝地 12.11 万 hm^2。此值与多沙粗沙区新增坝地面积 37.73 万 hm^2 合计，可以达到 2020 年新增高产稳产坝地面积 50 万 hm^2 的规划目标。配合其他措施，可以满足区域粮食安全要求。

表 3-11 **黄河中游多沙粗沙区以外地区典型小流域坝系配置比例**

流域名称	县名	流域面积（km^2）	骨干坝（座）	骨干坝密度（km^2/座）	中小型淤地坝（座）	骨干坝与中小型淤地坝之比
洪水沟	青海大通县	68.46	6	11.41	10	1∶1.3
南　河	甘肃静宁县	96	4	24.0	7	1∶1.75
大架河	河南陕县	93.5	3	27.73	6	1∶2
铁匠沟	内蒙古固阳县	98	4	24.5	9	1∶2.25

根据以上计算合计，黄土高原地区到 2020 年共需布设淤地坝 16.3 万座，其中骨干坝 2.7 万座，中小型淤地坝 13.6 万座。论证结果表明，到 2020 年，黄土高原地区共新增加坝地面积 50 万 hm^2，可退耕陡坡地 297 万 hm^2，退耕面积占 2000 年黄土高原地区坡耕地总面积 823 万 hm^2 的 36%，可以实现本次规划提出的到 2020 年退耕还林还草 220 万 hm^2，保证现有坡耕地“退得下、稳得住、不反弹、群众能致富”的目标。

三、满足坝地淤积要求的总来沙量

根据黄河中游水沙变化研究成果和水利部第二期水沙基金项目对河龙区间及泾河、北洛河、渭河流域的研究成果综合分析，单座淤地坝可淤地面积平均为 3 hm^2，淤成 0.067 hm^2 坝地需要 5 000 t 泥沙（分别见表 3-12、表 3-13），则每座淤地坝淤满共需要泥沙 22.5 万 t。要实现 2020 年新增高产稳产坝地面积 50 万 hm^2 的目标，需要新增淤地坝 16.9 万座（含骨干坝），可拦沙 380 亿 t。在黄土高原地区进行淤地坝建设的 33.7 万 km^2 范围内，经查勘分析和计算，可建坝区域面积为 26.19 万 km^2，平均土壤侵蚀模数为 7 500 t/(km^2·a)，在 20 年的淤积期内总产沙量为 393 亿 t，而淤成 50 万 hm^2 坝地仅需要泥沙 380 亿 t，因此该区域的来沙可以满足坝地淤积的要求。

表 3-12　　黄河中游淤地坝拦沙指标调查成果

河流	单位坝地拦沙量（t/hm^2）	α_1、α_2 合计（%）	单位坝地实际拦沙指标（t/hm^2）	河流	单位坝地拦沙量（t/hm^2）	α_1、α_2 合计（%）	单位坝地实际拦沙指标（t/hm^2）
皇甫川	60 000	15	51 000	泾河	90 000	15	76 500
窟野河	78 150	15	66 450	北洛河	45 000	15	38 250
无定河	92 700	15	78 750	渭河	15 000	15	12 750
三川河	65 850	15	55 950	汾河	30 000	15	25 500

注：①α_1、α_2 为人工填筑与推移质泥沙数量占比。②本表数据来自参考文献[7]、[8]及本次部分调查资料。

表 3-13　　黄河中游水沙变化研究淤地坝拦沙指标推算成果

河流（区间）	时段（年）	坝地面积（hm^2）	时段总拦沙量（亿 t）	拦沙指标（t/hm^2）
河龙区间	1970～1979	24 106	15.81	65 550
	1980～1989	16 844	11.4	67 650
	1990～1996	11 856	7.875	66 450
泾河	1970～1979	723	0.489	67 650
	1980～1989	2 597	0.841	32 400
	1990～1996	528	0.383	72 600
北洛河	1970～1996	3 211	1.268	39 450
渭河	1970～1996	3 233	1.631	50 400

注：本表根据水利部第二期水沙基金项目研究成果（见参考文献[1]、[2]）整理。

综合分析以上两个方面的论证结果，考虑不同侵蚀强度分区中地形地貌、人口及耕地分布特点、建坝条件、现状淤地坝建设等因素，结合当地农村产业结构调整、退耕还林还草和农业可持续发展的要求以及旧坝改建等因素，最后确定黄土高原地区到 2020 年可建设淤地坝16.3万座，其中骨干坝3万座，中小型淤地坝13.3万座。

按照坝系建设的要求，需要将现有的部分中小型淤地坝改建为骨干坝。由于改建工程量较大，技术要求高，故将其列入本次骨干坝建设规划。根据典型小流域坝系调查，现有中小型淤地坝中有3%左右需要改建为骨干坝，据此确定改建骨干坝3 000座。因此，到2020年黄土高原地区淤地坝建设规模为16.3万座，其中骨干坝3万座(新建2.7万座，改建0.3万座)，中小型淤地坝13.3万座。满足粮食需求和淤地目标的黄土高原地区淤地坝建设规模见表3-14。

表3-14　黄土高原地区淤地坝建设规模

淤地坝	强度分区	总规模（座）	单坝总库容（万 m^3）	总库容（万 m^3）	单坝拦泥库容（万 m^3）	总拦泥库容（万 m^3）	单坝淤地（hm^2）	总淤地（hm^2）
骨干坝	剧烈	9 730	130	1 264 900	75.1	730 723	8.0	77 840
	极强	7 046	100	704 600	64.1	451 649	7.5	52 845
	强度	5 847	85	496 995	48.2	281 825	6.0	35 082
	中轻度	7 377	75	553 275	45.1	332 703	5.0	36 885
	小计	30 000		3 019 770		1 796 900		202 652
中型淤地坝	剧烈	14 453	49.3	712 966	28.5	411 911	4.4	63 593
	极强	7 072	30.3	214 036	19.4	137 197	3.5	24 752
	强度	6 041	30.2	182 170	17.1	103 301	3.2	19 331
	中轻度	4 353	27.4	119 442	16.5	71 825	2.6	11 318
	小计	31 919		1 228 614		724 234		118 994
小型淤地坝	剧烈	45 762	9.69	443 605	5.6	256 267	2.5	114 405
	极强	22 392	8.27	185 144	5.3	118 678	2.0	44 784
	强度	19 141	6.70	128 269	3.8	72 736	1.8	34 454
	中轻度	13 786	3.82	52 729	2.3	31 708	1.5	20 679
	小计	101 081		809 747		479 389		214 322
合计		163 000		5 058 131		3 000 523		535 968

另外，在有条件的地方布设一定数量的坝系配套工程，主要包括渠系、塘坝、引洪漫地等。

四、淤地坝建设能力分析

黄土高原地区淤地坝建设是一项功在当代、利在千秋的宏大工程，是实现黄河长治久安的治本之举。从建设能力来说，已经具备了人力、物力、财力、技术等条件。

(一)农业劳力与项目所需劳力的比较

按一个劳力只投入三个月的劳动日计算，区域内能够提供28.72亿工日投入到淤地坝建设项目中，淤地坝建设共需 11.82 亿工日（其中骨干坝单坝需 1.9 万工日，中小型坝需 0.5 万工日），农业劳力总工日远大于项目建设所需劳力总工日，因此区域内提供的劳力能够满足项目建设的需要。

（二）技术支持

经本次规划调查，规划区域内各县现有从事水利水保的专业技术人员 50～100 名，项目启动后，采取使用现有人员、返聘离退休人员、聘请外地专家等方式，加上对农民技术人员的培训，专业技术人员完全能够满足前期工作和施工阶段所需要的技术指导。

应用系统工程规划法、CAD 辅助设计、坝坡物理化学及生物固化等高新技术，普及推广爆破－水坠坝施工、组合机械化快速施工等现代筑坝技术，可以为提高工程质量、缩短单坝施工工期、加快单坝施工进度提供有力的技术支撑。

（三）施工队伍和施工力量

经对陕西、甘肃、青海、山西等省的调查，每个地（市）有专门从事水利工程施工、机械化程度高的施工队伍 1～2 个；每个县有专门从事水利工程的专业施工队 3～5 个；农民施工队每个县 20～30 个。按此计算，整个区域内共有施工队伍 8 000 多个。

从施工力量的调查得知，在正常的施工水平下，专业施工队每年能够完成 2～3 座骨干坝，农民专业施工队每年能够完成 1 座骨干坝。

由施工队伍和施工力量推算，整个区域内每年能够完成 9 800 座；按 2003～2020 年共 18 年的施工年限计算，整个区域内施工能力为 17.64 万座，施工队伍和施工力量可以满足淤地坝建设的需要。

在符合国家基本建设程序的前提下，对骨干坝建设面向全社会实行招投标制，使其他行业具备资质的施工队伍和闲置的机械设备运用于本项目，可以充分提高淤地坝建设项目的工程进度。

综合以上分析，项目区总的施工建设能力完全能够满足项目建设的需求。

五、结论

基于黄土高原地区粮食需求、总来沙量和建设能力三个方面的因素，黄河流域黄土高原地区淤地坝的建设规模如下：

（1）黄土高原地区到 2020 年共需布设淤地坝 16.3 万座，其中骨干坝 2.7 万座，中小型淤地坝 13.6 万座。

（2）到 2020 年黄土高原地区共新增加坝地面积 49.5 万 hm^2，可退耕陡坡地 297 万 hm^2，退耕面积占 2000 年黄土高原地区坡耕地总面积 823 万 hm^2 的 36%。

第五节　黄河中游多沙粗沙区淤地坝拦减粗泥沙分析

淤地坝是指在沟道中以拦泥、缓洪、淤地造田、发展生产为目的而修筑的水土保持工程设施。坝内所淤成的土地称为坝地。长期的水土保持实践经验证明，淤地坝是黄土高原水土流失防治的重要措施，在水土流失治理中具有不可替代的作用；是快速减少入黄泥沙、减轻黄河下游河道泥沙淤积、实现“河床不抬高”最有效的工程措施；在黄土高原地区小流域治理中对泥沙具有绝对的控制性作用。根据以往研究成果[9],作为黄河中游多沙粗沙区淤地坝分布最为集中的河口镇至龙门区间(简称河龙区间),1970~1996年淤地坝减沙量占水土保持措施减沙总量的64.7%,接近65%。河龙区间淤地坝较多的四大典型支流皇甫川、窟野河、无定河和三川河流域,1970~1996年淤地坝减沙量分别占水土保持措施减沙总量的57.8%、37.2%、62.1%和72.2%。除窟野河外,其余三大支流淤地坝的减洪减沙作用均占主导地位,三川河流域最高,最低的窟野河流域淤地坝减洪减沙量占比也在40%左右。因此,淤地坝是拦减黄河中游泥沙的关键措施。

在黄河中游地区淤地坝减沙作用研究中,以往的研究侧重于对淤地坝拦减泥沙总量的研究,对淤地坝拦减粗泥沙(粒径 $d \geqslant 0.05$ mm)研究不够。粗泥沙对黄河下游的危害最大,淤地坝在拦减泥沙的同时,也必然拦减粗泥沙。本次研究根据以往研究成果,对黄河中游多沙粗沙区淤地坝拦减粗泥沙情况进行了分析,以期对集中治理黄河中游1.88万 km^2 的粗泥沙集中来源区有所裨益。

一、河龙区间淤地坝拦减粗泥沙总体情况分析

(一)总体产沙及粒径变化情况

黄河中游河龙区间自20世纪70年代以来,输沙量明显减少。根据韩鹏等人的研究[10],龙门水文站大于0.05 mm的粗泥沙来量60年代为5.6亿t,70年代减少为2.25亿t,80年代只有0.8亿t。相应的河流泥沙粒径也有着细化的趋势,龙门水文站实测的中值粒径由60年代的0.032 4 mm、70年代的0.028 5 mm变为80年代的0.025 0 mm。这种变化一方面固然有降雨减少的影响;另一方面,黄河中游大规模的水土保持综合治理工作的深入开展,也是造成龙门水文站输沙量减少、泥沙变细的重要原因。

(二)淤地坝拦减粗泥沙总体情况分析

根据水利部第二期黄河水沙变化研究基金项目"河龙区间水土保持措施减水减沙作用分析"淤地坝减沙量研究成果[9],按照淤地坝减沙占比(即淤地坝减沙量占四大水土保持措施梯、林、草、坝减沙总量的比例),求出河龙区间淤地坝拦减粗泥沙量见表3-15。

表3-15　　河龙区间淤地坝拦减粗泥沙量计算成果

时段(年)	年输沙量(亿t)	粗泥沙占比(%)	年粗沙量(亿t)	淤地坝减沙量(万t)	淤地坝减沙占比(%)	淤地坝减粗沙量(万t)	龙门站中值粒径(mm)	龙门站平均粒径(mm)
1969年以前	10.3	27.5	2.833	3 320	72.2	910	0.032 4	0.053 6
1970~1979	7.54	29.8	2.247	11 660	80.0	3 470	0.028 5	0.047 1
1980~1989	3.71	28.4	1.054	8 850	63.3	2 510	0.025 0	0.033 1
1990~1996	5.41	25.5	1.379	8 040	47.6	2 050	0.021 9	0.028 3
1970~1996	5.57	28.2	1.571	9 680	64.7	2 730	0.025 5	0.037 0

注:表中"淤地坝减沙占比"为淤地坝减沙量占水土保持措施减沙总量的比例,下同。

由表3-15可知,自20世纪70年代以来,河龙区间粗泥沙占比(即粗泥沙量占年输沙量的比例)、淤地坝减沙量和拦减粗泥沙量均呈下降趋势,淤地坝拦减粗泥沙量的时效性较为明显。河龙区间不同年代淤地坝拦减粗泥沙量变化过程见图3-20。由此可见,70年

代拦减粗泥沙量最大，80、90 年代(1990 ~ 1996 年)拦减粗泥沙量明显减少，呈下降趋势，但 90 年代下降速度比 80 年代缓慢。1970 ~ 1996 年 27 年平均，河龙区间淤地坝年均拦减粗泥沙 2 730 万 t，占河龙区间对应时段多年平均输沙量 5.57 亿 t 的 5%，占多年平均粗泥沙输移量 1.571 亿 t 的 17.4%。从各年代具体计算结果看，70 年代河龙区间淤地坝年均拦减粗泥沙 3 470 万 t，80 年代下降为 2 510 万 t，比 70 年代减少了 960 万 t，减幅为 27.7%。90 年代淤地坝年均拦减粗泥沙量仅为 2 050 万 t，比 80 年代又减少了 460 万 t，减幅为 18.3%，只占 70 年代淤地坝年均拦减粗泥沙量的 59.1%，80 年代的 81.7%。27 年间河龙区间淤地坝几乎丧失了 40% 的拦减粗泥沙能力，淤地坝年均拦减粗泥沙量的衰减速度相当快。

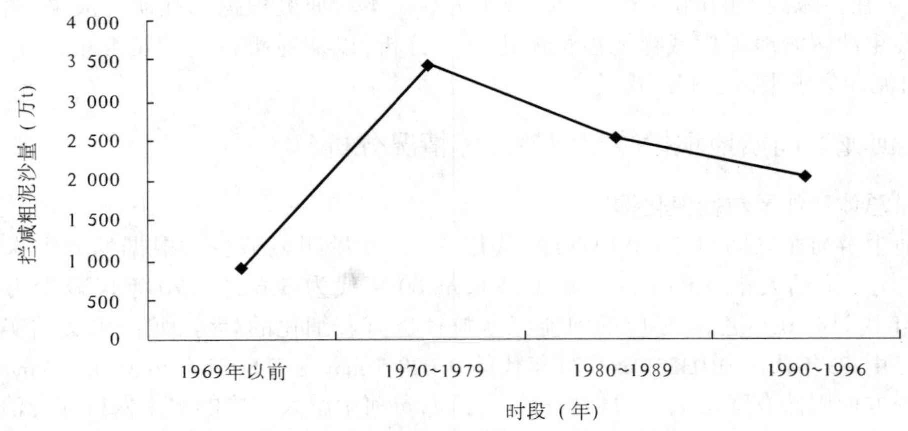

图 3-20　河龙区间淤地坝拦减粗泥沙量变化过程

由于河龙区间淤地坝减沙占比高达 45% 以上，1970 ~ 1996 年淤地坝年均减沙占比达 64.7%，接近 65%。因此，淤地坝是快速减少入黄粗泥沙的首选工程措施和第一道防线，为保证淤地坝拦减粗泥沙作用的持续性，应在黄土高原淤地坝建设规划的基础上，按照坝系建设的总体要求，对河龙区间现有淤地坝进行除险、加固、改建和配套；突出重点，加大投资力度和建设速度，在粗泥沙集中来源区加快以淤地坝为主的水土保持生态工程建设步伐，以达到快速减少入黄粗泥沙、实现黄河下游“河床不抬高”的目的。

与此同时，在河龙区间 90 年代粗泥沙来量比 80 年代增大 30.8%、年降水量比 80 年代增大 2%[1] 的情况下，黄河干流龙门水文站实测的泥沙中值粒径和平均粒径进入 90 年代后继续减小，来沙继续变细。由表 3-15 可见，实施淤地坝等水土保持措施前(1970 年以前)，龙门水文站实测泥沙中值粒径和平均粒径分别为 0.032 4 mm 和 0.053 6 mm，在四个阶段中最大；实施淤地坝等水土保持措施后，龙门水文站实测泥沙粒径逐年代变小，1970 ~ 1996 年实测泥沙中值粒径和平均粒径分别为 0.025 5 mm 和 0.037 0 mm，比 1969 年以前分别减小了 0.006 9 mm 和 0.016 6 mm，减幅分别达到 21.3% 和 31.0%。由于河龙区间 1970 ~ 1996 年淤地坝年均减沙占比高达 64.7%，是主要的拦沙措施，因此淤地坝等水土保持综合治理措施不仅具有减沙作用，还具有明显的“拦粗排细”作用。黄河龙门水文站不同时段泥沙粒径变化情况见图 3-21。

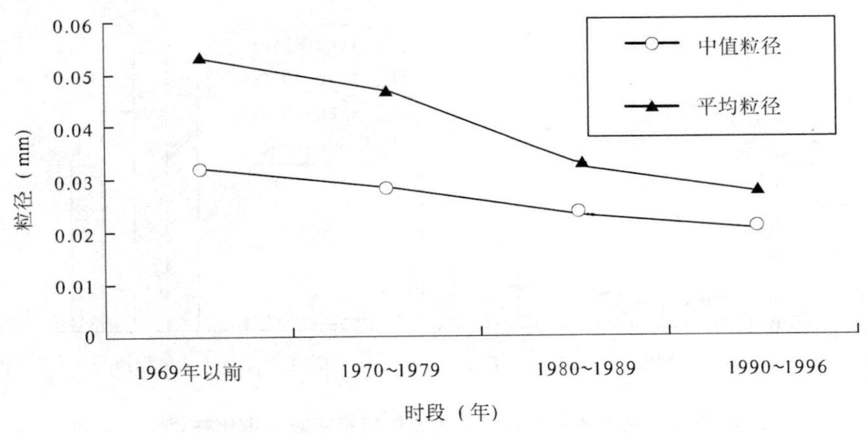

图 3-21　黄河龙门水文站泥沙粒径变化过程

(三)淤地坝配置占比与减沙占比变化情况分析

水土保持措施配置占比是指某一单项水土保持措施保存面积占四大水土保持措施总体保存面积的百分比;水土保持措施减沙占比是指某一单项水土保持措施减沙量占四大水土保持措施减沙总量的百分比。河龙区间水土保持措施配置占比及减沙占比计算成果见表 3-16;不同年代水土保持措施配置占比及减沙占比柱状图分别见图 3-22、图 3-23。

表 3-16　河龙区间水土保持措施配置占比及减沙占比计算成果　(%)

时段(年)	占比(%)	梯田	林地	草地	坝地
1969 年以前	配置占比	20.3	67.2	10.1	2.4
	减沙占比	9.0	15.8	3.0	72.2
1970 ~ 1979	配置占比	19.6	69.2	8.1	3.1
	减沙占比	6.4	12.2	1.4	80.0
1980 ~ 1989	配置占比	14.9	74.4	8.2	2.5
	减沙占比	7.7	26.8	2.2	63.3
1990 ~ 1996	配置占比	14.0	76.3	7.6	2.1
	减沙占比	10.0	38.8	3.6	47.6

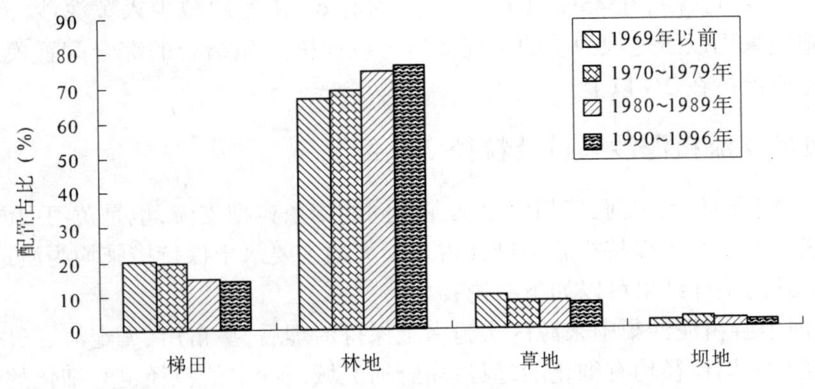

图 3-22　河龙区间不同年代水土保持措施配置占比柱状图

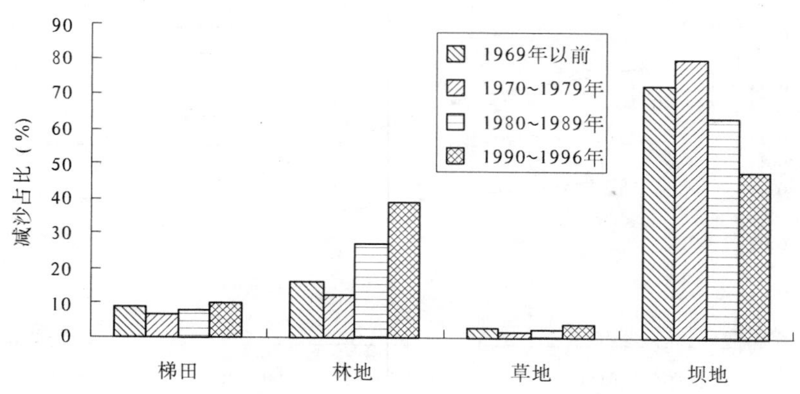

图 3-23　河龙区间不同年代水土保持措施减沙占比柱状图

由此看出，自70年代开始，河龙区间水土保持措施的配置占比从大到小依次是林地、梯田、草地及坝地；减沙占比从大到小依次是坝地、林地、梯田和草地。其中梯田和坝地的配置占比依时序下降，林地的配置占比依时序逐步上升，草地的配置占比依时序波动下降。

河龙区间水土保持措施的减沙占比与配置占比的关系比较复杂。就单项水土保持措施而言，梯田的配置占比从70年代的19.6%下降为90年代的14.0%，下降了5.6%，但对应的减沙占比却由70年代的6.4%上升为90年代的10.0%，上升了3.6%。减沙占比与配置占比成反比关系，说明梯田的质量和标准在不断提高，减沙能力增大。林地的配置占比由70年代的69.2%上升为90年代的76.3%，上升了7.1%；对应的减沙占比由70年代的12.2%上升为90年代的38.8%，上升了26.6%。林地减沙占比与配置占比成正比关系，减沙占比增幅是配置占比增幅的3.75倍，减沙作用比较明显。草地的减沙作用微弱，减沙占比与配置占比成反比关系。尽管草地的配置占比在90年代比70年代下降0.5%的情况下，对应的减沙占比上升了2.2%，但各年代减沙占比最大值仅为3.6%，仍在4%以内。坝地的减沙占比与配置占比成正比关系，配置占比从70年代的3.1%下降为90年代的2.1%，只下降了1.0%；对应的减沙占比却由70年代的80.0%下降为90年代的47.6%，下降了32.4%，坝地减沙作用的衰减非常突出。配置占比的较小变化能引起减沙占比的较大变化。表3-16的计算成果表明，只要河龙区间坝地的配置占比保持在2%左右，其减沙占比即可保持在45%以上。因此，为有效、快速地减少入黄泥沙，河龙区间水土保持措施应采用以淤地坝为主的工程措施与坡面措施相结合的综合配置模式；淤地坝的配置占比应保持在2%以上。

二、典型支流粗泥沙来量及粒径变化情况

皇甫川、窟野河、无定河、三川河是河龙区间的四条典型支流，也是黄河中游粗泥沙的集中来源区。四大水土保持措施中减沙占比最大的主要水土保持措施均为淤地坝。由表3-17～表3-20的统计结果可以如下结论：

（1）黄河中游粗泥沙集中来源区实施水土保持治理后，皇甫川、无定河、三川河流域泥沙中值粒径和平均粒径均有细化的趋势；窟野河流域泥沙中值粒径也有细化的趋势，但平均粒径却呈波动增大趋势。

表 3-17　　皇甫川流域淤地坝拦减粗泥沙量计算成果

时段（年）	年输沙量（万 t）	粗泥沙占比(%)	年粗沙量（万 t）	淤地坝减沙量（万 t）	淤地坝减沙占比（%）	淤地坝减粗沙量（万 t）	中值粒径（mm）	平均粒径（mm）
1954～1969	6 180	49.9	3 080	47	40.7	23	0.066	0.156
1970～1979	6 245	51.2	3 200	189	43.3	97	0.066	0.154
1980～1989	4 280	48.6	2 080	580	57.2	282	0.051	0.150
1990～1996	3 030	43.7	1 320	970	64.2	424	0.046	0.148

表 3-18　　窟野河流域淤地坝拦减粗泥沙量计算成果

时段（年）	年输沙量（万 t）	粗泥沙占比(%)	年粗沙量（万 t）	淤地坝减沙量（万 t）	淤地坝减沙占比（%）	淤地坝减粗沙量（万 t）	中值粒径（mm）	平均粒径（mm）
1956～1969	12 860	41.2	5 300	104	55.8	43	0.078 3	0.089 7
1970～1979	13 990	42.8	5 990	299	52.9	128	0.061 6	0.115 4
1980～1989	6 710	50.0	3 355	301	42.1	151	0.055 7	0.138 8
1990～1996	8 330	45.1	3 760	602	42.9	272	0.048 8	0.117 5

表 3-19　　无定河流域淤地坝拦减粗泥沙量计算成果

时段（年）	年输沙量（万 t）	粗泥沙占比(%)	年粗沙量（万 t）	淤地坝减沙量（万 t）	淤地坝减沙占比（%）	淤地坝减粗沙量（万 t）	中值粒径（mm）	平均粒径（mm）
1956～1969	21 500	33.2	7 140	1 130	76.7	375	0.035 8	0.052 0
1970～1979	11 600	36.4	4 220	4 810	84.1	1 750	0.034 7	0.051 9
1980～1989	5 270	31.4	1 655	2 750	62.5	864	0.033 6	0.049 3
1990～1996	9 730	25.8	2 510	1 280	32.9	330	0.028 8	0.042 8

表 3-20　　三川河流域淤地坝拦减粗泥沙量计算成果

时段（年）	年输沙量（万 t）	粗泥沙占比(%)	年粗沙量（万 t）	淤地坝减沙量（万 t）	淤地坝减沙占比（%）	淤地坝减粗沙量（万 t）	中值粒径（mm）	平均粒径（mm）
1959～1969	3 840	18.5	710	117	68.8	22	0.024 7	0.037 8
1970～1979	1 830	19.8	362	641	85.1	127	0.022 8	0.035 2
1980～1989	964	17.4	168	896	74.9	156	0.018 9	0.028 4
1990～1996	1 080	12.0	130	827	67.2	99	0.017 2	0.026 7

(2)皇甫川、窟野河两条粗沙支流淤地坝拦减粗沙量呈上升趋势。但皇甫川和窟野河流域具体变化过程又有不同:1980年以前窟野河流域拦减粗泥沙量大于皇甫川;1980年以后皇甫川流域拦减粗泥沙量却大于窟野河,且增幅明显大于1980年以前。二者直线有交叉,交叉点值为140万t/a左右(见图3-24),显示出两大粗沙支流淤地坝拦减粗沙的潜力很大;皇甫川流域更为突出,这从一个侧面凸现出粗泥沙集中来源区的治理方向。

(3)无定河、三川河两条支流淤地坝拦减粗沙量呈下降趋势。无定河流域淤地坝拦减粗沙量70年代最大,以后随着时间的延续呈下降趋势且变化幅度较大;三川河流域淤地坝拦减粗沙量80年代达到最大,进入90年代后有所下降,但不同年代变化幅度较小。其淤地坝拦减粗沙量变化过程分别见图3-25、图3-26。

(4)黄河中游粗泥沙集中来源区实施水土保持治理后,皇甫川、无定河、三川河流域粗泥沙所占比例均有减小的趋势;窟野河流域却呈波动增大的趋势,80年代为最大,这主要是窟野河流域80年代开矿新增水土流失引起的。窟野河流域蕴藏有丰富的煤炭资源,80年代开发的大型露天煤矿神(木)府(谷)煤田,面积3 214 km^2,地质储量339亿t,主要分布在窟野河神木以上至转龙湾区间的干支流两侧。诸多的研究已经证明,开矿会使河流泥沙粒径变粗,从而抵消淤地坝等水土保持措施对河流泥沙粒径的影响。

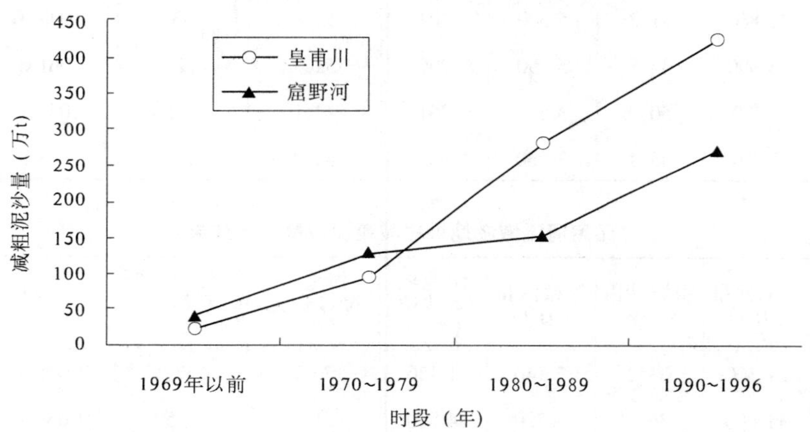

图3-24　皇甫川、窟野河流域淤地坝拦减粗泥沙变化过程

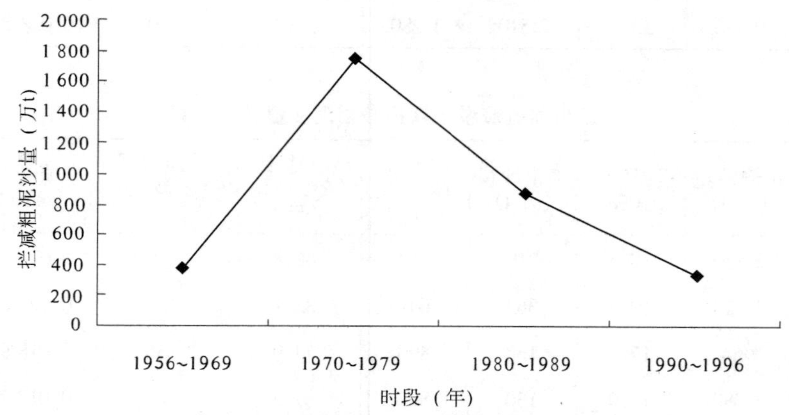

图3-25　无定河流域淤地坝拦减粗泥沙变化过程

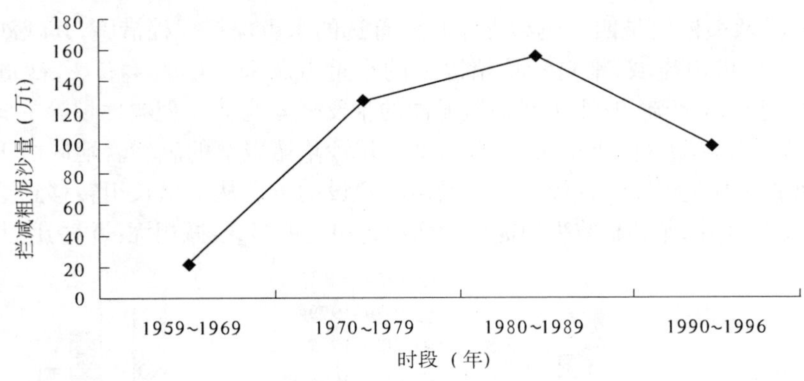

图 3-26 三川河流域淤地坝拦减粗泥沙变化过程

三、典型支流淤地坝配置占比及减沙占比计算成果

河龙区间四大典型支流淤地坝配置占比及减沙占比计算成果见表 3-21；二者对应的柱状图分别见图 3-27、图 3-28。从 20 世纪 70 年代开始，四大典型支流中只有皇甫川流域淤地坝的配置占比和减沙占比呈同步上升的趋势：90 年代与 70 年代相比，在淤地坝配置占比增大了 34.6%的情况下，减沙占比增大了 48.3%。减沙占比的上升趋势表明其减沙能力还未达到最大。其余三大典型支流淤地坝的配置占比和减沙占比均呈同步衰减的趋势：90 年代与 70 年代相比，窟野河、无定河、三川河流域淤地坝配置占比分别减小了 26.7%、33.3%和 25.0%，减沙占比分别减小了 18.9%、60.9%和 21.0%。

表 3-21　　河龙区间四大典型支流淤地坝配置占比及减沙占比计算成果

时段(年)	占比(%)	皇甫川	窟野河	无定河	三川河	平均
1969 年以前	配置占比	1.8	1.3	1.8	4.6	2.38
	减沙占比	40.7	55.8	76.7	68.8	60.5
1970 ~ 1979	配置占比	2.6	1.5	2.4	4.4	2.73
	减沙占比	43.3	52.9	84.1	85.1	66.4
1980 ~ 1989	配置占比	2.6	1.2	1.9	3.9	2.40
	减沙占比	57.2	42.1	62.5	74.9	59.2
1990 ~ 1996	配置占比	3.5	1.1	1.6	3.3	2.38
	减沙占比	64.2	42.9	32.9	67.2	51.8

从各支流淤地坝配置占比与减沙占比的关系看，皇甫川流域只要淤地坝配置占比达到 2%以上，减沙占比即可达到 40%，减沙效益明显；窟野河流域当淤地坝配置占比达到 1%以上时，减沙占比可以达到 40%以上，减沙效益也十分明显；无定河流域当淤地坝配置占比达到 1.5%以上时，减沙占比可以达到 30%以上；三川河流域当淤地坝配置占比达到 4%左右时，减沙占比可以达到 75%左右。显然，窟野河流域达到同样减沙占比所需要的淤地坝配置占比最低，三川河最高，皇甫川和无定河基本相当。1970 ~ 1996 年 27 年平均，当四大典型支流淤地坝配置占比平均达到 2.5%时，淤地坝减沙占比平均可以达到

60%。因此,淤地坝依然是四大典型支流减沙首选的水土保持工程措施,其减沙前景十分广阔。尤其是皇甫川流域,来自沙圪堵以上的水量占总来水量的44.7%,沙量占总来沙量的51.7%,是流域径流、泥沙尤其是粗泥沙的主要来源地[11]。但淤地坝等主要水保措施都集中在黄土丘陵沟壑区的十里长川等地,纳林川沙圪堵以上的砒砂岩地区由于治理难度较大,水保措施尤其是坝库工程较少。当淤地坝建设的重点从十里长川转移到纳林川沙圪堵以上后,其减沙作用尤其是减少粗泥沙的作用将更为明显,拦减粗泥沙潜力巨大。

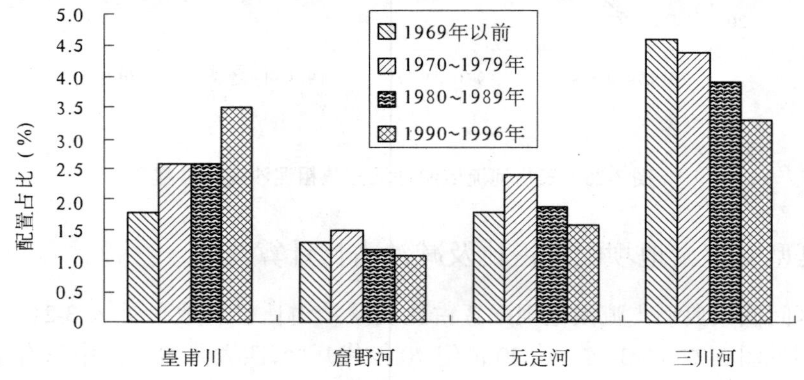

图3-27 河龙区间四大重点支流不同年代淤地坝配置占比柱状图

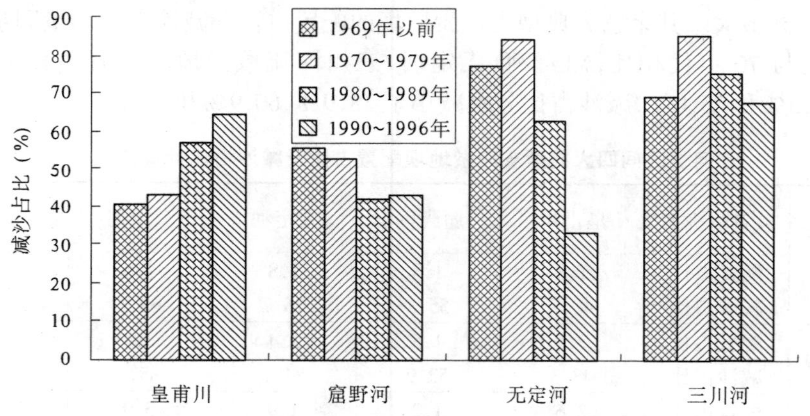

图3-28 河龙区间四大重点支流不同年代淤地坝减沙占比柱状图

四、黄河中游支流及干流水文站长时段粒径变化情况

从黄河中游部分支流及干流水文站长时段的粒径变化情况来看(见表3-22),实施水土保持综合治理后(一般以1970年为界),泥沙中值粒径明显变细。粒径变化以皇甫川、秃尾河、无定河三条支流最为明显。经分析,河龙区间降雨的减少和河道冲淤都不是影响河流泥沙变细的因素,因此水土保持便成为可能导致河流泥沙变细的主要因素[5]。河龙区间实施的水土保持措施主要有梯田、林草、淤地坝,水利措施主要是水库和灌区。水土保持措施通过增大地面糙率、减缓坡度,使得水流侵蚀和输沙能力降低,从而起到减沙效果。不仅如此,各支流上的大小水库和淤地坝大多具有明显的拦减粗泥沙和排放细泥沙

的作用，这些水利水土保持措施的综合作用最终使进入河流的泥沙变细。黄河中游河龙区间干流及部分支流水文站实施水土保持措施前（1970年以前）、实施水土保持措施后（1970～1996年）长时段的粒径变化柱状图及沿程变化分别见图3-29～图3-32。可以看出，绝大部分流域实施水土保持综合治理后的泥沙中值粒径和平均粒径同时变细。窟野河温家川水文站控制流域实施水保治理后，由于开矿等人为新增水土流失导致泥沙平均粒径变粗，引起毗邻的黄河干流府谷水文站实测泥沙平均粒径也相应变粗；佳芦河申家湾水文站进入20世纪90年代后，由于开矿和特大暴雨的共同影响，中值粒径和平均粒径急剧变粗，多年的水土保持治理成果被抵消殆尽，必须引起高度重视。

表3-22　　黄河中游支流实施水土保持措施前后的泥沙粒径变化情况

河流	水文站	实施前 d_{50}(mm)	实施后 d_{50}(mm)	实施前 d_{avg}(mm)	实施后 d_{avg}(mm)
皇甫川	皇甫	0.066 0	0.055 6	0.156 0	0.151 1
孤山川	高石崖	0.045 3	0.040 1	0.066 6	0.061 8
窟野河	温家川	0.078 3	0.056 4	0.089 7	0.124 9
秃尾河	高家川	0.094 8	0.069 4	0.158 1	0.140 2
佳芦河	申家湾	0.042 2	0.046 6(0.034 4)	0.060 8	0.107 2(0.059 5)
无定河	白家川	0.035 8	0.032 9	0.052 0	0.048 8
清涧河	延川	0.031 7	0.027 1	0.041 6	0.035 9
湫水河	林家坪	0.029 8	0.021 9	0.049 2	0.037 4
三川河	后大成	0.024 7	0.020 0	0.037 8	0.030 6
黄河	府谷	0.025 9	0.025 5	0.039 9	0.046 7
黄河	吴堡	0.028 8	0.027 6	0.047 2	0.042 5
黄河	龙门	0.032 4	0.025 5	0.053 6	0.037 0

注：(1)资料系列截至1996年，部分水文站缺1994年资料。表中部分数据来自参考文献[12]。(2)d_{50}代表中值粒径，d_{avg}代表平均粒径。(3)佳芦河申家湾水文站括号内为截至1989年的资料。

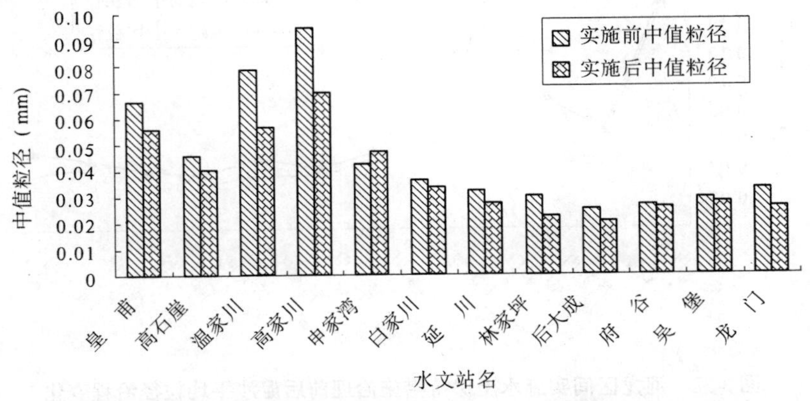

图3-29　河龙区间实施水土保持措施治理前后泥沙中值粒径变化情况

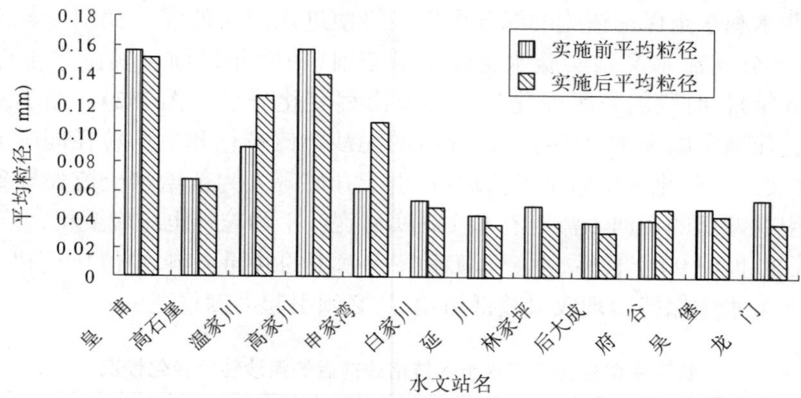

图 3-30　河龙区间实施水土保持措施治理前后泥沙平均粒径变化情况

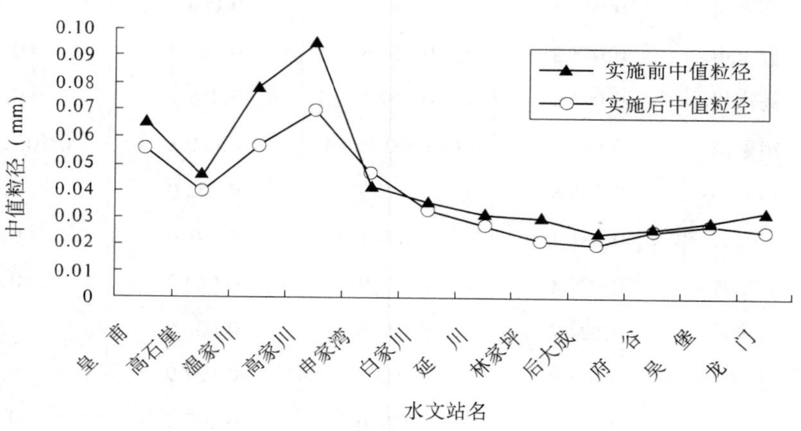

图 3-31　河龙区间实施水土保持措施治理前后泥沙中值粒径沿程变化

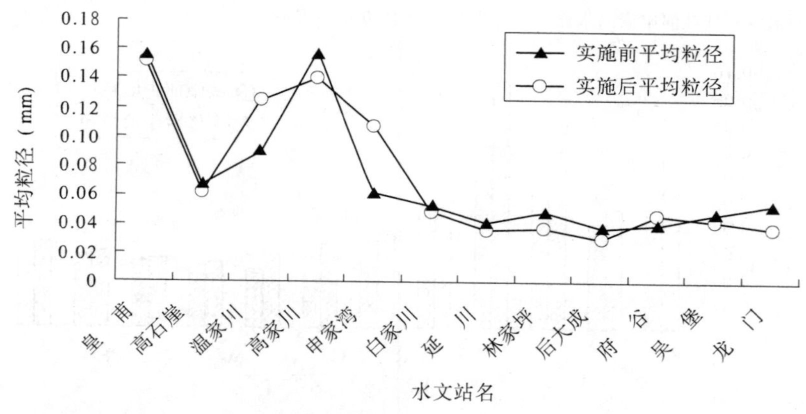

图 3-32　河龙区间实施水土保持措施治理前后泥沙平均粒径沿程变化

五、减少黄河粗泥沙的重点支流应首选窟野河和皇甫川

在河龙区间的诸多支流中，以皇甫川、窟野河、无定河三条支流对黄河泥沙的贡献最大。这三条支流水文站控制流域面积合计为 4.15 万 km^2，占河龙区间总面积的 37%，但其多年平均(1956 ~ 1996 年)输沙量却占到河龙区间多年平均(1950 ~ 1996 年)输沙量的 40%，多年平均粗泥沙输沙量占到 45%。这三条支流中又以窟野河和皇甫川为甚，两条支流面积合计 1.18 万 km^2。在仅占河龙区间 11%的面积上，其多年平均粗泥沙输沙量占到河龙区间的 27%，接近 30%。因此，减少黄河粗泥沙的重点应放到这两条流域上来。控制这"一河一川"的粗泥沙入黄，将大大改善目前黄河下游严重淤积的不利状况。根据目前黄河中游水土保持措施在中小洪水时减沙效果明显、在大洪水时减沙作用有限甚至增沙的实际情况，为了减少大洪水时入黄泥沙剧增、防止出现大洪水破坏水土保持措施尤其是冲毁淤地坝而导致增沙的现象发生，这两条流域以淤地坝为主的水土保持生态工程建设必须提高防洪标准。

六、小结

通过分析计算河龙区间及四大典型支流皇甫川、窟野河、无定河和三川河流域不同年代淤地坝拦减粗泥沙量、实施淤地坝等水土保持措施前后泥沙粒径的变化、淤地坝配置占比与减沙占比的变化后认为：淤地坝是快速减少入黄粗泥沙的首选工程措施和第一道防线，具有明显的"拦粗排细"功能。只要河龙区间坝地的配置占比保持在 2%左右，其减沙占比即可达到 45%以上。当四大典型支流淤地坝配置占比平均达到 2.5%时，淤地坝减沙占比平均可以达到 60%。因此，为有效、快速地减少入黄泥沙尤其是粗泥沙，河龙区间水土保持措施应采用以淤地坝为主的工程措施与坡面措施相结合的综合配置模式，淤地坝的配置占比应保持在 2%以上；减少黄河粗泥沙的重点支流应首选窟野河和皇甫川两条流域。

参考文献

[1] 冉大川，柳林旺，赵力仪，等．黄河中游河口镇至龙门区间水土保持与水沙变化．郑州：黄河水利出版社，2000

[2] 汪岗，范昭．黄河水沙变化研究(第二卷)．郑州：黄河水利出版社，2002

[3] 冉大川，刘 斌，王 宏．水土保持措施对黄河减水减沙作用的分析．中国水土保持，2002(10)：35 ~ 36

[4] 刘勇，冉大川，罗全华，等．晋西北地区淤地坝减洪减沙效益计算方法研究．水土保持通报，1997 (5)：30 ~ 34

[5] 徐建华，等．黄河中游近期水土保持工作的两个重点．人民黄河，2002(7)：28 ~ 29

[6] 唐克丽，熊贵枢，梁季阳，等．黄河流域的侵蚀与径流泥沙变化．北京：中国科学技术出版社，1993

[7] 熊贵枢，于一鸣．黄土高原水土保持．见：黄河上中游水利水土保持减沙作用分析．郑州：黄河水利出版社，1996

[8] 张胜利，李倬，赵文林，等．黄河中游多沙粗沙区水沙变化原因及发展趋势．郑州：黄河水利出版社，1998

[9] 冉大川,罗全华,刘斌,等．黄河中游地区淤地坝减洪减沙及减蚀作用研究．水利学报,2004,35(5):7~13

[10] 韩鹏,倪晋仁．黄河中游粗泥沙来源探析．泥沙研究,1997(3):48~55

[11] 冉大川,高健翎,赵安成,等．皇甫川流域水沙特性分析及其治理对策．水利学报,2003,34(2):122~128

[12] 韩鹏,倪晋仁．水土保持对黄河中游泥沙粒径影响的统计分析．水利学报,2001,32(8):69~74

[13] 黄自强．黄土高原地区淤地坝建设的地位及发展思路．中国水利,2003(9)A刊:黄土高原淤地坝建设专辑,8~11

第四章　晋西北地区坝库工程减洪减沙作用研究

第一节　概　述

河龙区间晋西北地区(片)是黄河中游泥沙的主要来源区之一。由于长期的风蚀、水蚀造成的严重水土流失,导致土壤退化、沟壑扩张、生态环境恶化,给当地的农业生产及下游的防洪安全带来了巨大的威胁。淤地坝是黄土高原地区人民群众在长期的生产实践中完成的一项创造,是在同自然灾害的斗争中产生的,距今已有悠久的历史。根据调查,有记载的人工筑坝始于明代万历年间(公元 1573 ~ 1619 年)的晋西汾西县。晋西北的临县也早在 100 多年前就开始打坝淤地,而其大力发展则是从新中国成立后才开始的。

新中国成立初期,随着黄河泥沙问题的日趋严重,黄河流域黄土高原地区的水土保持工作逐渐受到重视。由于起初对拦淤起主导作用的坝库工程缺乏成熟的技术和经验,修建的淤地坝较少。20 世纪 50 年代,黄委会在总结群众建小坝的基础上,曾在一些小流域内进行了淤地坝建设的试验示范工作,虽然工程规模较小,但拦泥、增产效益显著。在此推动下,晋西北地区从 60 年代开始发展淤地坝。进入 70 年代后随着机械碾压、水力冲填、定向爆破等先进技术的成功运用,淤地坝有了较大规模的发展,为减少入黄泥沙发挥了巨大的作用。但因当时有相当数量的淤地坝未经规划设计,且多为群众性施工,在 70 年代后期又遭受了两次大暴雨的袭击,使许多坝库工程被水毁损坏。80 年代中期,大部分淤地坝所剩的拦泥库容已经很小,拦蓄能力大幅度下降。因此,自 1986 年以来,国家在晋西北地区陆续安排了一批治沟骨干工程。在布设原则上,以加强多沙粗沙区的治理为重点,按照侵蚀程度,配合坡面治理措施安排布坝密度,提高了防御洪水的能力,保护了“小多成群”的淤地坝。

晋西北地区水库的建设主要经历了两个阶段:一是 20 世纪 50 年代末期只在部分支流上修建了少量的中型水库;二是 70 年代发展了较多的小型水库,60 年代、80 年代基本处于停滞状态,90 年代又有较大增加。目前,由于淤积及工程质量等问题,有许多水库不能正常蓄水运用,工程严重老化,成为该地区流域综合治理中的一项薄弱环节。

实践证明,淤地坝和水库工程,其拦泥、滞洪效益显著。为了明确它在水利水保措施中的地位和作用,需要有比较准确可靠的定量分析成果作为依据。目前,虽已有许多研究成果,但由于基础资料的限制,加之分析计算方法不很完善,使成果差异性很大,缺乏说服力。本次研究在广泛收集基础资料的同时,充分吸收已有成果的长处,采用了改进的计算方法,解剖“麻雀”,对晋西北地区坝库工程的减洪减沙作用进行了定量分析,取得了比较可靠的研究成果。

第二节　坝库工程的基本情况

一、坝库工程的数量、规模及分布

晋西北片目前尚无淤地坝详查资料。根据晋西地区淤地坝典型调查资料综合分析，截至1989年，晋西北片有各类淤地坝9 144座。另据统计，该片建成治沟骨干工程74座，各类水库90座；水库总库容47 635万 m^3，其中库容在百万立方米以上的水库38座。

（1）按坝型分类：包括骨干坝在内，大型坝（坝高≥30 m）54座，占0.6%；中型坝（坝高为15～30 m）474座，占5.2%；小型坝（坝高为5～15 m）6 128座，占67.0%；特小型坝（坝高＜5 m）2 488座，占27.2 %。建成大型水库1座，占1.1%；中型水库10座，占11.1%；小（一）型水库27座，占30%；小二（型）水库52座，占57.8%。

（2）按修建年代分类：根据典型调查资料，20世纪60年代以前所建坝占40%，拦泥量约占20%；70年代所建坝占56%，拦泥量约占50%；80年代所建坝仅占4%，虽然数量较少，但以前所建的淤地坝多数仍继续拦泥，拦泥量约占30%。20世纪50年代修建水库6座，占6.7%；60年代3座，占3.3%；70年代80座，占88.9%；80年代1座，占1.1%。

（3）按坝体结构分类：根据典型调查资料，无排水设施的淤地坝约占82%，只有溢洪道或泄洪洞其中一件的占16%，排水设施比较完善的仅占2%。

另据最新资料统计，截至1999年，晋西北片共保存淤地坝6 998座（已淤满者和特小型坝除外）；建成治沟骨干工程304座（不含未控区）。

山西省忻州地区水土保持规划队1989年曾对晋西北地区198座淤地坝拦泥量进行了典型调查，其调查成果见表4-1。根据表4-1绘制的淤地坝各类曲线分别见图4-1～图4-6。由此可以看出，随着坝高的增加，单坝平均库容、单坝淤地面积、每公顷坝地拦泥量均相应增大。但具体变化各不相同：①当单坝淤地面积在0～5 hm^2 之间变化时，坝地拦泥量为0～9万 m^3/hm^2，增幅很快；当单坝淤地面积在5～25 hm^2 之间变化时，坝地拦泥量为9万～12万 m^3/hm^2，增幅明显变缓，最后趋于稳定。②单坝平均库容与单坝淤地面积之间具有良好的线性正相关关系。③随着坝高的增加，单位面积坝地拦泥量增加。但当坝高大于25 m后，单位面积坝地拦泥量增幅很小，基本稳定在12万 m^3/hm^2 左右。④随着坝高的增大，单坝平均库容与单坝淤地面积起初增幅缓慢，当坝高大于15 m后，随着坝高的增加二者增大很快。以上变化特点对晋西北地区淤地坝建设具有重要的指导意义。

表4-1　**晋西北地区淤地坝拦泥量调查成果**

坝高（m）	≤5	5～10	10～15	15～20	20～25	25～30	≥30	平均
调查坝数（座）	16	72	35	19	25	12	19	
单坝平均库容（万 m^3）	0.86	2.86	11.26	51.6	125.5	174.2	208.1	82.0
单坝淤地（hm^2）	0.33	0.77	1.66	4.22	8.99	20.97	25.08	8.26
坝地拦泥量（万 m^3/hm^2）	1.7	3.5	6.2	8.9	10.7	11.3	11.7	7.7

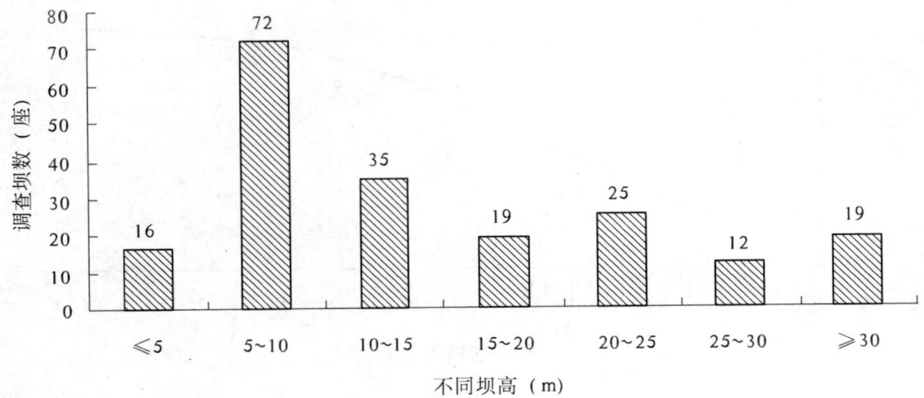

图 4-1　晋西北地区不同坝高淤地坝调查座数

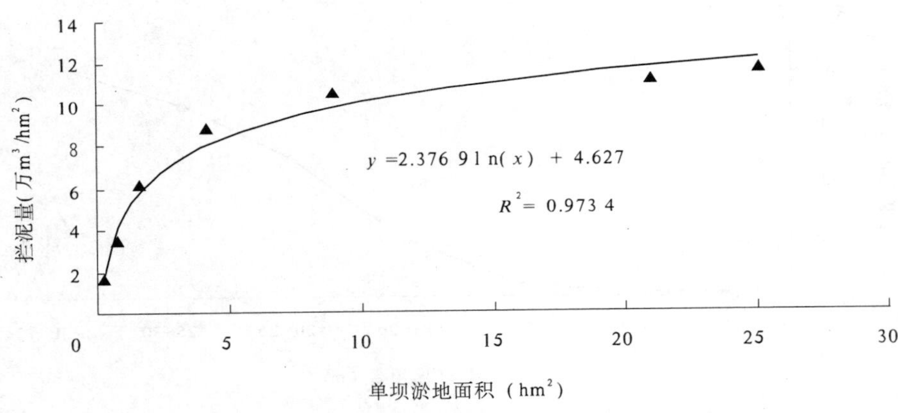

图 4-2　晋西北地区单坝淤地面积与单位面积坝地拦泥量关系

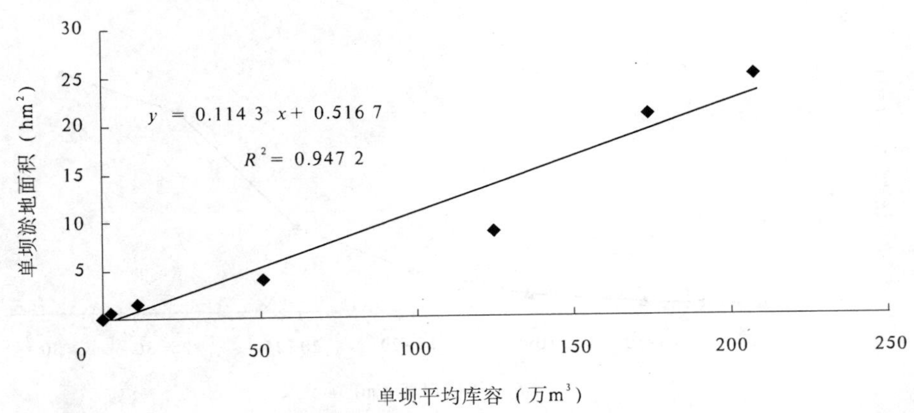

图 4-3　晋西北地区单坝平均库容与淤地面积关系

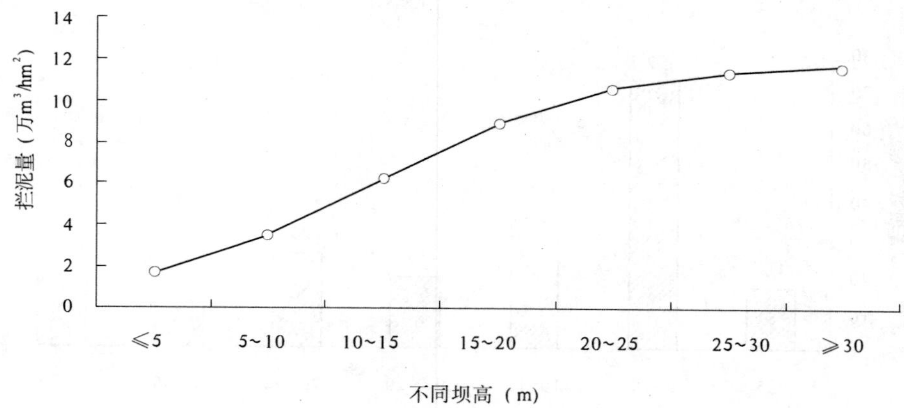

图 4-4　晋西北地区不同坝高对应的单位面积坝地拦泥量变化过程

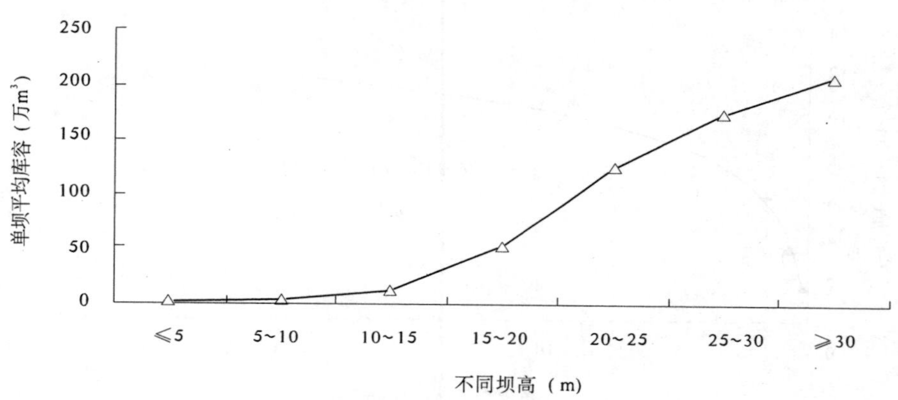

图 4-5　晋西北地区不同坝高对应的单坝平均库容变化过程线

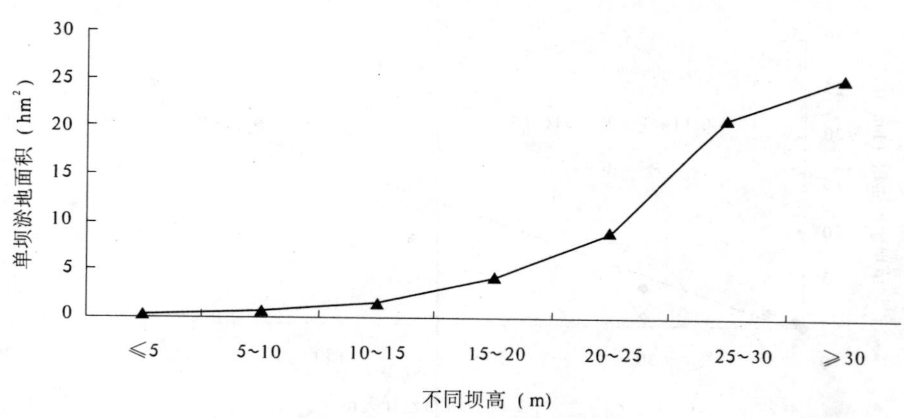

图 4-6　晋西北地区不同坝高对应的单坝淤地面积变化过程线

此外，山西省忻州地区1987年对晋西北的偏关、河曲、保德、神池、五寨、岢岚等西山六县淤地坝进行了普查。此次共普查淤地坝1 709座，淤地面积2 270 hm^2，控制水土流失面积1 720 km^2。其中坝高在5～15 m的共1 438座，占总坝数的84.2%；坝高在15～25 m的共205座，占总坝数的11.9%。在普查过程中对黄土丘陵沟壑区和黄土缓坡风沙区的31座淤地坝进行了实地测量，其中黄土丘陵沟壑区22座，黄土缓坡风沙区9座。通过重点测量和调查，得到不同坝高拦泥量、淤地面积、单坝淤地面积和单坝拦泥量等指标，见表4-2。

表4-2　晋西北地区西山六县淤地坝拦泥量调查成果

水土流失类型区	坝高	调查坝数(座)	拦泥量(万 m^3)	淤地面积(hm^2)	拦泥指标(万 m^3/hm^2)	单坝淤地面积(hm^2)	单坝拦泥量(万 m^3)
黄土丘陵沟壑区	5～15 m	3	40.96	9.273	4.42	3.09	13.65
	15～25 m	7	261.49	53	4.93	7.57	37.36
	25 m以上	12	777.8	110.74	7.02	9.23	64.82
	小计	22	1 080.25	173.013	6.24	7.87	49.10
黄土丘陵缓坡风沙区	5～15 m	6	170.88	32.433	5.27	5.41	28.48
	15～25 m	2	133.30	22.953	5.81	11.5	66.65
	25 m以上	1	38.06	5.333	7.14	0.36	38.06
	小计	9	342.24	60.719	5.64	6.75	38.03
总计		31	1 422.49	233.732	6.09	7.54	45.89

二、坝地面积及库容

截至1996年底，晋西北片坝地面积为1.76万 hm^2，其中浑河流域0.237万 hm^2，偏关河0.06万 hm^2，县川河0.114万 hm^2，朱家川0.06万 hm^2，岚漪河0.034万 hm^2，蔚汾河0.082万 hm^2，湫水河0.242万 hm^2，三川河0.388万 hm^2；未控区0.542万 hm^2。

截至1999年，晋西北片共建成骨干坝304座，总控制面积1 603.5 km^2，总库容27 868万 m^3，拦泥库容15 482万 m^3，可淤地2 631 hm^2。晋西北片各支流骨干坝基本情况见表4-3。

表4-3　晋西北片各支流骨干坝基本情况统计(截至1999年)

支流名称	座数(座)	控制面积(km^2)	总库容(万 m^3)	拦泥库容(万 m^3)	可淤地(hm^2)
浑　河	54	216.0	4 050	1 930	362
杨家川	12	218.6	3 223	1 750	290
偏关河	7	105.8	1 456	740	123
县川河	42	212.0	4 080	1 990	398
朱家川	47	229.6	4 503	2 414	622
岚漪河	19	115.8	2 036	1 065	133
蔚汾河	11	88.0	1 454	929	102
湫水河	68	251.7	4 070	2 740	362
三川河	44	166.0	2 996	1 924	239
合计	304	1 603.5	27 868	15 482	2 631

第三节　坝库的拦泥减蚀机理

修建在沟壑里的淤地坝和水库工程，主要是增加了小流域内的洼地容积，以此拦蓄洪水和泥沙，这就是它们的拦沙机理。

一、小流域径流泥沙来源

晋西北片的径流泥沙主要来自黄土丘陵沟壑区的千沟万壑，其地形主要由沟谷地和沟间地两部分组成。根据黄土丘陵沟壑区5条典型小流域的观测资料（见表4-4），沟谷地面积平均占小流域总面积的44%，但其来水量和来沙量分别占总来水来沙量的73%和80%，说明小流域的径流泥沙主要来源于沟谷。其原因是沟谷地形陡峻，重力侵蚀活跃；除受降雨侵蚀影响外，还受沟间地来水的影响。据山西省水土保持科学研究所在晋西离石市王家沟流域的观测资料，有沟间地来水沟谷的径流泥沙为无沟间地来水沟谷的2.4倍和4.5倍。由此可知，如果坡面不治理或治理程度较低，坡面径流将汇入沟谷加速沟谷侵蚀，沟谷向宽扩展，逐渐蚕食坡面；当坡面进行治理后，可使坡面水土不下沟或少下沟，从而减轻沟谷侵蚀，使沟谷相对稳定。

表4-4　　黄土丘陵沟壑区典型小流域径流泥沙来源

流域名称	流域面积（km^2）	各地类占比（%）		侵蚀模数		来源比例（%）			
		沟间地	沟谷地	径流模数[$m^3/(km^2 \cdot a)$]	泥沙模数[$t/(km^2 \cdot a)$]	沟间地		沟谷地	
						径流	泥沙	径流	泥沙
天水吕二沟	12.0	80.7	19.3	57 200	10 300	11.0	18.0	89.0	82.0
离石羊道沟	0.21	49.7	50.3	29 500	17 100	33.0	20.0	67.0	80.0
离石王家沟	9.10	56.0	44.0	28 500	15 900	27.6	23.8	72.4	76.2
绥德韭园沟	70.1	56.6	43.4	24 300	18 120	35.3	30.8	64.7	69.2
隰县唐户沟	2.83	37.4	62.6	23 035	10 574	27.9	6.9	72.1	93.1
合计或平均		56.0	44.0	32 507	14 399	27.0	20.0	73.0	80.0

（一）坡面侵蚀

晋西北黄土丘陵沟壑区地表大部分覆盖着土质疏松、抗蚀性很弱的黄土；同时，由于气候干旱，年降水量较少而蒸发量很高，植被生长困难，覆盖率低。该区又是暴雨活动比较频繁的地区之一，每遇暴雨，坡面易形成径流。

根据调查，晋西北经过初步治理的小流域，坡面措施一般仅能控制总来沙量的20%～40%，最多不超过50%，剩余部分将由坡面进入沟谷；沟道坝库工程除拦蓄沟谷地的产沙量外，还要拦蓄50%以上的坡面产沙量。

（二）沟道侵蚀

经坡面汇集的水流进入沟谷后，浑浊的水流不断聚集形成山洪，同时由于沟底坡度一般较大，在重力的作用下稳定性较差，而山洪形成的高含沙水流的较强冲刷力使沟底下切，从而破坏了沟道坡角的稳定性，造成沟岸扩张，沟头前进，重力侵蚀异常活跃，致使大量的泥土堆积在沟内，在强大水流的作用下被冲向下游。据统计，黄河中游粗沙区的日平均含沙量可达 800 ~ 1 000 kg/m^3 以上，有的支流年平均含沙量可达到 500 kg/m^3 以上，一场洪水的最大含沙量有的达到 1 500 kg/m^3。为了阻止这种大面积的高含沙水流，坝库工程将承担起小流域水土保持措施拦沙的最后一道防线。在上游沟道内打淤地坝拦泥淤地，下游修建中型水库蓄水滞洪，沟谷侵蚀将会在一定范围内得到有效的遏制。

二、坝库工程的减蚀作用

在沟谷中修建的淤地坝和中小型水库，以其库容拦蓄集水区内侵蚀的泥沙，随着拦泥量的增加和淤积范围的扩大，逐渐丧失拦蓄泥沙的作用。但是，坝库内的淤积物，局部抬高了侵蚀基准面，在一定范围内阻止了沟床的继续下切。同时，由于泥沙的淤积，稳固了两岸的坡角，减小了重力侵蚀。上述两种减轻沟谷侵蚀的作用，称为坝库工程的减蚀作用。当坝库工程建成后，这种作用将长期存在。

（一）抬高侵蚀基准面，阻止沟床下切

根据黄委会西峰水土保持科学试验站在南小河沟流域的观测资料分析，该流域泥沙主要来自沟道的重力侵蚀，其侵蚀量占全流域产沙量的 86.3%。在治理前沟谷侵蚀剧烈，下游 2 km 处已切到基岩下 20 多米，中上游沟谷比降都在 1% 以上，沟谷侵蚀十分活跃。据暴雨后调查，沟谷一次性下切可达 2 ~ 3 m，其产沙量约占沟谷侵蚀总量的 60% 以上。该流域从 1952 年开始，在支毛沟中修建了一些小型塘坝，先后在干沟中修建水库和淤地坝 3 座，同时在坡面上实施了相应的水土保持措施。沟道经过泥沙淤积，侵蚀基准面大幅度抬高。根据该流域内花果山水库的实测资料，1960 ~ 1980 年的 20 年间，坝前淤地抬高主沟道 21 m，平均每年抬高 1.05 m。同时，由于淤积也使沟道比降趋于平缓，从原来的 1.13% ~ 1.50% 减缓到 0.05% ~ 0.10%，有效地阻止了沟底下切，减轻了沟蚀。

（二）泥沙淤积加固了两岸坡角，减轻了重力侵蚀的程度

由于洪水下切作用形成的窄深式沟道，使沟谷两岸的崖体处于不稳定状态，泥沙的淤积对沟谷两岸的坡脚起到了一定的加固作用，有效地防止和减轻了沟谷扩张，减轻了重力侵蚀的程度。据调查，在 20 世纪 60 年代初南小河沟沟谷中红土泻溜面积仅占流域面积的 2.47%，其土壤侵蚀量却占全流域的 25.5%，滑坡、崩塌面有 100 多处且每年都在发生，水土流失严重。修建坝库后，随着泥沙的淤积和侵蚀基准面的抬高，淤积体周围的滑坡、崩塌现象很少发生，在很长时间内，沟谷基本处于相对稳定状态。

据分析，南小河沟流域自修建坝库以后，累计减少重力侵蚀产沙量 82.02 万 t，为原有沟蚀量的 16.2%。淤地坝、水库最明显的减蚀作用是将原来水土流失最严重的沟谷部分淤平，稳定了沟床，减弱了重力侵蚀，从而使水土流失得到了有效控制。黄委会水文局熊贵枢等对无定河上游赵石窑以上水库减蚀量的资料分析表明，坝体工程平均每年减少沟壑侵蚀 2 080 万 t，减蚀作用为多年平均输沙量的 20.8%。由此可见，坝体工程除了拦沙

作用外，其减蚀作用也是相当大的。

第四节　典型坝系的拦泥蓄水作用

坝系是指在某一流域的综合治理中，以小流域为单元，通过科学规划，合理配置，形成以骨干坝为骨架，大、中、小型淤地坝相结合，拦、蓄、排功能相配套的相对稳定的沟道综合防护体系。

一、坝系的拦泥滞洪作用分析

黄河中游黄土丘陵沟壑区已形成比较完整坝系的小流域很多，如表4-5所列就是其中比较典型的8条，其多年平均拦泥量9.01万t，占流域来沙量的54.2%。其中，晋西隰县的西埝沟小流域，年来沙量4.57万t，淤地坝拦泥量4.27万t，占年来沙量的93.4%，坝系的拦泥作用十分显著。从表4-5的统计结果看，坝系的拦泥量占流域总来沙量的33.0%～93.4%，平均为54.2%。因此，在小流域综合治理中，通过加强沟道内的坝系建设，结合坡面治理，一般可拦淤流域一半以上的产沙量。

同时，坝系还有较好的滞洪作用，通过调节洪水径流，削减洪峰流量，抵御暴雨洪水，从而保护了下游的安全。如陕北绥德县的王茂沟流域，从1953年开始在沟道内建坝，通过初建、改建和调整，现已形成完整的坝系。目前有淤地坝20座，已淤地27.3 hm^2，在1959年8月19日和1961年8月1日两次较大暴雨中，王茂沟流域坝库削减洪峰流量分别达到了90.7%和88.3%；1977年8月5日的暴雨洪水，曾使韭园沟流域冲毁坝库166座，占到流域坝库总数量的49.8%，但王茂沟流域仅冲毁了支沟中的7座小坝，仅占支沟坝库总数量的16.7%，主沟中的1、2号坝安全度汛。

经暴雨后调查，凡水毁工程严重的区段，大多数是排水设施不全、未经设计的小工程，同时又忽视了坡面综合治理。工程措施与生物措施未能合理配置也是一个重要原因，因洪水得不到坡面及支毛沟的拦蓄调节，汇集迅速，破坏力强，使坝系工程的效益难以有效发挥。由此可见，尽管工程措施拦蓄能力很大，但在流域治理过程中，不能只单纯地追求工程措施，应按照"坡沟兼治"、"工程措施与生物措施结合"的原则进行综合治理。在沟道坝系建设方面，应进行统筹规划、合理布局，目前在这方面已有许多成功的经验。如陕北绥德王茂沟的"大小结合、改建调整、骨干控制、滞洪排清"，内蒙古准格尔旗西黑岱沟的"支沟滞洪、干沟生产"等模式，在坝系建设时可根据实际情况加以借鉴。

二、坝系的相对稳定

在淤地坝的发展过程中，为了使其能够持续增产拦泥，需要保持沟道坝系长期相对稳定。在典型调查时发现有部分淤地坝，当淤泥面达到一定高度后，增建了溢洪道，不再拦泥淤地。有相当数量的淤地坝淤满后未及时加高，有可能遭到水毁破坏，要继续发挥拦泥作用，必须加高坝体以增加拦洪库容，而坝体的加高是有限的。根据对黄河中游一些沟道

表 4-5　　黄河中游黄土丘陵沟壑区小流域淤地坝拦泥量统计结果

流域名称	流域面积 (km^2)	筑坝情况			淤地		拦泥总量 (万 m^3)	单位面积坝地拦泥量		拦泥效果		
		时段 (年)	年限 (年)	座数	hm^2	hm^2/km^2		万 m^3/hm^2	万 t/hm^2	年来沙量 (万 t)	年拦泥量 (万 t)	占来沙量 (%)
离石市 刘家湾	47.1	1955 ~ 1981	26	71	104.4	2.2	760.0	7.28	10.19	73.9	40.92	55.4
离石市 王家沟	9.1	1955 ~ 1981	26	26	32.5	3.6	128.4	3.95	5.53	14.4	6.91	48.0
离石市 东流沟	1.0	1955 ~ 1981	26	5	5.6	5.6	17.55	3.13	4.38	1.585	0.945	59.6
中阳县 高家沟	14.1	1960 ~ 1983	23	54	48.6	3.4	202.8	4.17	5.84	22.35	12.34	55.2
隰县 西埝沟	6.1	1965 ~ 1983	18	46	13.3	2.2	56.8	4.27	5.78	4.57	4.27	93.4
隰县 张家沟	2.92	1966 ~ 1984	18	11	5.3	1.8	13.9	2.62	3.54	3.15	1.04	33.0
永和县 上塔沟	1.8	1960 ~ 1984	24	17	5.6	3.1	14.1	2.52	3.40	2.16	0.79	36.6
绥德县 王茂沟	5.97	1953 ~ 1990	37	20	27.3	4.6	132.4	4.85	6.55	10.76	4.83	44.9
合计或平均	88.09			250	242.6	3.3	1 325.95	4.10	5.65	16.61	9.01	54.2

内天然聚湫的调查,有的已形成几百年,至今仍完好无损。如陕北子洲县黄土洼坝就是公元1569年,由于自然滑坡、坍塌而形成的天然聚湫,距今已有400多年,后经加工而成高60 m、淤地50 hm^2的大型淤地坝。经分析,当沟道面积达到流域面积一定比例时,每年来水来沙量在坝地上的滞淤厚度就很薄了,几乎是均匀地平铺在上面,淤积厚度也很有限,这样就实现了所谓的"相对稳定"。

淤地坝相对稳定的含义是指在一定频率的洪水条件下,保证坝系安全;在保证洪水频率下坝地稳产高产,泥沙基本不出沟,充分合理利用水资源,维修工程量小。由此可见,淤地坝相对稳定的影响因素很多,除暴雨、洪水、地貌和治理状况外,还与坝地面积、排水情况等有关。

黄委会黄河水利科学研究院曾茂林等通过分析典型小流域和天然聚湫的调查资料,提出淤地坝相对稳定的条件为:暴雨频率为1%,坝地内水深为0.6~0.8 m,淹没时间为72~168 h,坝地面积与流域面积之比在1/25~1/15之间。随着坝地的淤积,淤泥面至坝顶的距离逐渐减小,为了防止洪水漫顶,需定期加高坝体。如能达到此条件,淤地坝即可长期稳定地起到拦泥增产作用。

由此可见,相对稳定是沟道坝系发展的最终目标,是淤地坝发展的必然结果。晋西北河曲县的南曲沟、保德县的黄石沟、兴县的泥沟、中阳县的高家沟等综合治理的小流域,近几年已不再向黄河输送泥沙。但目前仍有许多小流域,坝系的建设处于比较薄弱的环节,沟道工程措施控制水土流失的能力还很小。在今后的小流域治理中,坝系建设应作为重点。

第五节　坝库拦泥蓄水量的计算

淤地坝、水库工程虽然在水土保持措施中所占的数量较少,但其拦泥蓄水能力是相当大的。对其进行定量分析,是研究水利水土保持措施减洪减沙作用的一项重要内容。

一、坝地面积的确定

坝地面积是计算淤地坝拦泥蓄水量的基础,其准确程度对计算结果影响较大。新中国成立以来,虽然我国对水土流失的治理取得了巨大成就,但是对水土保持措施治理面积的统计落实工作始终是一个薄弱环节。比较突出的问题是统计上报的水土保持措施治理面积数据"水分"较大:统计面积大,保存面积小;上报面积大,实际面积小。因此,在进行淤地坝拦泥蓄水量计算时,不能直接采用各地统计部门统计上报的坝地面积数字,而要采用核实的坝地面积。核实坝地面积需要采用一定的方法。

(一)收集基本资料

研究中先后收集到以下基本资料:

(1)晋西北各县1972~1996年以县为单位统计上报的历年坝地面积。

(2)1949~1971年山西省水保措施面积汇总成果。

(3)晋西北各县1989年以乡为单位的土地详查成果。该成果是按照原国家农业区划委员会制定的技术规程进行详查的，对于水保措施面积核实来说，其资料具有较大的可靠性。

(4)内蒙古清水河、和林格尔两县 1965 年和 1978 年的坝地面积统计资料。

(5)晋西北各县 1989～1996 年以乡为单位统计上报的水土流失治理面积。

(6)晋西北各县 1996 年土地利用现状变更调查成果表。

(7)山西省 1985 年"成数抽样法"调查的以县为单位的土地资源利用现状数据资料。

(8)山西省忻州地区西山六县淤地坝普查成果报告。

(9)三川河流域第一、二期治理验收成果资料。

(10)晋西北河(曲)、保(德)、偏(关)片及蔚汾河流域黄土高原水土保持世界银行贷款项目实施情况报告。

(二)基本资料的处理

(1)以县为单位，列出 1972～1996 年的坝地上报面积，其中 1959～1971 年的坝地面积在山西省水保措施治理面积汇总成果中分解。其方法是把 1972～1980 年作为一个阶段，求出历年各县坝地面积占山西省同期总数的百分比，以此比例从 1959～1971 年山西省的总数中分解出各县的坝地面积。对于内蒙古清水河、和林格尔两县，直接利用 1965 年和 1978 年的统计资料直线插补。如此处理，即可得到晋西北片以县为单位的历年坝地上报面积。

(2)计算各县不同年代坝地的保存率。保存率是水土保持治理措施保存面积与实施面积的比值，是反映治理措施数量核实情况的一个重要指标。研究中以 1989 年晋西北各县土地详查资料中的坝地保存率作为基本控制数，其中 20 世纪 80、90 年代的坝地保存率分别以 1985 年"成数抽样法"调查资料、1996 年土地利用变更调查资料、1997 年"二阶等距抽样"典型调查资料以及三川河流域第一、二期治理验收资料综合确定；60、70 年代的坝地保存率根据以往研究成果确定。根据研究，70、80、90 年代晋西北地区 8 条支流坝地的平均保存率分别为 79.2%、72.8%和 73.5%。

(3)根据上述保存率，分别乘以历年的上报面积，即可得到各县坝地的保存面积。

(三)各支流坝地保存面积的计算

按照各支流所属的区域，以乡为单位，分别列出各支流的乡镇名称，再把各支流所属乡镇的坝地保存面积列表相加，求出这些乡镇的坝地保存面积占全县坝地保存总面积的比例，并用这一比例乘以历年各县的坝地保存面积，最后把各县在各支流的坝地保存面积相加即为各支流历年的坝地保存面积，计算成果见表 4-6。

(四)坝地面积研究成果对比

水利部黄河水沙变化研究基金、黄河流域水土保持科研基金、国家自然科学基金等"三大基金"与本次研究所确定的晋西北片各支流截至 1989 年的坝地保存面积研究成果对比见表 4-7。

表 4-6　　晋西北片各支流历年坝地保存面积统计　　（单位：hm^2）

年份	浑河	偏关河	县川河	朱家川	岚漪河	蔚汾河	湫水河	三川河
1959	60	93	107	29	20	40	280	287
1960	60	93	107	31	27	40	310	300
1961	60	93	107	33	27	40	310	307
1962	60	107	153	35	27	40	330	320
1963	60	107	167	37	33	40	330	333
1964	67	120	187	39	33	40	360	367
1965	73	113	187	40	33	40	360	367
1966	160	120	187	42	33	40	360	373
1967	200	127	200	44	33	60	390	407
1968	293	147	220	47	33	60	420	433
1969	353	160	240	50	33	60	460	467
1970	440	167	260	64	33	60	510	540
1971	533	213	340	77	33	80	650	660
1972	620	313	473	91	40	110	860	893
1973	733	380	493	104	60	170	860	1 050
1974	847	407	507	118	80	210	970	1 260
1975	947	433	527	131	87	210	1 050	1 400
1976	1 060	433	580	145	100	270	1 050	1 470
1977	1 147	420	627	158	120	330	1 050	1 470
1978	1 300	427	633	172	127	350	1 110	1 480
1979	1 380	427	680	185	133	390	1 270	1 500
1980	1 440	433	547	220	153	430	1 330	1 580
1981	1 500	433	547	255	160	450	1 340	1 670
1982	1 647	440	567	291	160	430	1 390	1 900
1983	1 740	440	580	326	160	450	1 430	2 170
1984	1 767	440	600	360	193	560	1 520	2 290
1985	1 853	447	680	397	193	580	1 610	2 410
1986	1 947	467	720	432	193	580	1 680	2 730
1987	1 973	467	787	468	207	580	1 730	2 780
1988	1 967	467	800	503	207	600	1 730	2 860
1989	2 033	467	800	538	213	600	1 750	2 950
1990	2 074	485	837	574	230	621	2 031	2 746
1991	2 115	504	870	609	249	643	1 708	2 725
1992	2 156	522	911	645	267	664	1 824	2 960
1993	2 196	541	948	680	285	709	2 014	3 141
1994	2 237	559	1 013	626	303	720	2 288	3 248
1995	2 278	578	1 078	626	321	787	2 359	3 526
1996	2 365	596	1 143	600	339	819	2 422	3 885

表 4-7　　**晋西北片截至 1989 年淤地坝保存面积各家研究成果对比**　　（单位：hm^2）

研究项目	浑河	偏关河	县川河	朱家川	岚漪河	蔚汾河	湫水河	三川河
水保基金	2 073	380	—	673	340	513	1 580	1 933
水沙基金	5 887	1 100	1 200	1 847	387	607	1 827	2 733
自然基金	5 887	1 113	—	887	433	607	1 633	2 547
本次研究	2 033	467	800	538	213	600	1 750	2 950

从表 4-7 中可以看出，"水沙基金"与"自然基金"所确定的各支流坝地面积比较接近，但明显高于"水保基金"的数值。本次研究所确定的数值，大多数支流与"水保基金"接近；三川河相差较大，但与其他两大基金接近。由于本次研究既吸取了过去已有成果的长处，同时还利用了许多最新资料，因此坝地保存面积相对比较可靠。

二、淤地坝减洪减沙量计算

（一）淤地坝拦泥量的计算

淤地坝的减沙量包括淤地坝拦泥量、减轻沟蚀量以及由于淤地坝滞洪后削减洪峰流量、流速对坝下游沟道侵蚀量的减少量。目前拦泥量、减蚀量可以通过一定的方法进行计算，削峰滞洪对下游沟道的影响还无法进行计算，因此仅计算前两部分量。

根据已计算出的晋西北地区各支流历年已淤成的坝地面积，利用重点调查的淤地坝资料，可以求出坝地的控蚀参数 K、拦泥指标 M_S、淤积年限 n。通过分析历年坝地面积累积曲线的变化过程或利用灰色拓扑预测等方法，可以预测到未来时段的淤地坝面积。晋西北地区各支流 M_S 及 K 值见表 4-8。

表 4-8　　**晋西北片 8 条支流坝地拦泥指标 M_S 和控蚀参数 K 值**

项目	浑 河	偏关河	县川河	朱家川	岚漪河	蔚汾河	湫水河	三川河
M_S（万 t/hm^2）	5.32	8.31	7.84	8.23	5.81	6.89	7.52	7.55
K（km^2/hm^2）	0.69	0.80	0.84	0.72	0.90	0.50	0.45	0.35

对于淤积年限 n 值，根据晋西北忻州地区西山六县 1987 年对不同类型区 31 座淤地坝的典型调查资料，淤积年限一般为 5～20 年。多坝平均淤积年限为：黄土丘陵沟壑区 12.5 年，缓坡风沙区 13.1 年。因此，晋西北地区 n 值取为 13 年。

根据以上分析资料，某计算年内淤地坝的总拦泥量 $\Delta W_{sg年}$ 可按下式计算：

$$\Delta W_{sg年} = \Delta W_{sg1} + \Delta W_{sg2} \tag{4-1}$$

$$\Delta W_{sg1} = 1/n \cdot M_S \cdot (f_i - f_{i-1}) \cdot (1 - \alpha_1) \cdot (1 - \alpha_2) \tag{4-2}$$

$$\Delta W_{sg2} = KW_{si} \cdot (f_{i+12} - f_i) \cdot (1 - \alpha_1) \cdot (1 - \alpha_2) \tag{4-3}$$

式中：$\Delta W_{sg年}$ 为计算年内淤地坝的总拦泥量，万 t；ΔW_{sg1} 为计算年内已淤成坝地的拦泥量，万 t；ΔW_{sg2} 为计算年内未淤成坝地的淤地坝拦泥量，万 t；α_1 为人工填垫及坝地两岸坍塌所形成的坝地面积占坝地总面积的比例系数，晋西北片为 0.1～0.2；α_2 为推移质系数，晋西北片为 0.1；f_i，f_{i-1}分别为当年及上一年淤地坝的累积坝地面积，hm^2；f_{i+12}为计算年开始拦泥的淤地坝淤成后（第 12 年以后）的坝地面积，hm^2；W_{si}为计算年内流域的侵蚀模数，t/km^2。计算中若采用流域出口站的年输沙模数，则应乘以相应的系数。根据县川河、偏关河等支流的分析结果，该系数为 1.15～1.20。将式(4-2)、式(4-3)带入式(4-1)中有：

$$\Delta W_{sg年} = 1/n \cdot M_S \cdot (f_i - f_{i-1}) \cdot (1-\alpha_1) \cdot (1-\alpha_2) + KW_{si} \cdot (f_{i+12} - f_i) \cdot (1-\alpha_1) \cdot (1-\alpha_2) \tag{4-4}$$

为了便于计算，近似认为 $1/n \cdot M_S \approx KW_{si}$，则式(4-4)可简化为：

$$\Delta W_{sg年} = KW_{si} \cdot (f_{i+12} - f_{i-1}) \cdot (1-\alpha_1) \cdot (1-\alpha_2) \tag{4-5}$$

（二）淤地坝减蚀量的计算

淤地坝的减蚀作用在沟道建坝后即开始存在，其减蚀量一般与沟壑密度、沟道比降及沟谷侵蚀模数有关；其数量包括被坝内泥沙淤积物覆盖下的原沟谷侵蚀量及波及影响到淤泥面以上沟道侵蚀的减少量。目前后一部分的数量较难确定，通常是在计算前一部分的基础上乘一扩大系数。淤地坝减蚀量的计算公式为：

$$\Delta W_{sj年} = F \cdot W_{si} \cdot K_1 \cdot K_2 \tag{4-6}$$

式中：$\Delta W_{sj年}$为某年淤地坝的减蚀量，万 t；F 为某年已淤成的坝地面积与未淤成的淤地坝水面面积之和，hm^2；K_1 为沟谷侵蚀量与流域平均侵蚀量之比，参照山西省水土保持科学研究所在离石市王家沟的观测资料，取 $K_1 = 1.75$；K_2 为坝地以上沟谷侵蚀的影响系数。

在淤地坝的建设中，有一部分是修建在沟道比较平缓，沟谷侵蚀已达到相对稳定的流域内，这些淤地坝基本无减蚀作用，在计算减蚀量时还应扣除这一部分。由于对这一部分未减蚀的坝地目前还无法确定，计算中可假设未淤成坝地的这一部分量和对坝地以上沟谷侵蚀的减少量互相抵消，则式(4-6)可变为

$$\Delta W_{sj年} = 1.75F \cdot W_{si} \tag{4-7}$$

根据上述分析计算，淤地坝的减沙量 $W_{s坝}$为：

$$W_{s坝} = \Delta W_{sg年} + \Delta W_{sj年} \tag{4-8}$$

需要说明的是，在黄河中游地区淤地坝拦泥量计算后来的研究中，对以上计算方法又做了适当改进，详见第三章。为了全面、客观地反映以往研究成果，此处仍采用了原来的计算方法。

（三）淤地坝减洪量的计算

淤地坝的减洪量包括两部分，一部分是已经淤平后作为农地利用的坝地减洪量，其减洪作用与有埂的水平梯田相同。另一部分是仍在拦洪时期的淤地坝，其拦泥和拦洪是同时进行的。拦洪的目的是拦泥，泥中有水；淤泥中所含的水分，大部分将耗于蒸发，有一小部分又从地下流入河中。据此在分析这部分减洪量时，不能考虑其蓄水量，只能计算淤泥中的含水量。

1. 淤平坝地减洪量的计算

淤平坝地减洪量的计算可采用下式：

$$\Delta W_1 = f_i \cdot W_i \tag{4-9}$$

式中：ΔW_1 为已淤平坝地的减洪量，万 m^3；f_i 为计算年流域坝地面积，hm^2；W_i 为计算年流域农地的径流量，m^3/km^2。

2．仍在拦洪时期淤地坝的减洪量计算

仍在拦洪时期的淤地坝，其减洪量可根据淤地坝总拦泥量推算，计算公式为：

$$\Delta W_2 = \Delta W_{sg年} \cdot K \tag{4-10}$$

式中：ΔW_2 为仍在拦洪时期淤地坝的减洪量，万 m^3；$\Delta W_{sg年}$ 为淤地坝的总拦泥量，万 t；K 为流域淤地坝拦洪时期的洪沙体积比（无量纲）。

对于 K 值，根据黄委会绥德水土保持科学试验站对陕北绥德县韭园沟实测资料的分析，黄土丘陵沟壑区淤地坝拦洪时期的洪沙体积比为 1.977∶1，即 1.977 m^3 的洪水中挟带 1 m^3 的淤泥；1991 年，黄委会绥德水土保持科学试验站还对三次洪水后的 10 座淤地坝进行了典型调查，得出淤地坝拦泥后的洪沙体积比为 1.797∶1。根据上述实测资料，结合晋西北片 8 条支流治理前的洪水泥沙关系中的斜率值，最后确定出各支流淤地坝拦洪时的洪沙体积比 K 值见表 4-9。

表 4-9　　晋西北片 8 条支流淤地坝拦洪时的洪沙体积比 K 值

河 名	浑 河	偏关河	县川河	朱家川	岚漪河	蔚汾河	湫水河	三川河
K	2.0	1.687	1.62	1.945	1.5	1.5	2.309	2.872

淤地坝的减洪量 $W_{坝}$ 为：

$$W_{坝} = \Delta W_1 + \Delta W_2 \tag{4-11}$$

晋西北片各支流未控区淤地坝的减洪量及减沙量，可根据与各未控区分块相邻的已控区单位面积坝地的减洪量及减沙量指标与核实的各未控区坝地面积相乘求得。

三、水库减水减沙量的计算

（一）水库减水量的计算

水库的减水量计算分两项，一是水库的蓄水量，二是水库的蒸发量。水库的蓄水量包括两部分，其一是用于灌溉的水量，按灌溉面积及灌溉定额计算；其二是水库的蓄水变量。小型水库的蓄水变量可忽略不计，大、中型水库采用下式计算：

$$\Delta W_K = V_b - V_a \tag{4-12}$$

式中：ΔW_K 为水库的蓄水变量，m^3；V_b 为年末水库蓄水量，m^3；V_a 为年初水库蓄水量，m^3。

水库的蒸发量按下式计算：

$$\Delta W_H = 1\,000F \cdot [E - (P - R)] \tag{4-13}$$

式中：ΔW_H 为水库年蒸发量，m^3；F 为水库年水面平均面积，km^2；E 为水库年水面蒸发量，mm；P 为水库所在支流年平均降水量，mm；R 为水库所在支流年径流深，mm。

（二）水库减沙量的计算

1．水库总淤积量的计算

晋西北片大、中型水库基本都有测淤资料，可直接利用。小型水库无测淤资料，总淤积量可根据典型水库的调查资料推算，其推算公式为：

$$\Delta V = V \cdot F \cdot M_S \cdot \Delta V_D / (V_D \cdot F_D \cdot M_{SD}) \tag{4-14}$$

式中：ΔV 为水库累计淤积量，m^3；V 为水库总库容，m^3；F 为水库集水面积，km^2；M_S 为水库集水区输沙模数，t/km^2；ΔV_D、V_D、F_D、M_{SD}为来水来沙条件相似的典型水库的相应数值。

本次研究收集的水库淤积资料比较靠前，没有到需要的年份 1996 年，采用下式插补延长：

$$\Delta V_i = (K_i / K)^n \cdot \Delta V / m \tag{4-15}$$

式中：ΔV_i 为插补年水库淤积量，m^3；K_i 为插补年降雨指标；K 为淤积年限内平均降雨指标；n 为降雨指标与产沙量的相关指数；ΔV 为调查年水库的总淤积量，m^3；m 为调查时水库的淤积年限。

2. 历年水库淤积量的计算

历年水库淤积量的计算采用下式：

$$\Delta V_i = \Delta V \cdot / (K_i / \sum K_i)^n \tag{4-16}$$

式中：ΔV_i 为某年水库淤积量，m^3；ΔV 为水库总淤积量，m^3；K_i 为某年降雨指标；$\sum K_i$ 为水库淤积年限内历年降雨指标之和；n 为降雨指标与产沙量的相关指数。

将某计算年各支流逐个水库的淤积量相加，即可得到各支流该年水库的总淤积量。

3. 水库悬移质泥沙淤积量的计算

水库悬移质泥沙淤积量的计算采用下式：

$$\Delta W_{sk} = (1 - \alpha) \cdot \Delta V \cdot \gamma_s \tag{4-17}$$

式中：ΔW_{sk}为水库悬移质淤积量，t；ΔV 为水库总淤积量，m^3；γ_s 为水库淤积体的容重，一般在 1.35 ~ 1.5 t/m^3 之间；α 为水库推移质淤积比例。

晋西北片淤地坝、水库的减水减沙量计算成果见表 4-10。

表 4-10　**晋西北片淤地坝、水库减水减沙量计算成果**

支流名称	时段（年）	年降水量（mm）	淤地坝		水库	
			年均减洪（万 m^3）	年均减沙（万 t）	年均减水（万 m^3）	年均减沙（万 t）
浑河	1959 ~ 1969	409.4	301	149.5	65	162
	1970 ~ 1979	411.8	1 065	524.5	315	585
	1980 ~ 1989	346.7	686	335	305	238
	1990 ~ 1996	374.0	525	284	382	314
	1970 ~ 1996	379.3	785	392	329	386
偏关河	1959 ~ 1969	427.8	87	52.5	—	—
	1970 ~ 1979	413.6	344	204.5	—	—
	1980 ~ 1989	370.1	56.5	33	—	—
	1990 ~ 1996	451.4	251	143	—	—
	1970 ~ 1996	407.3	214	125	—	—

续表 4-10

支流名称	时段（年）	年降水量（mm）	淤地坝		水库	
			年均减洪（万 m^3）	年均减沙（万 t）	年均减水（万 m^3）	年均减沙（万 t）
县川河	1959 ~ 1969	418.8	140	86.5	—	—
	1970 ~ 1979	422.6	459	283	—	—
	1980 ~ 1989	376.1	132	80	—	—
	1990 ~ 1996	435.0	527	313	—	—
	1970 ~ 1996	405.3	356	216	—	—
朱家川	1959 ~ 1969	482.1	32	17	70	21
	1970 ~ 1979	416.8	173	105	80	43
	1980 ~ 1989	409.9	524	273	110	22
	1990 ~ 1996	474.7	153	71	181	33
	1970 ~ 1996	429.3	298	158	117	32
岚漪河	1959 ~ 1969	552.9	10	7	—	—
	1970 ~ 1979	498.1	70	46	300	12
	1980 ~ 1989	485.3	57.5	37	350	40
	1990 ~ 1996	539.7	134	83.5	677	60
	1970 ~ 1996	504.1	82	52	416	35
蔚汾河	1959 ~ 1969	488.6	19	13	—	—
	1970 ~ 1979	471.9	298	200	150	48
	1980 ~ 1989	444.6	230.5	131	190	18
	1990 ~ 1996	508.2	301	188	335	28
	1970 ~ 1996	471.2	274	171	213	32
湫水河	1959 ~ 1969	551.9	290	134.5	50	24
	1970 ~ 1979	480.7	1 273	565.5	85	47
	1980 ~ 1989	497.6	783	339	120	29
	1990 ~ 1996	507.4	1 529	661.5	111	23
	1970 ~ 1996	493.9	1 158	506	105	34
三川河	1959 ~ 1969	532.0	328	117	60	15
	1970 ~ 1979	471.7	1 834	641	130	26
	1980 ~ 1989	480.3	2 592	896	200	58
	1990 ~ 1996	497.7	2 389	827	200	64
	1970 ~ 1996	481.6	2 259	784	174	48
未控区	1959 ~ 1969	489.6	500	236	—	—
	1970 ~ 1979	451.5	2 440	1 144	—	—
	1980 ~ 1989	432.1	2 180	894.5	—	—
	1990 ~ 1996	474.5	2 500	1 090	—	—
	1970 ~ 1996	450.5	2 360	1 037.5	—	—

续表 4-10

支流名称	时段（年）	年降水量（mm）	淤地坝		水库	
			年均减洪（万 m^3）	年均减沙（万 t）	年均减水（万 m^3）	年均减沙（万 t）
晋西北片合计	1959 ~ 1969	486.5	1 710	812.5	246	221
	1970 ~ 1979	450.2	7 955	3 710	1 060	761
	1980 ~ 1989	428.7	7 240	3 020	1 280	404
	1990 ~ 1996	473.1	8 310	3 660	1 890	523
	1970 ~ 1996	448.2	7 780	3 440	1 350	568

四、计算成果的分析比较

“三大基金”与本次研究 1970 ~ 1989 年各支流淤地坝、水库的减沙量计算成果对比见表 4-11。

表 4-11　　晋西北片 1970 ~ 1989 年淤地坝、水库减沙量研究成果对比

支流名称	淤地坝减沙量(万 t)				水库减沙量(万 t)			
	水保基金	水沙基金	自然基金	本次研究	水保基金	水沙基金	自然基金	本次研究
浑　河	105	914	636	430	412	412	253	412
偏关河	13	416	119	120	—	—	—	—
县川河	—	320	—	181.5	—	—	—	—
朱家川	19	659	103	189	32	32	18	32.5
岚漪河	14	50	49	41.5	26	10	25	26
蔚汾河	24	91	69	165.5	33	77	27	33
湫水河	79	355	228	452	37	38	20	38
三川河	99	473	439	768.5	45	42	16	42

显然，由于核实的坝地保存面积、拦泥指标以及计算方法的不同，晋西北片各支流淤地坝减沙量计算成果相差较大。如偏关河流域淤地坝减沙量各家计算成果中最大值是最小值的 32 倍；朱家川流域此比值高达 35 倍。浑河、县川河、岚漪河、蔚汾河、湫水河、三川河流域最大值分别是最小值的 8.7、2.0、3.6、6.9、5.7 和 7.8 倍。在本次研究中，尽管晋西北片大部分支流核实的坝地保存面积与“水保基金”比较接近，但由于所采用的计算方法不同，因而计算结果仍有很大的差异。相比之下，在水库减沙量的计算过程中，由于各家所采用的基础资料和计算方法基本相同，因而计算结果比较接近。因此，认真核实水土保持措施的保存面积，探索研究统一的计算方法，合理确定计算参数，努力做到“统一资料，统一方法”，方可减小计算成果的差异。这也是黄河中游水土保持措施减水减沙作用深化研究中的关键所在。

第六节 晋西北片坝库工程发展问题分析

一、发展的潜力

晋西北片的千沟万壑目前大部分还未经过治理。根据调查，一般适宜淤地坝建设的沟道大都是 3~5 km^2 的小流域，沟内平地很少，淹没损失小。通过对晋西北片黄土丘陵沟壑区 21 条不同类型的沟道坝系进行调查分析，平均布坝密度为 6.1 座/km^2，发展坝地 3.82 hm^2/km^2。由此可见，在晋西北片的黄土丘陵沟壑区，每 1 km^2 可发展坝地 4 hm^2 左右，而目前布坝密度最高的三川河流域仅 1.41 hm^2/km^2。可见，晋西北片淤地坝建设发展的潜力是相当大的。

二、发展的合理高度及速度

当淤地坝淤满后，是继续加高，还是在其上游另建一座新坝，这其中存在一个合理高度的问题。淤地坝的合理高度一般根据断面形态，以沟坡的陡坡段与谷坡坡脚缓坡段的分界线来确定。淤地坝高度低于合理高度时，淤地面积随着坝地高度的增加而扩大；超过合理高度时，因沟坡变陡，坝地高度增加而淤地面积增加缓慢。从晋西北地区的沟谷形态来看，一般有 U 形、V 形和凹形三种。根据对不同沟谷形态的 50 座淤地坝的资料分析，U 形沟谷地淤地坝的最终淤高为 20 m 左右，V 形沟谷为 10~20 m，凹形沟谷一般为 5~10 m。因此，合理的坝地高度可根据不同的沟谷形态来确定，一般平均为 15 m 左右。这也说明，在晋西北地区不适宜发展大型淤地坝，应以中小型淤地坝为主。

淤地坝的发展速度除受流域来沙量的影响外，还受当地的自然条件及社会经济等因素的综合制约。晋西北片黄土丘陵沟壑区的土壤侵蚀模数为 10 000 $t/(km^2 \cdot a)$左右，根据调查资料分析，平均每淤 1 hm^2 的坝地可拦泥 7.695 万 m^3，按淤泥容重 1.4 t/m^3 计算，约为 10.8 万 t。若能将沟道输移的泥沙全部拦在坝内，该区每年可新增坝地 2 730 hm^2。按照这样的发展速度，要达到每 1 km^2 发展坝地 4 hm^2 左右，至少还需要 30 多年的时间。因此，在今后的小流域治理中，淤地坝应作为晋西北片发展的重点。

第七节 结 语

通过分析计算，晋西北片淤地坝工程的减洪作用以 20 世纪 90 年代（1990~1996 年）最为显著，70 年代次之，80 年代最小，但三者相差不大；淤地坝工程的减沙作用以 20 世纪 70 年代最为显著，80 年代明显减小，90 年代回升且与 70 年代基本接近。1970~1996 年晋西北片淤地坝年均减洪 7 780 万 m^3，年均减沙 3 440 万 t；水库年均减水 1 350 万 m^3，年均减沙 568 万 t；坝库工程合计年均减水 9 130 万 m^3，年均减沙 4 008 万 t，分别占晋西北片同期水利水土保持措施减水减沙总量的 61.2% 和 74.4%。其中 8 条支流淤地坝年均减蚀量占淤地坝年均减沙量的 2.7%。坝库工程的减洪减沙作用非常显著，减蚀作用不容忽视。

目前水土保持措施保存面积的核实难度较大，做到准确更不容易。特别是为数众多的小水库、淤地坝,大都缺乏实测资料;虽有部分调查资料,但只能推算出当时总的淤积量;利用公式推算的数值,因坝库工程淤积的复杂性和影响因素的广泛性,和实际情况往往有一定的差距。加之计算方法还未达到十分完善的地步,造成计算结果误差较大,各个研究成果相互间差别更大,难以得出比较准确、可靠和有说服力的分析成果。因此,在今后的研究中,应重视坝库工程的全面普查工作,重视基本资料和基本方法、基本规律的研究,为分析坝库工程的减洪减沙作用提供可靠的依据,为黄土高原水土保持生态建设提供更有力的科技支撑。

参考文献

[1] 李靖,等.淤地坝拦泥减蚀机理和减沙效益分析.水土保持通报,1995(4)

[2] 刘勇,等.南小河沟流域治沟骨干工程的固沟保土作用.中国水土保持,1992(12)

[3] 曾茂林,等.沟道坝系发展相对稳定是完全可能的.人民黄河,1995(4)

[4] 张金慧.王茂沟流域的坝系建设与效益.中国水土保持,1991(9)

[5] 杨松旺,等.兴建大中型拦泥淤地坝的可能性.人民黄河,1985(3)

[6] 刘勇,等.黄河中游大面积水保措施保存面积的核实探讨.水土保持通报,1994(4)

[7] 唐克丽,等.黄河流域的侵蚀与径流泥沙变化.北京:中国科学技术出版社,1993

[8] 张胜利,等.水土保持减水减沙效益计算方法.北京:中国环境科学出版社,1994

[9] 徐建华,等.河龙区间水利水保工程减沙效益水保法研究成果汇总浅析.人民黄河,1995(8)

[10] 赵家银,等.图说淤地坝.西部大开发,2003(8)

第五章　黄河中游地区水土保持坡面措施减洪减沙作用研究

第一节　梯田减洪减沙机理及能力分析

一、梯田减洪减沙机理

梯田减洪减沙的机理主要表现在：坡耕地修成水平梯田后，改变了原有的小地形，使田面变得平整，持水量增大，比较均匀的小于 50 mm 的日降水量可以全部入渗，避免了径流的产生，起到了蓄水减沙的作用。梯田的减蚀作用，是指由于梯田本身的断面特点（田面水平或有埂）而具有的减轻或避免土壤侵蚀的作用。

梯田的形式有坡式梯田、条田、水平梯田及反坡梯田等，其中以水平梯田为主。水平梯田一般是指把 25°以内的具有不同坡度的坡地修成水平或缓坡台阶地，在其边缘有蓄水埂的称有埂梯田，未修蓄水埂的称无埂梯田。梯田的减洪减沙机理主要表现为缩短了坡长，将连续的坡地改变成不连续的平面或反坡面，从而切断了坡面径流，改变了径流形成条件，增加了土壤入渗能力，避免了坡面径流的叠加汇集现象，阻止土壤被冲刷，达到蓄水保土的目的。梯田除能蓄积本身的雨水外，还能拦蓄上部来水使之在田面蓄积下渗。当梯田发生漫流时，尽管蓄水保土作用降低，但仍能起到多级跌水的作用，将径流能量消耗在田坎上。

将坡面修成梯田后，改变了等高线的疏密程度，加大了坡面等高线的平面间距，使径流流速减缓，局部改变了径流方向，其拦蓄作用的大小与梯田的断面形式有关。顺坡不带埂梯田，坡面径流总是沿垂直于等高线的方向往下流动，从整个径流过程来看，只在局部范围内改变了径流方向和径流的汇集过程，因此这种梯田形式只起到了局部拦蓄径流和减轻水土流失的作用，不可能完全控制水土流失。水平带埂梯田和反坡梯田，从根本上改变了局部等高线分布及递减方向，同时改变了径流流动方向，切断了原坡面的径流，从而消除了径流在坡面上的汇集过程，在很大程度上控制了水土流失。黄河中游不少地区实测资料表明，梯田可以拦蓄降雨量为 100 ~ 200 mm 的次降雨，而地面不产生径流。

二、梯田在暴雨条件下的减洪减沙作用

暴雨是引起土壤侵蚀的一个关键因子，黄土高原严重的土壤侵蚀往往是由少数几次暴雨引起的。将坡面修成水平梯田后，可以将较小暴雨产生的径流全部拦蓄，对于较大的暴雨产生的径流，一般只能拦蓄一部分。因此，研究黄土高原的暴雨标准及其分布规律，

对于分析梯田的减洪减沙作用具有重要意义。

(一)暴雨标准的确定

研究暴雨,必须确定出暴雨的标准。根据黄委会天水水土保持科学试验站 1945～1957 年的观测资料,12 年共降雨 1 226 次,其中产生径流的降雨只有 82 次,占 6.7%;12 年总降雨量为 6 950.9 mm,产生径流的降雨只有 2 067.7 mm,占 29.7%。上述分析结果说明,黄土高原大多数降雨不会产生径流,能产生径流的都是强度较高的降雨。由于黄土质地疏松,一有径流发生,必将引起水土流失。因此,将坡面上开始产生径流的降雨作为确定暴雨的标准才是比较合理的。对于黄土高原暴雨标准的确定,已有许多研究者进行过研究,其成果如表 5-1 所示。

表 5-1　　黄土高原暴雨标准对照　　(单位:mm)

研究者	历时(min)								
	5	10	15	20	25	30	40	50	60
方正三	2.5	3.8	4.95	6.0	7.25	8.1	9.6	11.0	12.0
刘尔铭	2.3	3.4	4.4	5.4	6.5	7.5	8.8	9.8	10.8
张汉雄	3.9	5.5	6.7	7.7	—	9.5	—	—	13.4
徐在庸	3.0	4.0	—	—	—	6.5	—	—	7.5
王万忠	5.8	7.1	8.0	—	—	9.7	—	—	11.9
周佩华	4.4	5.61	6.47	7.16	7.75	8.25	9.12	9.9	10.5
平 均	3.65	4.9	6.1	6.57	7.17	8.26	9.17	10.23	11.02

显然,由于采用的方法不同和考虑的因素不同,其结果是不相同的。尽管降雨侵蚀的开始发生与雨强的关系十分密切,但在进行分析时采用雨强指标很不方便。根据陕北子洲径流实验站团山沟 1963～1967 年 38 次径流观测资料分析,对于研究土壤流失开始起作用的最小次雨量可以考虑为 10 mm,因在 10 mm 以下的次降雨一般不产生水土流失,或者即使有流失,其流失量也只占总流失量的 8.9%。在以往的一些研究中,在计算梯田拦蓄效益时,未能将有效降雨这一因素考虑进去,造成对梯田的减洪减沙作用估计过高。山西省水土保持科学研究所贾志军等人通过分析晋西离石羊道沟小流域的实测资料发现,在 113 次侵蚀性降雨中,最小的一次降雨只有 1.9 mm;5 mm 以下的降雨有 10 次,占降雨总量的 8.7%。这些微量的降雨之所以产生了土壤侵蚀,主要原因是由于下垫面条件具有差异性,加之雨前土壤含水量较高以及受一些人为或自然因素影响所致。通过采用频率分析的方法,求得晋西北黄土高原侵蚀性降雨的基本雨量标准为 8.1 mm,也就是说,当

一次降雨超过 8.1 mm 时，坡面才会产流。由此可见，对于梯田来说，当降雨小于 8.1 mm 时，全部拦蓄后并不能视为梯田的拦蓄效益。

(二)暴雨条件下的减洪减沙作用

梯田减洪减沙作用的大小除与梯田的田面宽度及完好程度有关外，还与降水情况有密切关系。根据黄委会绥德水土保持科学试验站的观测资料，当一次洪水量在 2 万 m^3/km^2 以内时，可全部拦蓄，在 2.5 万～3 万 m^3/km^2 时，可控制 92.4%～97.1%；当一次暴雨产沙量在 1.5 万 t/km^2 时，可全部控制，在 2 万～3 万 t/km^2 时，可控制 87.6%～95.0%。暴雨越大，减洪减沙作用越小。据黄河中游一些水土保持科研单位在试验小区上的观测，在一次降雨 46.2～104.0 mm 的情况下，水平梯田可减少洪水径流 57.7%～96.3%，减少泥沙 58.1%～90.2%。

三、梯田年、汛期减洪减沙能力

黄土高原大部分地区，在一般年份内(除汛期 7、8 两月外)月降雨量多在 100 mm 以下，大于 100 mm 的较少；7、8 两月为暴雨期，月雨量一般在 100～200 mm。将坡面修成水平梯田后，田面上的合理耕作和农作物栽培，进一步改良了土壤，增强了渗吸强度和地表径流的阻力。因此，在一般年份内，梯田可以将全部降雨量保留在田内，年平均减少水土流失量在 90%以上。表 5-2 所列的是黄委会绥德水土保持科学试验站、山西省水土保持科学研究所、陕西省延安水土保持科学试验站的观测资料，尽管资料年限和降水条件存在一定的差异，但各地水平梯田多年平均减洪减沙效益是比较接近的，平均减少径流 87.7%，减少泥沙 94.8%。

表 5-2　　**黄河中游水平梯田多年平均减洪减沙效益**

观测单位	资料年限(年)	径流模数 [$(m^3/km^2 \cdot a)$]		侵蚀模数 [$t/(km^2 \cdot a)$]		含沙量 (kg/m^3)		效益 (%)	
		梯田	坡耕地	梯田	坡耕地	梯田	坡耕地	径流	泥沙
绥德水保站	1954～1966	1 470	22 970	820	17 810	558	775	93.6	95.4
山西水保所	1957～1966	6 500	22 200	626	8 750	96.3	394	70.7	92.8
延安水保站	1959～1966	3 127	45 000	200	4 860	64.0	108	93.1	95.9
平均		3 700	30 060	550	10 470	149	349	87.7	94.7

注：本表来自参考文献[1]。本次研究补充计算了梯田和坡耕地的含沙量。

梯田的拦蓄能力与降雨情况密切相关。当暴雨较大时，梯田会发生漫流现象，减洪减沙作用降低；强度较大的暴雨一般均在汛期出现，因而梯田在汛期的减洪减沙能力减小，只能拦蓄降雨产流量的一部分。表 5-3 所列的是陕西省延安水土保持科学试验站在延安大砭沟观测的汛期四次较大暴雨条件下梯田的减洪减沙作用，平均减少径流 69.9%，减少泥沙81.3%。由此可见,梯田在汛期的减洪减沙能力明显低于年平均值,而严重的水土流失常常是由汛期的一次或几次暴雨造成的。因此,要使梯田能够最大限度地发挥其保水保土作用,必须提高梯田的防洪标准。

表5-3 水平梯田一次暴雨的减洪减沙效益研究成果

时间(年-月-日)	雨量(mm)	坡耕地			梯田			效益(%)	
		径流(m^3/km^2)	泥沙(t/km^2)	含沙量(kg/m^3)	径流(m^3/km^2)	泥沙(t/km^2)	含沙量(kg/m^3)	径流	泥沙
1960-07-05	104.0	24 390	751	30.8	10 320	317	30.7	57.7	57.8
1963-07-30	60.0	19 460	5 616	289	4 962	1 065	215	74.5	81.0
1966-07-19	63.2	21 550	1 808	84.0	7 215	178	24.7	66.5	90.2
1966-07-26	46.2	5 220	779	149	1005	29	28.8	80.7	96.3
平均								69.9	81.3

注:本表来自参考文献[1],已将原表计算中的错误全部改正并补充计算了坡耕地和梯田的含沙量。

第二节　黄河中游地区梯田减洪减沙作用分析

在河龙区间及泾河、北洛河、渭河流域水土保持各项治理措施中,梯田在流域坡面治理中具有重要的作用。兹对梯田的保存率、减洪减沙作用计算方法和其减洪减沙成果分析如下。

一、梯田保存率研究

梯田保存率是梯田保存面积与实施面积的比值,是反映水土保持治理措施保存情况的一个重要指标。河龙区间及泾河、北洛河、渭河流域梯田保存率调查研究结果见表5-4;不同年代梯田保存率变化过程线分别见图5-1~图5-4。由此可见,河龙区间及泾河流域梯田保存率依时序下降,20世纪70年代最高,90年代最低;北洛河流域梯田保存率在三个年代的变化呈驼峰型:70年代最低,80年代最高,90年代高于70年代但低于80年代;渭河流域梯田保存率依时序上升,70年代最低,90年代最高[1,2]。

表5-4 黄河中游地区梯田保存率 (%)

时段(年)	河龙区间	泾 河	北洛河	渭 河
1970~1979	79.0	68.4	56.5	66.0
1980~1989	72.7	64.9	63.2	68.2
1990~1996	69.7	62.5	59.4	71.4

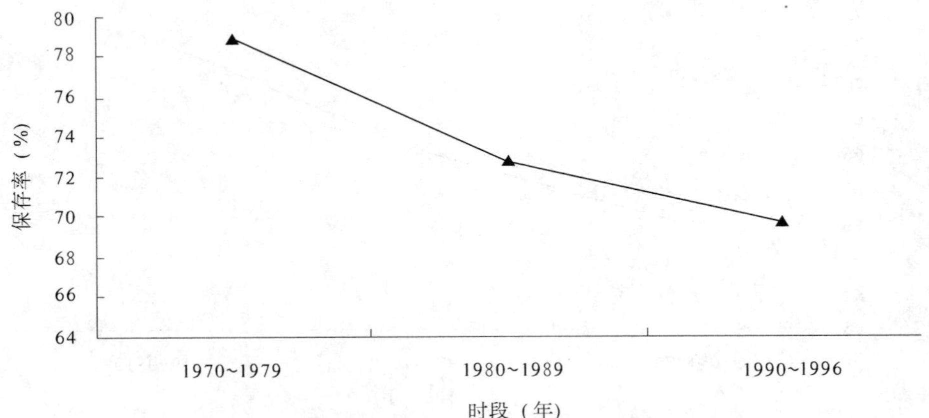

图 5-1　河龙区间不同年代梯田保存率变化过程线

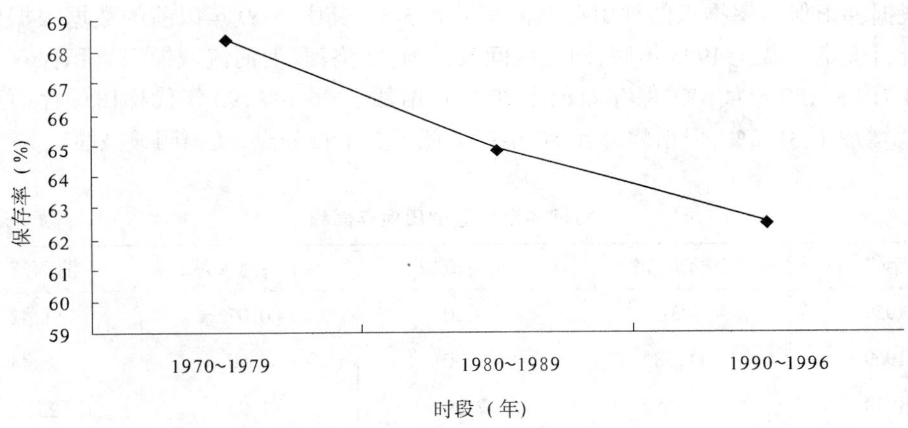

图 5-2　泾河流域不同年代梯田保存率变化过程线

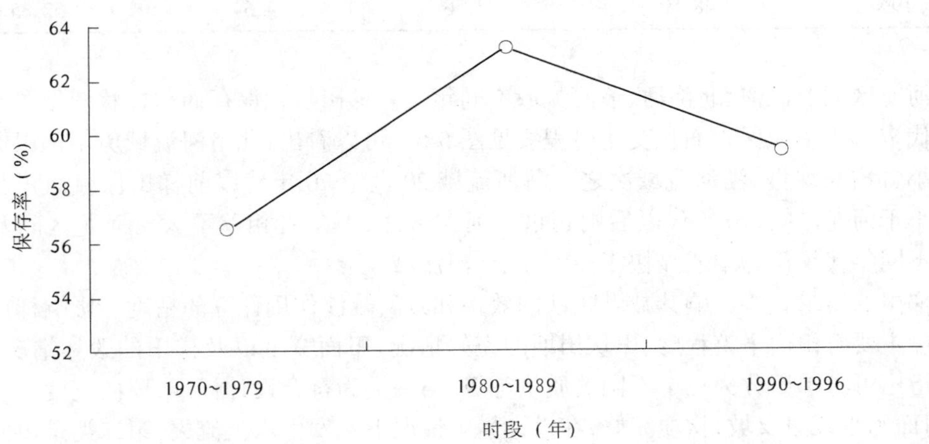

图 5-3　北洛河流域不同年代梯田保存率变化过程线

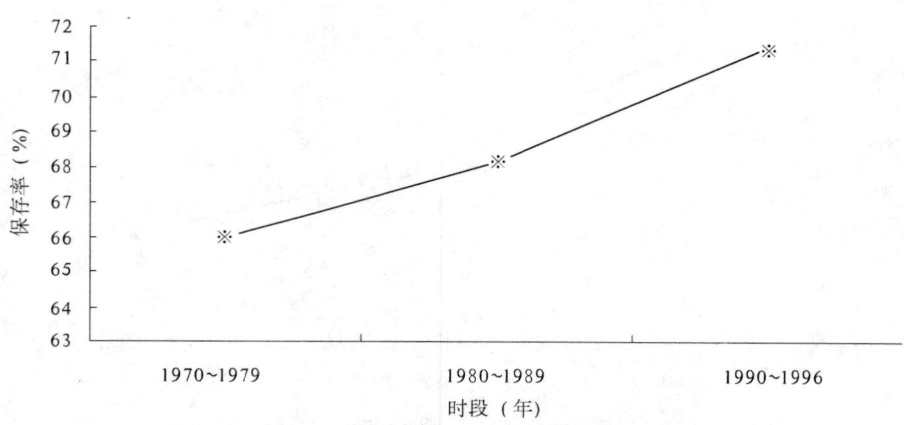

图 5-4 渭河流域不同年代梯田保存率变化过程线

根据梯田保存率推求的梯田保存面积见表 5-5。其中 1969 年以前的数据根据调查的历史资料确定。截至 1996 年底，河龙区间及泾河、北洛河、渭河流域梯田累积保存面积为 129.64 万 hm²；80 年代梯田保存面积比 70 年代增加了 36.6%，90 年代梯田保存面积又比 80 年代增加了 31.6%，但增幅却比 80 年代降低了 5 个百分点，增幅明显减缓。

表 5-5　　黄河中游地区梯田保存面积　　（单位：万 hm²）

年份	河龙区间	泾河流域	北洛河流域	渭河流域
1959	3.31	0.50	0.07	1.42
1969	11.58	3.30	0.80	8.44
1979	23.05	7.29	1.96	23.92
1989	34.48	13.92	3.08	37.20
1996	48.59	23.56	4.64	52.85

河龙区间及泾河、北洛河、渭河流域不同年代末梯田累积保存面积柱状图见图 5-5；不同年代末梯田累积保存面积变化过程线见图 5-6。可以看出，北洛河流域历年梯田保存面积最小且增长缓慢，泾河流域次之。渭河流域 20 世纪 70 年代以前梯田保存面积及增长幅度小于河龙区间，70 年代以后则超过了河龙区间，但二者相差不大。河龙区间及渭河流域不同年代梯田增幅明显快于泾河、北洛河流域。

梯田的质量直接影响其减洪减沙的效果和减洪减沙作用计算的精度。影响梯田的质量指标主要有田面平整程度、田坎田埂的完好情况、田面宽度以及梯田的毁坏情况，根据以上指标可将梯田分为三个不同的质量等级：第一类为符合设计标准，田面宽度在 5 m 以上，田面水平或呈反坡，坎埂完好，在设计暴雨情况下不发生水土流失；第二类是田面坡度小于 3°，田面宽度大于 5 m 或田面宽度小于 5 m、无边埂但田坎完好，少部分渠弯冲毁，蓄水能力较差但减沙能力较强；第三类是田面宽度在 4 m 以下，田面坡度大于 3°，埂坎破坏严重，蓄水能力很差，拦沙能力较差。以河龙区间为例，根据以上标准，通过对河龙区间

32 个抽样点及 8 个乡 4 220 hm^2 梯田的调查,并结合 20 世纪不同年代的措施航片进行判读,得到 20 世纪不同年代梯田质量状况如表 5-6 所示。由此可见,河龙区间 90 年代一类梯田占梯田总面积的 26%,二类梯田占 42%,三类梯田占 32%。一类梯田占梯田总面积的比例较 70、80 年代下降了 12%,二类梯田占比则上升了 16%,三类梯田占比下降了 4%,变化不大[1]。

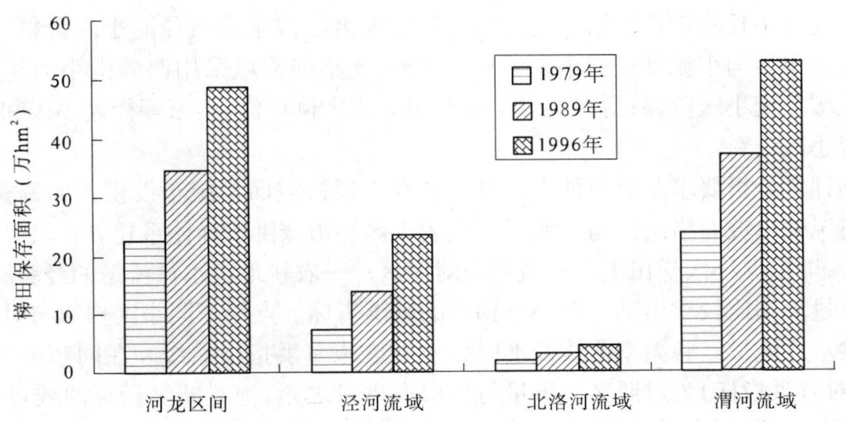

图 5-5 黄河中游地区不同年代末梯田保存面积变化柱状图

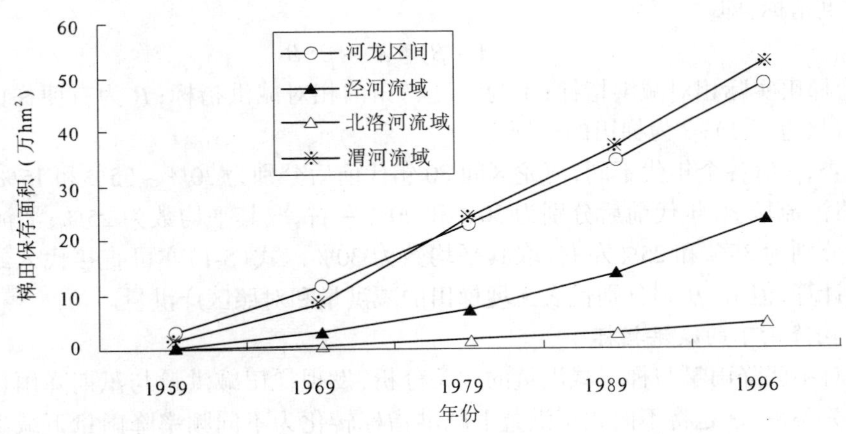

图 5-6 黄河中游地区不同年代末梯田累积保存面积变化过程线

表 5-6 河龙区间不同年代梯田质量分级占比 (%)

时段	一类梯田	二类梯田	三类梯田
50~60 年代	4	64	32
70~80 年代	38	26	36
90 年代	26	42	32

二、梯田减洪减沙作用的计算方法

(一)代表小区梯田减洪指标体系[1~3]

1. 梯田减洪量频率分析

遵循地区一致性和资料系列代表性的原则,选定各流域的代表小区。在研究中经过反复比较和筛选,河龙区间采用地处黄土丘陵沟壑区第一副区的陕西绥德和山西离石王家沟及地处黄土丘陵沟壑区第二副区的陕西延安大砭沟小流域径流小区资料,修正移用甘肃西峰南小河沟小流域径流小区资料。泾河、北洛河流域采用西峰南小河沟和延安大砭沟小流域径流小区资料;渭河流域采用甘肃天水大柳树沟、梁家坪径流小区和西峰南小河沟径流小区资料。

根据计算分析要求及对黄河中游各流域水土保持坡面措施布设模式的调查,结合小区观测情况确定坡面措施区与对照区。代表小区梯田减洪指标体系建立在洪量频率分析的基础上,即依据小区梯田洪水径流量与对照区——农耕地洪水径流量的经验频率曲线,以同频率量值相比较求出某一频率下梯田的减洪指标。点绘不同小区梯田与对照区——坡耕地洪水径流量经验频率曲线及不同频率下措施减洪指标曲线。在同频率下,梯田减洪量(绝对减洪指标)为对照区产洪量与梯田产洪量之差,绝对减洪指标曲线可直接绘制在频率图上;在同频率下,梯田相对减洪指标等于梯田减洪量与对照区产洪量之比。小区上一般为无埂梯田,在小区减洪指标图中查出的值采用“二步到位法”修正方可反映梯田的实际减洪指标,即

$$\eta = (1-\beta)\cdot A + \beta\cdot B \tag{5-1}$$

式中:η 为梯田实际相对减洪指标;A 为无埂梯田的相对减洪指标;B 为有埂梯田的相对减洪指标(接近于1);β 为梯田的有埂率。

据调查,β 值各个年代不同,河龙区间80年代前后分别为30%~35%和15%~20%;泾河、北洛河流域80年代前后分别为30%和20%左右,取其平均数为25%;渭河流域80年代前后分别为35%和25%左右,取其平均数为30%。式(5-1)亦可直接代入绝对减洪指标进行计算,但 A、B 则分别代表无埂梯田的减洪量和对照区产洪量。

2. 不同降雨下的减洪指标

通过对小区降雨量与梯田减洪量的相关分析,发现梯田减洪量与汛期降雨量存在着良好的相关关系,这是将不同频率洪量下减洪指标转化为不同频率降雨量下减洪指标的前提和基础。点绘不同小区汛期降雨量经验频率曲线,用皮尔逊Ⅲ型理论频率曲线概化,计算统计参数(均值 P、C_v、C_s),采用同频率对应的方法,将不同洪量频率下的梯田减洪指标,转换成同一频率不同雨量级下的梯田减洪指标。通过以上转换,即可得到代表小区不同洪量频率不同雨量级下的梯田减洪指标。

(二)流域梯田减洪指标体系

流域梯田减洪指标体系的建立过程实质是如何把代表小区梯田减洪指标应用于大面积流域上的过程,即小区推大区的问题,亦即改善或消除影响小区与大区梯田减洪指标因素的差异。其途径为代表小区到相应流域小区再到流域的转化过程,亦即先解决雨量的代表性问题,再解决洪水径流的差异。

流域梯田减洪指标的基本公式为：

$$\Delta R = \Delta R_1 \cdot \alpha \cdot X \tag{5-2}$$

式中：ΔR 为流域梯田减洪指标；ΔR_1 为代表小区梯田减洪指标；α 为点面修正系数；X 为不同侵蚀类型区产洪水平改正系数。ΔR 的推求是一个动态过程，可以通过消除小区与流域梯田减洪指标存在的时段差异、点面差异及地区差异等三大差异后求出 ΔR。

梯田减洪量即为根据梯田保存率及梯田质量分级占比核实的梯田面积与 ΔR 之积；梯田减沙量采用"以洪算沙"模型[1]进行计算和分配。其计算步骤如下：

(1)根据流域出口处治理前洪水径流量和洪水输沙量的实测值，建立流域基准期产洪产沙数学模型；

(2)将流域综合治理的减洪总量代入所建数学模型中，按照"逐步迭代法"计算出流域综合治理的减沙总量；

(3)从减沙总量中扣除水库、淤地坝、灌溉减沙量和人为增沙量及河道冲淤量等，即可求得坡面措施年减沙总量；

(4)根据坡面单项措施减洪量的比例，对坡面措施年减沙总量进行分摊，即可求出梯田减沙量。

采用"以洪算沙"计算方法的重大意义在于推求因坡面措施减洪而减少的对沟道侵蚀的贡献量。该方法体现了坡面系统与沟道系统、洪水与泥沙的有机联系。

三、梯田减洪减沙作用分析

河龙区间及泾河、北洛河、渭河流域梯田减洪减沙作用计算成果分别见表 5-7、表 5-8。1970 ~ 1996 年，河龙区间梯田年均减洪减沙量分别为 3 290 万 m^3 和 1 180 万 t，分别占水土保持措施(梯、林、草、坝)减洪减沙总量的 9.2% 和 7.9%；泾河流域梯田年均减洪减沙量分别为 1 250 万 m^3 和 1 200 万 t，分别占 26.1% 和 32.6%；北洛河流域梯田年均减洪减沙量分别为 530 万 m^3 和 340 万 t，分别占 17.3% 和 21.6%；渭河流域梯田年均减洪减沙量分别为 6 620 万 m^3 和 1 265 万 t，分别占 60.7% 和 58.0%。因此，渭河流域梯田减洪减沙量占比最大，泾河流域次之，北洛河流域位居第三，河龙区间占比最小且与渭河及泾河、北洛河流域相差数倍，这显然与河龙区间水土流失类型区的分布和水土保持坡面措施的配置有关。

表 5-7　第二期"水沙基金"梯田减洪作用计算成果

时段(年)	减洪量(万 m^3)			
	河龙区间	泾河	北洛河	渭河
1970 ~ 1979	2 510	770	410	3 630
1980 ~ 1989	3 270	1 320	560	8 420
1990 ~ 1996	4 410	1 830	650	8 340
1970 ~ 1996	3 290	1 250	530	6 620

表 5-8　第二期"水沙基金"梯田减沙作用计算成果

时段(年)	减沙量(万 t)			
	河龙区间	泾河	北洛河	渭河
1970 ~ 1979	934	761	251	700
1980 ~ 1989	1 080	1 430	371	1 430
1990 ~ 1996	1 680	1 500	423	1 840
1970 ~ 1996	1 180	1 200	340	1 265

四、关于梯田建设的思考

当前,黄河中游水土保持生态建设工作已进入了一个全新的历史时期,黄土高原淤地坝建设工程已于2003年11月8日正式启动。“因地制宜、突出重点、综合治理”是水土保持生态建设工作的基本思路。在黄河中游水土保持生态建设中,在退耕还林还草过程中,如何解决群众的口粮问题,如何修梯田,是一个值得探讨的重大问题。为此,可从以下两方面考虑:

(1)淤地坝要建设,梯田也要修,但是要“少而精”。淤地坝可以拦蓄坡面治理措施见效之前的泥沙,但不能一劳永逸。实施淤地坝建设的“亮点”工程,坡面治理不能放松。梯田作为黄河中游水土保持坡面治理的三大措施之一,今后修筑时必须严格注重质量,修成“精品工程”。

(2)为千方百计减少入黄泥沙,黄河中游地区当前应以淤地坝建设为重点,同时必须加强坡面治理,合理配置梯田、林地、草地等坡面治理措施,才能既治标又治本。梯田等坡面治理措施大见成效后,可使一些大中型淤地坝长期保持有效库容,既淤地又蓄水,对黄河中游地区开发利用宝贵的水资源极为有利。

第三节 黄河中游地区林草减洪减沙作用分析

一、林草措施蓄水减蚀机理

林草措施是保持生态平衡、减少流域水土流失的重要措施,是建设大西北“秀美山川”的根本保证,在黄土高原生态环境建设中具有不可替代的作用。没有林草就没有绿色,秀美更无从谈起。林草措施的蓄水减蚀机理主要体现在以下几个方面:一是通过提高植被覆盖度,有效截留雨水;二是枯枝落叶层和草皮保护地表土壤不受雨滴溅蚀,减轻或避免雨滴对地面的直接打击;三是增加地表糙率和土壤蓄水能力,降低水流速度,减少径流量和流水对土壤的冲蚀。通过以上三方面的共同作用,最终起到固土和抗蚀作用。

影响林地蓄水减蚀作用的主要因素有树种、林龄、郁闭度等,特别是幼林郁闭度小、地被物差,如果没有造林整地工程措施如鱼鳞坑、水平沟、水平阶等相配合,就没有显著的蓄水减蚀作用。黄河中游地区有关水土保持科学试验站(所)20世纪50~60年代对造林措施减洪减沙作用的观测研究成果见表5-9。

由表5-9可见,黄河中游地区径流小区造林措施多年平均减洪作用58.6%,减沙作用82.4%。小区造林地(措施区)多年平均含沙量仅为98.8 kg/m^3,而对照区多年平均含沙量高达233 kg/m^3,是措施区的2.4倍。

牧草的减洪减沙作用主要表现是:植被密集紧贴地面,根系固结土壤并增加入渗率。因此,牧草的减洪减沙作用与盖度紧密相联,盖度越大,水土保持作用越显著。从根本上讲,牧草等草本植被减少水土流失的主要原因在于延滞径流、削减径流的侵蚀动能,提高土壤的抗蚀性。黄河中游地区有关水土保持科学试验站(所)20世纪40~80年代对人工牧草措施减洪减沙作用的观测研究成果见表5-10。

表 5-9　　黄河中游地区造林多年平均减洪减沙作用

造林树种	试验站名	资料年限(年)	径流模数[$m^3/(km^2 \cdot a)$]		侵蚀模数[$t/(km^2 \cdot a)$]		含沙量(kg/m^3)		减洪减沙作用(%)	
			措施区	对照区	措施区	对照区	措施区	对照区	径流	泥沙
洋槐(3~4年林龄)	绥德	1956	10 780	43 300	4 630	15 520	429	358	75.1	70.2
洋槐(5~6年林龄)	绥德	1961~1962	12 100	34 900	1 200	11 790	99.2	338	65.3	39.3
洋槐(7~8年林龄)	绥德	1958~1960	6 690	18 730	630	6 970	94.2	372	64.3	91.0
洋槐+榆树(5~6年林龄)	延安	1961~1963	11 920	41 750	118	774	9.9	18.5	71.4	84.7
洋槐+榆树(鱼鳞坑8年林龄)	延安	1965~1966	9 090	35 230	219	1 320	24.1	37.5	74.1	75.0
洋槐	离石	1959~1966	16 200	23 400	1 211	10 770	74.7	460	30.8	88.7
8龄洋槐	天水	1955	0	2 871	0	477	0	166	100	100
9龄洋槐	天水	1956	33 010	40 740	1 855	8 597	56.2	211	19.0	78.4
平均			12 474	30 115	1 233	7 027	98.8	233	58.6	82.4

注:本表来自参考文献[2]。本次研究补充了黄委会天水水土保持科学试验站的资料,同时计算了措施区和对照区的含沙量。

表 5-10　　黄河中游地区人工牧草多年平均减洪减沙作用

牧草种类	试验站名	资料年限(年)	径流模数[$m^3/(km^2 \cdot a)$]		侵蚀模数(t/km^2)		含沙量(kg/m^3)		减洪减沙作用(%)	
			措施区	对照区	措施区	对照区	措施区	对照区	径流	泥沙
苜蓿	绥德	1955~1960	18 720	30 640	749	7 340	40	240	38.9	89.8
苜蓿	绥德	1959~1963	12 240	29 760	3 380	9 660	276	325	58.9	65.0
苜蓿	准旗	1983~1984	26 000	42 500	130	2 770	5	65.2	38.8	95.3
苜蓿	离石	1957~1958	12 750	20 640	5 890	16 940	462	821	38.2	65.2
苜蓿	天水	1945~1957	5 562	16 272	976	4 877	175	300	65.8	80.0
草木樨	绥德	1955~1960	23 230	30 640	2 240	7 340	96.4	240	24.2	69.5
草木樨	绥德	1959~1960	21 540	36 340	2 940	10 200	136	281	40.7	71.2
草木樨	离石	1957~1966	18 700	19 800	1 580	6 980	84.5	353	5.6	77.4
草木樨	离石	1957~1958	12 380	20 640	2 160	16 940	174	821	40.0	87.2
草木樨	延安	1956~1966	30 750	48 060	3 150	4 990	102	104	36.0	36.9
沙打旺	准旗	1983~1984	19 300	32 700	150	1 320	8	40.4	41.0	88.6
平均			18 288	29 817	2 122	8 123	116	272	38.7	73.9

注:本表来自参考文献[2]。本次研究补充了黄委会天水水土保持科学试验站的资料,同时计算了措施区和对照区的含沙量。对原表部分数据的计算错误已全部更正。

由表 5-10 可见，黄河中游地区牧草措施多年平均减洪作用 38.7%，减沙作用 73.9%。小区牧草地（措施区）多年平均含沙量为 116 kg/m^3，而对照区多年平均含沙量为 272 kg/m^3，是措施区的 2.3 倍。与造林地相比，牧草地的含沙量高 17.2 kg/m^3，而减洪减沙作用分别偏低 19.9% 和 8.5%。说明林地的减洪减沙作用大于草地。

二、林草措施减洪减沙作用分析

在水土保持各项治理措施中，林草措施属生物措施，在流域坡面治理中具有重要的作用。特对林草措施的保存率、保存面积和其减洪减沙作用分析如下。

（一）林草措施保存率和保存面积

林草措施保存率是林草措施保存面积与实施面积的比值，是反映水土保持治理措施保存情况的一个重要指标。河龙区间及泾河、北洛河、渭河流域水土保持林草措施的保存率调查研究结果见表 5-11。由此可见，河龙区间林地保存率依时序波动下降，而草地保存率依时序波动上升；泾河流域林草措施保存率依时序下降，70 年代最高，90 年代最低；北洛河流域林草措施保存率在三个年代的变化呈驼峰型：70 年代最低，80 年代最高，90 年代高于 70 年代但低于 80 年代；渭河流域林草措施保存率依时序上升，70 年代最低，90 年代最高[3]。

表 5-11　黄河中游地区水土保持林草措施保存率　（%）

时段（年）	河龙区间		泾河流域		北洛河流域		渭河流域	
	林地	草地	林地	草地	林地	草地	林地	草地
1970～1979	60.6	23.9	70.5	35.4	54.8	21.4	59.6	38.4
1980～1989	54.3	21.8	64.1	29.9	61.5	26.1	61.8	46.3
1990～1996	56.7	27.7	58.2	21.8	57.7	23.3	63.6	49.5

河龙区间及泾河、北洛河、渭河流域不同年代林草措施保存率变化过程线分别见图 5-7～图 5-10。

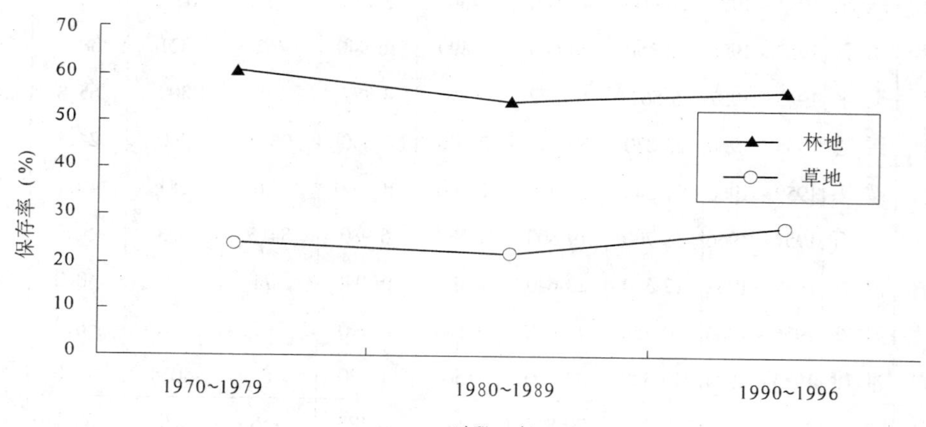

图 5-7　河龙区间不同年代林草措施保存率变化过程线

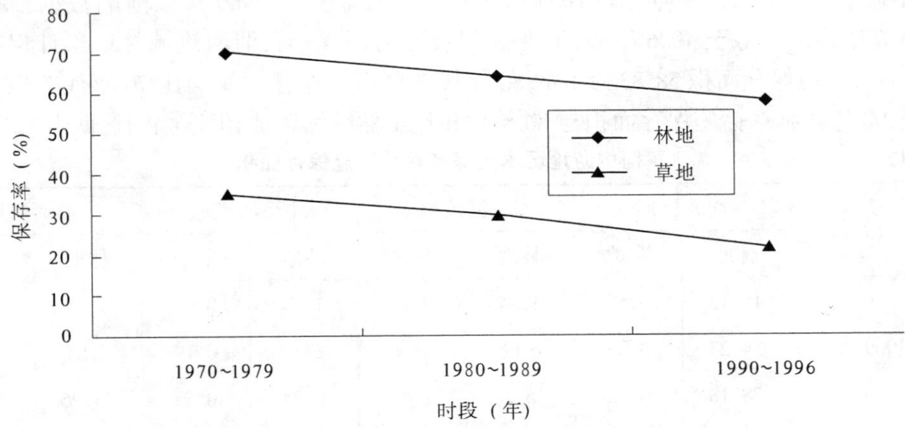

图 5-8　泾河流域不同年代林草措施保存率变化过程线

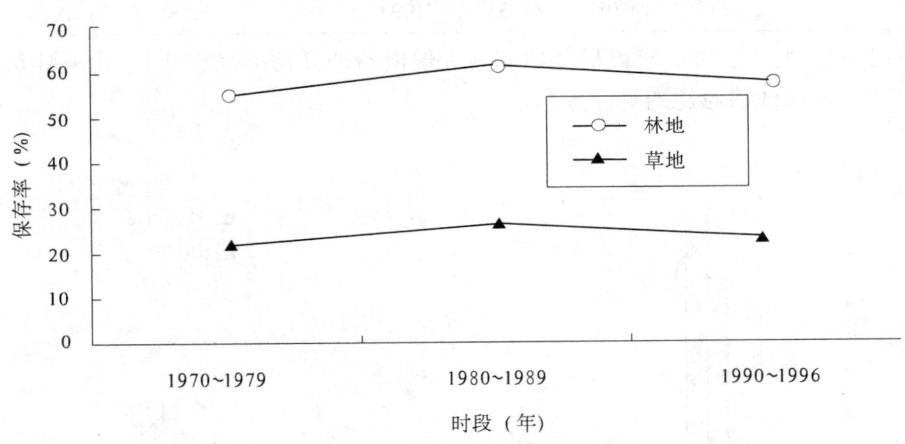

图 5-9　北洛河流域不同年代林草措施保存率变化过程线

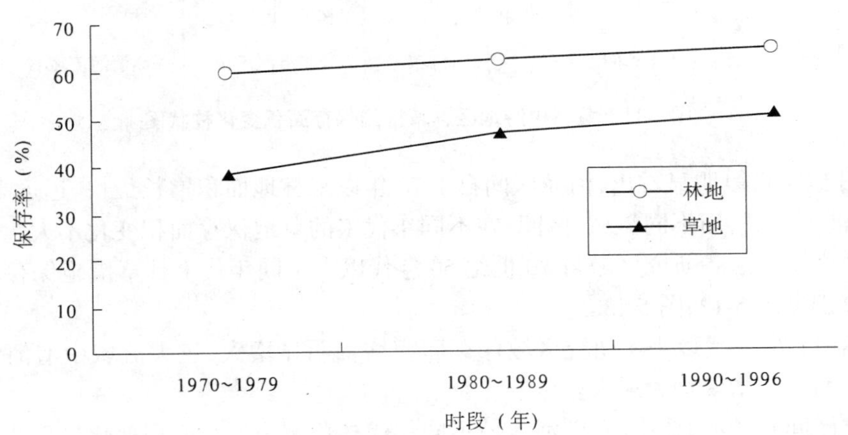

图 5-10　渭河流域不同年代林草措施保存率变化过程线

根据林草措施保存率推求的保存面积见表5-12。其中1969年以前的数据根据调查的历史资料确定。截至1996年底，河龙区间及泾河、北洛河、渭河流域林地累计保存面积389万 hm^2，草地保存面积58.83万 hm^2；80年代林草措施保存面积均比70年代有较大幅度的增加，90年代林草措施保存面积与80年代相比虽然继续增加，但增幅明显低于80年代。

表5-12　黄河中游地区水土保持林草措施保存面积　（单位：万 hm^2）

年份	河龙区间		泾河流域		北洛河流域		渭河流域	
	林地	草地	林地	草地	林地	草地	林地	草地
1959	15.13	3.57	1.84	0.11	1.14	0.02	1.55	0.45
1969	34.23	3.83	6.66	0.9	3.6	0.19	7.64	1.63
1979	88.18	10.45	15.20	1.69	6.24	0.53	25.96	3.03
1989	198.62	21.14	30.16	8.09	12.04	2.49	57.44	19.02
1996	253.73	24.08	41.35	10.23	18.26	3.98	75.66	20.54

黄河中游地区自1970年以后开始实施大规模治理，研究区域不同年代末林草措施保存面积变化过程柱状对比图见图5-11。

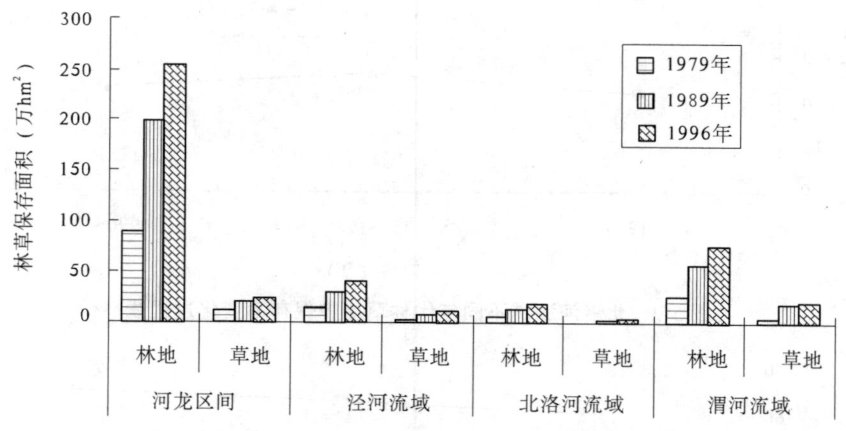

图5-11　黄河中游地区林草措施保存面积变化柱状图

由图5-11可以明显看出，河龙区间自1970年以来林地面积增长最快，远远高于泾河、北洛河、渭河流域；而不同流域（区间）在不同年代末的草地保存面积变化不大。

黄河中游地区各研究区域自20世纪50年代以来不同年代末林草措施保存面积变化柱状图分别见图5-12、图5-13。

显然，自70年代以来各研究区域保存面积增幅明显增大，三大流域中渭河流域林草措施保存面积和增幅均为最大。

河龙区间及泾河、北洛河、渭河流域不同年代林草措施保存面积变化过程线分别见图5-14～图5-17。

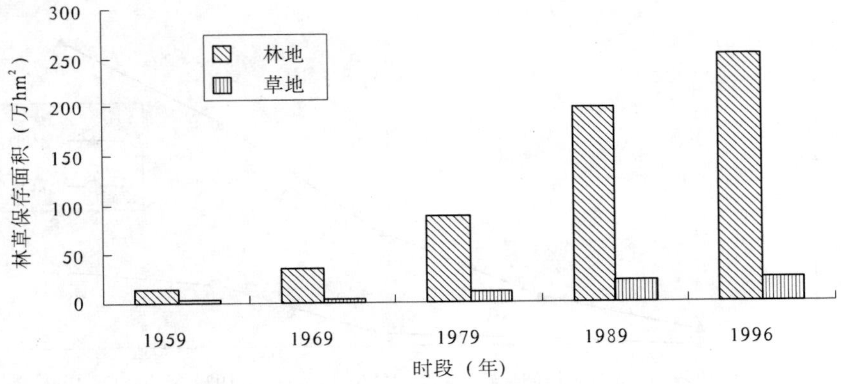

图 5-12　河龙区间林草措施保存面积变化柱状图

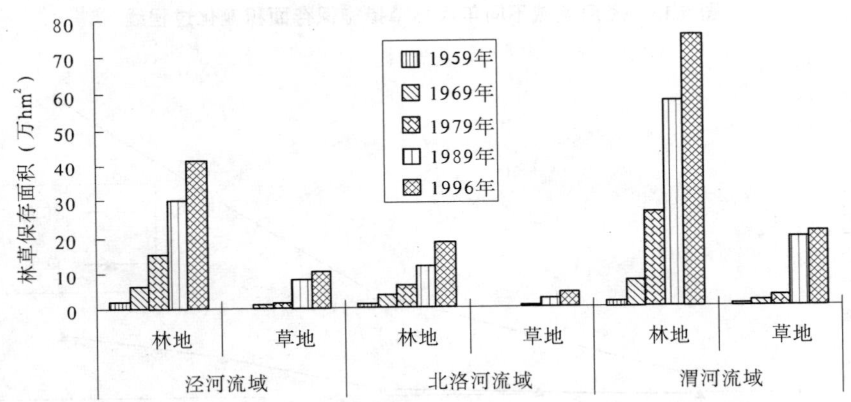

图 5-13　泾河、北洛河、渭河流域不同年份林草措施保存面积变化柱状图

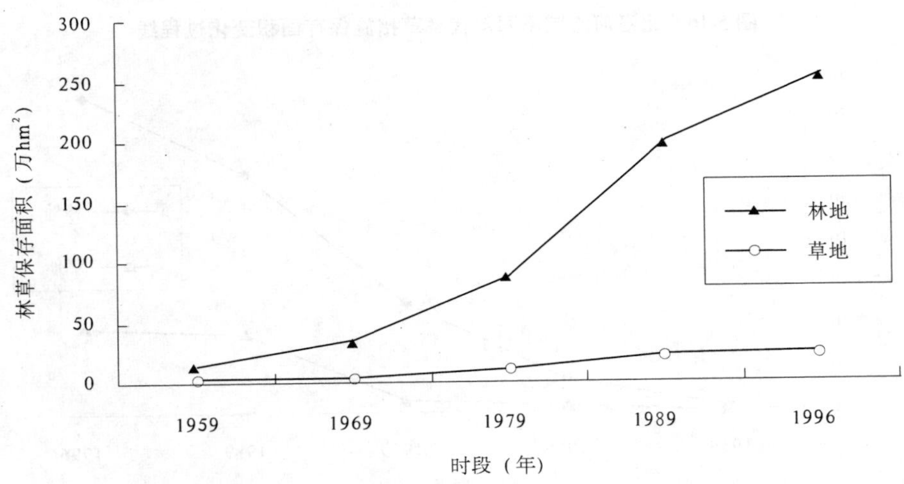

图 5-14　河龙区间不同年代林草措施保存面积变化过程线

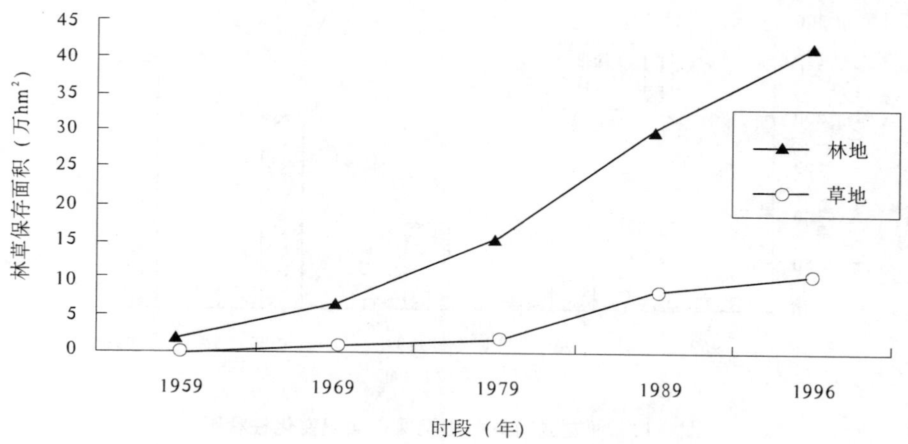

图 5-15　泾河流域不同年代林草措施保存面积变化过程线

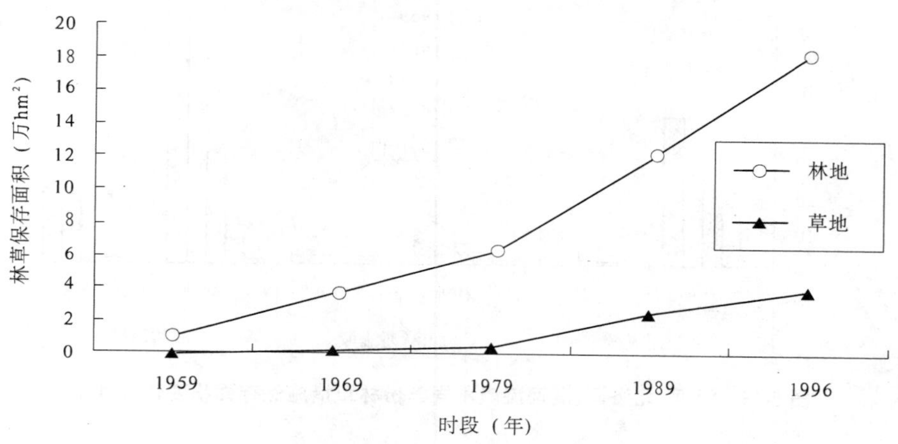

图 5-16　北洛河流域不同年代林草措施保存面积变化过程线

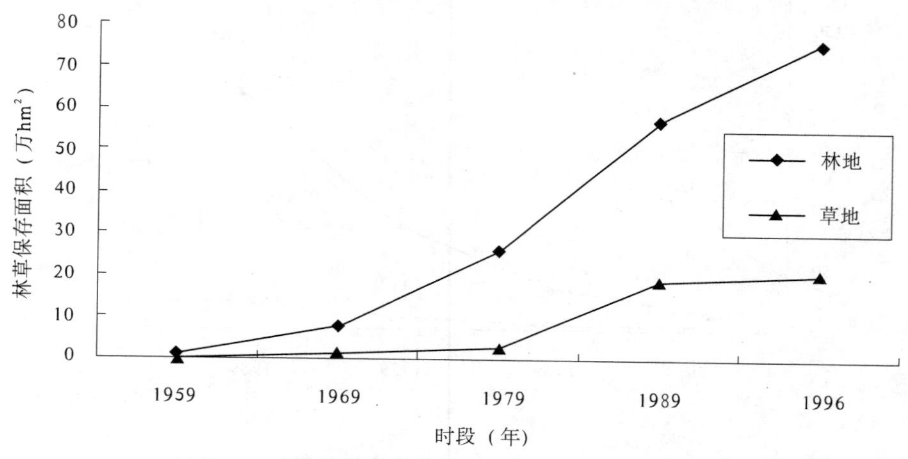

图 5-17　渭河流域不同年代林草措施保存面积变化过程线

(二)影响林草措施减洪减沙能力的指标

林草措施的质量直接影响其减洪减沙的效果和减洪减沙作用计算的精度,影响因素主要有覆盖度、有无枯枝落叶层、有无工程整地措施等。在研究中,依据上述指标将林地划分为三个质量等级:第一类有工程整地措施,覆盖度在60%以上,有枯枝落叶层,具有很强的拦洪拦沙能力;第二类有工程整地措施,覆盖度为40%~60%,具有一定的拦洪拦沙能力;第三类无工程整地措施,覆盖度在40%以下,拦洪拦沙能力较差。以河龙区间为例,根据以上划分标准,河龙区间90年代一类、二类林地均占林地总面积的29%,三类林地占42%。一类林地占林地总面积的比例较70、80年代上升了3%,三类林地占比下降了3%,二类林地占比基本持平。80年代中后期开始的工程整地造林、径流林业等措施,有效地提高了林地的保存率和质量标准,其作用在90年代开始显现。

影响草地减洪减沙作用的指标主要为盖度。盖度在70%以上为第一类,盖度在45%~70%为第二类,盖度小于45%为第三类。河龙区间90年代一类草地占草地总面积的18%,二类草地占30%,三类草地占52%。一类草地占草地总面积的比例较70、80年代仅上升了1%,三类草地占比上升了10%,二类草地占比却下降了11%,说明二类草地退化较为严重[2]。

(三)林草措施减洪减沙作用分析

河龙区间及泾河、北洛河、渭河流域林草措施减洪减沙作用计算成果分别见表5-13、表5-14。

表5-13 **第二期"水沙基金"水土保持林草措施减洪作用计算成果**

时段(年)	减洪量(万 m^3)							
	河龙区间		泾河流域		北洛河流域		渭河流域	
	林地	草地	林地	草地	林地	草地	林地	草地
1970~1979	4 850	430	910	110	870	30	1 120	210
1980~1989	11 740	750	1 980	350	1 200	70	3 870	820
1990~1996	16 820	1 350	2 180	450	1 430	80	4 060	1 540
1970~1996	10 500	790	1 630	290	1 130	60	2 900	780

表5-14 **第二期"水沙基金"水土保持林草措施减沙作用计算成果**

时段(年)	减沙量(万 t)							
	河龙区间		泾河流域		北洛河流域		渭河流域	
	林地	草地	林地	草地	林地	草地	林地	草地
1970~1979	1 790	198	886	103	498	19	84	29
1980~1989	3 750	301	1 960	405	803	44	190	125
1990~1996	6 550	600	1 950	379	926	58	331	271
1970~1996	3 750	340	1 560	286	722	39	187	127

1970～1996年,河龙区间林地、草地年均减洪量分别占水土保持措施(梯、林、草、坝)年均减洪总量的29.3%和2.2%,年均减沙量分别占水土保持措施年均减沙总量的25.1%和2.3%;泾河流域林地、草地年均减洪量分别占水土保持措施年均减洪总量的34.1%和6.1%,年均减沙量分别占水土保持措施年均减沙总量的42.3%和7.8%;北洛河流域林地、草地年均减洪量分别占水土保持措施年均减洪总量的36.8%和2.0%,年均减沙量分别占水土保持措施年均减沙总量的46.0%和2.5%;渭河流域林地、草地年均减洪量分别占水土保持措施年均减洪总量的26.6%和7.2%,年均减沙量分别占水土保持措施年均减沙总量的8.6%和5.8%。因此,北洛河流域林地年均减洪减沙量占比最大,泾河流域次之,河龙区间位居第三,渭河流域占比最小且其林地年均减沙量占比与河龙区间及泾河、北洛河流域相差数倍。从草地年均减洪量占比来看,渭河流域草地年均减洪量占比最大,泾河流域次之,河龙区间位居第三且与北洛河流域基本持平;从草地年均减沙量占比来看,泾河流域草地年均减沙量占比最大,渭河流域次之,北洛河流域位居第三且与河龙区间基本持平。

三、林草措施建设与生态修复

(一)关于林草措施建设

黄河中游地区近期要突出充分利用生态的自然修复能力,优先保护好现有环境,以小流域治理来支撑大面积植被恢复。植被恢复应实施大面积封禁保护、退耕还林还草。植被建设要以草灌为主。

黄河中游地区长期以来存在着林草措施效果不明显的问题,主要原因是没有适地适树适草,加之气候干旱和人为破坏,林草成活率低,保存率更低。为加速恢复植被,本次研究中适地适树适草的范围应为河龙区间面积约6.0万km^2的多沙粗沙区和泾河、北洛河上游面积共约1.87万km^2的多沙粗沙区,要注重草、灌、乔结合。封禁保护和生态自然修复的范围为河龙区间蒙陕接壤区面积约1.9万km^2的砒砂岩地区,包括皇甫川、孤山川、窟野河、秃尾河、佳芦河等流域,泾河支流环江洪德以上地区(集水面积4 640 km^2)以及渭河上游支流葫芦河流域(集水面积9 805 km^2)。

(二)关于生态修复

黄河中游地区水土流失量大面广,完全依靠人工治理很难适应经济社会可持续发展的要求。同时,长期的科学观测也发现,人工治理形成的生态系统对人为环境依赖性强,抗干扰能力较弱,其稳定性与适应性较自然生态系统差,且对于改善大面积生态环境的作用相对有限。而采取生态自我修复的方法,依靠大自然的力量恢复生态,投入少,见效快,形成的生态系统更符合自然选择,结构、功能稳定可靠[6]。为此,水利部于2000年提出了"充分发挥大自然的力量,依靠生态自我修复能力,加快水土流失防治步伐"的工作思路,实施5年多来成效显著。根据水利部联合调研组2002年下半年的调研结果,全国已累计实施封育保护面积60万km^2,其中2002年封育保护面积在10万km^2以上,接近人工治理速度的2倍。地处黄河中游的陕西省榆林、延安两市所属的25个县(区)现已全部实现了封禁;地处北洛河流域上游的陕西省延安市吴旗县封禁3年,林草覆盖率提高了24个百分点,年土壤侵蚀模数由11 000 t/km^2下降到了6 000 t/km^2[7]。事实充分说明,水土保持生态修复工程是加快水土流失防治步伐的有效途径和现实选择,它不仅大大促进了植被恢复,改善了生态环境,而且有效促进了区域经济的协调发展,充分体现了人与自然和谐相处的理念,费省效宏。因此,黄河中游地区要大力实施生态自我修复工程,加强封禁保护工作,以加速恢复地表植被。

第四节　晋西北地区梯田减洪减沙作用分析

一、概述

梯田是劳动人民长期利用自然、改造自然、发展生产的产物,在我国已有数千年的历史。相传早在2 000年前,黄河流域就有了旱作梯田,但在古籍中南方的梯田资料较多。如南宋著名诗人范成大在其所著《骖鸾录》中就有记载:“出庙三十里,至仰山,绿山腹乔松之蹬甚危,岭阪上皆禾田,层层而上至顶,名梯田。”据推算记载这段话的时间是1172年,地点是江西袁州,这也是古籍中最早的梯田资料。梯田在南方修建较早的原因似“因水促土,而修梯田”。

晋西北片在新中国成立前已有少量的梯田,主要是由于人口不断增长,在垦殖利用平原的同时,不得不垦殖利用山坡地。而把坡地改成梯田,是坡耕地最合理的垦殖方式。新中国成立后,在党和政府的领导下,梯田的建设有了较大的发展。1955年3月,山西省水土保持试验推广站(后更名为山西省水土保持科学研究所)在晋西离石王家沟成立后,通过学习黄委会天水水土保持科学试验站梁家坪坡地培地埂的经验(即逐步加高地埂和翻耕可以变成水平梯田),经在离石官道梁试验,由培地埂变成水平梯田,一般需要20年以上的时间,历时太长。与此同时,还进行了人工一次修成水平梯田的试验。1958年,在全国推行地埂化的同时,除官道梁及王家沟继续进行人工修梯田外,还先后在离石县的二郎庙、三郎堡、金盆梁等地大面积一次修成水平梯田,接着在晋西中阳县金罗楼外沟、临县安邑南岔沟、城庄太平山,均推广并一次修成了水平梯田。1966年,山西省水土保持科学研究所在人工修梯田的基础上,首先在大宁县进行了推土机修梯田的试验,后因“文化大革命”开始而暂停。70年代中期,又继续进一步试验,并大规模推广了机修梯田。一次性修成水平梯田,在晋西北片从无到有,经历的时间并不长,但其保水保土效益十分显著。

尽管从20世纪50年代开始,晋西北片已有一定数量的梯田,但当时多以人工修造的坡式梯田为主,缺乏整体规划和标准化设计施工,拦蓄能力很小。从70年代开始,大搞农田基本建设,在修建梯田的过程中,还对过去遭到严重破坏、质量较差、拦蓄能力显著下降的低标准梯田进行了改造。进入80年代后,新修了大量的高标准机修梯田,使梯田的建设经历了面积由小到大、标准由低到高的发展过程。目前,晋西北片的梯田建设已初具规模。

对晋西北片梯田减水量的计算方法与前述第二节有所不同。兹分述于后,以反映早先对晋西北片梯田减水减沙量研究的原貌和以后的改进之处。

二、晋西北地区梯田的基本资料

晋西北片是指山西省吕梁山脊以西、河龙区间以东的广大地区，该片涉及内蒙古自治区及山西省的17个县(市、区)，265个乡镇。总土地面积约177.46万 hm^2，其中农业用地59.0万 hm^2。片内地貌类型主要有黄土丘陵沟壑区，面积约11 716 km^2，占该片总面积的39.8%，多年平均侵蚀模数10 000～20 000 t/(km^2·a)，沟壑密度4～6 km/km^2，梯田主要分布在这一类型区内；另有一部分缓坡风沙区及少量的土石山区。片内有8条黄河一级支流，即浑河、偏关河、县川河、朱家川、岚漪河、蔚汾河、湫水河和三川河，还有支流间的未控区。

截至1989年，该片梯田的保存面积为10.23万 hm^2，占该片土地总面积的5.8%，其中以三川河流域梯田面积最大，为2.20万 hm^2；岚漪河流域梯田面积最小，仅为0.33万 hm^2。

三、梯田的分布及其标准状况

(一)梯田的分布

晋西北片梯田的密度由北向南逐渐增大，目前以三川河流域梯田的保存面积最多，湫水河次之，岚漪河最少。在北部的缓坡风沙区，人工一次修成的水平梯田较少。由于地面坡度平缓，通过沿等高线耕作，使小块地坡度逐渐变缓，直到接近水平，右玉、五寨等县通过这种耕作方式形成的梯田较多。在黄土丘陵沟壑区，梯田主要分布在梁峁顶部位，因梁峁顶处一般比较平缓，容易修成水平梯田，但在岢岚等地，梯田多修在山坡角以下的台阶地上。

(二)梯田的标准状况

在晋西北片大面积范围内，由于梯田的修建年代、修建标准及水毁状况不同，梯田质量的差异性很大。不同质量的水平梯田，其减洪减沙的程度是不相同的。根据晋西北片大范围内梯田的典型调查资料，并参照同类研究成果，可将不同质量状况的梯田分为三大类：第一类，合乎设计标准，田面纵横平整，或纵向带有反坡，田埂、田坎坚实完整，坎高在0.2m以上，一般在20～50年一遇的暴雨下不致发生水土流失。第二类，田埂、田坎局部破坏，田面基本平整或纵横坡度在2°以下，在小于20年一遇暴雨频率下不产生或产生少量径流。第三类，田面坡度大于2°，田埂、田坎破坏严重，有部分无田坎，基本无拦蓄效益，梯田本身在暴雨情况下产生大量径流，并在田内形成集流槽，造成水土流失。

四、梯田的典型调查情况

为了能够比较真实地反映目前面上梯田的分布状况及减洪减沙效益，我们分别于1993年9～10月、1994年8～9月和1997年9～11月间，三次赴晋西北片进行了梯田典型调查。调查的内容有梯田的坡度、宽度、埂坎的完整程度及分布部位，共调查梯田115块，涉及8条支流中的黄土丘陵沟壑区及缓坡风沙区。从表5-15的调查结果来看，晋西北片梯田分布较多的流域是湫水河，质量最好的梯田是70年代修建的。近几年推广的机修梯田，虽然田面宽度较大且很平整，但是机修梯田的边埂往往是下部压实不够，一遇暴雨，很容易塌陷或滑坡。还有的是在田内挖填方的交界处形成陷穴，造成严重的跑水现象。在

表 5-15　**晋西北片梯田典型调查结果**

调查地点	类型区	所属支流	梯田修筑方式及部位	调查梯田台数	田面宽（m）	梯田纵横坡度(°)	有埂率（%）	田坎系数（%）	梯田拦蓄情况
右玉薛家堡	缓坡风沙区	浑河苍头河	机修，缓坡上部	3	38～43	0	10 以下	5 以下	梯田平整，无跑水现象，拦蓄效益好
五寨三岔	黄土丘陵区	朱家川	人工修，梁峁顶部	6	7～23	1～3	25	10	局部有跑水，整体拦蓄效益较好
偏关英儿沟	黄土丘陵区	偏关河	人工修，梁峁顶部	4	13～22	0	20	5	田埂局部破坏，拦蓄效益好
偏关闫家沟	黄土丘陵区	偏关河	人工修，梁峁顶部	6	8～13	0～2	25	17	有一台地埂完整，其余 5 台埂坎不同程度受损，拦蓄效益较好
偏关尚峪沟	黄土丘陵区	偏关河	人工修 7 台 机修 5 台	12	10～28	0～2	30	10	人工修梯田在梁峁坡，拦蓄效益好；机修梯田在山坡，地块平整，拦蓄效益好
河曲花园沟	黄土丘陵区	县川河	人工修 5 台 机修 8 台	13	人工 6～10 机修 9～28	0～2 0	20 50	15 5 以下	人工修梯田地面比较完整，机修梯田局部有陷穴和冲沟，拦蓄效益一般
保德白草庄	黄土丘陵区	朱家川	人工修在峁顶，机修在峁坡	人工修 8 台 机修 3 台	8～18 27～42	0～3 0～1	25～35 40	20 5	8 台人工梯田中有 3 台完全有埂，其余埂有部分遭到破坏，拦蓄能力较好；机修梯田有埂，地块平整，效益好
兴县蔡家崖	黄土丘陵区	蔚汾河	人工修，从峁顶至坡下	24	2～8.5	0～1	10	25	70 年代所修梯田，质量高，蓄水保土效益好，8 月 31 日大暴雨中各块梯田均有洪水溢出，但梯田基本没有出现水毁现象
兴县南沟梁	黄土丘陵区	蔚汾河	峁坡下 4 台 机修梯田	4	18～30	0	100	10	新修梯田，8 月 31 日大雨中 4 台梯田全部出现陷穴、边埂下陷现象，大部分蓄水顺暗洞流出，地内有部分积水，拦蓄效益一般，原因是施工质量差
临县三交	黄土丘陵区	湫水河	人工修，峁顶峁坡	8	3～5	0	20	25	70 年代修筑的人工梯田，质量较高，经过 20 多年的使用，田坎冲刷较小，部分埂、坎仍然完整，拦蓄能力较高
平均				91			25	12.7	

河曲、兴县、柳林等地调查时,发现当年刚竣工不久的机修梯田多处水毁。在机修梯田的过程中,有的将大量剩余的松土推到田面两侧的坡面上,遇到暴雨时,即被洪水冲入沟道内,造成严重的水土流失。这虽然不是梯田本身造成的,但由此可以看出,在机修梯田的同时,又人为造成了新的水土流失。

从调查资料来看,梯田的有埂率一般为20%~40%,而且大都在20%以下。除部分梯田在修建时本身未修田埂外,相当一部分是在长期的耕作过程中遭到人为因素和自然因素的破坏后未能及时修复,由此造成目前保存的梯田有埂率很低。田埂的破坏,大幅度降低了梯田的拦蓄效益。如柳林县1994年8月4日的一次大暴雨,县城降雨量134.9 mm,历时32小时10分,30分钟最大雨强为1.6 mm/min。本次降雨使三川河出现两次较大洪峰,三川河流域出口水文站后大成水文站最大洪峰流量1 700 m^3/s。梯田在这次暴雨中毁坏比较严重,据9月12日在柳林县城附近的穆村调查,新修梯田在这次暴雨中田坎田面毁坏情况十分严重,1993年在梁峁部位新修梯田8条,1994年全部种植高粱,尽管田面已被农作物基本覆盖,但除峁顶一条梯田没有被水毁外,其余都有不同程度的损坏,且越往下毁坏程度越严重。梯田的水毁原因:一是上部来水较大,而田坎一般都是由未经夯实的松散土堆积而成,仅在其上加修田埂;二是近几年的机修梯田靠田坎边上往往都是垫方,极易产生湿陷,水流顺着裂隙流向下一条梯田内,田坎下陷后有部分土体被洪水冲走,形成大小不等的缺口。正在施工的梯田毁坏比较严重,原因是田面大部分处于裸露状态,暴雨下渗缓慢,在田内形成了较大的积水,在挖填交界处或填方的田坎边,软土受水浸泡后产生湿陷,跑水冲毁田坎田面。

70年代修的梯田在这次暴雨中的毁坏程度相对新修梯田较轻,除有一部分田坎有轻微破坏外,大部分梯田基本完好。梯田的平均宽度,一般人工修筑的在6 m以下,田坎系数在15%~25%之间;机修梯田在10 m以上,田坎系数多在5%左右。

此外,在晋西北片各县还分布有大量的坡式梯田,一般有2°~5°的坡度,多为50~60年代修的人工梯田。尽管田坎受到多年冲刷,仍然具有较好的保水保土性能。如果地边有适当高度的犁耕土坎,在一般暴雨条件下能将上部的来水来沙拦蓄在地边附近,这样,地边将越来越平。

五、梯田的减洪减沙量分析

(一)梯田面积的核实

梯田的保存面积是计算梯田减洪减沙量的基础。新中国成立以来,尽管水土保持工作取得了巨大成就,但各项水土保持措施治理面积的统计落实工作始终存在比较突出的问题,主要表现在开展面积大,保存面积小,真正能够起到减洪减沙作用的更小,梯田的统计面积远远超出实际保存面积。其主要原因有两点:一是以上级行政部门下达的任务数字代替统计数字;二是重复上报,主要表现在将过去毁坏的梯田修复后继续上报,或将低标准的人工梯田改造成高标准的机修梯田后重复上报。经过一定时间的累积之后,使梯田累积面积的“水分”越来越大。将统计面积直接作为治理面积进行计算,显然是不合理的。因此,只有对梯田的统计面积进行核实,才能为晋西北片水土保持坡面措施减水减沙作用分析提供比较可靠的依据。

目前,核实水土保持措施保存面积的方法较多,本次以晋西北各县 1989 年土地详查资料中梯田的面积作为目前面上比较真实的保存面积,与各县梯田的统计面积进行对比分析,求出晋西北片梯田保存率为 61.1%,这个保存率数值与其他一些研究成果相比明显偏低,这是因为采用的基础资料和处理方法不同。我们在核实过程中,主要引用了两套数据,其一是由各县水利部门上报,经统计部门综合的数据;其二是土地详查资料,该资料是按照原国家农业区划委员会制订的技术规程进行详查得到的。在分类中,梯田是指在山坡上修造的旱耕水平梯田,其含义与我们的要求是一致的。由此可见,土地详查资料对水土保持措施面积的核实来说具有较高的可靠性,其精度完全可以满足水土保持措施减洪减沙作用分析计算的要求。

各支流梯田面积的确定方法是:从历年各县水土保持措施统计资料中,以乡为单位列出各支流所属的乡镇名称,再把这些乡镇的梯田面积相加;根据这些乡镇梯田面积占全县面积的比例,分出各县在各支流上的梯田面积;按照各支流梯田面积的累加值,乘以梯田的保存率,即可得到晋西北片各支流历年梯田的保存面积,其数值见表 5-16。

晋西北片未控区梯田的保存面积是根据晋西北片梯田的分布密度确定的。截至 1989 年,晋西北片未控区梯田的保存面积为 31 673 hm^2。

(二)梯田小区减洪指标体系的建立

梯田小区减洪指标 η_i 是根据黄河中游各地水土保持科学试验站多年治理与非治理小区资料的对比而得来的,因而首先必须对小区的基本资料进行处理。其具体过程为:统计逐年各个大于 3°的农耕地、小于 2°的农耕地(梯田)小区的径流量,求其算术平均值,得到逐年两种小区的年均径流量;对每一种情况的年均径流量按由大到小进行排序,算出其径流频率,并绘制频率曲线。

在晋西北片梯田小区减洪指标的分析计算中,采用的小区资料主要有:①黄委会绥德水土保持科学试验站 1955 ~ 1963 年径流小区资料;②黄委会绥德水土保持科学试验站 1989 年 7 月完成的《黄丘(一)副区水土流失规律及水土保持减水减沙效益试验研究报告》中的部分小区资料;③山西省水土保持科学研究所 1957 ~ 1968 年和 1985 ~ 1993 年的小区资料。

1. 梯田小区减洪指标的确定

梯田小区减洪指标的确定比较复杂,原因是梯田修成后仍具有一定的坡度或遭到破坏,使其减洪能力降低。本次计算采用"二步到位法"求解,比较符合实际。其方法为:第一步,求出小区梯田在无埂情况下的减洪能力。将无埂梯田与大于 3°的农坡地对比,即可得出梯田在无埂情况下的减洪能力;绘出无埂梯田与农坡地二者的径流频率曲线,两曲线在某一频率下的差值即为无埂梯田的减洪能力。第二步,根据小区梯田有埂情况下的效益,结合调查确定梯田的有埂率,则梯田的效益为坡耕地修平后的减洪效益与剩余径流由地埂拦蓄的效益二者之和,即

表 5-16　　　晋西北片各支流流域历年梯田保存面积核实成果　　　（单位：hm^2）

年份	湃河	偏关河	县川河	朱家川	岚漪河	蔚汾河	湫水河	三川河
1959	1 487	2 620	2 160	667	847	727	2 133	2 367
1960	1 600	2 660	2 207	747	873	893	2 613	2 907
1961	1 773	2 720	2 267	860	907	1 127	3 300	3 673
1962	1 953	2 780	2 333	980	947	1 373	4 013	4 467
1963	2 067	2 820	2 400	1 053	967	1 520	4 467	4 973
1964	2 180	2 860	2 440	1 133	993	1 680	4 933	5 493
1965	2 433	2 947	2 480	1 307	1 047	2 027	5 953	6 627
1966	2 747	3 053	2 573	1 520	1 113	2 467	7 147	8 053
1967	2 747	3 053	2 573	1 520	1 113	2 467	7 147	8 053
1968	2 747	3 053	2 573	1 520	1 113	2 467	7 147	8 053
1969	2 760	3 053	2 647	1 533	1 113	2 487	7 240	8 067
1970	2 800	3 060	2 693	1 547	1 120	2 600	7 520	8 080
1971	2 927	3 073	2 833	1 593	1 133	2 833	8 193	8 873
1972	3 220	3 133	3 173	1 700	1 167	3 007	8 987	10 007
1973	3 440	3 307	3 487	1 740	1 520	3 013	9 400	10 850
1974	3 800	3 433	3 513	1 767	1 767	3 027	10 260	12 000
1975	4 107	3 513	3 993	1 933	1 960	3 073	10 260	12 307
1976	4 220	3 733	4 247	2 067	2 087	3 147	10 627	12 733
1977	4 620	3 753	4 573	2 240	2 173	3 200	12 313	12 973
1978	4 840	3 767	4 607	2 240	2 173	3 247	13 420	13 193
1979	5 007	3 767	5 200	2 327	2 173	3 280	14 187	13 193
1980	5 133	3 787	5 220	2 327	2 173	3 287	14 387	13 293
1981	5 133	3 753	5 227	2 333	2 340	3 420	14 393	13 460
1982	5 188	3 887	5 227	2 353	2 480	3 567	14 400	13 500
1983	5 227	3 973	5 240	2 360	2 480	3 667	14 460	14 573
1984	5 447	4 047	5 520	2 573	2 513	4 147	14 667	16 927
1985	6 033	4 193	5 820	2 653	2 547	4 420	14 907	17 847
1986	6 253	4 460	6 133	2 813	2 613	4 513	15 200	19 627
1987	6 320	4 700	6 447	2 980	2 707	4 787	15 700	20 870
1988	6 847	4 807	6 713	3 560	2 793	5 020	16 027	21 767
1989	7 000	4 947	6 827	4 567	3 333	5 247	16 720	22 020
Σ	70 661							

$$\eta_i = (1-\beta)\cdot A + \beta\cdot B$$

式中：η_i 为梯田总的减洪指标；A 为农坡地修平后(无埂梯田)的减洪量；B 为有埂梯田的减洪量；β 为梯田的有埂率，根据典型调查资料，晋西北片 β 值在 20% ~ 30% 之间，取平均值为 25%。

式中 A 值的确定方法是：农坡地与无埂梯田两条频率曲线之差值即为某一频率下无埂梯田的减洪量；B 值为有埂梯田的减洪量，而有埂梯田减洪能力基本为 100%，因此此值可用当年农坡地的径流量代替。

2. 流域梯田减洪量计算

计算出小区梯田的减洪量后，需要将其推算到流域上。梯田小区的面积过小，不能反映径流泥沙运动变化的全过程，存在着大小面积的差异，尤其是泥沙，由于其在运行过程中存在堆积，沿途将有相当数量的损失，从而使得从小区测出的泥沙量与流域出口的实测值有较大的差异。以往的研究表明，洪水量与流域面积的大小呈如下关系：$W_{洪} = A\cdot F^n$，F 为流域面积，n 为指数。从泾河流域的分析结果看，当 $F < 3\ 000\ \text{km}^2$ 时，$n = 0.987$；当 $F > 3\ 000\ \text{km}^2$ 时，$n = 0.797$。我们将梯田小区的径流资料视为 1 km² 以下的点资料，则向流域扩展时便有：

$$W_{流域}/W_{小区} = A\cdot F_{流域}{}^{0.987}/A\cdot F_{小区}{}^{0.987}$$

即

$$W_{流域} = W_{小区}\cdot F_{流域}{}^{0.987} \tag{5-3}$$

式中：$W_{流域}$为梯田在流域内的减洪量；$W_{小区}$为小区梯田的减洪量；$F_{流域}$为流域内核实的梯田保存面积。

3. $W_{小区}$值的改正及枯水年减洪指标的修正

由于小区与流域所处的位置并不相同，并且小区梯田与大面积梯田在质量上也存在着较大的差异。因此，要对所用的小区资料进行改正，其目的是为了使小区的径流资料与流域的洪量资料处于相同的水平上。改正方法为：用计算流域与小区的多年平均洪量模数的比值作为改正系数 α，则 $W_{小区改正} = \alpha\cdot W_{小区}$。晋西北片各支流小区洪量改正系数 α 值见表 5-17。

表 5-17　　晋西北片各支流小区洪量改正系数 α 值

支流名称	资料年限	W_H (万 m³)	F (km²)	$M_{流域}$ (万 m³/km²)	$M_{小区}$ (万 m³/km²)	α
浑　河	1954 ~ 1989	11 580	5 461	2.120	2.64	0.803
偏关河	1957 ~ 1989	2 439	1 915	1.274	2.64	0.483
县川河	1960 ~ 1989	1 465	1 562	0.938	2.64	0.355
朱家川	1956 ~ 1989	2 630	2 915	0.902	2.64	0.342
岚漪河	1954 ~ 1989	4 743	2 159	2.197	2.64	0.832
蔚汾河	1956 ~ 1989	4 038	1 476	2.736	2.64	1.036
湫水河	1954 ~ 1989	5 623	1 873	3.002	2.64	1.137
三川河	1957 ~ 1989	7 975	4 161	1.916	2.64	0.726

在计算梯田的减洪量时，由于小区资料中梯田与农坡地低水部分两线重合，导致枯水年梯田的减洪量为零，这是不符合实际的。出现这种现象时采用如下方法进行修正：当小区农坡地洪量频率为90%以上时，按农坡地产流量为50m^3/km^{2}计算流域梯田的减洪量。

4. 梯田减沙量计算

由于小区产沙量与流域产沙量存在较大的差异，若利用小区梯田的产沙量来推算流域大面积梯田的产沙量，将会带来很大的误差，而洪量在大面积范围内还是比较稳定的，因此我们采用"以洪算沙"的方法来计算梯田的减沙量。其原理为：利用小区梯田的减洪指标体系，算得流域的减洪量，再根据流域治理前的洪水泥沙关系，由减洪量推算减沙量。该方法假定流域未治理状态下的洪水泥沙关系为线性关系，而黄河中游地区大部分支流的汛期为高含沙水流，故洪沙关系式 $W_{HS}=KW_H^{\alpha}$ 中的指数 $\alpha\approx1.0$，符合"以洪算沙"的基本假定。

采用此方法进行梯田减沙量计算时，不能用梯田的减洪量 $\Delta W_{H梯}$ 直接代入治理前的洪水泥沙关系式中计算对应的减沙量。其原因为：流域的洪沙关系是流域内各项治理措施共同作用的结果，梯田的减洪量与减沙量之间的关系并不完全与流域治理前的洪水泥沙关系一致。为此，在计算梯田的减沙量时，可按照梯田的减洪量占梯、林、草、坝四项水土保持措施减洪量之和的比例，从总的减沙量中分出，即

$$\Delta W_{HS梯}=(\Delta W_{H梯}/\sum\Delta W_H)\cdot\sum\Delta W_{HS} \tag{5-4}$$

式中：$\Delta W_{HS梯}$为梯田减沙量；$\Delta W_{H梯}$为梯田减洪量；$\sum\Delta W_H$ 为四项水土保持措施（梯、林、草、坝）总的减洪量；$\sum\Delta W_{HS}$为四项水土保持措施（梯、林、草、坝）总的减沙量。

根据上述方法计算的晋西北片各支流流域梯田减洪减沙量见表5-18。

表5-18　　**晋西北片各支流流域梯田减洪减沙量计算成果**

支流名称	流域面积（km^2）	梯田保存面积（hm^2）	时段（年）	年降水量（mm）	减洪量（万m^3）	减沙量（万t）
浑　河	5 461	7 000	1959~1969	409.4	59.0	10.1
			1970~1979	411.8	50.2	8.3
			1980~1989	346.7	38.7	6.5
			1970~1989	379.3	44.5	7.4
偏关河	1 915	4 947	1959~1969	427.8	37.8	19.1
			1970~1979	413.6	29.3	14.8
			1980~1989	370.1	21.1	10.7
			1970~1989	391.8	25.2	12.8
县川河	1 562	6 827	1960~1969	418.8	26.2	16.5
			1970~1979	422.3	32.9	20.1
			1980~1989	367.1	20.0	12.8
			1970~1989	394.7	26.5	16.5
朱家川	2 915	4 567	1959~1969	482.1	12.7	6.9
			1970~1979	416.8	8.8	4.4
			1980~1989	409.9	9.4	5.1
			1970-1989	413.4	9.1	4.8

续表 5-18

支流名称	流域面积（km^2）	梯田保存面积（hm^2）	时段(年)	年降水量（mm）	减洪量（万 m^3）	减沙量（万 t）
岚漪河	2 159	3 333	1959 ~ 1969	552.9	21.9	5.4
			1970 ~ 1979	498.1	26.9	6.3
			1980 ~ 1989	485.3	22.5	5.1
			1970 ~ 1989	491.7	24.7	5.7
蔚汾河	1 476	5 247	1959 ~ 1969	488.6	47.3	13.3
			1970 ~ 1979	471.9	59.6	16.2
			1980 ~ 1989	444.6	34.6	9.0
			1970 ~ 1989	458.2	47.1	12.6
湫水河	1 873	16 720	1959 ~ 1969	551.9	175.3	63.5
			1970 ~ 1979	480.7	219.1	79.5
			1980 – 1989	497.6	124.6	45.2
			1970 ~ 1989	489.2	171.9	62.4
三川河	4 161	22 020	1959 ~ 1969	532.0	143.0	39.7
			1970 ~ 1979	471.7	140.5	40.1
			1980 ~ 1989	480.3	138.6	39.1
			1970 ~ 1989	476.0	139.6	39.6
未控区	7 577	31 673	1960 ~ 1969	489.6	262.8	85.0
			1970 ~ 1979	451.5	300.2	94.6
			1980 ~ 1989	432.3	199.4	61.1
			1970 ~ 1989	441.9	249.8	77.9
晋西北片合计	29 099	102 334	1959 ~ 1969	483.6	786.0	259.5
			1970 ~ 1979	448.7	867.5	284.3
			1980 ~ 1989	426.0	608.9	194.6
			1970 ~ 1989	483.4	738.4	239.7

晋西北片未控区梯田的减洪减沙量,可根据同期已控区各支流单位面积的减洪减沙量指标,按照各支流未控区核实的梯田保存面积进行计算。

六、计算成果对比与分析

(一)梯田保存面积对比

本项研究确定的晋西北片各支流梯田保存面积与“三大基金”研究成果对比见表 5-19。

从表 5-19 可以看出,“三大基金”所确定的各支流梯田保存面积比较接近,而本项研究梯田的保存面积明显偏小,约偏小 24%,其主要原因是所采用的梯田保存率较小,只有 61.6%。以往的研究成果中,普遍将大面积梯田的保存率确定在 90% 左右,根据对三川河流域几条重点小流域梯田保存率的统计结果分析,平均才达到 90.9%,因此上述大面积范围内梯田的保存率在 90% 左右明显偏高。本项研究资料相对比较丰富,又有土地详查资料佐证,尤其是先后进行了两次野外典型调查,因此所确定的梯田保存面积值应该是比较可靠的一种结果。

表 5-19　　晋西北片各支流流域 1989 年梯田保存面积研究成果对比　　（单位：hm^2）

研究者	浑河	偏关河	县川河	朱家川	岚漪河	蔚汾河	湫水河	三川河
水保基金	12 800	6 253	—	5 373	4 793	6 433	20 233	26 700
水沙基金	14 773	6 253	9 500	5 773	4 793	6 427	20 233	26 700
自然基金	14 773	8 280	—	5 873	4 867	5 733	17 607	27 120
本次研究	7 000	4 947	6 827	4 567	3 333	5 247	16 720	22 020

（二）梯田减沙量计算成果对比

本项研究所计算的梯田减沙量与“三大基金”研究成果对比见表 5-20。

表 5-20　　晋西北片各支流流域 1970～1989 年梯田减沙量计算成果对比　　（单位：万 t）

研究者	浑河	偏关河	县川河	朱家川	岚漪河	蔚汾河	湫水河	三川河
水保基金	8	15	—	6	12	19	85	56
水沙基金	43	26	37.6	25	11	19	71	43
自然基金	25	31	—	25	13	23	102	76
本次研究	7.4	12.8	16.5	4.8	5.7	12	62.4	39.6

从表 5-20 可以看出，本项研究所计算的各支流流域梯田减沙量与“水保基金”成果比较接近，但仍偏小；与“水沙基金”及“自然基金”的成果相差较大。由于各家采用的梯田保存率相差较大，加之所采用的减沙量计算方法截然不同，因而具有不同甚至差异较大的计算成果。要想取得计算成果的基本一致，仍须统一基础资料和计算方法，单纯的数量对比意义不大。

七、结论

（1）河龙区间晋西北片，总面积 2.93 万 km^2，截至 1989 年梯田累积保存面积为 10.24 万 hm^2，其中已控区梯田保存面积 7.07 万 hm^2，未控区梯田保存面积 3.17 万 hm^2。

（2）70 年代晋西北片梯田年均总减洪量为 867.5 万 m^3，年均总减沙量为 284.3 万 t，分别占晋西北片四大水土保持措施（梯、林、草、坝）年均减洪减沙总量的 9.1% 和 7.3%。其中已控区 70 年代梯田年均减洪量为 567.3 万 m^3，年均减沙量为 189.7 万 t，分别占四大水土保持措施年均减洪减沙总量的 6.0% 和 4.8%；未控区 70 年代梯田年均减洪量为 300.2 万 m^3，年均减沙量为 94.6 万 t，分别占四大水土保持措施年均减洪减沙总量的 3.1% 和 2.5%。

（3）80 年代晋西北片梯田年均总减洪量为 608.9 万 m^3，年均总减沙量为 194.6 万 t，分别占晋西北片四大水土保持措施年均减洪减沙总量的 9.0% 和 7.2%。其中已控区 80 年代梯田年均减洪量为 409.5 万 m^3，年均减沙量为 133.5 万 t，分别占四大水土保持措施年均减洪减沙总量的 6.1% 和 4.9%；未控区 80 年代梯田年均减洪量为 199.4 万 m^3，年均减沙量为 61.1 万 t，分别占四大水土保持措施年均减洪减沙总量的 2.9% 和 2.3%。

(4)显然,70、80年代梯田减洪减沙占比几乎没有变化,但80年代梯田年均减洪减沙总量却比70年代分别下降了29.8%和31.6%。因此,在梯田保存面积增长的同时,必须提高梯田的质量,修成"精品工程",才能做到稳定减洪减沙。

参考文献

[1] 张胜利,于一鸣,姚文艺. 水土保持减水减沙效益计算方法. 北京:中国环境科学出版社,1994

[2] 冉大川,柳林旺,赵力仪,等. 黄河中游河口镇至龙门区间水土保持与水沙变化. 郑州:黄河水利出版社,2000

[3] 汪岗,范昭. 黄河水沙变化研究(第二卷). 郑州:黄河水利出版社,2002

[4] 赵力仪,白志刚,柳林旺,等. 黄河中游水土保持坡面措施减洪减沙指标体系研究. 人民黄河,1999(9)

[5] 徐建华,牛玉国,等. 水利水保工程对黄河中游多沙粗沙区径流泥沙影响研究. 郑州:黄河水利出版社,2000

[6] 刘震. 以人与自然和谐相处的理念为指导正确把握人工治理与生态自我修复的关系. 中国水土保持,2004(8)

[7] 水土保持生态修复联合调研组. 生态自我修复是加快水土流失防治步伐的好路子. 中国水利,2003(5)(A刊)

[8] 冉大川,刘斌,王宏,等. 黄河中游水土保持措施减洪减沙作用分析. 见:李占斌,张平仓主编. 水土流失与江河泥沙灾害及其防治对策. 郑州:黄河水利出版社,2004

[9] 刘足征. 忆水平梯田在晋西的产生与发展. 山西水土保持科技,1994(2)

[10] 刘勇,冉大川,吴永红. 黄河中游水土保持措施保存面积的核实初探. 水土保持通报,1994(4)

[11] 揭曾佑,等. 水平梯田防止土壤侵蚀作用的理论分析. 中国水土保持,1986(1)

[12] 徐乃民,张金慧. 水平梯田蓄水减沙效益计算探讨. 中国水土保持,1993(3)

第六章　泾河流域水土保持措施减洪减沙作用研究

第一节　流域概述

一、流域概况[1]

泾河是渭河的第一大支流，发源于宁夏回族自治区泾源县六盘山东麓的老龙潭，由西北向东南流经宁夏、甘肃、陕西三省(区)，在陕西省高陵县陈家滩与渭河相汇。两河相汇，泾清渭浊，遂有"泾渭分明"之说。泾河流域位于东经 106°14′～108°42′、北纬 34°46′～37°19′之间，地处黄土高原中部，干流全长 455.1 km，总落差 2 180 m，平均比降 2.47‰；流域总面积 45 421 km^2，其中在甘肃省境内面积占流域总面积的 2/3；水土流失面积 33 220 km^2，占流域总面积的 73.1%。

泾河流域包括宁夏东部的盐池县以及东南部的固原市原州区、泾源县、彭阳县；甘肃东部的平凉市崆峒区、泾川县、灵台县、崇信县、华亭县和庆阳市的西峰区、庆城县、环县、华池县、合水县、正宁县、宁县、镇原县；陕西的定边县、陇县、千阳县、麟游县、渭城区、乾县、泾阳县、礼泉县、永寿县、彬县、长武县、旬邑县、淳化县等，共 30 个县(区)，总人口 620 余万，总土地面积 454 万 hm^2，耕地 138 万 hm^2。流域边缘北有贺兰山、鄂尔多斯高原，南为秦岭山脉，西依六盘山脉，东抵子午岭山系，周围一圈山脉形成泾河集水区域的天然分水岭。流域地势西北高、东南低。全流域涉及北部黄土丘陵沟壑区、中部黄土高塬沟壑区、西南部土石山区及黄土丘陵林区和东南部黄土阶地区等五个土壤侵蚀类型区，其中以黄土丘陵沟壑区、黄土高塬沟壑区所占面积最大，分别为 18 775 km^2 和 18 053 km^2，占流域总面积的 41.3%和 39.7%；水土流失也以这两个类型区最为严重，其多年平均土壤侵蚀模数分别为 10 000 t/(km^2·a)和 4 000 t/(km^2·a)。黄土丘陵沟壑区以北部甘肃环县洪德和南部陕西麟游县天堂为代表；黄土高塬沟壑区以甘肃省庆阳市西峰区的董志塬、宁县的早胜塬、合水县的合水塬、陕西省长武县的长武塬和彬县的北极塬为代表。泾河流域土石山区、黄土丘陵林区和黄土阶地区面积分别为 3 295 km^2、2 937 km^2 和 2 361 km^2，分别占总面积的 7.3%、6.5%和 5.2%。

泾河流域内地形破碎，植被稀少。截至 1996 年底，林草措施保存面积仅占流域面积的 11.4%，为黄河中游黄土高原水土流失最为严重的地区之一，也是黄河泥沙和粗泥沙的主要来源地之一。流域深处内陆，属大陆性气候，受大陆季风影响，其气候特点是冬春干旱少雨，夏秋多暴雨，春秋有霜，冬季降雪。流域北部及中部属干旱区，南部为半干旱区，小部分为偏湿润区。

二、土壤类型及其分布[2]

泾河流域土壤类型主要有黑垆土、灰褐土、山地草甸土、黄绵土、褐土等五类。其中，黑垆土主要分布在较平缓的阳坡地、沟阶地、川台塬地上，质地轻壤，疏松通透性好，保水保肥，剖面层次明显，腐殖质层深厚，肥力高，耕性好，适种性广，是良好的耕作土壤。

灰褐土主要分布在海拔 1 900 m 以上的梁、峁部位及丘陵坡地，土壤发育在黄土母质和页岩母质上，剖面层次明显，质地轻壤或中壤，上部紧实，土壤养分含量高，水分条件差，热量稍低，是良好的森林土壤。

山地草甸土主要分布在海拔 2 700 m 以上的梁、峁部位及丘陵坡地，成土母质为黄土，土壤通透性差，有机质含量高（约 8.0%），抗蚀性较好。

黄绵土主要分布在流域的上中游，是在黄土母质上发育的耕作土壤，土壤侵蚀严重，土壤熟化程度低，常处于发育—侵蚀—发育的循环过程中，没有明显的剖面发育层次，其基本性状仍接近母质的特性。由于黄绵土直接发育于黄土母质上，土壤剖面只有耕作层与母质层之分。有机质含量一般低于 1%，抗蚀性差，湿陷性大，容易受流水侵蚀，土力瘠薄。

褐土分布在渭北高原石质低山及丘陵林地，土质较黏，多碳酸钙积层，易产生径流，侵蚀严重。

三、植被及分布[2]

泾河流域的植被类型较多。其中沙芦草、甘草、长芒草、蒿类草原主要分布在河源地带，草原成分以羽茅属和蒿类为主。羽茅草原有本氏羽茅、蒙古羽茅、戈壁羽茅等；蒿类有铁杆蒿、茭蒿、蒙古蒿等，其间伴生有甘草。其他如鹅冠草、沙芦草、野苜蓿、达乌里胡枝子、泡泡刺等亦常见。华山松、油松、针叶林和杨、栎阔叶林及灌丛草地主要分布在上游，其中针叶林以青㭎、华山松和油松为主，阔叶树以白桦、红桦、山杨及各种栎类为主，生长状况良好。华北落叶松在其间也有分布。森林中间有大面积的灌丛、草地，以草地为主，多为禾本科、菊科、莎草科草类，偶有小片山杨、白桦幼年次生林，白桦林较山杨林少见。桦、杨、辽东栎阔叶林及灌丛草地主要分布在上游和中游，多属次生阔叶林，以山杨、桦木林为主；小片侧柏林多分布于阳面陡坡；油松林多呈小片散生；虎榛子、沙棘等灌丛和草地分布面积大，生长状况良好。

在泾河流域中游的黄土丘陵沟壑区，植被类型主要有虎榛子、绣线菊、小檗、荀子和蔷薇灌丛。在沟谷和梁峁坡常见虎榛子、狼牙刺、三桠绣线菊、绒毛绣线菊、沙棘、黄刺玫、胡枝子、小檗、荀子和蔷薇等灌丛。在流域中下游残存有丁香、虎榛子、扁核木的本氏羽茅、黄白草、马牙草、达乌里胡枝子草原。临近山地的边缘地带，灌丛更为常见。除上述种类外，如南蛇藤、小叶悬钩子、酸枣、文冠果、本氏马棘、枸杞、狼牙刺、白芨梢、荆条、小叶鼠李等十分常见。

第二节　流域水沙特性分析

一、水沙来源

泾河是渭河的最大支流，其来沙量是黄河中游四大支流无定河、渭河、泾河和北洛河中来沙量最多的一条支流。流域内集水面积大于 1 000 km^2 的主要支流有 13 条，大于 500 km^2 的支流有 26 条；长 1～2 km 的冲刷沟溪十分发育，达万条以上。泾河的主要支流，左岸有三水河、马莲河、蒲河、茹河、洪河，右岸有 汭河、黑河、达溪河。马莲河是泾河的最大支流。泾河流域水系图见图 6-1，流域主要支流水文地理特征见表 6-1。

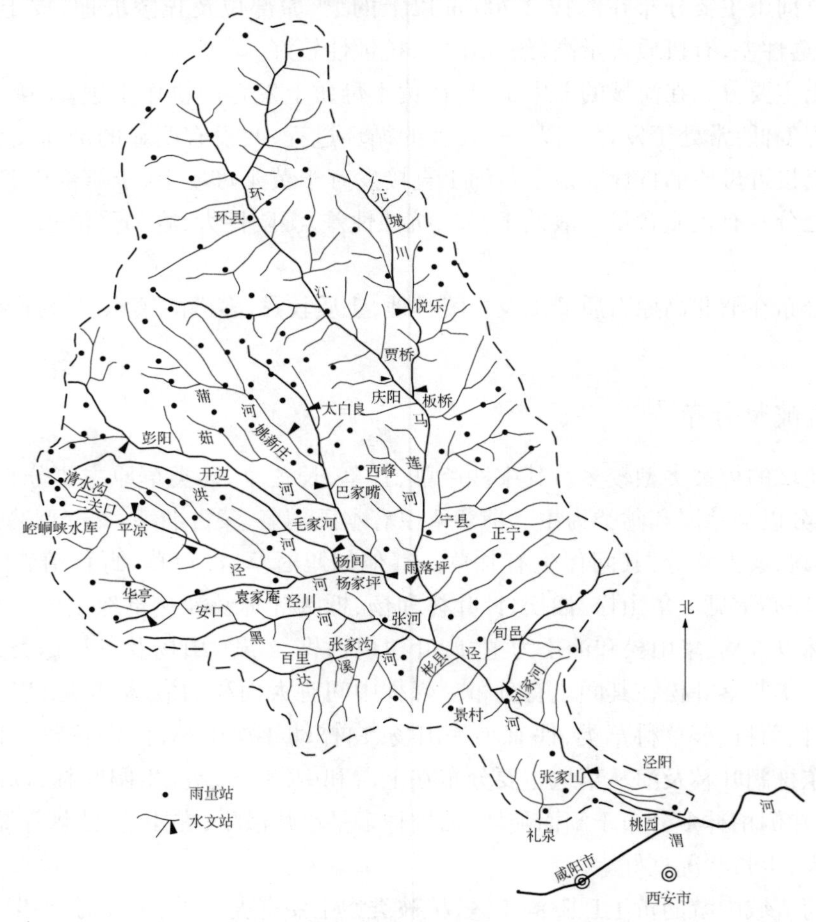

图 6-1　泾河流域水系图

泾河流域把口水文站为张家山水文站，控制面积 43 216 km^2。张家山以上的水沙来源，可分为三个部分：支流马莲河雨落坪以上，干流泾河杨家坪以上，雨落坪、杨家坪至张家山区间。三个部分的水沙组成有所不同，水沙变化也各有差异。

表 6-1 泾河流域主要支流水文地理特征

河名	发源地	河长(km)	集水面积(km^2)	河道平均比降(‰)
汭河	甘肃省华亭县关山梁	116.9	1 671	5.27
洪河	宁夏彭阳县新集乡	187.2	1 336	3.38
蒲河	甘肃省环县毛井乡	204.0	7 478	2.76
茹河	宁夏彭阳县大湾乡	171.4	3 375	4.26
马莲河	陕西省定边县高天池乡	374.8	19 086	1.35
山城川	宁夏盐池县牛头山	204.0	7 478	2.76
东川	陕西省定边县白马崾崄乡	131.4	3 065	2.72
固城川	甘肃省合水县三里店乡	103.6	2 478	3.17
黑河	甘肃省华亭县上关乡	168.0	4 255	2.90
达溪河	陕西省陇县李家河乡	126.8	2 537	2.74
三水河	陕西省旬邑县洪峙乡	128.9	1 321	5.49

注:本表来自参考文献[3]

雨落坪水文站为马莲河的控制站,汇流面积 19 019 km^2,1956~1996 年多年平均径流量 4.648 5 亿 m^3,年输沙量 1.343 1 亿 t;泾河干流杨家坪水文站汇流面积 14 124 km^2,多年平均径流量 7.693 3 亿 m^3,年输沙量 0.838 7 亿 t;雨落坪、杨家坪至张家山区间汇流面积为 10 073 km^2,年均径流量 5.962 9 亿 m^3,年均输沙量 0.403 9 亿 t。

泾河流域径流、泥沙来源统计见表 6-2。由此可见,泾河流域水沙异源。支流马莲河雨落坪以上多年平均(1956~1996 年)来水量占张家山以上来水量的 25.4%,来沙量却占张家山以上来沙量的 51.9%;干流杨家坪以上来水量占张家山以上来水量的 42.0%,来沙量只占张家山以上来沙量的 32.4%。雨落坪以上,来自环江庆阳以上的水量只占雨落坪以上总来水量的 47.6%,沙量却占 66.0%;杨家坪的泥沙有 55.9%来自蒲河毛家河以上,而水量只占 27.1%,形成水沙异源。根据前述地貌类型的划分,泾河流域的水主要来自黄土高塬沟壑区,沙主要来自黄土丘陵沟壑区。雨落坪、杨家坪和两站至张家山区间的面积分别占张家山站汇流面积的 44.0%、32.7%和 23.3%,而径流的分配若按 1956~1996 年统计平均,各部分径流所占的比例分别为 25.4%、42.0%和 32.6%,泥沙来量所占比例分别为 51.9%、32.4%和 15.7%。反映了泾河流域的径流主要来自杨家坪以上及雨落坪、杨家坪至张家山区间,共占径流总量的 74.6%,泥沙则有一半多来自雨落坪以上的马莲河。

表 6-2 泾河流域径流、泥沙来源统计

河流	站名	控制面积(km^2)	年降水量(mm)	年径流量(模数)			年输沙量(模数)			资料系列
				万 m^3	占总(%)	m^3/km^2	万 t	占总(%)	t/km^2	
环江	庆阳	10 603	420.3	22 150	12.1	20 890	8 870	34.3	8 365	1956~1996
马莲河	雨落坪	19 019	471.4	46 490	25.4	24 440	13 430	51.9	7 060	1956~1996
泾河	杨家坪	14 124	540.1	76 930	42.0	54 470	8 390	32.4	5 940	1956~1996
泾河	张家山	43 216	538.4	183 050	100.0	42 360	25 860	100.0	5 980	1956~1996
雨落坪、杨家坪至张家山区间		10 073	577.1	59 630	32.6	59 200	4 040	15.7	4 010	1956~1996

二、径流泥沙关系

泾河流域张家山水文站不同系列径流泥沙关系见表 6-3。

表 6-3　泾河流域张家山水文站径流泥沙关系一览表

资料系列	年径流泥沙关系	相关系数	年洪水洪沙关系	相关系数
1952～1969 年	$W_S = 4.56 \times 10^{-3} W_N^{1.276}$	0.76	$W_{HS} = 0.0193 W_H^{1.241}$	0.88
1970～1996 年	$W_S = 1.73 \times 10^{-3} W_N^{1.356}$	0.70	$W_{HS} = 0.0444 W_H^{1.165}$	0.89
1952～1996 年	$W_S = 2.76 \times 10^{-3} W_N^{1.317}$	0.73	$W_{HS} = 0.032 W_H^{1.195}$	0.89
1990～1996 年	$W_S = 0.067 W_N^{1.071}$	0.49	$W_{HS} = 0.961 W_H^{0.898}$	0.77

注：表中 W_N、W_H 分别代表年径流量和洪水量，W_S、W_{HS} 分别代表年输沙量和洪水输沙量。

由表 6-3 知，进入 90 年代后，泾河流域水沙关系明显散乱，洪水泥沙关系相关性明显下降。这主要是由于泾河流域 90 年代均为高含沙小洪水、水沙来量不匹配所致。尤其是 1994 年和 1995 年两年，汛期从泾河来的高含沙小洪水，导致渭河下游河道发生剧烈变化。因此，必须大力加强泾河流域的水土保持工作，减少高含沙小洪水发生的机会，减轻渭河下游河道的淤积[4]。泾河流域张家山水文站长系列（1952～1996 年）年径流泥沙关系、洪水洪沙关系分别见图 6-2 和图 6-3。

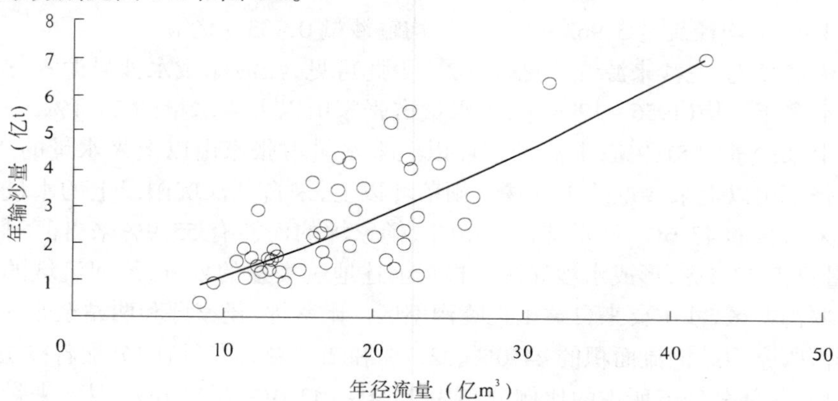

图 6-2　泾河流域张家山站年径流泥沙关系（1952～1996 年）

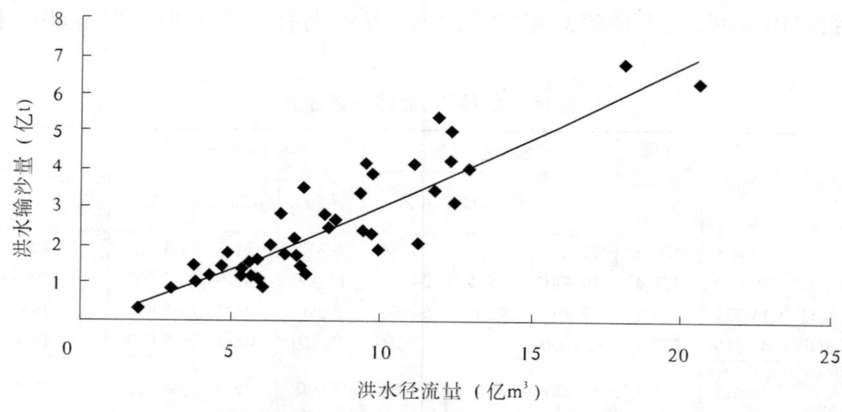

图 6-3　泾河流域张家山站洪水洪沙关系（1952～1996 年）

泾河流域张家山水文站以往研究的长系列(1952~1989年)径流泥沙关系见表6-4。

表6-4　泾河流域张家山水文站径流泥沙关系(1952~1989年)[5]

类别	径流泥沙关系	系数	指数	相关系数
年	$W_{SN}=0.036W_N^{1.410}$	0.036	1.410	0.757
汛期	$W_{SX}=0.098W_X^{1.331}$	0.098	1.331	0.891
7~8月	$W_{S7\sim8月}=0.110W_{7\sim8月}^{1.480}$	0.110	1.480	0.888
场次洪水	$W_{SH}=0.475W_H^{0.984}$	0.475	0.984	0.941

注:表中W代表径流量,亿m^3;W_S代表输沙量,亿t。

由此可见,泾河流域年水沙关系相关性较差,7、8月及汛期水沙关系较好,场次洪水水沙关系最好,指数接近1.0,与多沙粗沙河流的水沙关系很相似,说明流域洪水期水流已近似高含沙水流。

泾河干流杨家坪水文站和最大支流雨落坪水文站长系列(1956~1996年)径流泥沙关系见表6-5。两站对应的径流泥沙、洪水泥沙线性关系曲线分别见图6-4~图6-7。

表6-5　泾河流域主要水文站径流泥沙关系(1956~1996年)

水文站	年径流泥沙关系	相关系数	年洪水洪沙关系	相关系数
杨家坪	$W_S=0.0019W_N^{1.3499}$	0.76	$W_{HS}=1.4036W_H^{0.8341}$	0.69
	$W_S=0.1392W_N-2320$	0.78	$W_{HS}=0.2761W_H+165.5$	0.89
雨落坪	$W_S=2E-05W_N^{1.8888}$	0.94	$W_{HS}=0.0535W_H^{1.2196}$	0.94
	$W_S=0.5072W_N-10150$	0.95	$W_{HS}=0.6252W_H-2590$	0.96

注:表中W_N、W_H分别代表年径流量和洪水量,W_S、W_{HS}分别代表年输沙量和洪水输沙量。

由表6-5可以看出,两站年径流泥沙关系和年洪水洪沙关系中线性关系普遍比幂函数关系密切。由于雨落坪站以上区域是泾河流域泥沙的主要来源区,因此其径流泥沙关系的指数大于杨家坪站,在相同径流下的产沙能力更强。雨落坪站径流泥沙线性关系的斜率明显比杨家坪站大,表明单位径流的输沙量更高,即含沙量更大。

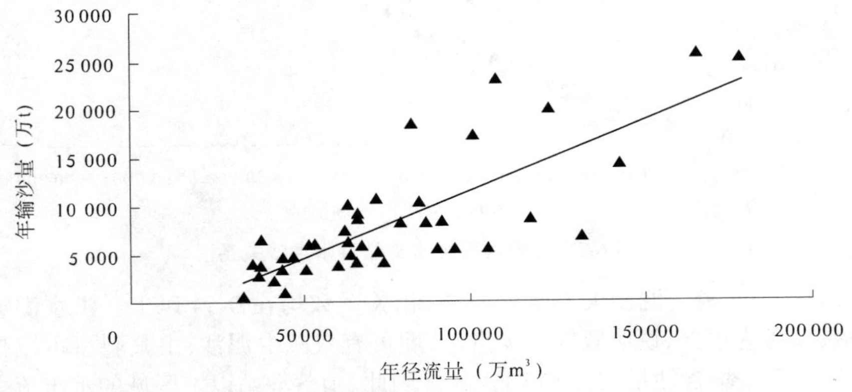

图6-4　泾河杨家坪水文站年径流泥沙关系

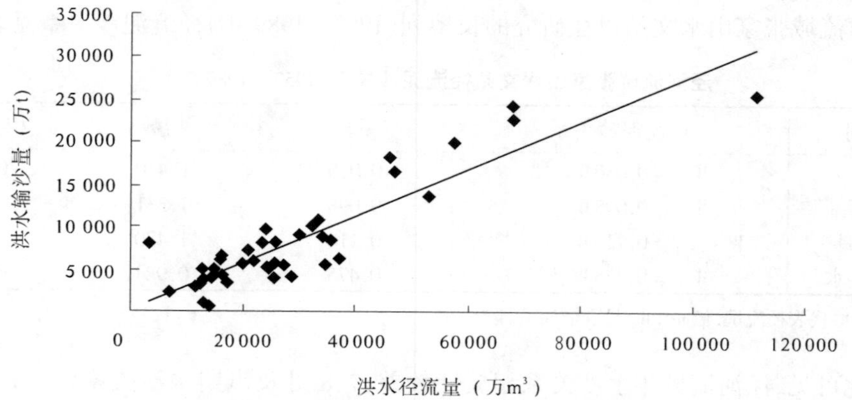

图 6-5　泾河杨家坪水文站洪水洪沙关系

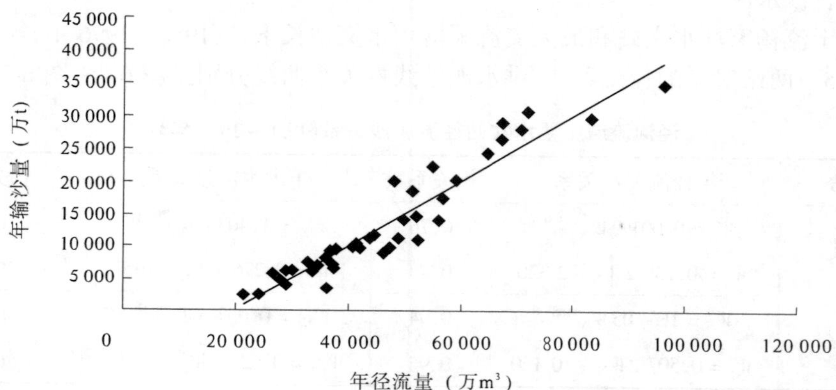

图 6-6　泾河雨落坪水文站年径流泥沙关系

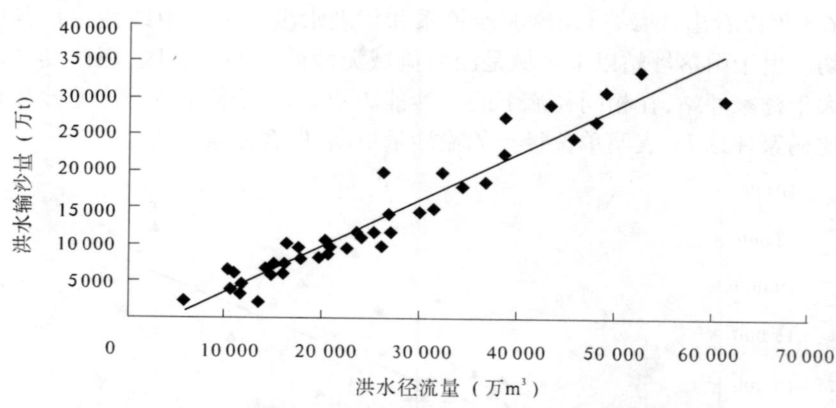

图 6-7　泾河雨落坪水文站洪水洪沙关系

此外,雨落坪站径流泥沙关系十分密切,相关系数均在 0.94 以上。洪水洪沙线性关系的相关系数高达 0.96,说明只要减少洪水,即可有效减少泥沙;由其斜率可以推断雨落坪站洪水期多年平均含沙量约为 625 kg/m³。因此,雨落坪站以上区域的水土流失综合治理对减少泾河流域入黄泥沙(尤其是粗泥沙)具有特别重要的意义。

三、暴雨特性

泾河流域是黄河中游地区暴雨多发区之一。六盘山东侧的泾河上中游地带是常见的暴雨中心地带。泾河流域的暴雨分纬向类和斜向类两种。纬向类暴雨多落于泾河下游，雨区呈东西向带状分布，面积较小。斜向类暴雨多落于泾河上游地区，雨区呈东南—西北向带状分布，面积较大。当大暴雨中心区落在泾渭河中上游时，华县可能出现峰高、量大的洪水。泾河流域自1985年以来的暴雨主要有：1988年7月23日甘肃西峰地区的"1988.7.23"特大暴雨、1994年8月泾河最大支流马莲河流域的"1994.8"暴雨、1996年7月流域中上游地区的"1996.7"暴雨和2003年8月马莲河流域的"2003.8"特大暴雨。

四、降雨径流与降雨产沙关系

泾河张家山水文站基准期(1970年以前)降雨径流泥沙关系呈幂函数相关，可用最大1日降雨量 P_1、最大30日降雨量 P_{30}、汛期降雨量 P_X 及年降雨量 P_N(单位均为mm)与年径流量 W_N(亿 m^3)、年输沙量 W_S(亿t)建立不同的关系式，见表6-6。泾河流域基准期不同降雨因子与年径流量关系分别见图6-8～图6-11。

表6-6　　泾河流域基准期降雨径流泥沙关系(1952～1969年)

降雨因子	降雨径流关系式	相关系数	降雨产沙关系式	相关系数
P_1	$W_N = 0.313\,4P_1^{1.029\,6}$	0.525	$W_S = 6.126 \times 10^{-4} P_1^{2.091\,2}$	0.636
P_{30}	$W_N = 0.007\,7\,P_{30}^{1.527\,6}$	0.655	$W_S = 2.4 \times 10^{-7} P_{30}^{3.162\,3}$	0.808
P_X	$W_N = 0.018\,5P_X^{1.177\,4}$	0.813	$W_S = 5.0 \times 10^{-5} P_X^{1.837\,4}$	0.756
P_N	$W_N = 0.001\,8P_N^{1.457}$	0.862	$W_S = 1.723\,8 \times 10^{-4}\,P_N^{1.507}$	0.532

由表6-6可知，随着降雨量的增大，泾河流域基准期降雨径流关系逐步密切，年降雨径流关系相关性最好。进一步的研究表明，最大1日降雨量和最大30日降雨量与场次洪水的关系更为密切；汛期降雨量与汛期径流量关系良好。因此，在泾河流域降雨径流关系研究中，选择与各类降雨因子对应的径流量进行研究，结果更符合实际。

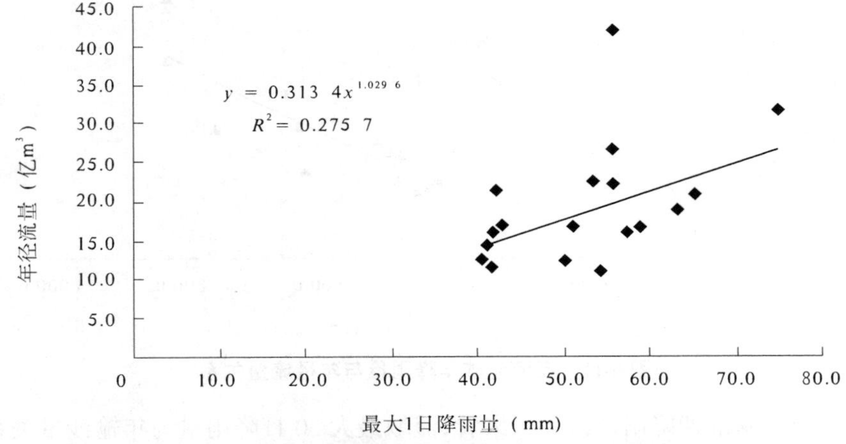

图6-8　泾河流域最大1日降雨量与年径流量关系

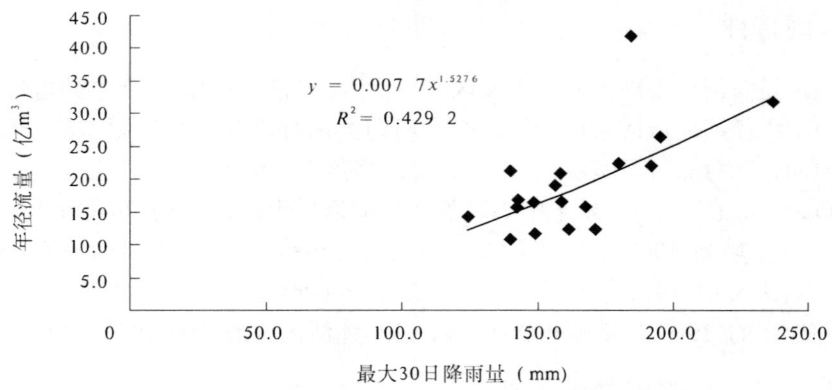

图 6-9　泾河流域最大 30 日降雨量与年径流量关系

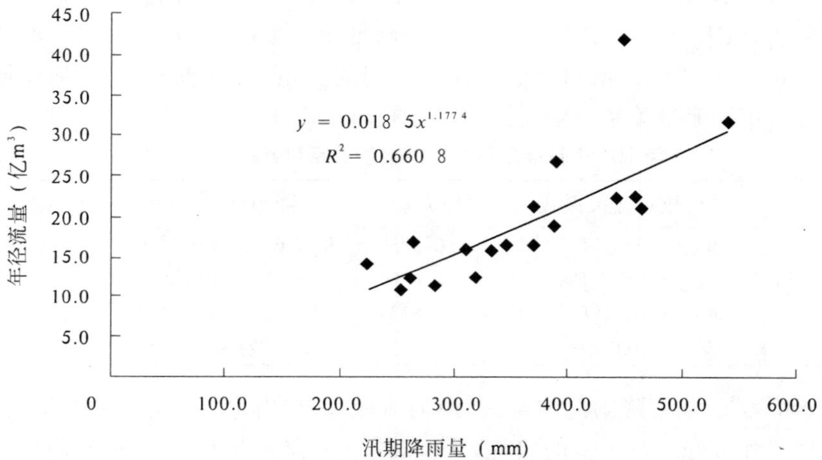

图 6-10　泾河流域汛期降雨量与年径流量关系

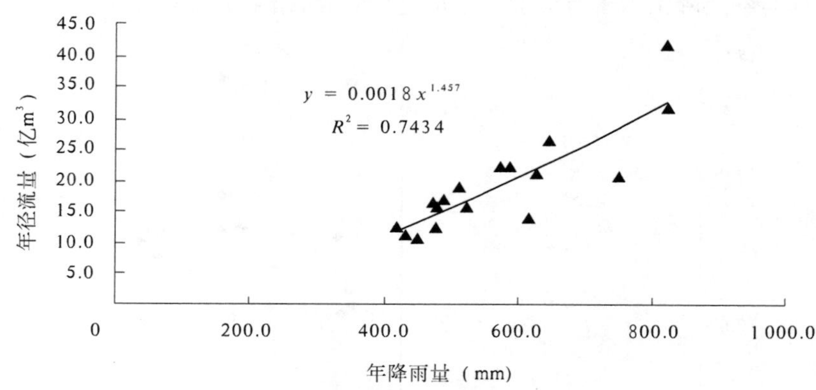

图 6-11　泾河流域年降雨量与年径流量关系

从泾河流域基准期降雨产沙关系来看，流域最大 30 日降雨量与年输沙量关系最为密切，其次是汛期降雨量和最大 1 日降雨量；年降雨量与年输沙量关系最差。泾河流域基准期不同降雨因子与年输沙量关系分别见图 6-12 ~ 图 6-15。

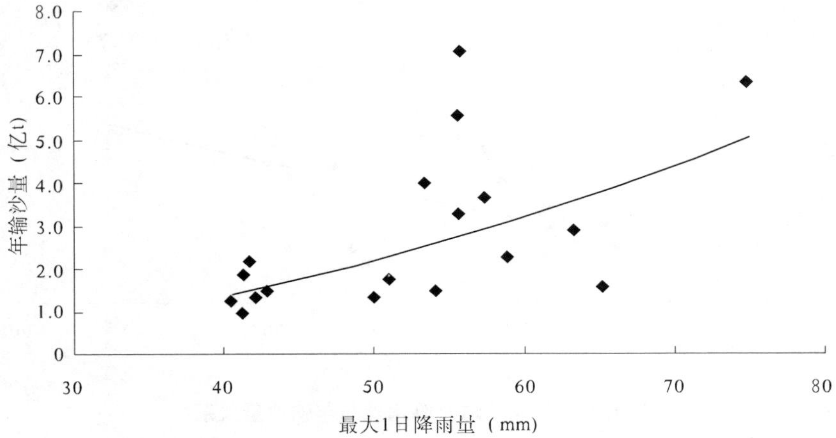

图 6-12 泾河流域最大 1 日降雨量与年输沙量关系

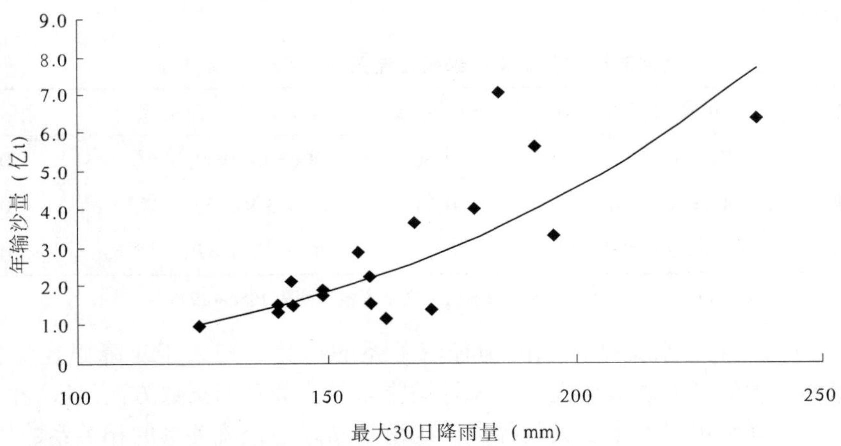

图 6-13 泾河流域最大 30 日降雨量与年输沙量关系

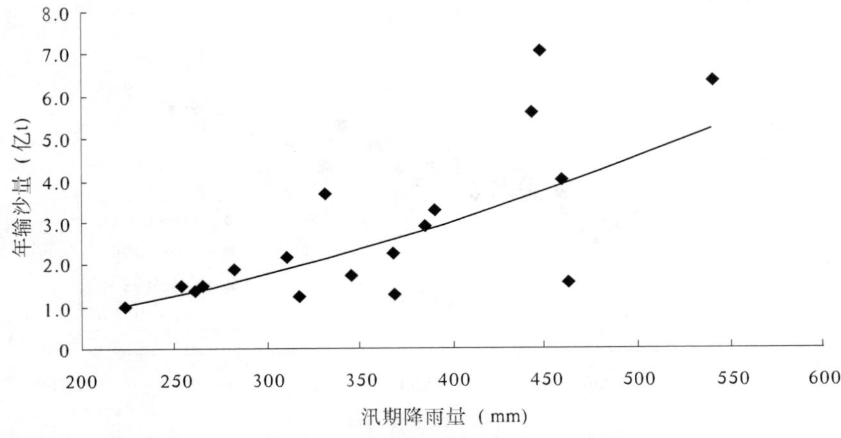

图 6-14 泾河流域汛期降雨量与年输沙量关系

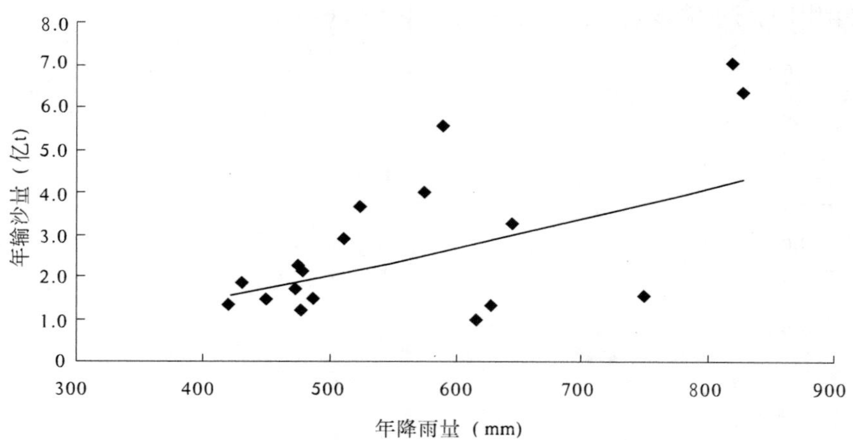

图 6-15 泾河流域年降雨量与年输沙量关系

(1)泾河流域主要水文站长系列降雨径流关系见表 6-7。其降雨径流关系曲线分别见图 6-16 ~ 图 6-21。

表 6-7　　泾河流域主要水文站降雨径流关系(1956 ~ 1996 年)

水文站	年降雨径流关系	相关系数	汛期降雨径流关系	相关系数
杨家坪	$W_N = 0.868\,4P_N^{1.801\,7}$	0.86	$W_X = 0.108P_X^{2.153\,9}$	0.88
雨落坪	$W_N = 32.856P_N^{1.173\,3}$	0.71	$W_X = 3.912\,3P_X^{1.506\,7}$	0.69
张家山	$W_N = 29.28P_N^{1.385\,6}$	0.85	$W_X = 13.436P_X^{1.503\,8}$	0.79

注: W_X 代表汛期径流量,P_X 代表汛期降雨量。张家山水文站资料系列为 1952 ~ 1996 年。

表 6-7 中三个主要水文站汛期降雨径流关系的指数普遍大于年降雨径流关系的指数,说明汛期降雨的产流能力更强。杨家坪站降雨径流关系的指数方次最大,相关系数最高,说明同样的降雨可以产生更大的径流。雨落坪站降雨径流关系的相关系数最低,相关性较差,说明降雨产流受多种因素的共同制约,不是单一的超渗产流;水土流失类型区比较多,下垫面条件比较复杂,水土保持影响较大。

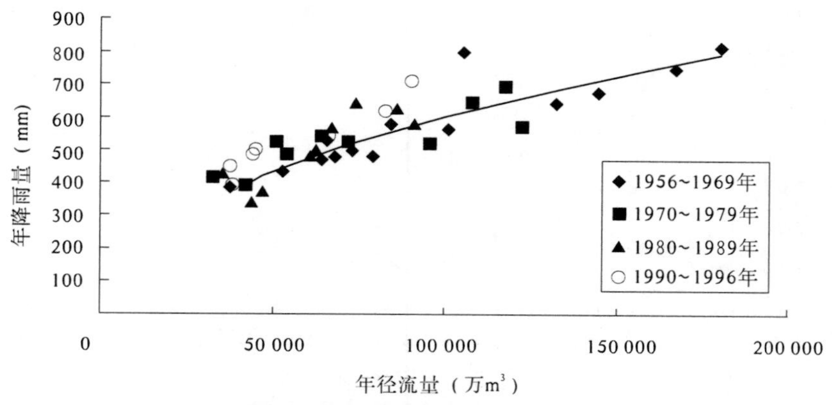

图 6-16 泾河杨家坪水文站年降雨径流关系

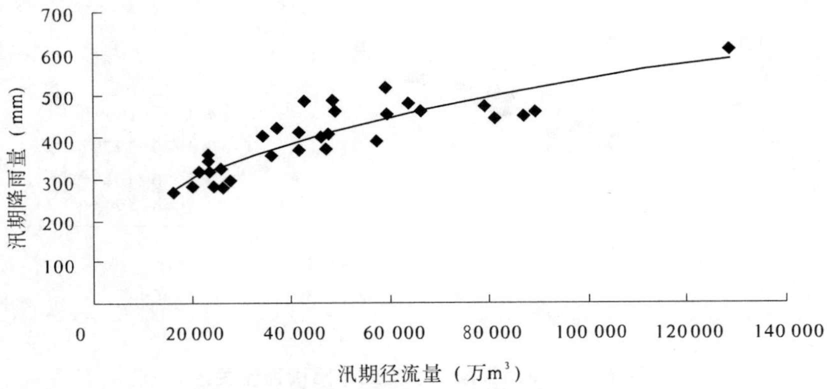

图 6-17　泾河杨家坪水文站汛期降雨径流关系

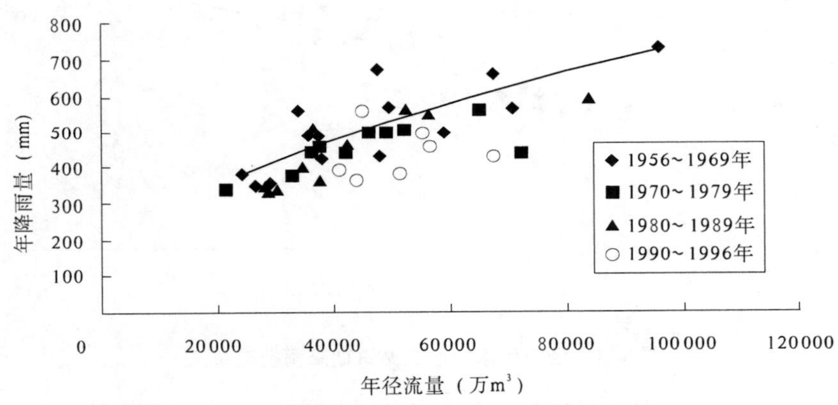

图 6-18　泾河雨落坪水文站年降雨径流关系

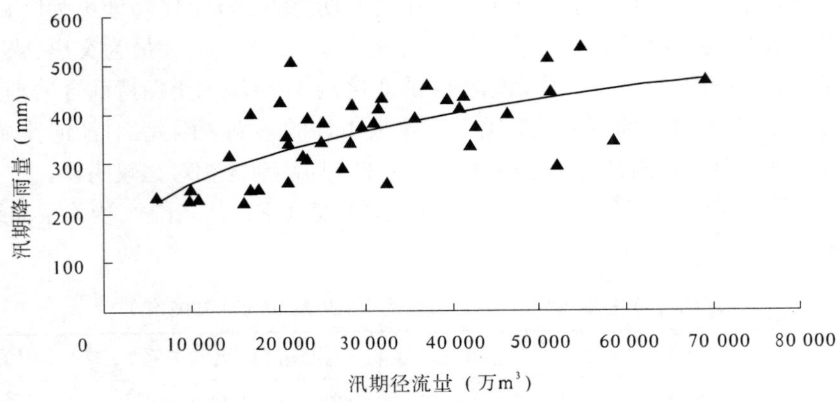

图 6-19　泾河雨落坪水文站汛期降雨径流关系

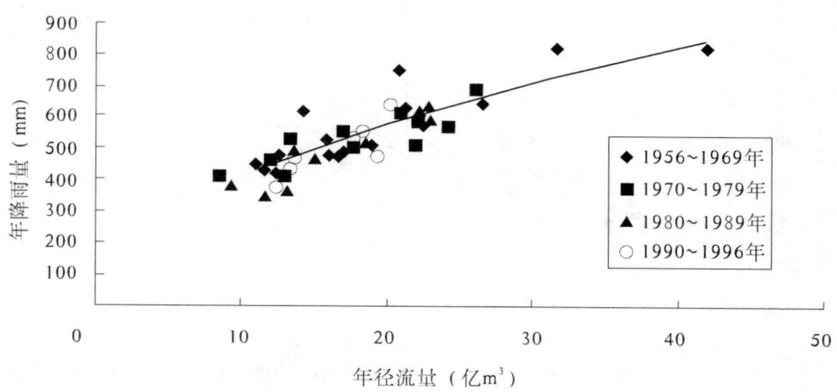

图 6-20　泾河张家山水文站年降雨径流关系

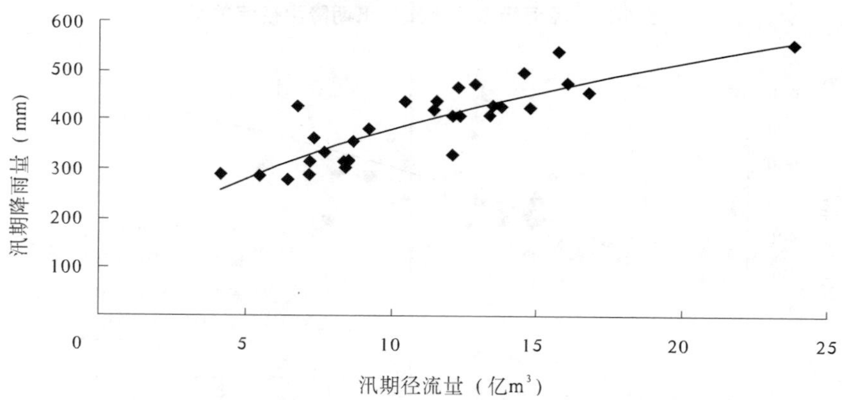

图 6-21　泾河张家山水文站汛期降雨径流关系

从三个主要水文站年降雨径流关系图 6-16、图 6-18 和图 6-20(各图中的幂函数曲线根据 1970 年以前的基准期点据绘制)中不同年代点据的分布可以看出,杨家坪站 20 世纪 70 年代以来的降雨产流能力与基准期的 1970 年以前相比有所降低,90 年代降低更为明显;雨落坪站 70 年代以来的降雨产流能力与基准期相比明显增大,90 年代增大最为突出;张家山站不同年代的点据混在一起,看不出有什么趋势性的变化,说明流域水土保持综合治理虽然对下垫面影响较大,但尚未对流域降雨径流关系产生根本性的影响。因此,对泾河流域而言,水土保持综合治理对流域降雨径流关系的影响在支流及局部地区相对比较明显。

(2)泾河流域主要水文站长系列降雨产沙关系见表 6-8。其降雨产沙关系曲线分别见图 6-22 ~ 图 6-27。

表 6-8　泾河流域主要水文站长系列降雨产沙关系(1956 ~ 1996 年)

水文站名	年降雨产沙关系	相关系数	汛期降雨洪沙关系	相关系数
杨家坪	$W_S = 0.012\ P_N^{2.104}$	0.57	$W_{HS} = 0.011\,2\ P_X^{2.217\,2}$	0.67
雨落坪	$W_S = 0.115\ P_N^{1.867\,3}$	0.56	$W_{HS} = 0.262\,4\ P_X^{1.809\,9}$	0.64
张家山	$W_S = 1.100\,8\ P_N^{1.579\,2}$	0.54	$W_{HS} = 1.48\ P_X^{1.6}$	0.52

注:张家山水文站资料系列为 1952 ~ 1996 年。

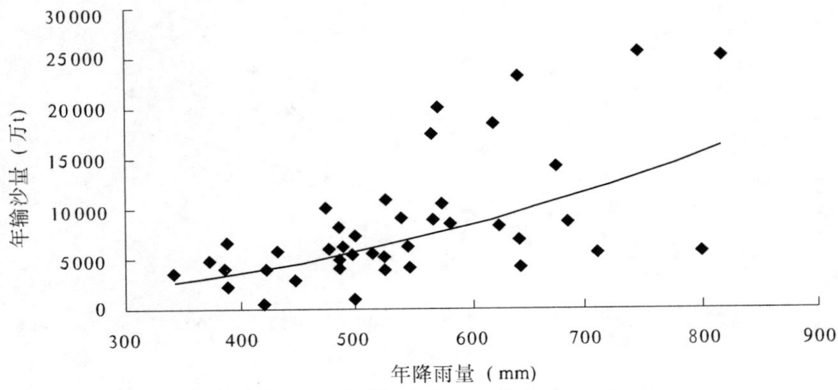

图 6-22　泾河杨家坪水文站年降雨产沙关系

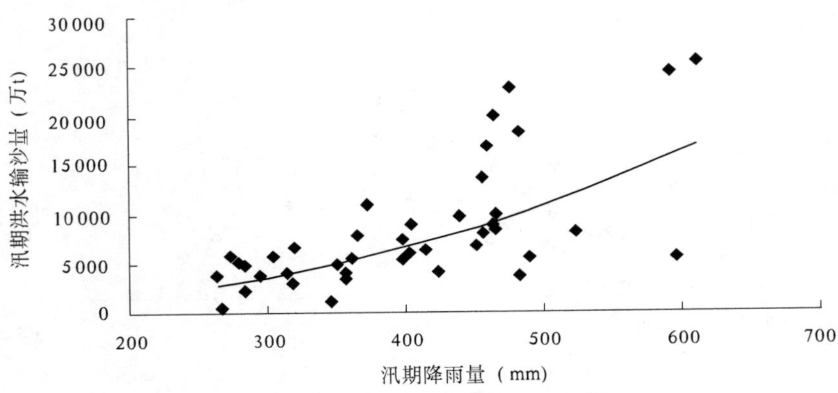

图 6-23　泾河杨家坪水文站汛期降雨产沙关系

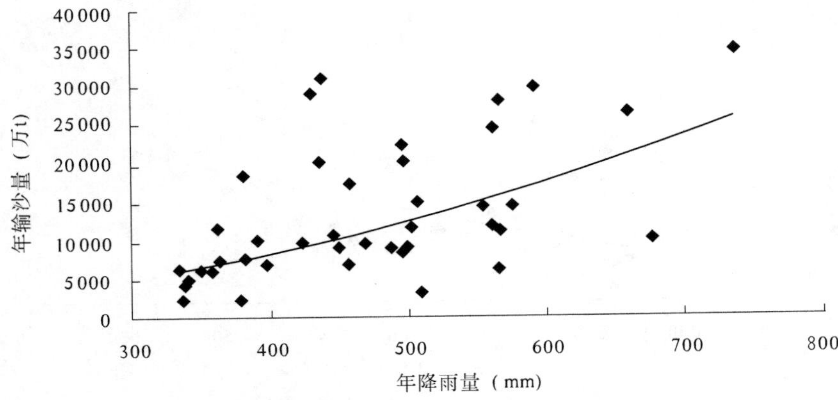

图 6-24　泾河雨落坪水文站年降雨产沙关系

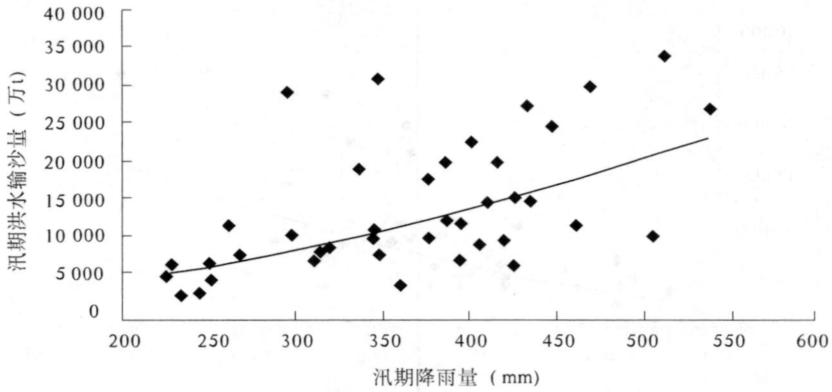

图 6-25　泾河雨落坪水文站汛期降雨产沙关系

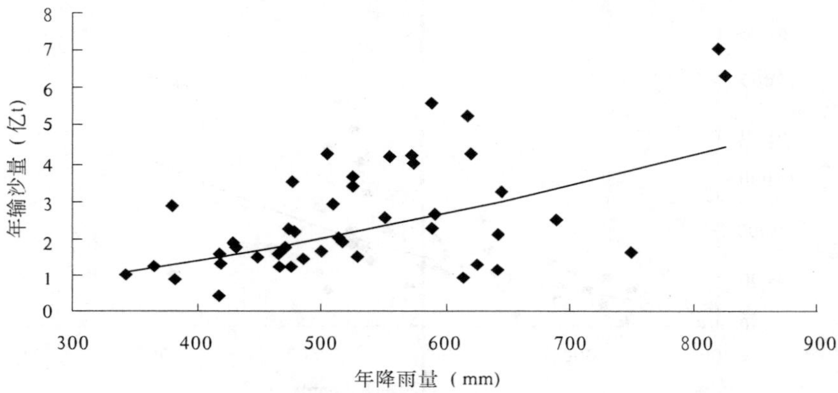

图 6-26　泾河张家山水文站年降雨产沙关系

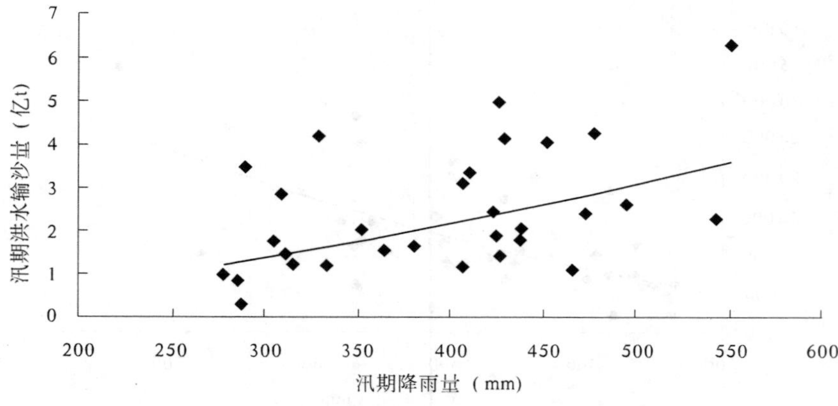

图 6-27　泾河张家山水文站汛期降雨产沙关系

显然，泾河流域三个主要水文站的降雨产沙关系都很差，汛期降雨产沙关系相对稍好，但相关系数仍不到0.7；流域控制面积越大，降雨产沙关系相关性越差。这主要是因为泾河流域面积大，水土流失类型区多，下垫面变化受水土保持综合治理影响较大所致。如果建立经验关系所选降雨因子的历时缩短，则降雨产沙关系将有明显改善。根据以往研究成果，泾河流域最大 30 日降雨量 P_{30}以及最大 30 日降雨量与最大 1 日降雨量之差（$P_{30}-P_1$）与年输沙量 W_S 关系比较密切；在马莲河支流环江流域（泾河流域主要产沙区和粗泥沙集中来源区），基准期最大 24 小时降雨量与年洪水输沙量的关系最为密切，相关系数高达 0.93。

此外，与降雨径流关系相比，泾河流域降雨产沙关系的方次普遍高于降雨径流关系的方次，说明相同降雨引起的侵蚀产沙变化比产流变化大。从杨家坪站、雨落坪站到张家山站，随着流域控制面积的依次增大，降雨产沙幂函数关系的方次依次降低，幂函数关系式的系数依次增大，相关系数依次减小，表现出一定的规律性。

五、各时期降雨、径流、泥沙的变化

泾河流域各年代降雨、径流、泥沙变化情况见表 6-9。从表 6-9 中可以看出，进入 90 年代后，虽然年降雨量、汛期（5～9 月）降雨量和年径流量与 80 年代相比均有所减少，但年输沙量、年洪水量及年洪沙量分别比 80 年代增大了 32.1%、22.2%和 32.9%，呈现出明显增大的趋势。与治理前的 1952～1969 年相比，泾河流域 90 年代（1990～1996 年）年降雨量及汛期降雨量分别减小了 12.0%和 9.6%，年径流量减小了 15.3%，年洪水量却增大了 2.0%，年输沙量及洪水输沙量分别减小了 2.0%和 0.3%，减小的幅度很小，尤其是洪水输沙量，几乎与治理前持平。因此，泾河流域 90 年代洪水及洪沙来量明显增大。单位毫米汛期降雨产洪产沙量的变化也说明了这一点。泾河流域 90 年代单位毫米汛期降雨产洪量是各年代中最大的，单位毫米汛期降雨产沙量在五个年代中也位居第一，比 80 年代分别增大了 43.0%和 65.6%，这是一个值得注意的问题。它说明，泾河流域在大力开展水利水土保持综合治理及工程建设后，虽然来水来沙量比治理前均有不同程度的减少，但水保措施抗御大洪水的能力有限，且与降水尤其是汛期降水集中程度密切相关。90 年代径流、泥沙量比 80 年代显著增大就说明了这个问题。据统计，90 年代泾河流域最大 1 日、最大 30 日及 7～8 月降雨量比 80 年代分别增大了 8.9%、2.6%和 5.9%。泾河流域1952～1996 年降雨、径流、泥沙变化过程线分别见图 6-28～图 6-30。

表 6-9　泾河流域各年代降雨、径流、泥沙变化情况

统计时段	降雨量（mm）		径流量（万 m³）		输沙量（万 t）		W_N/P_N	W_H/P_X	W_S/P_N	W_{HS}/P_X
（年）	P_N	P_X	W_N	W_H	W_S	W_{HS}	（万 m³/mm）		（万 t/mm）	
1952～1959	500.3	399.4	165 650	75 040	28 730	27 690	331.1	187.9	57.4	69.3
1960～1969	617.4	395.9	216 770	93 750	27 490	26 480	351.1	236.8	44.5	66.9
1970～1979	528.8	392.2	174 370	78 810	25 960	24 700	329.7	200.9	49.1	63.0
1980～1989	502.3	399.6	171 210	67 770	18 650	18 090	340.8	169.6	37.1	45.3
1990～1996	497.7	359.4	164 330	87 160	27 480	26 945	330.2	242.5	55.2	75.0
1952～1969	565.3	397.5	194 050	85 430	28 040	27 020	343.3	214.9	49.6	68.0
1970～1996	510.9	386.4	170 590	76 890	23 640	22 830	333.9	199.0	46.3	59.1
1952～1996	532.7	390.9	179 980	80 305	25 400	24 510	337.9	205.4	47.7	62.7

注：表中 P_N、P_X 分别代表年降雨量和汛期降雨量，W_N、W_H 分别代表年径流量和洪水量，W_S、W_{HS}分别代表年输沙量和洪水输沙量。

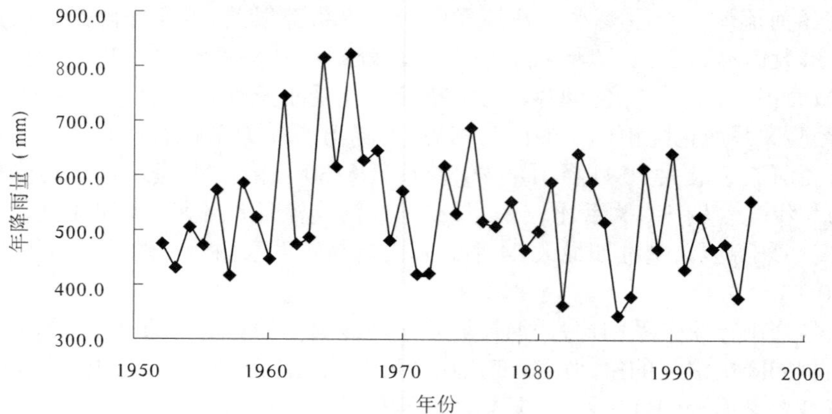

图 6-28　泾河流域 1952～1996 年降雨量变化过程线

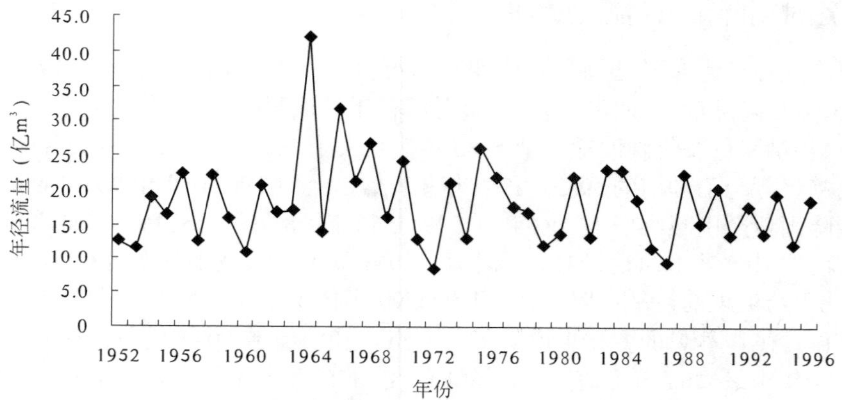

图 6-29　泾河流域 1952～1996 年径流量变化过程线

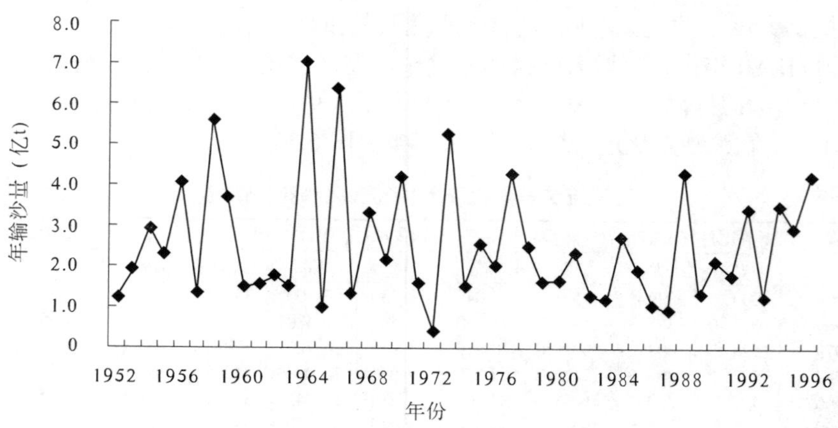

图 6-30　泾河流域 1952～1996 年输沙量变化过程线

此外，从泾河流域各控制站的来沙情况看，90 年代输沙量明显回升，具体变化如下：

(1)环江庆阳水文站 1990～1996 年年均输沙量 11 590 万 t，是 50 年代至 90 年代的最大均值，比环江流域多年平均(1954～1996年)输沙量8 700万t偏大33.2%。在环江庆阳站自1954年至1996年的43年中，实测年输沙量大于1.0亿t的年份共有14年，其中50年代占3年，60年代占3年(1964年为建站以来的最大值，年输沙量高达2.69亿t)，70年代占2年，80年代占2年，90年代占4年(即1992年的1.06亿t;1994年的2.06亿t，仅次于1964年，排第2位;1995年的1.08亿t;1996年的1.64亿t)，在各年代中出现次数最多。环江是泾河流域泥沙尤其是粗泥沙的主要来源地，90年代连续出现丰沙年，令人担忧。

(2)马莲河雨落坪水文站1990～1996年年均输沙量17 325万t，也是自50年代以来的最大值，比雨落坪站实测多年平均(1956～1996年)输沙量13 430万t高出29个百分点。在雨落坪站1956～1996年的41年中，实测年输沙量大于2.0亿t的年份共有10年，其中50年代、60年代、70年代、80年代分别占3年、2年、2年、1年;90年代占2年(即1994年的2.92亿t，排雨落坪站实测年输沙量的第4位;1996年的2.24亿t，排第8位)。输沙量也呈现出明显增大的趋势。

(3)干流杨家坪水文站，90年代除1996年实测年输沙量为1.85亿t(排杨家坪站实测年输沙量的第5位)外，其余各年份输沙量较小，但90年代平均值仍比80年代偏大19.5%。

(4)泾河流域把口站张家山水文站，自1952年至1996年，共有15年的年输沙量超过2.9亿t，其中90年代出现4年(即1992年的3.42亿t，1994年的3.52亿t，1995年的2.905亿t;1996年的4.19亿t，排张家山站实测年输沙量的第7位)，占总出现次数的26.7%。90年代年均输沙量2.75亿t，是多年平均输沙量2.54亿t的1.08倍。支流增沙，把口站必然增沙，张家山水文站实测年输沙量的变化趋势与其他控制站一致。泾河流域是否由此已进入丰沙年系列，有待补充资料进一步研究。但输沙量回升的趋势十分明显，这对减缓渭河下游河道淤积和降低潼关高程十分不利。

六、径流、泥沙特性

泾河流域地处多沙粗沙区，尤其是马莲河支流环江洪德以上(控制面积4 640 km^2)还是黄河中游粗泥沙(粒径 $d \geqslant 0.05$mm)的重要来源区之一。泾河流域以大气降水作为唯一的补给源，因此径流总量的多寡及其他的变率大小等都取决于大气降水量、降水程度和变化特性。一年中降水主要集中在6月下旬至9月中旬，7～9月的降水量占到全年总降水量的50%左右，因而年径流量的40%集中在这三个月，最大月水量可占到年水量的24%～46%;7～8月降雨量可占年降雨量的38%，径流量可占年径流量的35%，大洪水出现在7～8月;这三个月也是产沙量的集中时间，90%的沙量集中在这个时间。决定年径流、输沙量大小的是汛期几场大洪水。流域暴雨集中，洪峰最高，产流量集中，一次产流量大;产沙量特别集中，含沙量也特别高，最大超过800 kg/m^3。总的特点是:雨大水大沙多，雨小水少沙少。高强度暴雨形成高含沙水流，高含沙水流既有极强的输沙能力，又有很强的侵蚀能力[6]。以支流环江庆阳以上流域为例。1966年7月24日一次暴雨，流域平均次降雨量150.8 mm，占年降雨量的26.7%，而产洪量为1.41亿m^3，占年径流量的46.1%，产沙量1.11亿t，占年输沙量的70.3%;1977年7月5日和8月5日两次暴雨，流域平均次降雨量之和129.7 mm，占年降雨量的25.6%，而输沙量之和高达1.807亿t，占年输沙量的

88.4%,产洪量之和2.51亿m^3,占年径流量的65.5%。年内其余377.0 mm降雨,输沙量仅为2 380万t。

产沙和输沙在短时段内高度集中是泾河流域输沙量年内分配的一个重要特征。环江上游洪德水文站,1984年8月2日一天输沙量高达4 930万t,占该站当年输沙量的75.4%;马莲河支流合水川板桥水文站,1978年8月全月输沙量达13.3万t,占该站当年输沙量的99.3%;三水河刘家河水文站,1979年7月31日一天输沙量达424万t,占该站当年输沙量的88.1%。

泾河流域马莲河河源区(环江洪德以上)是黄河粗泥沙($d \geq 0.05$ mm)的重要来源区之一,汛期经常出现高含沙水流。流域多年平均(1959~1995年)输沙量4 140万t,输沙模数8 920 t/(km^2·a);按1966~1995年的粗沙占比24.8%计算,多年平均粗沙量为1 030万t,粗沙模数2 220 t/(km^2·a);多年平均中值粒径0.031 mm,平均粒径0.041 mm[7]。多年平均含沙量约为600 kg/m^3,年实测最大含沙量为1 180 kg/m^3(1973年8月12日)。1994年洪德水文站实测年输沙量高达1.56亿t,其中粗沙量达3 870万t。因此,环江流域综合治理的任务十分艰巨。

此外,从输沙率与流量关系分析,根据作者以往的研究[8],洪德水文站多年平均(1959~1989年)输沙率Q_S(kg/s)与多年平均流量Q(m^3/s)有如下的非线性幂函数关系:

$$Q_s = 386Q^{1.46} \quad (\text{相关系数 } r = 0.99)$$

因此,流量的较小变化,可以引起输沙率的较大变化。从场次洪水的输沙率与流量关系分析看,洪德站次洪水的$Q_S \sim Q$关系式$Q_S = KQ^n$中$n = 1.005$,反映出高含沙河流的鲜明输沙特征。

值得注意的是,70年代以来,泾河张家山以上1 000~3 000 m^3/s的洪峰及大于3 000 m^3/s的洪峰出现次数均有减少:70年代1 000~3 000 m^3/s的洪水出现次数为19次,80年代为10次,90年代仅有2次;70年代大于3 000 m^3/s的洪水出现2次,80年代一次也没有,90年代仅有1次,见表6-10。大洪水出现次数减少,高含沙小洪水频繁出现,对渭河下游减淤十分不利。

表6-10　　泾河张家山水文站不同流量级洪峰出现次数统计

时段(年)	不同洪峰流量(m^3/s)出现的次数							
	>1 000	1 000~1 999	2 000~2 999	3 000~3 999	4 000~4 999	5 000~5 999	6 000~6 999	7 000~7 999
1952~1959	9	4	1	1		3		
1960~1969	18	13	3		1			1
1970~1979	21	16	3			1	1	
1980~1989	10	9	1					
1990~1996	3	2		1				
1952~1969	27	17	4	1	1	3		1
1970~1996	34	27	4	1		1	1	
1952~1996	61	44	8	2	1	4	1	1

泾河流域各支流全年最大洪峰流量一般出现在6~8月。根据实测水文资料统计,历

年最大洪峰流量环江上游洪德水文站为 1 610 m^3/s；马莲河庆阳水文站为 5 230 m^3/s（1964 年）；马莲河支流柔远河（东川）贾桥水文站为 4 000 m^3/s；泾河泾川水文站为 3 740 m^3/s（1996 年 7 月）；泾河杨家坪水文站为 5 470 m^3/s（1996 年 7 月）；蒲河巴家嘴水文站为 5 650 m^3/s；三水河刘家河水文站为 1 310 m^3/s。1933 年 8 月 8 日泾河张家山水文站曾出现 9 200 m^3/s的全流域最大洪峰流量；1966 年 7 月 27 日泾河中游景村水文站出现 8 150 m^3/s 的全流域次大洪峰流量。

第三节　实施水土保持综合治理的水沙响应综述

一、来沙系数与输沙模数变化分析

来沙系数是含沙量 S 与流量 Q 的比值。泾河流域来沙系数 Φ 的变化情况见表 6-11。从中看出，90 年代来沙系数比 80 年代增大了 42.7%，比 1952～1969 年平均值增大了 4.6%，来沙系数明显增大。来沙系数越大，流域水沙关系越不协调。90 年代泾河流域频繁出现的高含沙小洪水是导致流域水沙关系不协调的主要原因。

表 6-11　泾河流域来沙系数及输沙模数变化情况

时段（年）	$Q(m^3/s)$	$S(kg/m^3)$	$\Phi(kg\cdot s/m^6)$	W_S（万 t）	$M_S[t/(km^2\cdot a)]$
1952～1959	48.6	186.0	3.827	28 730	6 650
1960～1969	55.5	136.0	2.450	27 490	6 360
1970～1979	55.3	197.0	3.562	25 960	6 010
1980～1989	53.3	98.0	1.839	18 650	4 320
1990～1996	48.0	154.0	3.208	27 480	6 360
1952～1969	52.4	158.2	3.062	28 040	6 490
1970～1996	52.7	149.2	2.832	23 640	5 470
1952～1996	52.6	152.8	2.924	25 400	5 880

泾河流域不同年代来沙系数变化过程线见图 6-31。Φ 值依时序呈现出下降→上升→下降→上升的交替变化趋势，具有一定的规律性。据此推测，90 年代后期泾河流域来沙系数仍将增大，流域水沙关系将继续朝着更加不协调的方向发展。

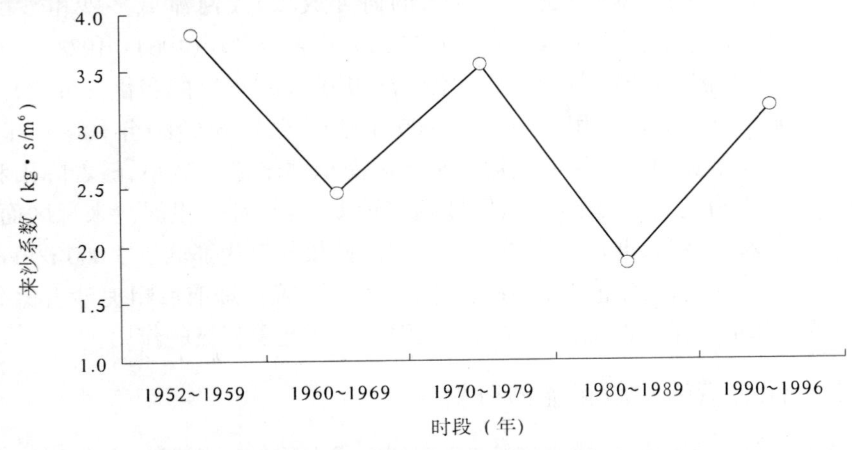

图 6-31　泾河流域不同年代来沙系数变化过程线

泾河流域的径流、泥沙主要受降雨及下垫面的影响。自70年代以来,流域开始了大规模的水土保持治理工作,水土流失严重地区的治理成效显著。同时,流域人类活动也改变了下垫面,改变了流域侵蚀过程,减缓了侵蚀强度,起到了拦截径流、泥沙的作用。水土保持综合治理在减少侵蚀、改善生态环境、提高农业生产及水资源利用率,削减洪峰、缓滞洪水、减少入黄泥沙、发展流域老少边贫地区经济等方面发挥了重要作用。从泾河流域各年代输沙模数(见表6-11)变化情况看,自70年代至90年代,输沙模数比1969年以前均有减少,80年代减少达33.4%;90年代明显回升,仅比1969年以前减少2.0%,比80年代增大了47.2%,这与前面的分析相一致。从长时段平均输沙模数变化情况看,1970~1996年年均输沙模数比基准期(1952~1969年)的输沙模数减少了15.7%。泾河流域各年代输沙模数变化过程线见图6-32。

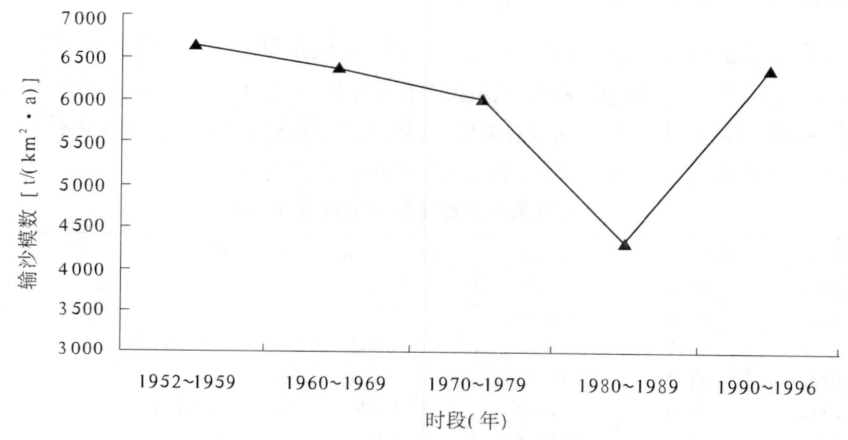

图6-32 泾河流域各年代输沙模数变化过程线

从泾河流域全沙模数的年值变化情况看,1954~1969年峰值最大为23 400 t/(km^2·a),70年代降低到12 000 t/(km^2·a)左右,80年代最小,为8 120 t/(km^2·a),90年代又增大到13 780 t/(km^2·a),且出现在环江洪德以上地区。

此外,根据黄委会水文局徐建华[7]等人的研究成果,泾河流域多沙粗沙区面积为12 392 km^2,占泾河流域总面积45 421 km^{2}的27.3%。多年平均(1964~1988年)产粗沙量为3 900万t。据对泾河及北洛河上游粗泥沙($d \geqslant 0.05$ mm)模数的变化分析,70年代泾河及北洛河上游粗泥沙来源区面积比1954~1969年减小了33.6%,80年代减小了40.5%,1990~1995年增大了23.1%。说明粗泥沙来源区面积并未稳定减小,随着降雨和下垫面的变化而变化。降雨尤其是暴雨越大,区域越靠近多沙粗沙区,粗泥沙来源区面积越大。从粗泥沙模数值看,泾河及北洛河上游地区粗泥沙模数各年代都低于3 000 t/(km^2·a),70年代以前和70年代以后的年值变化不大。但从环江流域治理前后粗泥沙占比分析[8]可以认为,流域水利水土保持措施在减少黄河粗泥沙方面起着积极的作用。

二、水土保持措施拦减粗泥沙分析

泾河流域实施水利水土保持措施综合治理后,干支流控制粗泥沙来源的三个主要水文站(杨家坪、庆阳、雨落坪)的粗泥沙变化情况见表6-12;不同年代粗泥沙占比及粗泥沙来量变化过程线和柱状图分别见图6-33、图6-34。由此可见,自1970年以来,泾河支流环江庆阳水文站和马莲河雨落坪水文站粗泥沙占比均呈上升趋势,泾河干流杨家坪水文站粗泥沙占比呈波动上升趋势;三个主要水文站粗泥沙来量均呈波动上升趋势。尤其是进入90年代后,粗泥沙占比和粗泥沙来量明显增大。90年代杨家坪、庆阳、雨落坪水文站粗泥沙占比分别比80年代增大了3.8%、19.2%和4.4%;粗泥沙来量分别比80年代增大了31.1%、108.6%和82.9%。这固然与90年代泾河流域暴雨较多、年输沙量明显增大有关,但也说明水土保持措施在大暴雨下拦减粗泥沙能力有限。如何发挥水土保持措施的最大配置效应,水土保持坡面措施与沟道坝库工程如何配置才能最大限度地减少入黄粗泥沙,仍是一个值得深入研究的重大问题。

表6-12　　泾河流域粗泥沙变化情况

时段(年)	粗泥沙($d \geqslant 0.05$mm)占比(%)			粗泥沙来量(万t)		
	杨家坪	庆阳	雨落坪	杨家坪	庆阳	雨落坪
1960~1969	12.2	19.4	17.3	1 170	1 660	2 210
1970~1979	10.7	18.0	16.2	932	1 340	2 070
1980~1989	10.5	19.3	18.3	576	1 280	1 810
1990~1996	10.9	23.0	19.1	755	2 670	3 310
1970~1996	10.7	19.8	17.7	754	1 660	2 295

注:表中部分数据来自参考文献[1]。

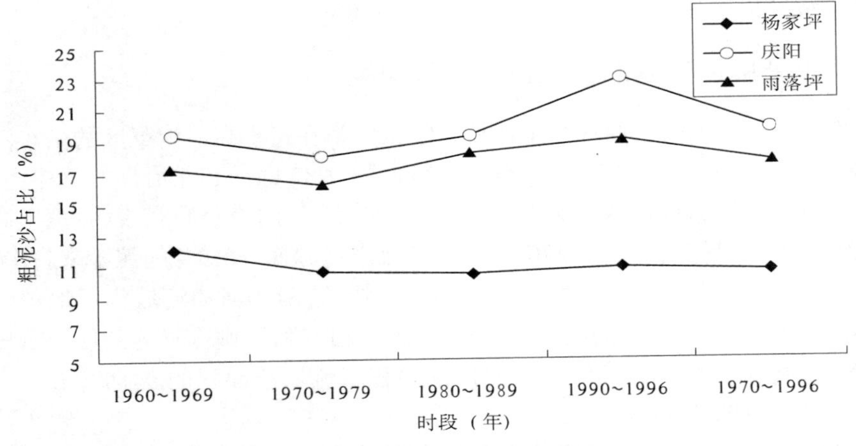

图6-33　泾河流域不同年代粗泥沙占比变化过程线

三、小流域径流泥沙来源分析[9]

小流域是泾河流域水土流失的基本单元。现以地处泾河流域黄土高塬沟壑区的甘肃省西峰市南小河沟流域观测资料为例,分析不同地形部位的径流泥沙来源。南小河沟典型小流域面积30.62 km^2(测站以上),沟间地占75.3%,沟谷地占24.7%。根据黄委会西

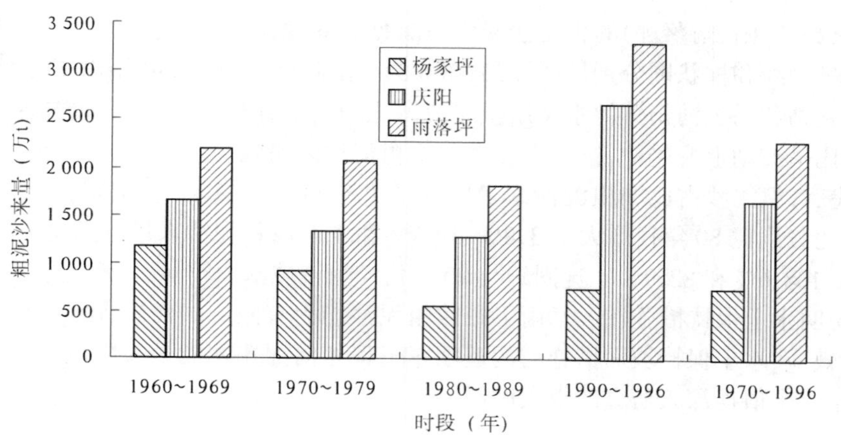

图 6-34　泾河流域不同年代粗泥沙来量变化柱状图

峰水土保持科学试验站 1954～1960 年的实测资料分析，来自沟间地的径流占流域总径流量的 48.8%，泥沙占流域总输沙量的 6.8%；来自沟谷地的径流量占流域总径流量的 51.2%，泥沙占流域总输沙量的 93.2%。沟谷地和沟间地的径流量接近，但沟谷地的输沙量却远大于沟间地，其侵蚀模数也远大于沟间地。这主要是由于沟间地的径流进入沟谷使沟谷地的侵蚀加剧所造成的。坡地上径流的冲刷能力，是与流量的高次方成正比的，流量愈大，冲刷能力愈强。根据黄委会西峰水土保持科学试验站的观测资料，塬面上水流的平均含沙量为 34.5 kg/m^3，坡面上为 74.8 kg/m^3，而沟谷高达 600 kg/m^3。从塬、坡到沟，水流的含沙量成数倍增加。

四、黄土高塬沟壑区的径流泥沙来源研究

自 1954 年开始，黄委会西峰水土保持科学试验站在黄土高塬沟壑区的南小河沟流域（流域面积 36.3 km^2），选定治理的杨家沟（流域面积 0.87 km^2）和非治理的董庄沟（流域面积 1.15 km^2）作为对比，进行水土流失规律研究。近 50 年的潜心研究表明：黄土高塬沟壑区（其地貌类型分为塬、坡、沟三种）67.4%的径流来自塬面，86.3%的泥沙来自沟谷；塬水下沟和沟谷重力侵蚀是这一地区水土流失的主要特征；南小河沟流域沟谷地单位面积侵蚀量是沟间地的 9.4 倍，如果沟间地的径流和泥沙就地拦蓄，则沟谷地的侵蚀量比沟间地仅大 1.26～1.49 倍。南小河沟流域重力侵蚀面积占流域总面积的 9.1%，重力侵蚀产沙量占流域总产沙量的 57.5%。

对南小河沟流域淤地坝减轻沟蚀作用进行的观测研究结果表明：由于局部沟段坝地的固沟作用，使小流域的沟蚀量减轻了 16.2%。研究发现，水土保持坡面治理措施实施后也有明显减轻沟蚀的作用。经对南小河沟流域内的杨家沟、董庄沟两条支沟对比观测，塬面水不下沟比水下沟减轻沟蚀 30%～70%。

五、泾河“1996.7”特大洪水和马莲河“2003.8”特大洪水简述

1996 年 7 月 25 日至 29 日，泾河流域普降中到大雨，局部地区暴雨。地处泾河流域的甘肃省宁县、泾川、平凉、镇原、环县连续降特大暴雨 12 小时。泾河杨家坪水文站以上流

域普降暴雨或大暴雨，雨量在 50 mm 以上，笼罩面积达 12 590 km^2，占杨家坪站以上流域面积的 89.1%，这样大范围的暴雨在该地区是罕见的。由于"1996.7"暴雨基本覆盖了杨家坪站以上流域，使泾河干支流均产生了大洪水。泾河左岸支流马莲河、蒲河、茹河、洪河等相继涨水，泾河泾川站 7 月 27 日 8 时洪峰流量 3 740 m^3/s，杨家坪站 27 日 10 时 36 分洪峰流量达5 470 m^3/s，均为有水文记载以来的最大流量[10]；27 日 11 时杨家坪站洪峰流量 5 060 m^3/s，相应水位比正常水位高出 5.13 m，7 月 28 日 7 时雨落坪站洪峰流量2 700 m^3/s，组成张家山站 7 月 28 日 17 时洪峰流量 3 900 m^3/s，最大含沙量 624 kg/m^3[11]。

2003 年 8 月 23 日至 26 日，泾河最大支流马莲河和蒲河流域普降大到暴雨，部分地区降特大暴雨。8 月 25 日马莲河贾桥、庆阳站日雨量分别为 196 mm 和 182 mm，均为历史最大日降雨量。马莲河庆阳水文站 8 月 26 日 1 时 06 分出现自 1964 年以来的最大洪水，洪峰流量 4 010 m^3/s，马莲河支流柔远河(东川)贾桥水文站 8 月 26 日 0 时出现 800 m^3/s 的洪水，这两股洪水汇合后，使马莲河板桥水文站 8 月 26 日 8 时 42 分出现 1977 年以来的最大洪水，洪峰流量 4 280 m^3/s。蒲河毛家河水文站 8 月 26 日 16 时 30 分出现 921 m^3/s 的大洪水。马莲河、蒲河的洪水汇入泾河后，致使泾河景村水文站 8 月 26 日 14 时 48 分出现 5 220 m^3/s 的特大洪水；泾河张家山水文站 8 月 26 日 22 时 42 分洪峰流量 4 010 m^3/s。

泾河流域"1996.7"特大洪水和马莲河流域"2003.8"特大洪水，给人民生命财产造成重大损失。1996 年泾河流域汛期来沙量剧增，年输沙量高达 4.17 亿 t，是 1980 ~ 2002 年的 23 年间第二大输沙年，仅次于 1988 年的 4.30 亿 t，比多年平均值 2.54 亿 t 偏大 64%。2003 年因发生马莲河流域"2003.8"特大洪水，泾河流域汛期来沙量再次剧增，说明水土保持综合治理措施在特大暴雨作用下的减沙作用还不稳定。进行特大暴雨作用下水土保持措施减洪减沙能力研究，将是今后泾河流域水沙变化研究的重要课题。

六、水资源利用前景

泾河流域水资源开发利用历史悠久。其中对年径流影响最大的是农业灌溉用水，其次是工业、城镇生活和农村人畜用水。根据 1989 年的资料统计[9]，泾河流域共有大、中、小型水库 126 座，总库容 7.775 亿 m^3，控制面积 8 503 km^2。其中大型水库 1 座，即巴家嘴水库，库容 4.956 亿 m^3，控制面积 3 522 km^2；中型水库 3 座，小(一)型水库 57 座，小(二)型水库 65 座。万亩以上灌区 26 处，灌溉面积 3.17 万 hm^2；小型灌区面积 6.67 万 hm^2，1970 ~ 1989年年均灌溉用水量 5.67 亿 m^3。又据 1990 年资料统计[12]，泾河流域工业用水量 1.18 亿 m^3，城镇生活用水 0.15 亿 m^3，农村人畜用水 0.82 亿 m^3，以上合计 7.82 亿 m^3，占 1990 年泾河张家山以上实测年径流量 20.113 亿 m^3 的 38.9%，接近 40%，说明泾河流域水资源的开发利用已达到一定水平。水资源的开发利用，缓解了流域大部分地区的缺水矛盾，对流域国民经济的发展、长庆油田的开发和马莲河流域世界银行贷款项目的实施，都起到了很大的促进作用。但从长远看，泾河流域水资源的开发利用仍有许多困难，尤其是马莲河、蒲河、洪河等含沙量较大的支流。根据黄委会勘测规划设计研究院的规划和预测[12]，2000 年、2010 年和 2020 年三个水平年，泾河流域共需用河川径流量分别为 15.22 亿 m^3、20.32 亿 m^3 和 22.63 亿 m^3。其中农业灌溉有效面积将在 1990 年现状 16.53 万 hm^2 的基础上，分别在三个水平年达到 18.1 万 hm^2、24.17 万 hm^2 和 29.51 万 hm^2；2010

年水平年宁夏、甘肃、陕西三省(区)多年平均实际耗水量分别为0.46亿m^3、3.64亿m^3和8.9亿m^3,缺水量分别为0.15亿m^3、0.79亿m^3和1.05亿m^3。因此,泾河流域应尽快建成干流东庄水库,并实行全面节水,尽可能增建调蓄工程,发展雨养农业,尤其是实行节水灌溉,以缓解日益严重的缺水矛盾。

第四节 水土保持措施典型调查及面积核实

一、水土保持治理工作的回顾及治理典型

泾河流域的水土保持治理工作始于50年代。1951年10月,在新中国成立刚刚两年之际,黄委会就在流域内设立了我国最早的水土保持科研机构之一——黄委会西峰水土保持科学试验站,开始承担起指导黄土高塬沟壑区水土保持科研、示范和推广的重任。新中国成立以来,泾河流域水土保持治理工作不断深入,水土保持经历了由单一措施发展为工程、生物和耕作措施相结合的综合治理;由分散治理发展为集中连片、规模治理;由单一效益发展为生态、社会和经济效益相结合的历程,总结出“以支流为骨架,县域为单位,小流域为单元,生态、社会和经济效益相统一,工程、生物和耕作措施有机结合的综合治理技术”,使以水土保持为主体的生态环境建设取得显著成效。尤其是近20年来,流域内的水保工作开展得有声有色、成效显著,涌现出了泾川、长武这样的县域治理先进县。1994年,泾河支流马莲河流域世界银行贷款水土保持综合治理一期项目正式上马。该项目涉及甘肃省庆阳地区的6个县(市),面积4 304 km^2,总投资5.62亿元人民币,其中世界银行贷款4 000万美元,项目执行期8年,计划完成水土流失治理面积1 386 km^2。到1998年底,已完成治理面积986 km^2,占总计划的71.2%;完成投资4.42亿元,占总投资的78.6%。马莲河项目的实施不仅加大了甘肃省东部地区水土流失治理力度,而且对加快庆阳革命老区区域经济发展、促进群众脱贫致富具有十分重要的作用。1998年初,国家有关部门贯彻江泽民总书记关于建设山川秀美的大西北的指示精神,决定在原中国黄土高原项目的基础上,扩大范围,上二期项目。经过一年多的前期准备,二期项目已正式启动,其治理范围由马莲河流域扩展到泾河流域,涉及甘肃省平凉、庆阳两个地区的11个县(市),总面积4 429 km^2,项目总投资6.225亿元,其中申请世界银行贷款4 500万美元。项目执行期5年,计划在项目实施期内,完成新增水土流失治理面积1 361 km^2[13]。

泾川县位于甘肃省东部,全县均属泾河流域。境内山岭交错,梁峁起伏,有大小沟壑2 480多条,每年有1 150万t泥沙流失。从50年代中期开始,泾川人民就开展了以培地埂、帮地堰等为主的保塬固沟群众运动,拉开了全县水土保持工作的序幕,至今几十年不停歇。30万泾川人民几十年来修地不止,治山不停,开展了气壮山河的“接力赛”,硬是在黄土高原上造就了一片山川秀美的绿洲。1991年,泾川县被水利部列为全国第一个水土保持试点县,在全国率先开始了以县为单位进行水土保持综合治理开发的新尝试。经过5年的艰苦奋斗,试点县项目获得成功。以试点县项目的实施为标志,泾川的水土保持事业实现了由量的积累到质的飞跃:全县水土流失治理程度已达到82.4%,荒山造林占宜林面积的89%,梯(条)田面积占总耕地面积的比例达到85.5%,全县林木覆盖率达到

34.9%，成为“甘肃实现绿化第一县”，逐步形成了具有泾川特色的水土流失治理模式和发展水土保持产业化的新途径：塬面条田封顶，塬坡梯田缠腰，沟壑林草郁闭，沟底库坝穿靴，区域果园吐金，水窖科学高效。“高原亦可成锦绣，黄土也能点成金，众志成城才如是”。泾川人走出了一条水保立县、水保致富的路子[14]。

长武县位于陕西省西北部，地处渭北黄土高塬沟壑区。长武县从50年代后期就开始了治山治水的水土保持工作，经历了五六十年代单项措施分散治理，70年代的集中治理，80年代的按照流域综合治理和90年代的以县域为单位的规模治理开发。截至1996年，共治理水土流失面积466.5 km^2，兴修“四田”（梯田、埝地、坝地、造田）24 997.1 hm^2；营造水土保持防护林15 588.9 hm^2；建设经济林11 300.6 hm^2，种草2 524 hm^2；治理度达到86.0%[15]。

地处泾河支流洪河及茹河上游的宁夏回族自治区彭阳县，自1983年建县以来，历届县委、县政府狠抓水土保持工作不放松，政府导演，水保搭台，部门联手，各业唱戏，全民上演，开展山、水、田、林、路、草、电综合配套治理，取得了显著成效。截至1998年，全县累计兴修水平梯田4.53万 hm^2，造林4.8万 hm^2，种草1.2万 hm^2，建骨干坝11座，治理水土流失面积1 053 km^2。以小流域为单元的综合治理成效尤为突出，已治理的30条小流域中，有13条流域内群众收入已超出全县平均水平的30%。

宁夏回族自治区盐池县位于泾河支流环江的上游，水土流失面积占全县总面积的88.2%，风蚀面积占水土流失面积的80.9%，是宁夏受沙害最为严重的一个县，75%的人口和耕地受到风沙危害。1983年以来，国家、集体、个人一齐上，采取造林种草、封育改良、治沙造田、节水灌溉等综合治理措施，治理成效显著。截至1999年，全县共造林14万 hm^2，种草1.2万 hm^2，封育改良草场8.0万 hm^2，修梯田952.4 hm^2，坝地6 861.3 hm^2，水浇地0.8万 hm^2，使45%的荒漠化土地得到初步治理[16]。

水有源，树有根。泾河源区六盘山的生态环境建设近20年来卓有成效。昔日“群山如赭秃无枝”的宁夏六盘山，如今成为黄土高原的“绿岛”，森林覆盖率上升到74.2%，建成了40 920 hm^2 的水源涵养林基地和森林生态体系。1983年以前，年平均造林334 hm^2，保存率46%，而1999年造林1 000 hm^2，保存率达91%。森林生态体系的恢复，改变了六盘山的自然景观和生态条件。据专家测算，六盘山林区一次可调蓄降水8 700万 t，具有净化空气、调节林区及周边气候、防风固沙、防洪等综合效益，同时也产生了可观的经济效益与良好的社会效益。目前，六盘山林区林木总蓄积量达218万 m^3[17]。泾河源区六盘山森林生态体系的建成，将为泾河流域碧水长流和社会经济的可持续发展，提供有力的生态保证和良好的基础支撑。

二、水保措施典型调查及面积核实

（一）调查统计分区情况

根据流域内地质地貌、植被、水土流失等差异，将泾河流域（张家山以上）分为五个土壤侵蚀类型区：黄土丘陵沟壑区、黄土高塬沟壑区、土石丘陵区、黄土丘陵林区和黄土阶地区。根据我们对1979、1989、1996年流域水土保持措施年报资料的统计分析，发现林区和阶地区梯田、人工林地、人工草地的面积仅占流域内对应的坡面措施总面积的12.5%、

6.7%和9.3%。因此,水土保持措施面积按黄土丘陵沟壑区、黄土高塬沟壑区和其他类型区三个区分别进行统计。各县所属类型区根据1990年刘万铨主编的《黄河流域黄土高原地区水土保持专项治理规划要点》中的"水土保持分区图"(1:450万)确定。

(二)水保措施面积的核实

1. 水保措施年报资料的统计

水土保持措施保存面积的数量及质量状况的调查核实,是进行水土保持措施蓄水减沙效益分析及计算的基础。为此,我们于1999年9月中旬至11月中旬,对泾河流域水土保持措施的实施及保存情况进行了历时两个月的较为详细的调查。本次调查收集到的年报资料主要有:①陕西省1949~1981年水土保持统计资料汇编;②陕西省1989~1997年分年度水土保持统计资料汇编;③黄河流域水土保持基本资料汇编(1979年资料);④黄河流域水土流失区水土保持基本资料汇编(1980~1990年);⑤黄河流域水土流失区水土保持基本资料汇编(1997年)。

在统计流域内各县各年的水土保持措施面积时,我们以甘肃省、陕西省水土保持统计资料汇编和黄河流域水土流失区水土保持基本资料汇编为基础,互相补充完善。

由于以上资料全部为分县资料,且序列比较完整一致,因此该数据经过处理后可以作为我们进行水土保持措施保存面积核实的基础数据。按各县在泾河流域内所占面积的比例,分别对水土保持各项措施的逐年统计面积进行折算,然后将其分配到流域中去,即可得到泾河流域逐年水土保持措施年报面积。

2. 水保措施保存面积的核实

由于各种人为因素的影响,统计上报的水土保持措施年报资料与实际情况存在着较大的差异。但是统计资料可以反映泾河流域各年水土保持措施的开展情况及历年变化趋势,是进行逐年水土保持措施面积核实的基础。在对统计年报资料进行核实时,我们主要利用了调查收集到的泾河流域各县1989年土地详查资料和1996年土地变更调查资料以及黄土高原水保规划资料等。土地详查是由国家土地管理部门按照统一的标准和方法,以各县及乡为单元对土地利用情况开展的一项全面普查工作,它是核实大面积水保措施数量、质量及分布的一种较为精确的方法。泾河流域内各县的土地详查工作在1988~1989年前后基本完成,个别县1992年详查结束。至1996年,原国家土地管理局为及时掌握土地利用变化信息,要求全面开展农村日常地籍变更调查。它以行政村为单位,在土地详查及基本农田划定工作的基础上对地类变化进行全面调绘,技术上采用以土地利用现状图作调绘底图、详查与航片定位相结合的方法,将调绘的内容全部上图,实地面积和图表、账、册完全相符;内业量算则以变更的土地斑块为单位进行。它是最新的土地利用现状资料。

表6-13是根据1989年流域内各县土地详查资料求出的泾河流域水土保持措施的核实率,从中可以看出各县的保存率存在较大的差异。以梯田为例:核实率从23%~81%,大小不等。从泾河流域各县平均核实率来看,梯田、林地、草地、坝地的核实率分别为64.9%、64.1%、29.9%和82.4%。对于泾河流域各年代水土保持措施的核实率,我们以1989年土地详查资料为基本控制数,90年代的核实率由1996年的土地变更调查资料与1989年的资料平均而得,80年代以前的核实率则参考国家"八五"重点科技攻关研究中,

陕西省水土保持勘测规划研究所完成的"无定河流域水沙变化原因分析"以及水利部第二期黄河水沙变化研究基金项目"河龙区间水土保持措施减水减沙作用分析"中陕北片的核实率综合定出，其数值见表6-14。泾河流域最后核实的各年代末水土保持措施保存面积见表6-15。由此可知，截至1996年底，泾河流域梯、林、草、坝保存面积分别为23.563万hm^2、41.346万hm^2、10.232万hm^2和0.489万hm^2，累计保存面积为75.629 1万hm^2。

表6-13　泾河流域各县1989年各项水土保持措施核实率

县名	所占比例(%)	各项措施核实率(%)			
		梯田	林地	草地	坝地
盐池	10	65.06	78.29	22.15	48.12
环县	100	56.90	58.03	50.01	41.66
华池	70	68.00	79.99	33.67	34.80
庆阳	100	74.78	59.98	41.07	100.00
镇原	100	44.86	71.64	50.76	100.00
彭阳	100	60.64	43.59	11.83	82.22
定边	20	72.72	58.39	24.68	66.01
正宁	100	74.24	80.00	1.06	83.33
合水	60	23.24	70.06	4.67	66.53
宁县	100	83.24	80.18	0.45	82.98
淳化	40	61.87	51.20	15.56	50.00
旬邑	100	59.27	45.69	6.88	40.00
泾川	100	78.63	71.76	1.09	238.42
崇信	100	73.04	74.99	14.60	478.33
平凉	100	65.84	70.72	79.37	476.98
泾源	100	66.70	40.12	93.65	—
固原	26	78.57	61.88	16.45	95.13
西峰	100	81.48	41.69	20.42	83.33
彬县	100	61.46	78.17	17.95	100.00
长武	100	69.70	58.54	14.95	85.71
华亭	100	56.34	75.01	5.92	48.56
千阳	15	39.74	39.90	12.31	—
灵台	100	79.60	86.85	20.39	77.78
永寿	41	64.71	53.15	13.84	100.00
麟游	46	65.24	47.92	14.39	100.00
平均		64.90	64.11	29.91	82.40

表6-14　泾河流域各年代水土保持措施核实率　(%)

时段	梯田	林地	草地	坝地
60～70年代	68.4	70.5	35.4	86.8
80年代	64.9	64.1	29.9	82.4
90年代	62.5	58.2	21.8	78.5

表 6-15　　泾河流域水土保持措施保存面积统计　　(单位:hm^2)

项目		1956年	1959年	1969年	1979年	1989年	1996年
全流域总计	梯田	2 269	4 980	33 011	72 937	139 202	235 628
	林地	5 769	18 425	66 592	152 005	301 657	413 460
	草地	18	1 113	8 996	16 882	80 896	102 316
	坝地	230	404	1 039	1 762	4 359	4 887
	合计	8 286	24 922	109 638	243 586	526 114	756 291
黄土丘陵沟壑区	梯田	792	1 739	11 528	25 470	48 610	82 283
	林地	2 089	6 671	24 111	55 036	109 220	149 701
	草地	9	541	4 374	8 210	39 339	49 755
	坝地	116	204	525	890	2 202	2 469
	合计	3 006	9 155	40 538	89 606	199 371	284 208
黄土高塬沟壑区	梯田	1 155	2 535	16 803	37 126	70 855	119 937
	林地	3 297	10 532	38 063	86 884	172 424	236 329
	草地	8	495	3 999	7 504	35 959	45 480
	坝地	95	167	430	729	1 804	2 022
	合计	4 555	13 729	59 295	132 243	281 042	403 768
其他类型区	梯田	322	706	4 680	10 341	19 737	33 408
	林地	383	1 222	4 418	10 085	20 013	27 430
	草地	1	77	623	1 168	5 598	7 081
	坝地	19	33	84	143	353	396
	合计	725	2 038	9 805	21 737	45 701	68 315

第五节　减洪减沙作用分析计算方法

一、坡面措施蓄水减沙机理简述[7]

水土保持坡面措施主要包括梯田、人工造林、人工种草三项。

修水平梯田是水土保持工作中治理坡面的重要措施之一。梯田的蓄水拦沙机理主要表现在:坡耕地修成水平梯田后,改变了原有的小地形,使田面变得平整,持水量增大,比较均匀的小于50 mm的日降水量可以全部入渗,避免了径流的产生,起到了蓄水减沙的作用。梯田的减蚀作用,是指由于梯田本身的断面特点(田面水平)而具有的减轻或避免土壤侵蚀的作用。实践和理论分析都证明,梯田具有良好的防止土壤侵蚀的作用。如图6-35所示,对倾角为 θ 的坡面上固体物质的重力(G)分解可知,其平行于坡面的下滑力(T)与垂直于坡面的正压力(N)分别为:

$$T = G\cdot\sin\theta$$

$$N = G\cdot\cos\theta$$

因此,坡度越大,下滑力(T)就越大,坡面物质就越不稳定,越容易被水流推移,侵蚀也就越强烈。对于水平梯田来讲，田面是水平的，即：$\theta=0$，则 $\sin\theta=0$，冲蚀力 $T=0$，这就是水平梯田减蚀作用的机理。

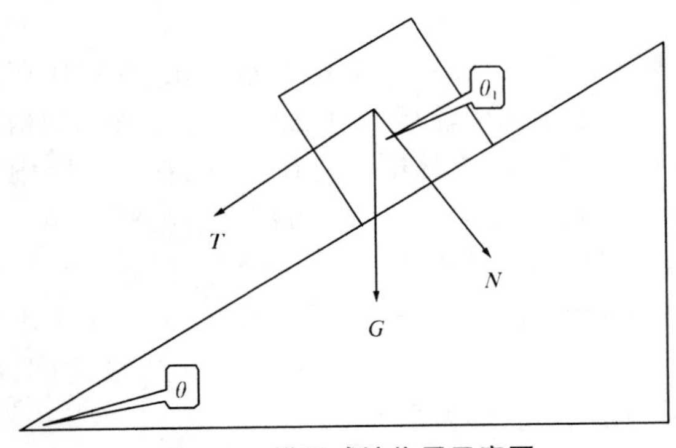

图 6-35 梯田减蚀作用示意图

植树种草的蓄水减蚀机理主要表现在：一是植被截留雨水；二是枯枝落叶层和草皮保护地表土壤不受雨滴溅蚀，增加地表糙率，从而降低水流速度，减少径流量和流水对土壤的冲蚀。

二、坡面措施的减洪减沙作用

(一)水平梯田

水平梯田是改造坡耕地的一项重要的坡面措施。坡耕地修成水平梯田后，坡地变平地，减缓了流速，增加了土壤入渗。同时，地边有埂，能拦蓄径流，制止土壤冲刷，减洪减沙作用很大。

水平梯田按修前的地面坡度可分为两类：一类是修在5°以下缓坡地上的水平梯田，通常叫做水平条田，也叫水平埝地，主要分布在黄土高塬沟壑区和黄土阶地区；另一类是修在5°以上坡地上的水平梯田，即一般所指的水平梯田，主要分布在黄土丘陵沟壑区。

水平条田，地坎低直，田面宽平，形状规则，田块大，可以进行灌溉和机耕，蓄水容量大，减洪减沙效益很高。如上部不来洪水，位置不在沟边，在一般的暴雨下，减洪减沙效益可以达到100%，尤其是进行过灌溉已成为水地的水平条田，减洪减沙效益更高[18]。根据我们1999年9～10月对地处泾河流域黄土高塬沟壑区的泾川县、长武县和西峰市水平梯田、条田及地处泾河流域黄土阶地区的彬县、泾阳县、高陵县水平条田的调查，上述分析是正确的。

陡坡上的水平梯田，多是围绕着峁坡和梁坡修建的，其减洪减沙作用相对要小一些。据对泾河流域黄丘(二)副区的环县、镇原、华池等县水平梯田的调查，其多年平均减洪效益为84.3%，减沙效益为91.6%。根据陕西省延安市水土保持试验站在延安大砭沟的观测资料，在一次降雨46.2～104.0 mm的情况下，水平梯田可减少径流57.7%～96.3%，减少泥沙58.1%～90.2%。

在大面积上群众修的水平梯田，由于设计标准和施工质量不同，减洪减沙效益也不尽相同。根据甘肃省庆阳地区水利处1988年对泾河流域黄土高塬沟壑区及黄土丘陵沟壑区水平梯田质量状况的调查，田面平整、田坎完好的一类梯田占 51.0%；田面基本平整、田坎局部破坏的二类梯田占 22.0%；田面坡度大于 5°、田坎严重破坏的三类梯田占 27.0%。

（二）人工造林

天然林的减洪减沙作用很大。据黄委会西峰水保站 60 年代在甘肃省合水县子午岭林区的观测结果，位于林区的王家河流域（流域面积 47.1 km^2，森林覆盖度 90%）和无林区的党家川流域（流域面积 45.7 km^2，森林覆盖度 0）对比，在一次降雨量为 11.0 ~ 106.8 mm 的多次降雨中，平均减少径流 37.1% ~ 89.1%，减少泥沙 99.98% ~ 100%；在西峰市南小河沟试验场的测定结果表明，10 年生刺槐林，减沙效益可达到 75.1%。

对于人工造林的减洪减沙效益，黄委会绥德、西峰、天水三个水保站曾进行了长期的观测研究，其结果表明，人工造林的减洪效益在 -5% ~ 70% 之间，减沙效益在 -65% ~ 79% 之间。从总体来看，远较天然林为小[18]。

影响人工造林减洪减沙效益大小的因素主要有林龄、林地在造林前的植被和降雨情况等。大面积人工林地的减洪减沙效益比试验小区观测结果要小。

（三）人工种草[18]

人工种草是治理坡地水土流失、发展畜牧业生产的一项重要措施。牧草的茎叶能削减雨滴动能，减轻雨滴对地表土壤的冲击，吸收雨水，增加地面糙率，减缓流速，减少径流；牧草的根系能够固结土壤，增强土壤的抗冲能力；腐烂的牧草茎叶和根系，能够增加土壤有机质，改良土壤结构，增加土壤的入渗能力。因此，在坡地上种草，减洪减沙作用比较显著。

牧草的减洪减沙效益，在地形、土壤、降雨等条件相同的情况下与植被成正相关；在地形、植被、土壤等条件相同的情况下，与降雨量和降雨强度成负相关。根据黄河中游地区一些科研单位在试验小区上观测的资料，坡耕地种草，多年平均减少径流 -29.7% ~ 66.0%，减少泥沙 30.9% ~ 88.7%。根据试验，只有植被度大于 60% 的牧草地其减洪减沙效益才比较稳定。

大面积上种草的减洪减沙效益和试验小区相比要小得多。由于牧草生长起来后要收割或放牧，其减洪减沙效益必然会随之降低。根据黄委会西峰水保站 1957 年的观测结果，汛期收割后的草木樨小区，径流量比对照区增加 45%，冲刷量比对照区增加 72%。泾河支流环江上游地区（洪德以上），1984 年至 1987 年人工种草 5.7 万 hm^2，占洪德以上流域面积 4 640 km^2 的 12.3%；在 1986 年的枯水年，洪德水文站的汛期输沙量为 3 450 万 t，比 1970 ~ 1989 年洪德水文站实测的汛期多年平均输沙量 3 150 万 t 高出 300 万 t，这固然有雨型的影响，但也反映了大面积上种草效益不高的情况[18]。从泾河流域本次研究典型调查情况看，流域内的草地较少，保存率更低，90 年代仅为 21.8%。

三、坡面措施减洪量计算方法[19]

（一）减洪指标体系的建立

1. 代表小区选择及资料的分析与处理

在建立泾河流域水土保持坡面措施减洪指标体系前，首先对小区资料进行了系统的整理和分析。对代表小区资料的要求是:应具有一定的观测年限($n \geqslant 10$);在资料系列内不同成因的径流量能满足常规分析中丰、平、枯各种情况下的频率分布。通过分析,泾河流域内只有处于高塬沟壑区的西峰南小河沟径流小区资料可以满足要求。遵循地区一致性及资料系列代表性的原则,流域内丘(二)区移用延安大砭沟径流小区的资料。在措施区与对照区系列的确定上,根据分析计算要求,结合小区观测与流域坡面措施的布设情况,采用:梯田－坡耕地、人工林－荒草坡、人工牧草地－宜牧坡耕地(> 20°)对比系列。

2.代表小区坡面措施减洪指标体系

代表小区坡面措施减洪指标体系的建立采用频率分析法,可分为以下三个步骤。

1)代表小区坡面措施减洪量频率分析

根据小区各系列措施区洪水径流量与对照区洪水径流量的经验频率曲线,以同频率量值比较,即可得出某一频率下的减洪指标(绝对减洪量)。高水部分点据以 P－Ⅲ型理论频率曲线作为外延的依据,并参考调查核实的黄河中游地区较大年降雨观测资料综合确定,从而弥补了高水资料的不足。图 6-36、图 6-37 是点绘的坡面措施不同频率下的减洪指标曲线,图 6-38 是经过转化的相对指标曲线。曲线明晰地综合反映了代表小区洪量的统计规律及不同措施的减洪特性和机理。

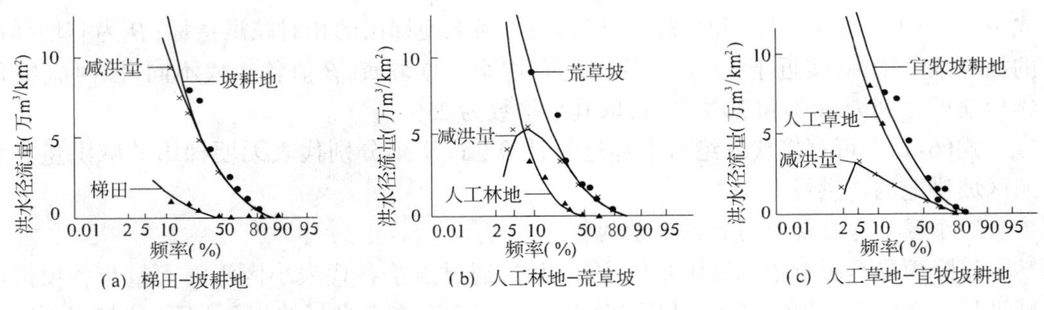

图 6-36 延安大砭沟小区措施－对照区径流量减洪量频率曲线

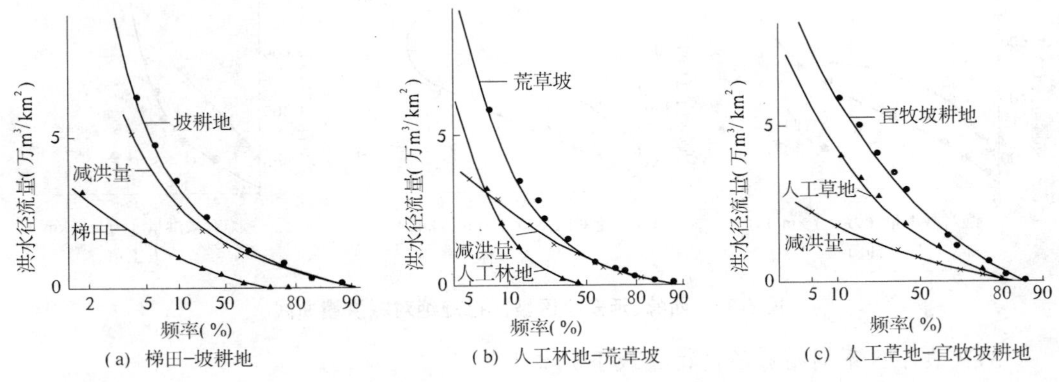

图 6-37 西峰南小河沟小区措施－对照区径流量减洪量频率曲线

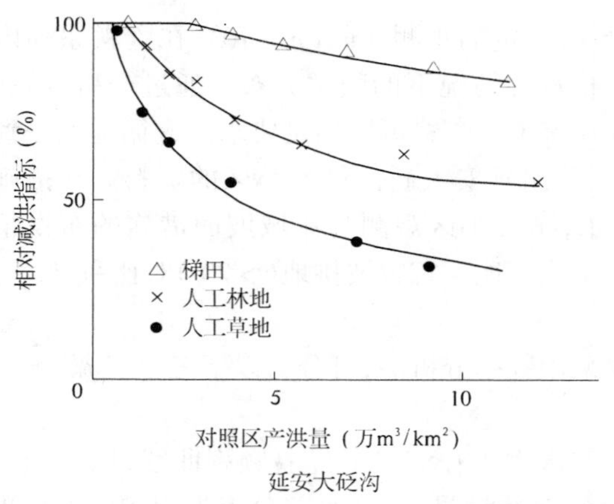

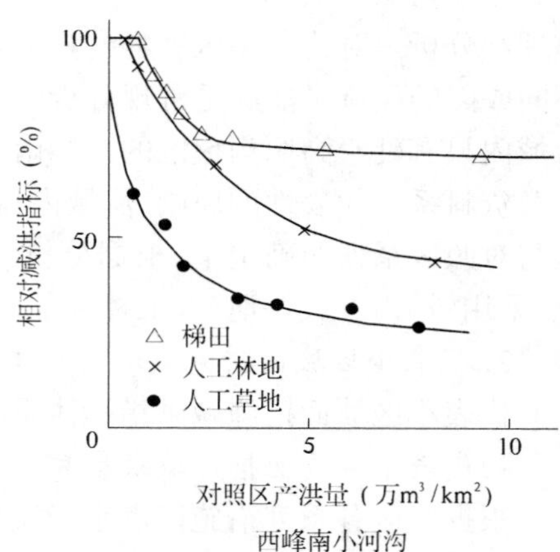

图 6-38　延安大砭沟及西峰南小河沟相对减洪指标曲线

对于林地、草地，由图上查得的指标值接近实际状况，而对于梯田，因图上反映的是无埂梯田的状况，需要引入有埂率指标采用“二步到位法”进行修正，方可反映梯田的实际减洪指标，即

$$\eta=(1-\beta)\cdot A+\beta\cdot B \tag{6-1}$$

式中：η 为小区梯田实际相对减洪指标，%；A 为无埂梯田的相对减洪指标；B 为有埂梯田的相对减洪指标（接近于 1）；β 为梯田的有埂率。据调查，β 值各年代不同，泾河流域 80 年代前后分别为 30% 和 20% 左右，取其平均数为 25%。

式(6-1)亦可直接代入绝对指标进行计算，A、B 则分别代表无埂梯田的减洪量和对照区坡耕地的产洪量。

2)小区汛降雨量与措施减洪量的相关分析

汛降雨量是影响措施减洪量的主要因素，通过点绘各代表小区汛降雨量与各项措施减洪量关系曲线（见图 6-39），从图中可以看出二者存在着良好的相关关系，这是将不同频率洪量下的减洪指标转化为不同频率雨量下减洪指标的前提和基础。

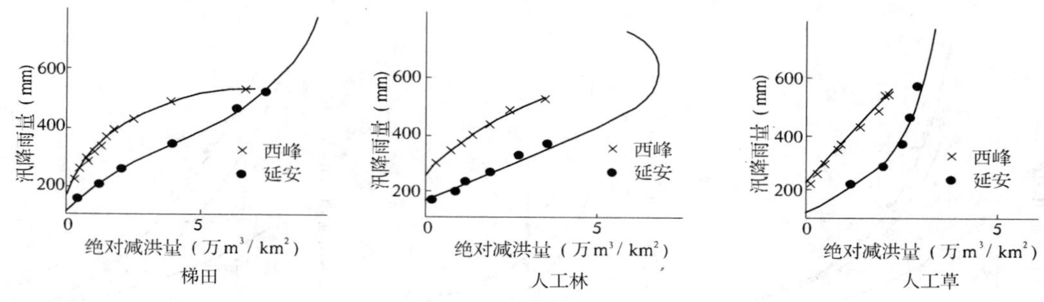

图 6-39　西峰、延安小区坡面措施绝对减洪量曲线

3)代表小区不同措施不同雨量级下的减洪指标

点绘不同小区汛降雨量频率曲线，计算统计参数（均值 P、C_v、C_s）（见图 6-40）；采用同频率对应的方法，将不同洪量频率下的减洪指标转换为同一频率不同雨量级下的减洪指标（见表 6-16）。

表 6-16　　**代表小区不同洪量频率不同雨量级下的减洪指标**

频率（%）	延安大砭沟小区							西峰南小河沟小区						
	汛降雨量（mm）	梯田(无埂)		人工造林		人工牧草		汛降雨量（mm）	梯田(无埂)		人工造林		人工牧草	
		绝对值（万 m^3/km^2）	相对（%）	绝对值（万 m^3/km^2）	相对（%）	绝对值（万 m^3/km^2）	相对（%）		绝对值（万 m^3/km^2）	相对（%）	绝对值（万 m^3/km^2）	相对（%）	绝对值（万 m^3/km^2）	相对（%）
5	770.0	9.3	81.6	5.8	37.2	3.4	30.6	534.0	6.6	69.6	3.5	43.6	2.1	27.3
10	568.0	8.0	87.0	6.8	53.5	2.8	31.1	486.0	3.8	70.4	2.5	52.0	1.9	31.3
20	457.0	6.3	92.7	5.4	63.5	2.7	38.6	433.0	2.5	73.5	1.9	67.9	1.4	33.3
30	364.0	4.8	94.1	3.6	65.5	2.5	43.1	397.0	1.8	75.0	1.4	77.8	1.1	34.4
40	326.0	3.7	97.4	2.7	71.1	2.2	47.8	370.0	1.5	77.8	1.1	88.0	0.9	37.5
50	285.0	2.7	100.0	2.2	78.6	2.0	55.6	343.0	1.3	86.7	0.7	93.3	0.8	42.1
60	249.0	2.1	100.0	1.7	85.0	1.6	59.3	318.0	1.1	91.7	0.5	100.0	0.7	53.9
70	216.0	1.4	100.0	1.3	92.9	1.2	66.7	290.0	0.8	100.0	0.3	100.0	0.5	57.5
80	184.0	0.9	100.0	0.9	100.0	0.9	75.0	260.0	0.5	100.0	0.1	100.0	0.3	60.0
90	150.0	0.3	100.0	0.3	100.0	0.4	100.0	224.0	0.2	100.0	0.05	100.0	0.2	100.0
系列均值	356.9	3.95	95.3	3.07	74.7	1.97	54.8	365.5	2.01	84.5	1.21	82.3	1.75	82.0

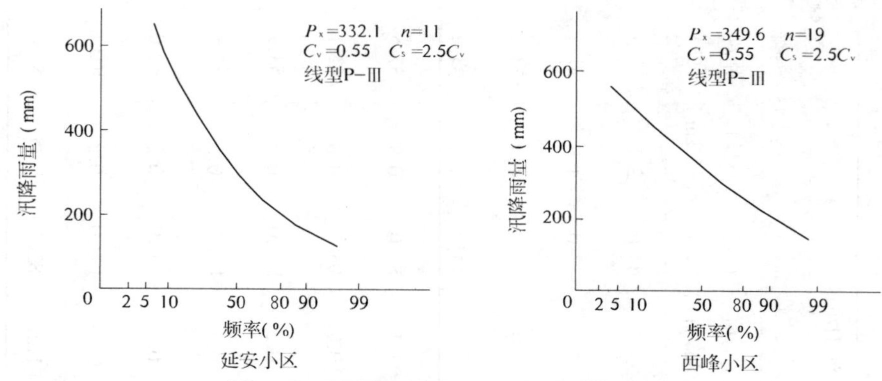

图 6-40 延安、西峰小区汛降雨量频率曲线

3. 流域坡面措施减洪指标体系

流域坡面措施减洪指标体系的建立过程,实质上是解决以小区指标推大区指标的问题,亦即消除时段、点面、地区等三方面的差异。基本途径为:先解决雨量的代表性问题,其次解决径流的差异。流域坡面措施减洪指标计算的基本公式为:

$$\Delta R = \Delta R_1 \cdot \alpha \cdot X \tag{6-2}$$

式中:ΔR 为流域减洪指标;ΔR_1 为某一雨量级下的代表小区减洪指标;α 为点面修正系数;X 为地区水平修正系数。

式(6-2)的推求过程是动态过程,可经过以下两个步骤:先求中间值 $\Delta R' = \Delta R_1 \cdot \alpha$,即时段及点面差异的消除,再求最终值 $\Delta R = \Delta R' \cdot X$,即地区差异的消除。

1)时段差异及点面差异的消除

通过分析代表小区与流域的汛降雨量统计规律与特性,以汛降雨量作为联系代表小区与流域的纽带,可以改善或消除不同系列水文周期性的影响及点面的差异。修正的前提是代表小区系列的汛降雨量和流域系列的汛降雨量分布参数基本一致,$P_{代表小区} \sim P_{流域}$相关关系良好。通过点绘泾河流域汛期降雨量频率曲线(见图 6-41)及 $P_{代表小区} \sim P_{流域}$相关图(见图 6-42)检验,基本满足修正条件,可以进行修正。修正方法可采用下述“雨量对应法”。

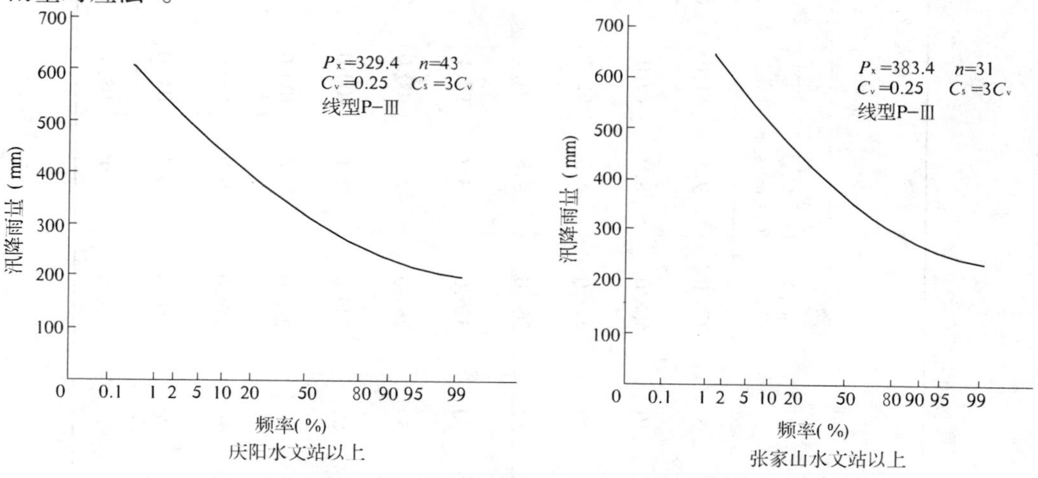

图 6-41 泾河流域环江庆阳水文站及张家山水文站以上汛降雨量频率曲线

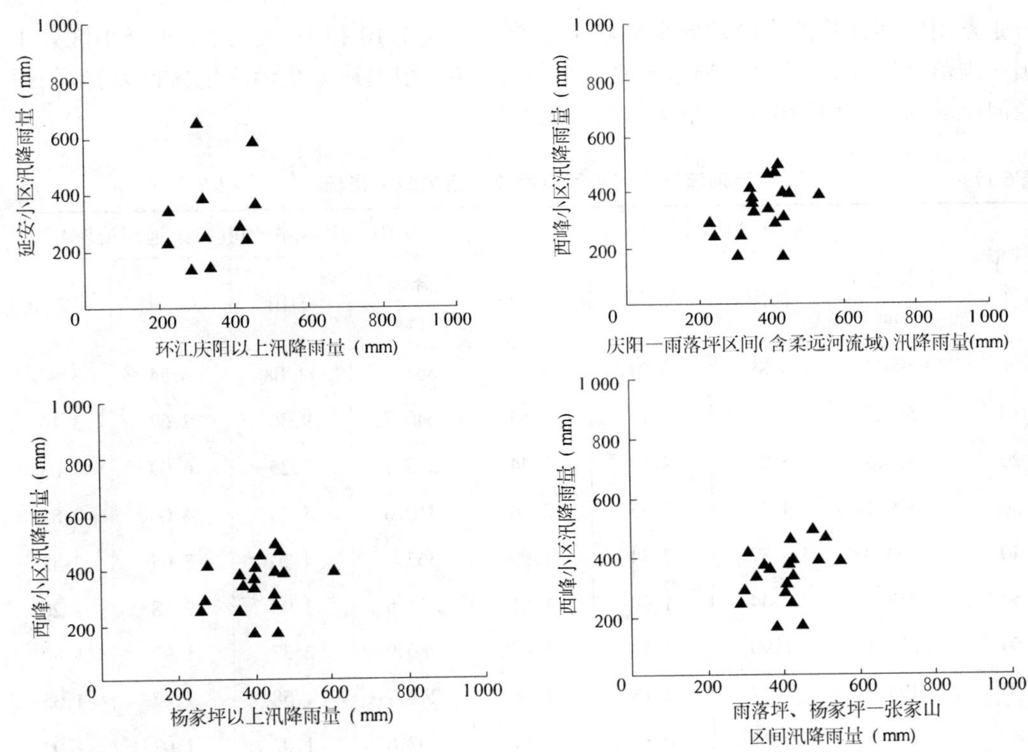

图 6-42 泾河流域分区汛雨量—小区汛降雨量相关图

由于泾河流域与代表小区的汛降雨量统计参数(主要为均值)相差较大,因此要进行点面雨量及减洪量修正。即用汛降雨量点面修正系数 α 分别对代表小区系列雨量及措施减洪指标进行修正,相当于重新构造了代表小区减洪量系列。然后用泾河流域某一年份的汛降雨量值以同雨量对应法查得 $\Delta R'$ 值。

根据泾河流域 90 年代水文资料情况,其坡面措施减洪量的计算按环江庆阳以上、庆阳—雨落坪区间(含柔远河流域)、杨家坪以上、雨落坪、杨家坪—张家山区间分区进行。环江流域庆阳以上多年平均(1956～1996 年)汛降雨量为 322.6 mm,小区多年平均汛降雨量为 356.9 mm,因此用于庆阳以上计算的小区点面修正系数为 0.90。同理,用于庆阳—雨落坪区间(含柔远河流域)、杨家坪以上和雨落坪、杨家坪—张家山区间计算的小区点面修正系数分别为 1.13、1.10 和 1.14。用点面修正系数统一对小区系列汛降雨量及相应的减洪指标进行修正后,得到泾河流域各分区新的减洪指标体系见表 6-17。

2)地区差异的消除

用上述方法查取的 $\Delta R'$ 值,没有考虑地区降雨产洪水平的差异。消除方法为:$\Delta R = X \cdot \Delta R'$,其中 $X = M_{流域}/M_{小区}$,$M_{流域}$ 及 $M_{小区}$ 分别为流域及代表小区所在地区的多年平均洪量模数。延安地区多年平均洪量模数采用水利部第二期黄河水沙变化基金河龙区间项目中统计的数值,为 21 451 m^3/km^2,西峰小区所在的高塬沟壑区多年平均洪量模数为 13 310 m^3/km^2,环江庆阳以上丘(二)区多年平均洪量模数为 12 559 m^3/km^2,因此用于环江庆阳以上计算的小区差异水平修正系数为 0.59。同理,用于杨家坪以上和雨落坪、杨家坪—张家山区间计算的小区差异水平修正系数分别为1.10和1.14。由于西峰小区处于庆阳—雨落坪区间,其小区差异水平修正系数为1.0。用上述方法消除地区性差异后,得到泾河流域新的坡面措施减洪指标体系见表6-18。

表6-17　　泾河流域进行小区点面修正后的减洪指标　　(单位:万 m^3/ km^2)

频率(%)	环江庆阳以上				庆阳—雨落坪区间(含柔远河流域)			
	汛降雨量(mm)	梯田	人工林	人工草	汛降雨量(mm)	梯田	人工林	人工草
5	696.1	8.88	5.24	3.07	868.6	11.08	6.54	3.84
10	513.5	7.50	6.15	2.53	640.7	9.36	7.67	3.16
20	413.1	5.81	4.88	2.44	515.5	7.25	6.09	3.05
30	329.1	4.41	3.25	2.26	410.6	5.50	4.06	2.82
40	294.7	3.37	2.44	1.99	367.7	4.20	3.05	2.48
50	257.6	2.44	1.99	1.81	321.5	3.05	2.48	2.26
60	225.1	1.90	1.54	1.45	280.9	2.37	1.92	1.80
70	195.3	1.27	1.18	1.08	243.7	1.58	1.47	1.35
80	166.3	0.81	0.81	0.81	207.6	1.02	1.02	1.02
90	135.6	0.27	0.27	0.36	169.2	0.34	0.34	0.45
系列均值	322.6	3.67	2.78	1.78	402.6	4.57	3.46	2.22
频率(%)	杨家坪以上				雨落坪、杨家坪—张家山区间			
	汛降雨量(mm)	梯田	人工林	人工草	汛降雨量(mm)	梯田	人工林	人工草
5	588.8	8.07	3.86	2.32	611.2	8.38	4.01	2.40
10	535.8	4.63	2.76	2.09	556.2	4.81	2.86	2.17
20	477.4	3.00	2.09	1.54	495.6	3.12	2.17	1.60
30	437.7	2.15	1.54	1.21	454.4	2.23	1.60	1.26
40	407.9	1.77	1.21	0.99	423.5	1.84	1.26	1.03
50	378.2	1.49	0.77	0.88	392.6	1.54	0.80	0.92
60	350.6	1.24	0.55	0.77	364.0	1.29	0.57	0.80
70	319.7	0.88	0.33	0.55	331.9	0.92	0.34	0.57
80	286.7	0.55	0.11	0.33	297.6	0.57	0.11	0.34
90	247.0	0.22	0.06	0.22	256.4	0.23	0.06	0.23
系列均值	403.0	2.40	1.33	1.93	418.3	2.49	1.38	2.00

表 6-18　　泾河流域进行地区差异修正后的减洪指标　　（单位：万 m^3/km^2）

频率（%）	环江庆阳以上				庆阳—雨落坪区间（含柔远河流域）			
	汛降雨量（mm）	梯田	人工林	人工草	汛降雨量（mm）	梯田	人工林	人工草
5	696.1	5.20	3.07	1.80	868.6	11.08	6.54	3.84
10	513.5	4.39	3.60	1.48	640.7	9.36	7.67	3.16
20	413.1	3.40	2.86	1.43	515.5	7.25	6.09	3.05
30	329.1	2.58	1.91	1.32	410.6	5.50	4.06	2.82
40	294.7	1.97	1.43	1.16	367.7	4.20	3.05	2.48
50	257.6	1.43	1.16	1.06	321.5	3.05	2.48	2.26
60	225.1	1.11	0.90	0.85	280.9	2.37	1.92	1.80
70	195.3	0.74	0.69	0.64	243.7	1.58	1.47	1.35
80	166.3	0.48	0.48	0.48	207.6	1.02	1.02	1.02
90	135.6	0.16	0.16	0.21	169.2	0.34	0.34	0.45
系列均值	322.6	2.15	1.62	1.04	402.6	4.57	3.46	2.22

频率（%）	杨家坪以上				雨落坪、杨家坪—张家山区间			
	汛降雨量（mm）	梯田	人工林	人工草	汛降雨量（mm）	梯田	人工林	人工草
5	588.8	11.9	5.7	3.4	611.2	11.1	5.3	3.2
10	535.8	6.8	4.1	3.1	556.2	6.4	3.8	2.9
20	477.4	4.4	3.1	2.3	495.6	4.1	2.9	2.1
30	437.7	3.2	2.3	1.8	454.4	3.0	2.1	1.7
40	407.9	2.6	1.8	1.5	423.5	2.4	1.7	1.4
50	378.2	2.2	1.1	1.3	392.6	2.0	1.1	1.2
60	350.6	1.8	0.8	1.1	364.0	1.7	0.8	1.1
70	319.7	1.3	0.5	0.8	331.9	1.2	0.5	0.8
80	286.7	0.8	0.2	0.5	297.6	0.8	0.2	0.5
90	247.0	0.3	0.1	0.3	256.4	0.3	0.1	0.3
系列均值	403.0	3.5	2.0	2.8	418.3	3.3	1.8	2.7

（二）减洪量计算

流域坡面措施减洪量采用下式计算：

$$W = \sum \Delta W \tag{6-3}$$

$$\Delta W = \Delta R \cdot F \tag{6-4}$$

式中：W 为流域坡面措施减洪量；ΔW 为单项坡面措施减洪量；ΔR 为单项坡面措施减洪指标；F 为核实的单项坡面措施面积。

四、“以洪算沙”模型

坡面措施减沙量根据“以洪算沙”模型进行计算。

（一）建立“以洪算沙”模型的基本依据

黄河中游地区流域的产洪产沙规律为：①黄河中游各地径流小区径流量系列具有较好的统计规律，且代表性很好。②黄河中游地区流域产沙具有年内高度集中性，泥沙主要来自洪水期,约占年沙量的95%以上,无洪水期泥沙量小而稳定。③流域在未治理情况下,通过对分析因子的优选拟合,洪水和泥沙具有良好的相关性,存在着 $W_s = KW^{\alpha}$ 的函数关系。含沙量与流量之间的一个突出特点是:当流量超过某一值时,含沙量接近一个常值。坡面及沟道的流量与输沙率有特定的关系:当流量较大时,点据自聚成线,各曲线趋于重合。以上三点可以作为建立"以洪算沙"模型的基本依据。

(二)"以洪算沙"模型的结构及原理

由于在未治理情况下,流域洪水与泥沙存在 $W_S = KW^{\alpha}$ 的关系,因此"以洪算沙"模型的公式原型为:

$$W's + \Delta Ws = K(W' + \Delta W)^{\alpha} \tag{6-5}$$

式中:W'、W'_S 分别为流域出口站实测洪水径流量、实测洪水输沙量;ΔW、ΔW_S 分别为流域洪水径流变化量、洪水泥沙变化量,即分别包括水利、水保措施减洪(沙)量、人为增洪(沙)量及河道冲淤变化量等;K、α 分别为系数、指数。

"以洪算沙"实用计算模型为:

$$(W_S)_n = K[W' + (n-1)\sum\Delta W]^{\alpha} \tag{6-6}$$

$$\Delta W_S = (W_S)_n - (W_S)_{n-1} \tag{6-7}$$

式中:W' 为流域实测洪水量;$\sum\Delta W$ 为各种水保措施减洪量之和;n 为试算次数;$(W_S)_n$ 为中间变量;ΔW_S 为水保措施减沙量。

(三)坡面措施总减沙量的确定

由公式(6-7)求出的流域减沙量 ΔW_S 包括以下几部分:①淤地坝拦沙量 $\Delta W_{S坝}$;②坡面措施在其拦蓄能力以内的减沙量 $\Delta W'_{S坡}$;③坡面措施因减洪而对减少沟道侵蚀的贡献量 $\Delta W'_S$。即

$$\Delta W_S = \Delta W'_{S坡} + \Delta W'_S + \Delta W_{S坝} \tag{6-8}$$

本次研究认为,$\Delta W'_S$ 这部分沙量具有明确的物理意义:它正是由于坡面措施减洪而减少对沟道侵蚀的贡献量,"以洪算沙"的意义正在于此。因此,坡面措施总减沙量 $\Delta W_{S坡}$ 由两部分构成:

$$\Delta W_{S坡} = \Delta W'_{S坡} + \Delta W'_S \tag{6-9}$$

其中

$$\Delta W'_{S坡} = \frac{(\Delta W_{HL} + \Delta W_{HT} + \Delta W_{HC})}{\sum_{i=1}^{n}\Delta W_H} \times \Delta W_S \tag{6-10}$$

式中:$\sum_{i=1}^{n}\Delta W_H$ 为流域内水保措施减洪量;ΔW_{HT}、ΔW_{HL}、ΔW_{HC}分别为流域内单项坡面措施梯田、林地、草地的减洪量。

单项坡面措施减沙量采用"以洪算沙"模型进行计算和分配。其计算步骤如下:

(1)根据流域出口处治理前洪水径流量和洪水输沙量的实测值,建立流域基准期产洪产沙数学模型;

(2)将流域综合治理的减洪总量代入所建数学模型中,按照"逐步迭代法"计算出流域综合治理的减沙总量;

(3)从减沙总量中扣除水库、淤地坝、灌溉减沙量和人为增沙量及河道冲淤量等,即可

求得坡面措施年减沙总量;

(4)根据坡面单项措施减洪量的比例,对坡面措施年减沙总量进行分摊,即可求出梯田减沙量。

由于 $\Delta W_{S坡} = \Delta W_S - \Delta W_{S坝}$,而 $\Delta W_{S坝}$ 可由淤地坝减沙量计算公式求出,则

$$\Delta W'_S = \Delta W_{S坡} - \Delta W'_{S坡} \tag{6-11}$$

由 $\Delta W'_S > 0$ 可以更为确切地阐释"以洪算沙"的本质涵义;当 $\Delta W'_S < 0$ 时,可从治理度与水土保持措施结构关系、流域内不同类型区划分及人为增洪增沙等方面考虑,此时问题比较复杂,有待进一步研究。

采用"以洪算沙"计算方法的重大意义在于推求因坡面措施减洪而减少的对沟道侵蚀的贡献量。该方法体现了坡面系统与沟道系统、洪水与泥沙的有机联系。

泾河流域在进行坡面措施减沙量计算时,仍按照环江庆阳以上、庆阳—雨落坪区间(包括柔远河流域)、杨家坪以上、雨落坪、杨家坪—张家山区间分区进行。但庆阳—雨落坪区间(包括柔远河流域)及雨落坪、杨家坪—张家山区间的洪水泥沙关系并不十分理想,而雨落坪以上及张家山以上的洪沙关系却比较好(见表 6-19)。为便于进行计算,我们把区间内洪水洪沙关系中个别年份偏差较大的点进行了取舍,同时又进行了张家山以上全流域的"以洪算沙"计算,其计算结果略有差异。由于对部分区间的洪沙关系进行了局部调整,因此最后以全流域计算结果作为泾河流域"水保法"减沙效益分析的推荐结果。泾河流域三个主要水文站治理前的洪水泥沙关系图分别见图 6-43 ~ 图 6-45。

表 6-19　**泾河流域各区间治理前洪沙关系**

资料年限	站名或区间	原关系		调整后	
		洪沙关系	相关系数	洪沙关系	相关系数
1954 ~ 1969	环江庆阳以上	$W_S = 0.409\,6 W_H^{1.044\,8}$	0.987		
1956 ~ 1969	雨落坪以上	$W_S = 0.005\,7 W_H^{1.440\,9}$	0.911		
1956 ~ 1969	杨家坪以上	$W_S = 0.187\,5 W_H^{1.031\,6}$	0.900		
1952 ~ 1969	张家山以上	$W_S = 0.019\,3 W_H^{1.241\,1}$	0.884		
1956 ~ 1969	庆阳—雨落坪区间(含柔远河流域)	$W_S = 0.064\,2 W_H^{0.926\,8}$	0.454	$W_S = 0.014\,4 W_H^{1.325\,4}$	0.862
1956 ~ 1969	雨落坪、杨家坪—张家山区间	$W_S = 0.003\,9 W_H^{1.343\,5}$	0.674	$W_S = 0.844 W_H^{0.852\,3}$	0.822

注:庆阳—雨落坪区间(含柔远河流域)调整后的洪沙关系式中,舍去了 1958、1959、1965 年共三年偏差较大的点;雨落坪、杨家坪—张家山区间调整后的洪沙关系式系舍去 1963、1965、1967 年共三年偏差较大的点而得。式中,W_S 代表洪水输沙量,W_H 代表洪水量。

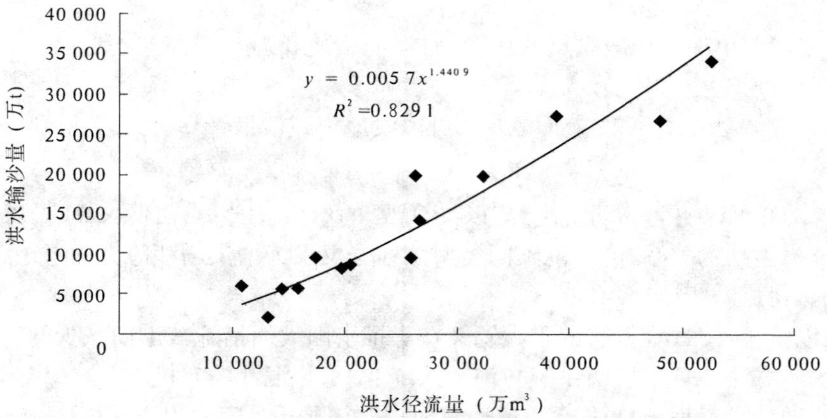

图 6-43　泾河雨落坪水文站治理前洪水泥沙关系

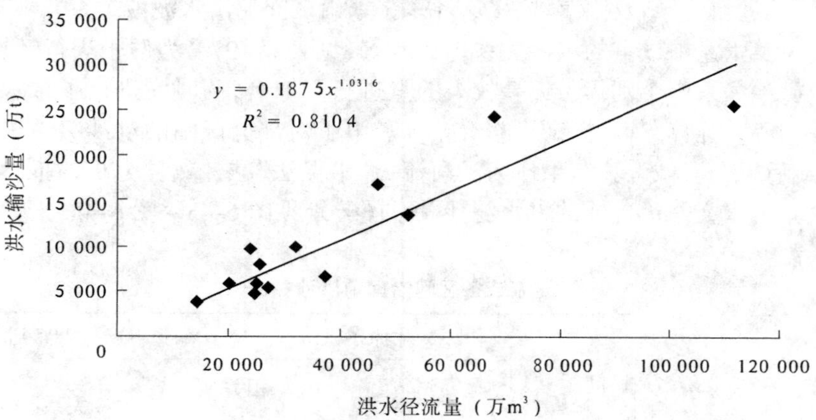

图 6-44　泾河杨家坪水文站治理前洪水泥沙关系

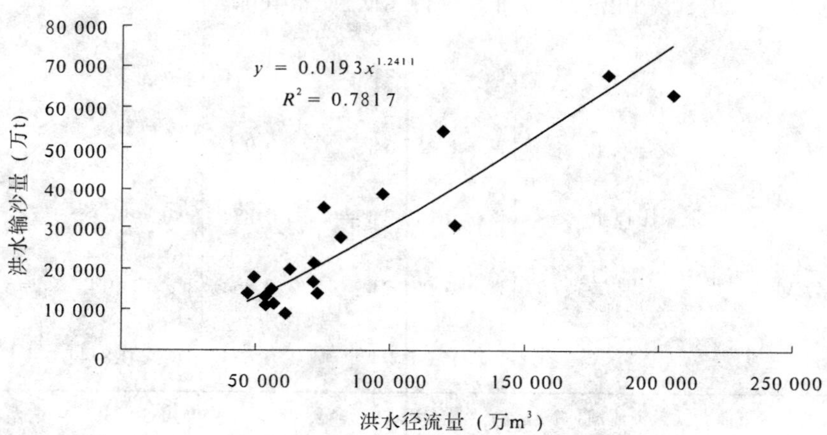

图 6-45　泾河张家山水文站治理前洪水泥沙关系

五、淤地坝减洪减沙量计算方法[19]

淤地坝是泾河流域一项重要的水土保持工程措施，其效益之大、见效之快，是别的水土保持措施所不能比拟的。淤地坝的减洪减沙作用主要表现在拦泥、减蚀和滞洪三个方面。其减洪减沙量计算方法分述如下。

(一)淤地坝减沙量计算

淤地坝减沙量包括淤地坝的拦泥量、减轻沟蚀量以及由于坝地滞洪及流速减小对坝下游沟道侵蚀量的影响减少量。目前拦泥量、减蚀量可以通过一定的方法来进行计算，消峰滞洪对下游沟道的影响减少量还无法计算，因此仅计算前两部分。

1. 拦泥量的计算

泾河流域淤地坝总拦泥量的计算分以下两部分。

第一部分，是截至1996年已淤成坝地的拦泥量，采用下式计算：

$$W_{sg1} = f \cdot M_s \cdot (1-\alpha_1)(1-\alpha_2) \tag{6-12}$$

式中：W_{sg1}为截至1996年已淤成坝地的拦泥量，万 t；f 为1996年坝地的累积面积，hm^2；M_s为拦泥定额，即单位面积坝地的拦泥量，万 t/hm^2；α_1 为人工填垫及坝地两岸坍塌所形成的坝地面积占坝地总面积的比例，泾河流域取 $\alpha_1 = 0.2$；α_2 为推移质在坝地拦泥量中所占的比例系数，泾河流域取 $\alpha_2 = 0.15$。

泾河流域涉及黄土丘陵沟壑区、黄土高塬沟壑区等地貌类型区，由于不同类型区的沟道形状及输沙模数不同，因而拦泥定额也不相同。根据典型调查收集到的泾河流域不同类型区的淤地坝资料，结合黄河中游水沙变化研究已有的成果，综合确定出各类型区的拦泥定额为：黄土丘陵沟壑区 77 550 t/hm^2，黄土高塬沟壑区 63 975 t/hm^2，其他类型区 39 225 t/hm^2。至此，根据不同地貌类型区的坝地累积面积及相应拦泥定额，即可求出泾河流域已淤成坝地的拦泥量。

第二部分，是截至1996年未淤成坝地的拦泥量。这部分拦泥量由于缺乏实测资料，无法直接进行计算，但在淤地坝总拦泥量中占有一定的比例。根据大量的调查资料分析，淤地坝的拦沙年限一般在12年左右，因而采用了淤积年限 n($n = 13$ 年)这一指标，并根据历年坝地累积面积的变化趋势，将截至1996年仍在拦洪的淤地坝进行"淤成"预测，以此求出未淤成坝地部分的拦泥量。例如，截至1996年，已经拦沙2年的淤地坝将在11年后，也就是2007年淤成坝地，并计入坝地累积面积中，这部分拦泥量将占2007年淤地坝拦泥增长量的2/13，即

$$\Delta W_{sg2} = \frac{2}{13}(f_1 - f_2) \cdot M_s \cdot (1-\alpha_1)(1-\alpha_2) \tag{6-13}$$

式中：ΔW_{sg2}为截至1996年已经拦沙2年的淤地坝拦泥量，万 t；f_1、f_2 分别为预测的2007年和2006年坝地的累积面积，hm^2。

按照上述方法，其他拦沙年限的拦泥量计算可依次类推。将上述不同拦沙年限的拦泥量计算公式合并可得：

$$W_{sg2} = \frac{1}{13}\left(\sum_{i=1}^{12} f_i - 12f\right) \cdot M_s \cdot (1-\alpha_1)(1-\alpha_2) \tag{6-14}$$

式中：W_{sg2}为截至 1996 年末淤成坝地部分的拦泥量，万 t；f_i 为 1996 年后预测年每年"淤成"的坝地面积，hm^2。

由此可得淤地坝总拦泥量为：

$$\Delta W_{sg} = W_{sg1} + W_{sg2} \tag{6-15}$$

式中：ΔW_{sg}为截至 1996 年淤地坝累积拦泥量，万 t。

各年份淤地坝拦泥量的多少，除与淤地坝的数量（库容）有关外，还与坡面来沙量的多少有关。因此，各年拦泥量的分配分别按各年坝地增长面积占累积面积的比例和流域年输沙量占总输沙量的比例分配，取上述两次分配值的平均值作为各年拦泥量。

2. 减蚀量的计算

淤地坝的减蚀作用在沟道建坝后即行开始。其减蚀量一般与沟壑密度、沟道比降及沟谷侵蚀模数等因素有关，其数量包括被坝内泥沙淤积物覆盖下的原沟谷侵蚀量和波及影响的淤泥面以上沟道侵蚀的减少量。后一部分的数量较难确定，通常是在计算前一部分的基础上乘一扩大系数。减蚀量的计算公式是：

$$\Delta W_{sj} = F \cdot W_{si} \cdot k_1 \cdot k_2 \tag{6-16}$$

式中：ΔW_{sj}为计算年淤地坝减蚀量，万 t；F 为计算年淤地坝的面积；W_{si}为计算年内流域的侵蚀模数，t/km^2，按各控制区的年输沙模数扩大 1.15 倍而得；k_1 为沟谷侵蚀量与流域平均侵蚀量之比。黄土高塬沟壑区根据南小河沟流域的观测资料确定；根据南小河沟流域多年小区及小流域的观测资料，多年平均侵蚀模数为 6 867 $t/(km^2 \cdot a)$，沟谷地侵蚀模数为 15 200 $t/km^2 \cdot a$，按此推算，黄土高塬沟壑区的 k_1 值为 2.20，黄土丘陵沟壑区参考其他研究成果取 $k_1 = 1.75$；k_2 为坝地以上沟谷侵蚀的影响系数，取 $k_2 = 1.0$。

在淤地坝中还有一部分坝地是修建在沟道比较平缓、沟床已不再继续下切、沟坡多年来比较稳定、沟谷侵蚀已达到相对稳定程度的流域内，当坝建成后基本无减蚀作用，在计算减蚀量时还应扣除这一部分。由于对这一部分不减蚀坝地目前还没有更好的办法来分割，但又确实存在，本次计算可设未淤成坝地的这一部分量和对坝地以上沟谷侵蚀的减少量相互抵消。由此可以求出淤地坝的减沙量 $\Delta W_{s坝}$为：

$$\Delta W_{s坝} = \Delta W_{sg} + \Delta W_{sj} \tag{6-17}$$

（二）淤地坝减洪量计算

淤地坝的减洪量计算包括两部分：一部分是计算已经淤平后作为农地利用的坝地减洪量，另一部分是计算仍在拦洪时期的淤地坝减洪量。淤地坝淤平后，坝地已经利用，其减水作用就与有埂的水平梯田一样。仍在拦洪时期的淤地坝，其拦泥和拦洪是同时进行的，拦洪的目的是拦泥，泥中有水。淤泥中所含的水分，有一大部分将耗于蒸发，另有一小部分又从地下流入河中。据此分析计算这部分减洪量时，不能考虑其蓄水量，只能计算淤泥中所含的水量。

1. 淤平坝地减洪量计算

淤平坝地减洪量的计算公式为：

$$\Delta W_1 = f_i \cdot W_i \tag{6-18}$$

式中：ΔW_1 为已淤平坝地的减洪量，万 m^3；f_i 为计算年流域坝地的面积，km^2；W_i 为计算年流域坡耕地的径流模数，m^3/km^2。

采用式(6-18)计算时，需要确定出坡耕地的年径流模数，其确定方法与梯田“二步到位”计算方法中的有关内容相同。

2. 仍在拦洪时期的淤地坝的减洪量计算

仍在拦洪时期的淤地坝，其减洪量可根据淤地坝的总拦泥量 ΔW_{sg}反推。计算公式为：

$$\Delta W_2 = K\cdot(\Delta W_{sg})/\gamma_s \tag{6-19}$$

式中：ΔW_2 为仍在拦洪时期淤地坝的减洪量，万 m^3；K 为流域淤地坝拦洪时的洪沙比；γ_s 为淤泥干容重，取 $\gamma_s = 1.35\ t/m^3$。

对于 K 值，根据黄委会绥德水保站对韭园沟实测资料的分析，黄丘区淤地坝拦洪时的洪沙体积重量比为 1.977:1，即 1.977 m^3 的洪水挟带 1 m^3 的淤泥；1991 年绥德水保站对三次洪水后的十座淤地坝进行了典型调查，得出淤地坝拦泥后的洪沙体积重量比为 1.797:1。根据上述资料，最后综合确定出泾河流域淤地坝拦洪时的洪沙体积比为 2.462。

由此可以求出淤地坝的总减洪量 $\Delta W_{坝}$ 为：

$$\Delta W_{坝} = \Delta W_1 + \Delta W_2 \tag{6-20}$$

泾河流域淤地坝减洪减沙量计算成果见表 6-20。

表 6-20　**泾河流域淤地坝减洪减沙量计算成果**

时段(年)	减沙量(万 t)								
	拦泥量				减蚀量				合计
	黄丘区	沟壑区	其他区	小计	黄丘区	沟壑区	其他区	小计	
1956 ~ 1969	214.62	206.22	97.31	518.15	4.91	3.85	1.45	10.21	528.35
1970 ~ 1979	194.31	186.72	88.11	469.14	8.62	8.11	3.05	19.78	488.93
1980 ~ 1989	348.45	296.90	157.99	803.35	20.76	12.55	4.75	38.06	841.41
1990 ~ 1996	197.40	189.68	89.50	476.59	42.75	19.88	7.47	70.10	546.69
1970 ~ 1996	252.20	228.30	114.35	594.85	21.97	12.80	4.83	39.60	634.45
1956 ~ 1996	239.37	220.76	108.53	568.66	16.14	9.75	3.67	29.56	598.22
时段(年)	减洪量(万 m^3)								
	淤平坝地减洪量				拦洪时期淤地坝减洪量				合计
	黄丘区	沟壑区	其他区	小计	黄丘区	沟壑区	其他区	小计	
1956 ~ 1969	8.23	7.38	1.45	17.05	528.38	507.72	239.97	1 276.08	1 293.13
1970 ~ 1979	16.80	12.95	2.53	32.28	478.43	459.71	216.92	1 155.06	1 187.34
1980 ~ 1989	36.90	37.83	7.41	82.14	857.90	824.34	502.04	2 184.27	2 266.42
1990 ~ 1996	54.65	31.24	6.12	92.01	486.01	467.01	220.36	1 173.38	1 265.39
1970 ~ 1996	34.06	26.91	5.27	66.23	620.94	596.65	323.41	1 541.00	1 607.23
1956 ~ 1996	25.24	20.24	3.96	49.44	589.33	566.28	294.92	1 450.54	1 499.98

由表 6-20 可知，1970 ~ 1996 年，泾河流域淤地坝年均拦泥 595 万 t，减蚀 39.6 万 t，减蚀量占减沙总量的 6.2%。在减蚀总量中，黄丘区所占的比重最大，高塬沟壑区次之，其他类型区最小，其减蚀量分别占总减蚀量的 55.5%、32.3%和 12.2%。1970 ~ 1996 年，泾

河流域淤地坝年均总减洪量 1 607 万 m^3，其中拦洪时期淤地坝减洪量占总减洪量的 95.9%，淤平坝地年均减洪量仅占总减洪量的 4.1%。

六、水库、灌溉减水减沙量计算方法

(一)水库减水减沙量计算

泾河流域共有水库 109 座，总库容 7.57 亿 m^3。其中大型水库一座，即位于甘肃省庆阳市蒲河流域中游、被誉为“陇原明珠”的巴家嘴水库，控制面积 3 522 km^2，总库容 5.11 亿 m^3。根据巴家嘴水文站实测资料，巴家嘴水库从 1962 年 7 月建成拦洪到 1989 年底，共淤积泥沙 2.21 亿 m^3，按淤泥容重 $\gamma = 1.30\ t/m^3$ 计算，共折合泥沙 2.87 亿 t。由于运用方式的不同，各个年代淤积量相差悬殊：60 年代以蓄水拦沙方式运用，淤积最多，达 1.5 亿 t；70 年代由于改建了泄洪洞，加大了洪水下泄量，淤积量减小为 1.19 亿 t；1977 年汛后改为蓄清排浑运用方式，淤积量进一步减小，80 年代淤积量为 0.18 亿 t[9]。自 90 年代初开始，巴家嘴水库再次进行泄洪洞扩建改造。泄洪洞改建加固工程 1992 年 8 月开工，1999 年 8 月 20 日竣工并通过初步验收，总投资 5 049 万元。改建后的泄洪洞全长 409 m，最大泄洪流量可达 503 m^3/s，比原建泄洪洞泄洪流量 102 m^3/s 增大了 401 m^3/s。1998 年 7 月泄洪洞工程首次使用，至目前运行状态良好。根据 1997 年 10 月的最新实测资料，巴家嘴水库有效库容 1.91 亿 m^3，已淤库容 3.046 亿 m^3，库容淤损率高达 61.5%。2002 年 7 月 26 日，巴家嘴水库泄洪洞扩建改造工程顺利通过甘肃省的竣工验收[20]。目前巴家嘴水库有效库容仅 1.81 亿 m^3，仍不能抵御千年一遇的校核洪水，属三类险坝，除险加固刻不容缓。

另据统计，泾河流域有中型水库三座，一为宁夏彭阳的店子洼水库，总库容 2 000 万 m^3，控制面积 216 km^2，在洪河“96.8”暴雨洪水中被部分冲垮，后虽经修复，但淤积严重，蓄水量大减，每年蓄水仅 50 万 ~ 100 万 m^3；一为甘肃西峰的王家湾水库，库容 2 092 万 m^3，控制面积 142.1 km^2；一为甘肃平凉的崆峒峡水库，库容 2 970 万 m^3，控制面积 597 km^2。另有小(一)型水库 57 座，小(二)型水库 65 座，合计库容 2.113 亿 m^3。

1. 水库减水量计算方法

水库的减水量可分两项计算，一是水库的蓄水量，二是水库的蒸发量。水库的蓄水量包括两部分，其一是用于灌溉的水量，可按灌溉面积单独进行计算；其二是水库的蓄水变量。水库蒸发量按下式计算：

$$\Delta W_K = 0.1 \cdot F \cdot [E - (P - R)] \tag{6-21}$$

式中：ΔW_K 为水库蒸发量，万 m^3；F 为水库水面年平均面积，km^2；E 为水库年水面蒸发量，mm；P 为库区年均降水量，mm；R 为库区实测年径流深，mm。

水库蓄水变量根据下式计算：

$$\Delta W_x = V_b - V_a \tag{6-22}$$

式中：ΔW_x 为水库蓄水变量；V_b 为年终水库蓄水量；V_a 为年初蓄水量。

水库减水量 ΔW_H 依下式求得

$$\Delta W_H = \Delta W_K + \Delta W_x \tag{6-23}$$

2. 水库减沙量计算方法

水库减沙量可根据其淤积资料求得。泾河流域水库减沙量按如下步骤进行计算。

1)水库淤积量计算

(1)大型水库有实测资料,按实测总淤积量计算。根据巴家嘴水库的实测资料,1990～1996年年均淤积量为1 910万t。

(2)中型水库,根据彭阳县店子洼水库的实测资料推算,已淤库容占总库容的60.4%,其他中型水库按此比例推算。

(3)小型水库,根据收集到的部分小型水库的实测资料推算,小(一)型水库已淤库容占总库容的25.9%,小(二)型水库已淤库容占总库容的38.9%(1994年资料)。本次计算,小(一)、小(二)型水库按淤积库容占总库容的39.3%计算(截至1996年)。

有了水库的总淤积量,计算历年水库的淤积量时,可按各年径流量占相应年代径流量均值的比例分配。

2)水库减沙量计算

有了水库的淤积量,其减沙量可按下式计算:

$$\Delta W_{sh} = (1-\alpha)\cdot\Delta V\cdot\gamma \tag{6-24}$$

式中:ΔW_{sh}为水库减沙量;α 为水库中推移质所占比重,取 $\alpha = 0.1 \sim 0.2$;γ 为水库淤积体的干容重,泾河流域取 $\gamma = 1.3\ t/m^3$。

泾河流域水库减水减沙量计算成果见表6-21。

表6-21 泾河流域水库减水减沙量计算成果

时段(年)	减水量(万 m^3)			减沙量(万 t)		
	洪水	常水	小计	洪沙	常沙	小计
1956～1969	917.3	750.5	1 667.8	1 072.2	119.1	1 191.3
1970～1979	1 410.2	1 153.8	2 564.0	1 498.4	166.5	1 664.9
1980～1989	731.7	598.6	1 330.3	581.2	64.6	645.8
1990～1996	1 000.4	818.5	1 818.9	861.6	95.7	957.3
1970～1996	1 052.6	861.3	1 913.9	993.6	110.4	1 104.0

(二)灌溉减水减沙量的计算

1. 灌溉面积的确定

根据泾河流域各县水利年报统计资料及各县在流域内的面积比例,分别计算出各年的灌溉面积,并参考土地详查资料加以核实。经核实,截至1996年底,泾河流域有效灌溉面积为4.653万 hm^2(不含泾惠渠灌溉面积)。此外,甘肃省泾河流域自1995年实施"121雨水集流工程"以来,截至1999年底,共修水窖45.8万眼,按单窖蓄水量30m^3计算(年蓄满两次),共蓄水2 748万 m^3;1996年至今发展喷灌、滴灌面积4 830 hm^2。

2. 灌溉减水量计算

灌溉减水量按下式计算:

$$\Delta W_L = (1-K)\cdot\omega\cdot F \tag{6-25}$$

式中:ΔW_L 为灌溉减水量,万 m^3;K 为灌溉引水回归系数,取 $K = 0.15$;ω 为灌溉引水定额，根据调查，泾河流域 ω 取 3 560 m^3/hm^2；F 为有效灌溉面积，hm^2。

3. 灌溉减沙量计算

灌溉减沙量按下式计算：

$$\Delta W_{gs} = 0.001\Delta W_L \cdot \rho \tag{6-26}$$

式中：ΔW_{gs}为灌溉减沙量，万 t；ρ 为灌溉引水含沙量，kg/m^3，泾河流域 ρ 值考虑张家山水文站 3、4、5、9、10 月共五个月的含沙量取值，$\rho = 15.2\ kg/m^3$。

泾惠渠是泾河流域著名的大型灌区，是久负盛名的"关中八惠"之一。泾惠渠各年代引水引沙状况及其变化占比见表 6-22。

表 6-22　泾惠渠各年代引水引沙状况及其变化占比

项目	计算时段（年）	张家山站来水来沙量			泾惠渠引水引沙量			引水引沙与来水来沙之比（%）		
		汛期	非汛期	全年	汛期	非汛期	全年	汛期	非汛期	全年
水量（亿 m^3）	1933 ~ 1949	15.435	7.114	22.549	1.242	2.602	3.844	8.0	36.6	17.0
	1950 ~ 1959	10.568	6.897	17.465	1.121	2.008	3.129	10.6	29.1	17.9
	1960 ~ 1969	13.006	8.671	21.677	1.065	2.650	3.715	8.2	30.6	17.1
	1970 ~ 1979	10.985	6.452	17.437	1.342	3.609	4.951	12.2	55.9	28.4
	1980 ~ 1989	9.982	7.139	17.121	0.958	2.880	3.838	9.6	40.3	22.4
	1990 ~ 1996	10.271	6.162	16.433	1.015	2.652	3.667	9.9	43.0	22.3
	1970 ~ 1996	10.428	6.631	17.060	1.115	3.091	4.206	10.7	46.6	24.7
	1933 ~ 1996	12.183	7.120	19.303	1.142	2.723	3.865	9.4	38.2	20.0
沙量（亿 t）	1958 ~ 1969	2.952	0.112	3.064	0.109	0.016	0.125	3.7	14.3	4.1
	1970 ~ 1979	2.471	0.125	2.596	0.085	0.018	0.103	3.4	14.4	4.0
	1980 ~ 1989	1.809	0.056	1.865	0.023	0.009	0.032	1.3	16.1	1.7
	1990 ~ 1996	2.693	0.055	2.748	0.039	0.005	0.044	1.4	9.1	1.6
	1970 ~ 1996	2.283	0.081	2.365	0.050	0.011	0.061	2.2	13.6	2.6
	1958 ~ 1996	2.489	0.091	2.580	0.068	0.013	0.081	2.7	14.3	3.1

注：表中部分数据来自参考文献[21]。

由此可见，1970 ~ 1996 年，泾惠渠年、汛期、非汛期引水引沙量占张家山以上来水来沙量的百分比分别为 24.7%、10.7%、46.6%和 2.6%、2.2%、13.6%。泾惠渠多年平均（1933 ~ 1996 年）引水量占张家山以上对应多年平均来水量的 24.7%，多年平均引沙量占 3.1%。引水量十分可观，引沙量不容忽视。

七、河道冲淤计算

根据参考文献[9]及 90 年代对泾河干流泾川、杨家坪、景村及张家山水文站实测大断面资料的分析，泾河上游冲刷，中下游淤积，总的冲淤变化不大。因此，泾河流域河道冲淤量未做计算。

八、工业及生活用水量计算

截至 1996 年，根据泾河流域人口变化情况和甘肃省平凉市、西峰市工业及城镇生活用水量推算，70 年代泾河流域工业及生活用水量为 0.251 亿 m^3，80 年代为 0.334 亿 m^3，90

年代达 0.418 亿 m^3。

九、人为活动新增水土流失量计算

根据调查,泾河流域人为活动新增水土流失主要类型和项目有开荒、开矿、修路、挖药材等。泾河流域人为开荒新增水土流失分两种,一是陡坡开荒,即非林地开荒;二是毁林开荒。陡坡开荒的主要原因是:①人口增长率过高,人地矛盾日趋尖锐;②缺乏基本农田,只有扩大耕地面积;③科技文化落后,产业结构不合理,对种植业依赖性太强;④非生产用地增加,特别是基建用地具有永久性,且多为平缓耕地。

陡坡开荒对加速侵蚀的影响主要表现在:减少了植被覆盖度,因而使地表的抗蚀能力降低;同时,植被破坏不仅使土壤肥力减退,原有的土地结构发生变化,而且通过扰动土壤结构,降低土壤入渗率,增大产流从而加剧侵蚀[18]。

毁林开荒是影响泾河流域水沙变化的一个重要因素。现以子午岭林区对比观测结果说明如下。

子午岭林区地跨陕西、甘肃两省,为泾河、北洛河两水系的分水岭。子午岭林区属泾河流域部分 2 830 km^2。子午岭地区从明朝(约 1368 年)开始耕垦,在耕垦过程中曾有过强烈的土壤侵蚀,1866 年开始荒芜,植被得以恢复。林区植被为自然生态环境,森林郁闭度达 0.7 以上,林下草被覆盖面积达 90% 以上,枯枝落叶层厚 2 ~ 5 cm。根据郭荣卿的径流小区观测资料,在其他条件相同的情况下,人为开垦对土地的不合理利用可使径流、泥沙增加,尤以水土流失量为巨。其观测结果表明,林区和草地开垦为农地后,径流量增加为林地的 1.8 倍,而土壤流失量却增加为林地的 113.5 倍和 173.1 倍;翻耕裸露地的土壤流失量则为林地的 52 倍;农地弃耕撂荒后,侵蚀量迅速下降,仅为林地的 4.6 倍[18]。黄委会西峰水保站对子午岭林区森林植被拦洪效益的调查结果表明,森林拦蓄暴雨径流平均达到 70%,最高达 90%;削减洪峰流量在 60% 以上,拦泥效益达 99% ~ 100%。无林流域(主要是人类破坏所致)与有林流域相比,其多年平均含沙量和测点最大含沙量前者是后者的 440 倍和 34 倍[22]。

另据蔡庆等人的研究[23],根据北洛河支流葫芦河和河龙区间南片汾川河航片抽样调查结果,在降雨相同的条件下,两林区 1971 ~ 1984 年因毁林开荒,其输沙量比 1957 ~ 1970 年增加了 14.5 万 t 和 8.6 万 t;新垦地年均产沙模数分别达到 2 113 t/(km^2·a)和 2 214 t/(km^2·a)。若包括原坝拦蓄量和沟道植被拦蓄量,实际侵蚀增量更大。

(一)陡坡开荒增洪增沙量计算

根据泾河流域各县 1990 年土地详查资料和 1996 年土地变更调查资料,以大于 25°的坡耕地面积作为陡坡开荒面积计算。截至 1996 年,经核实后的陡坡开荒面积为 10.57 万 hm^2,各年份的陡坡开荒面积按流域农业人口的增长比例确定。有了陡坡开荒面积,再乘以增水增沙模数,即可得到泾河流域陡坡开荒增水增沙量。

增水增沙模数的确定,是根据坡耕地小区与天然荒坡小区比较求得的。本次计算,采用了黄委会绥德水保站 1958 ~ 1963 年径流场观测的 40 个小区年资料(其中坡耕地和天然荒坡各 20 个小区);山西省水保所 1959 ~ 1966 年的小区资料。将各年内的小区观测资料进行平均,经对比分析可知,天然荒坡径流量与坡耕地基本相同,因此可以认为荒坡开垦后基本不增水；而坡耕地与天然荒坡年冲刷量相比，黄委会绥德水保站观测资料前者比后者大6 570 t/km²，山西省水保所观测资料则大 6 600 t/km²，说明陡坡开荒两地增沙量大致相同。本次计算，泾河流域陡坡开荒增沙模数采用 6 570 t/km²。

此外，泾河流域毁林毁草开荒情况也很严重。据统计，1969 年泾河流域还有天然林 31.12 万 hm²，到 1989 年只剩下 21.71 万 hm²，减少了 9.41 万 hm²，年均减少 4 705 hm²。仅此一项，年均增加沙量即超过 100 万 t。其增洪量为：70 年代年均增洪 500 万 m³，80 年代年均增洪 600 万 m³。另据调查，90 年代泾河流域因毁林开荒年均增水 700 万 m³，年均增沙 170 万 t。

(二)修路、开矿增洪增沙量计算

1. 修路增沙量计算

根据泾河流域 1996 年各县土地变更调查资料及 1990 的土地详查资料分析，乡村道路面积为 2.91 万 hm²(截至 1996 年)，长 36 375 km；公路面积 9 730 hm²，长 8 108 km。

修路弃土量的计算方法是：先按照路面面积及宽度反算出道路长度，公路宽按 12 m、村道宽按 8 m 计算；再根据单位公里长度移动土石方量求出修路弃土量。公路每公里移动土石方量按 3.5 万 m³ 计算，村道按 1.0 万 m³/km 计算。修路弃土量按 30%弃入沟道计算，公路弃土流失率为 38%，村道为 25%，弃土干容重为 1.35 t/m³。在总弃土量中，60 年代占 15%，70 年代占 20%，80 年代占 25%，90 年代占 40%。各年弃土量按年洪量模比系数分配。

弃土弃石量按下式计算：

$$\Delta V_{\mathrm{q}} = L \cdot G_{\mathrm{q}} \tag{6-27}$$

$$\Delta W_{\mathrm{sq}} = q_1 \cdot \Delta V_{\mathrm{q}} \tag{6-28}$$

式中：ΔW_{sq}为修路弃土弃石流失量，t；ΔV_{q} 为弃土弃石量，t；q_1 为流失系数；L 为修路里程，km；G_{q} 为单位公里弃土弃石量，t/km。

此外，根据调查，“八五”期间建成的宝(鸡)—中(卫)铁路，横穿泾河流域上游，修建历时五年(1990～1994 年)，年弃土量达 550 万 t，总弃土量 2 750 万 t；年均流失量 234 万 t，总流失量 1 170 万 t。

2. 开矿打井弃土量计算

根据调查，长庆油田在泾河支流马莲河上游的环江流域，1990～1996 年共打井 700～800 口，按平均数 750 口、单井弃土量 2 万 m³/口、流失率 15%计算，弃土容重取为 1.35 t/m³，则打井总弃土量为：

$$750 \times 2 \times 15\% \times 1.35 = 303.75(\text{万 t})$$

打井弃土总量按各年洪量模比系数分配。

3. 修路、开矿增洪量计算

统计分析黄委会天水、西峰、绥德水保试验站径流小区资料，根据道路年径流模数与荒坡、农地年径流模数之差，取其多年平均值作为修路、矿区的年增水模数。根据以上径流小区及陕北、晋西北等地的观测资料，道路的年均径流模数为 6.118 万 m³/km²，与荒坡、农地相比，年增水模数为 2.08 万 m³/km²，按此并根据修路及村庄、道路和矿区面积计算其增洪量。

(三)挖药材弃土量计算

泾河流域西北部,盛产甘草和其他一些中药材,每年因挖药材造成的水土流失量也很惊人。据甘肃省庆阳地区水利处 1989 年调查,1950 ~ 1987 年泾河流域挖药材面积 11 465 hm^2,弃土量 3 062 万 t,按 25%的流失率计算,年均流失 20.68 万 t。到了 90 年代,这种破坏生态环境和植被的恶习愈演愈烈。据调查,1988 ~ 1996 年,泾河流域上游因挖药材弃土量高达 1 500 万 t,年均流失量在 50 万 t 左右。

(四)工程冲毁增沙量计算

泾河流域因水毁的工程主要有水库、淤地坝、渠道等。根据甘肃省平凉地区和庆阳地区水利处的调查,1950 ~ 1989 年,两地区泾河流域内被水毁的工程累计达 6.4 万余处,冲走泥沙 980 余万 t,年均 24.5 万 t;另外,90 年代泾河流域先后发生过三次大洪水(即 1992 年、1994 年及 1996 年洪水),尤其是 1996 年 7 月下旬的"96.7"洪水,造成许多工程被水毁,损失惨重。据调查估算,90 年代泾河流域因工程冲毁年均冲走泥沙约 35.0 万 t。

泾河流域人为活动增沙量计算汇总成果见表 6-23,人为活动增洪量计算汇总成果见表 6-24。

表 6-23　**泾河流域人为活动增沙量计算成果汇总**　(单位:万 t)

时段(年)	陡坡开荒	毁林开荒	乡村道路修筑	公路建设	铁路建设	开矿	挖药材	工程冲毁	小计
1956 ~ 1969	- 473.15	0.00	- 61.40	- 62.10	0.00	- 4.22	- 2.00	- 24.50	- 627.37
1970 ~ 1979	- 557.09	- 100.00	- 88.38	- 87.35	0.00	- 6.08	- 4.00	- 24.50	- 867.40
1980 ~ 1989	- 639.69	- 130.00	- 110.48	- 109.18	0.00	- 7.59	- 24.00	- 24.50	- 1 045.44
1990 ~ 1996	- 722.37	- 170.00	- 154.02	- 149.56	- 167.14	- 17.36	- 50.00	- 35.00	- 1 465.45
1970 ~ 1996	- 630.53	- 129.26	- 113.58	- 111.56	- 43.33	- 9.56	- 23.33	- 27.22	- 1 088.39
1956 ~ 1996	- 576.79	- 85.12	- 95.76	- 94.67	- 28.54	- 7.74	- 16.05	- 26.29	- 930.97

表 6-24　**泾河流域人为活动增洪量计算成果汇总**　(单位:万 m^3)

时段(年)	毁林开荒	乡村道路修筑	公路建设	开矿	合计
1956 ~ 1969	0.00	- 141.22	- 49.20	- 22.05	- 212.47
1970 ~ 1979	- 500.00	- 211.85	- 70.83	- 31.74	- 814.42
1980 ~ 1989	- 600.00	- 364.81	- 188.54	- 39.68	- 1 193.03
1990 ~ 1996	- 700.00	- 451.95	- 301.30	- 54.41	- 1 507.66
1970 ~ 1996	- 588.89	- 330.75	- 174.18	- 40.56	- 1 134.38
1956 ~ 1996	- 387.80	- 266.03	- 131.50	- 34.24	- 819.58

第六节　计算成果对比与分析

本次研究，以“水保法”为重点，兼顾“水文法”，目的在于使计算结果能够互相印证。

一、“水文法”计算成果与分析

（一）计算原理

点绘泾河流域降雨、径流、泥沙双累积曲线，发现自1970年前后开始发生转折，在1970年以前泾河流域水利水保措施数量较少，可以1970年以前（1956~1969年）作为基准期，进行流域人类活动对地表径流量及输沙量影响的水文分析与计算。

“水文法”是利用流域水文泥沙观测资料分析水土保持减水减沙作用的一种方法。河流的水量和沙量，是流域降雨和下垫面结合的产物，它们之间具有函数关系。一个流域，如果下垫面条件不变，在一定的降雨条件下，将会产生一定的水量和沙量；如果下垫面条件变动，在同样的降雨条件下，将会产生不同的水量和沙量。“水文法”即是根据此原理，利用治理前实测的水文资料，建立降雨产流产沙模型，然后将治理后的降雨因子代入，还原计算出相当于治理前的产流产沙量，再与治理后的实测水沙量比较，其差值即经过治理后减少的水量和沙量，这种方法通常称为经验性模型或统计模型。该方法比较直观、简单，计算也比较方便，在建立降雨产流产沙模型的资料范围内具有可靠精度。它的基本假定是人类活动可以影响流域下垫面，但不可能显著影响降雨；它要求的条件是降雨、径流、泥沙资料要有较高的准确性，特别是降雨资料。

（二）降雨产流产沙模型

根据笔者以往的研究[24,25]，泾河流域产流产沙量与最大1日降雨量、最大30日降雨量、汛期降雨量及汛期降雨集中程度有关，并由此根据1952~1969年的水文资料建立了如下的降雨产流产沙模型，见表6-25。

表6-25　　泾河流域降雨产流产沙模型

降雨产流模型	r	降雨产沙模型	r
（1） $W_N = 8.04P_N^{1.58}(P_K/P_X)^{-0.227}$	0.91	（1） $W_S = 0.003\ 01P_{30日}^{3.132}$	0.84
（2） $W_N = 11.0X^{1.738}$	0.89	（2） $W_S = 0.086\ 3(P_{30日} - P_{1日})^{2.678}$	0.82

注：W_N 代表年径流量，万 m^3；W_S 代表年输沙量，万 t；P_N 代表年降水量；P_K 代表非汛期降水量，P_X 代表汛期降水量，$P_N = P_K + P_X$；$P_{1日}$、$P_{30日}$ 分别代表流域最大1日及最大30日降水量，mm；$X = P_Xf^m + P_K^n$，f 为汛期降雨集中系数，$f = P_{1日}/P_X$，$m = 0.25$，$n = 0.75$；r 为相关系数。

据此，将泾河流域1970~1996年各年对应的降雨指标分别代入所建的降雨产流产沙模型中，计算出不受人类活动影响的“天然”产流产沙量，再与同期实测值比较，即得人类活动对流域地表径流及泥沙的影响量；将计算值与基准期实测值比较，即得降雨变化影响量。由于降雨产流产沙模型（1）的相关系数高于模型（2），故“水文法”计算成果以模型（1）计算结果为准。

需要说明的是，泾河流域毛家河水文站以上建有巴家嘴大型水库一座。根据巴家嘴水文站的实测资料，由于巴家嘴水库的修建，1962～1969年其年均实测输沙量为1 304万t，同期水库年平均淤积量为1 475万t，水库拦沙量与实测输沙量相当。因此，在建立泾河流域降雨产沙模型时，为了反映流域的实际产沙情况，对巴家嘴水库的淤积量进行了还原处理。

此外，由于泾河流域90年代降水资料收集难度较大，在考虑流域雨量站代表性和资料连续性的基础上，对90年代降水资料进行了如下处理：在流域内共选取60个有代表性的雨量站，并对部分站实测的降水资料进行了插补展延，以流域内雨量代表站降水量的算术平均值作为流域降水量的特征值，参与流域“水文法”及“水保法”蓄水减沙作用计算。

(三)计算成果分析

1．减水量计算成果分析

本次研究“水文法”减水量计算成果见表6-26。由此可知，70年代泾河流域因水土保持综合治理等人类活动年均减水1.214亿m^3，占总减水量的37%；因降雨比基准期(1956～1969年)减少10.6%而影响的径流减少量为2.052亿m^3，占总减水量的63%；80年代人类活动年均减水1.721亿m^3，降雨影响年均减水1.864亿m^3，分别占总减水量的48%和52%；进入90年代，泾河流域人类活动年均减水量明显下降，仅为0.748亿m^3，只占总减水量的17.5%，降雨影响减水量年均值为3.525亿m^3，占总减水量的82.5%。从70年代到90年代，人类活动减水量始终居于次要地位，90年代更为明显。

表6-26　**泾河流域人类活动减水量计算成果**　(单位：亿m^3)

区域	时段(年)	实测值	总减水量	人类活动		降雨影响	
				减水量	占总(%)	减水量	占总(%)
泾河张家山站以上	1956～1969	20.706					
	1970～1979	17.440	3.266	1.214	37	2.052	63
	1980～1989	17.121	3.585	1.721	48	1.864	52
	1990～1996	16.433	4.273	0.748	17.5	3.525	82.5
	1970～1996	17.061	3.645	1.281	35	2.364	65
张家山站以上(包括泾惠渠引水量)	1956～1969	20.706					
	1970～1979	12.489	8.217	6.165	75	2.052	25
	1980～1989	13.283	7.423	5.559	75	1.864	25
	1990～1996	12.766	7.940	4.415	56	3.525	44
	1970～1996	12.855	7.851	5.487	70	2.364	30

2．减沙量计算成果分析

本次研究“水文法”减沙量计算成果见表6-27。可以看出，减沙量计算成果变化比较复杂，70年代和90年代降雨影响均为增沙(负值)，人类活动年均减沙量三个年代依次为0.471 1亿t、0.594 4亿t和0.397 6亿t，80年代最大，90年代数值是三个年代中最小的。降雨影响为什么增沙？现将其原因分析如下。

如表6-28所示，泾河流域降雨变化情况是：70、80、90年代年均降水量及汛期降雨量均比基准期有所减少，而且90年代减少幅度最大，但7+8月降雨及最大1日降雨、最大30日降雨变化情况却有所不同。从$P_{7+8月}$变化看，三个年代与基准期相比，70年代是增大的,90 年代虽有所减少,但减少的比例很小,只有 1.2%,而作为流域主要产沙动力因子的最大 1 日降雨量及最大 30 日降雨量,70 年代均比基准期增大,80 年代最大 1 日降雨量虽比基准期减少 11.8%,但最大 30 日降雨量却比基准期增大 2.6%;90 年代最大 1 日降雨量及最大 30 日降雨量比 80 年代明显增大,尤其是最大 30 日降雨量,不仅比 80 年代增大了 2.6%,也比基准期增大了 5.3%,这是导致流域降雨增沙的主要原因。因为流域产沙主要集中于汛期(5~9 月),而最大 1 日及最大 30 日降雨量也正好在汛期出现。

表 6-27　**泾河流域人类活动减沙量计算成果**　(单位:亿 t)

区域	时段(年)	实测值	总减沙量	人类活动		降雨影响	
				减沙量	占总(%)	减沙量	占总(%)
泾河张家山站以上	1956~1969	3.012					
	1970~1979	2.596	0.416 0	0.471 1	113	-0.055 1	-13
	1980~1989	1.865	1.147 0	0.594 4	52	0.552 6	48
	1990~1996	2.748	0.264 0	0.397 6	151	-0.133 6	-51
	1970~1996	2.365	0.647 0	0.497 7	77	0.149 3	23
张家山站以上(包括泾惠渠引沙量)	1956~1969	3.012					
	1970~1979	2.493 4	0.518 6	0.573 7	111	-0.055 1	-11
	1980~1989	1.832 6	1.179 4	0.626 8	53	0.552 6	47
	1990~1996	2.704 0	0.308 0	0.441 6	143	-0.133 6	-43
	1970~1996	2.303 3	0.708 7	0.559 1	79	0.149 6	21

表 6-28　**泾河流域降雨变化情况**

时段	$P_{1日}$		$P_{30日}$		$P_{7+8月}$		P_X		P_N	
(年)	mm	%	mm	%	mm	%	mm	%	mm	%
1956~1969	52.5		162.8		208.9		402.6		591.4	
1970~1979	53.3	-1.5	163.4	-0.4	214.8	-2.8	392.2	2.6	528.8	10.6
1980~1989	46.3	11.8	167.1	-2.6	194.8	6.7	399.6	0.7	502.3	15.1
1990~1996	50.4	4.0	171.4	-5.3	206.3	1.2	359.4	10.7	497.7	15.8

(四)泾惠渠引水引沙量计算

泾惠渠是泾河流域最大的灌区,也是我国采用现代科学技术建筑的第一个大型灌溉工程,是中国水利先驱李仪祉先生的成名作。泾惠渠灌区位于陕西省关中平原的中部,历史悠久,实行井渠双灌,截至 2000 年已运行 68 年。新中国成立前实灌面积约 3.33 万 hm^2,截至 1999 年,泾惠渠有效灌溉面积达到 8.4 万 hm^2,尤其是进入 90 年代后,泾惠渠灌区方田建设成效显著。1989~1993 年,灌区共建设方田 2.77 万 hm^2,占灌区有效灌溉面积的32.2%，收到了显著的经济效益[26]。泾惠渠渠首设有水文站，根据历年引水引沙资料统计，泾惠渠70年代年均引水4.951亿m^3，年均引沙0.102 6亿t；80年代年均引水3.838亿m^3，年均引沙0.032 4亿t；90年代年均引水3.667亿m^3，年均引沙0.044亿t。可以看出，从70年代到90年代，年均引水量呈逐年下降趋势。表6-26、表6-27同时列出了泾河张家山站以上包括泾惠渠引水引沙量在内的人类活动减水减沙量计算成果。可以看出，若包括泾惠渠引水量，则70、80、90年代人类活动年均减水量分别占总减水量的75%、75%和56%，居主导地位，降雨影响居于次要地位。进入90年代后人类活动所占比例差距缩小。泾惠渠三个年代的年均引水量分别占各年代年均总减水量的60.3%、51.7%和46.2%，所占比重逐年代下降。若包括泾惠渠引沙量，则各年代人类活动减沙量及降雨影响减沙量占总减沙量的比例变化不大。90年代年均减沙0.441 6亿t，占总减沙量的143%，降雨影响减沙量占-43%（增沙），降雨影响增沙量占总减沙量的近50%。与70、80年代相比，人类活动减水量占总减水量的比例明显下降，减沙所占比例明显上升。

二、"水保法"计算成果与分析

由于泾河流域面积较大，类型区较多，故在进行"水保法"减水减沙量计算时，将流域分为四个区：①环江（马莲河）庆阳以上；②庆阳—雨落坪区间（含柔远河流域）；③泾河干流杨家坪以上；④雨落坪、杨家坪至张家山区间。将四个区的计算成果合并，即为泾河全流域的"水保法"减水减沙量计算成果。兹分析如下。

（一）综合措施治理效益计算基本公式

1.减洪效益与减水作用

减洪效益：
$$\eta_H = \Delta W_H / W_H \times 100\% \tag{6-29}$$

减水作用：
$$\eta = \Delta W / W \times 100\% \tag{6-30}$$

式中：ΔW_H为综合措施实施后的洪水径流变化量，万m^3，包括水保措施（梯田、人工林地、草地、坝地）减洪量、水利措施（灌溉、水库）减洪量和人为增洪量等共七项；W_H为计算洪水径流量，万m^3，相当于综合措施实施前的情况，其值为实测洪水径流量与洪量变化量之和；ΔW为综合措施实施后的年径流变化量，万m^3，是在ΔW_H的基础上，考虑水利措施（灌溉）引水量及工业、生活用水量；W为计算径流量，万m^3，其值为实测年径流量与年径流变化量之和。

2.减洪沙（年沙）效益

减洪沙效益：
$$\eta_{HS} = \Delta W_{HS} / W_{HS} \times 100\% \tag{6-31}$$

减年沙效益：
$$\eta_S = \Delta W_S / W_S \times 100\% \tag{6-32}$$

式中：ΔW_{HS}为综合措施实施后的洪沙变化量，万t，包括水保措施（梯田、人工林地、草地、坝地）减洪沙量、水利措施（灌溉、水库）减洪沙量、河道冲淤变化量、人为增洪沙量等八项；W_{HS}为计算洪沙量，万t，相当于综合措施实施前的洪水泥沙量，其值为实测洪沙量与洪沙变化量之和；ΔW_S为综合措施实施后的年沙变化量，万t，在ΔW_{HS}的基础上考虑水利措施（灌溉、水库）减沙量；W_S为计算年沙量，万t，其值为实测年沙量与年沙变化量之和。

（二）减水作用计算成果与分析

泾河流域"水保法"减水作用计算成果见表6-29。

表 6-29 泾河流域“水保法”

分区	时段（年）	年降雨量（mm）	实测洪量	计算洪量	实测年径流量	计算年径流量	水保措施减洪量				
							梯田	造林	种草	坝地	小计
环江庆阳以上	1956～1969	450.2	14 555	15 907	23 652	26 450	67.0	166.5	12.0	536.6	782.0
	1970～1979	426.4	11 488	13 609	19 770	24 426	307.4	430.9	56.0	495.2	1 289.6
	1980～1989	392.7	10 616	13 445	19 550	24 660	427.0	839.7	179.2	894.8	2 340.8
	1990～1996	391.5	18 543	21 464	26 257	31 686	686.2	1 016.1	213.1	540.7	2 456.0
	1970～1996	404.8	12 994	15 585	21 370	26 395	449.9	734.0	142.4	655.0	1 981.3
庆阳—雨落坪区间(含柔远河流域)	1956～1969	548.0	11 338	12 761	23 757	28 148	27.6	45.7	2.8	189.1	265.2
	1970～1979	529.3	12 952	15 319	25 624	33 197	116.3	120.1	12.8	173.0	422.2
	1980～1989	523.2	10 388	12 805	23 287	30 540	223.8	283.9	42.9	342.9	893.5
	1990～1996	525.2	13 020	15 452	25 151	32 935	286.3	291.9	58.8	181.2	818.1
	1970～1996	526.0	12 020	14 422	24 636	32 145	200.2	225.3	35.8	238.1	699.4
杨家坪以上	1956～1969	577.4	38 456	40 207	96 713	101 431	44.2	73.1	4.5	302.6	424.4
	1970～1979	529.8	27 796	30 642	75 936	83 967	186.1	192.1	20.4	276.8	675.5
	1980～1989	507.7	20 596	23 611	63 600	71 238	358.1	454.3	68.6	548.6	1 429.6
	1990～1996	526.4	24 324	27 341	57 846	65 960	458.0	467.1	94.0	289.9	1 309.0
	1970～1996	520.7	24 229	27 182	66 677	74 584	320.3	360.5	57.3	380.9	1 119.1
雨落坪、杨家坪—张家山区间	1956～1969	596.1	27 215	35 369	62 942	89 618	38.7	63.9	3.9	264.8	371.3
	1970～1979	561.3	26 578	40 914	53 039	100 332	162.9	168.1	17.9	242.2	591.1
	1980～1989	604.9	26 171	39 282	64 770	107 226	313.3	397.5	60.0	480.1	1 250.9
	1990～1996	521.8	31 271	44 976	55 071	100 151	400.8	408.7	82.3	253.7	1 145.4
	1970～1996	567.2	27 644	41 363	57 911	102 838	280.3	315.4	50.2	333.3	979.2
流域合计（张家山以上）	1956～1969	591.5	91 564	104 244	207 064	245 647	177.5	349.2	23.2	1 293.1	1 842.9
	1970～1979	528.8	78 814	100 483	174 369	241 922	772.7	911.2	107.1	1 187.3	2 978.4
	1980～1989	502.3	67 770	89 143	171 207	233 664	1 322.3	1 975.5	350.7	2 266.4	5 914.8
	1990～1996	497.7	87 157	109 234	164 326	230 731	1 831.3	2 183.7	448.2	1 265.4	5 728.6
	1970～1996	510.9	76 887	98 552	170 594	235 962	1 250.7	1 635.3	285.7	1 607.2	4 779.0

减水作用计算成果 （单位:万 m^3）

水利措施减水量					工业生活用水	人为增洪	减洪效益		减水作用	
灌溉		水库		小计			减少量	%	减少量	%
洪水	常水	洪水	常水							
506.6	1 182.1	137.6	112.6	1 938.9	151.0	-74.4	1 351.9	8.5	2 797.6	10.6
904.7	2 111.0	211.5	173.1	3 400.3	251.0	-285.0	2 120.8	15.6	4 655.9	19.1
796.0	1 857.3	109.8	89.8	2 852.8	334.0	-417.6	2 829.0	21.0	5 110.0	20.7
842.8	1 966.5	150.1	122.8	3 082.1	418.0	-527.7	2 921.1	13.6	5 428.4	17.1
848.4	1 979.6	157.9	129.2	3 115.0	325.0	-397.0	2 590.6	16.6	5 024.4	19.0
1 013.2	2 364.2	183.5	150.1	3 711.0	453.0	-38.2	1 423.7	11.2	4 391.0	15.6
1 809.5	4 222.1	282.0	230.8	6 544.3	753.0	-146.6	2 367.1	15.5	7 572.9	22.8
1 592.0	3 714.6	146.3	119.7	5 572.6	1 002.0	-214.7	2 417.0	18.9	7 253.3	23.8
1 685.6	3 933.0	200.1	163.7	5 982.4	1 254.0	-271.4	2 432.4	15.7	7 783.1	23.6
1 696.8	3 959.1	210.5	172.3	6 038.7	975.1	-204.2	2 402.5	16.7	7 509.0	23.4
1 013.2	2 364.2	366.9	300.2	4 044.6	302.0	-53.1	1 751.4	4.4	4 717.8	4.7
1 809.5	4 222.1	564.1	461.5	7 057.1	502.0	-203.6	2 845.4	9.3	8 031.0	9.6
1 592.0	3 714.6	292.7	239.5	5 838.6	668.0	-298.3	3 016.0	12.8	7 638.0	10.7
1 685.6	3 933.0	400.2	327.4	6 346.1	836.0	-376.9	3 017.9	11.0	8 114.3	12.3
1 696.8	3 959.1	421.1	344.5	6 421.5	650.1	-283.6	2 953.3	10.9	7 907.0	10.6
7 599.2	17 731.5	229.3	187.6	25 747.7	604.0	-46.7	8 153.1	23.1	26 676.2	29.8
13 570.9	31 665.4	352.5	288.4	45 877.2	1 004.0	-179.2	14 335.3	35.0	47 293.1	47.1
11 939.6	27 859.1	182.9	149.7	40 131.3	1 336.0	-262.5	13 111.0	33.4	42 455.8	39.6
12 641.8	29 497.5	250.1	204.6	42 594.0	1 672.0	-331.7	13 705.6	30.5	45 079.7	45.0
12 725.8	29 693.6	263.2	215.3	42 897.9	1 300.1	-249.6	13 718.6	33.2	44 927.7	43.7
10 132.3	23 642.0	917.3	750.5	35 442.1	1 510.0	-212.5	12 680.1	12.2	38 582.6	15.7
18 094.5	42 220.5	1 410.2	1 153.8	62 879.0	2 510.0	-814.4	21 668.6	21.6	67 552.9	27.9
15 919.5	37 145.5	731.7	598.6	54 395.3	3 340.0	-1 193.0	21 373.0	24.0	62 457.1	26.7
16 855.7	39 330.0	1 000.4	818.5	58 004.6	4 180.0	-1 507.7	22 077.0	20.2	66 405.5	28.8
16 967.8	395 91.5	1 052.6	861.3	58 473.2	3 250.4	-1 134.4	21 665.0	22.0	65 368.1	27.7

由表6-29可见，70年代水保水利措施及其他合计总减水量为6.755亿m^3，其中坡面措施减水0.179亿m^3，坝地减水0.119亿m^3，分别占总减水量的2.7%和1.8%；灌溉减洪水1.809亿m^3，减常水4.222亿m^3，分别占总减水量的26.8%和62.5%；水库减水0.256亿m^3，占总减水量的3.8%，工业与生活用水0.251亿m^3，占总减水量的3.7%，人为增洪0.081 4亿m^3，占总减水量的-1.2%。可见，灌溉减水量占总减水量的近90%，占绝对主导地位。尤其是泾惠渠年均引水4.951亿m^3，回归系数按0.15计算，年均减水量达4.208亿m^3，占总减水量的62.3%。在水保措施中，造林减水居坡面措施首位，梯田次之，种草减水量只占坡面措施总减水量的6%。

进入80年代，泾河流域总减水量为6.246亿m^3，比70年代有所下降，但坡面措施减水量有较大幅度提高；坝地减水量比70年代增大了近一倍，但灌溉减水量有所下降；工业、城镇生活用水及人为增洪均呈增大趋势，各项措施减水所占比例变化不大。具体变化为：坡面措施减水量0.365亿m^3，占总减水量的5.8%，比70年代上升了一倍多；坝地减水量为0.227亿m^3，占总减水量的3.6%，也比70年代有明显提高；灌溉减水（洪水与常水之和）量为5.306 5亿m^3，占总减水量的85.0%，水库减水（洪水与常水之和）量为0.133亿m^3，占总减水量的2.1%；水利措施合计减水量为5.439 5亿m^3，占总减水量的87.1%；四大水保措施合计减水量为0.591 5亿m^3，只占总减水量的9.5%；工业与生活用水量为0.334亿m^3，占总减水量的5.3%；人为增洪量为0.119亿m^3，占总减水量的-1.9%。

90年代，泾河流域来水来沙量有显著增加。在这种情况下，水利水保措施减水减沙作用表现又如何呢？从计算结果看，90年代总减水量为6.641亿m^3，其中坡面措施减水量0.446亿m^3，占总减水量的6.7%，继续上升；坝地减水量0.126 5亿m^3，占总减水量的1.9%，比80年代几乎下降了一半；水库减水量0.182亿m^3，占总减水量的2.7%，灌溉减水量5.619亿m^3，占总减水量的84.6%，与70、80年代相比变化不大，比较稳定；水保措施合计减水量0.573亿m^3，占总减水量的8.6%，水利措施合计减水量5.800亿m^3，占总减水量的87.3%；工业与生活用水0.418亿m^3，占总减水量的6.3%，人为增洪0.151亿m^3，占总减水量的-2.3%，均比70、80年代有明显上升。

显然，水利水保措施充分发挥减水减沙作用需要有一个比较恰当的降雨过程与之相对应。在平水年及枯水年拦蓄效益大一些，在丰水年小一些。

进入90年代后，泾河流域坝库建设不多，原有的坝库大多已经蓄满，发挥作用的巅峰时期已过，故淤地坝减水作用有所下降。但由于马莲河流域世界银行项目的实施及泾川、长武等县综合治理的显著成效，使坡面措施依然保持了较好的蓄水作用并继续上升。

泾河流域各项水利水保措施减水及人为因素增水占“水保法”计算总减水量的百分比柱状图见图6-46。

（三）减沙效益计算成果与分析

泾河全流域“水保法”“以洪算沙”减沙效益计算成果见表6-30。由此可知，70年代年均总减沙0.439 5亿t，其中坡面措施减沙0.175亿t，占总减沙量的39.8%，坡面措施减沙

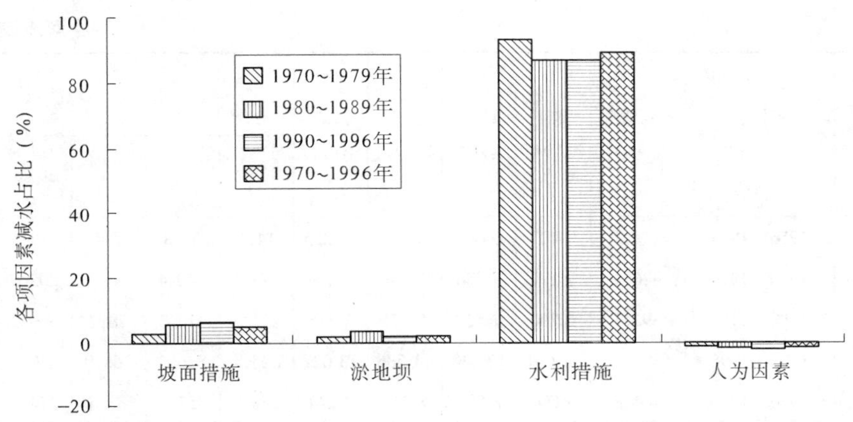

图 6-46　泾河流域"水保法"计算总减水量的百分比柱状图

量中又以造林为大，占坡面措施总减沙量的 50.6%，坝地减沙量 0.049 亿 t，占总减沙量的 11.1%，四大水保措施减沙量 0.224 亿 t，占总减沙量的 51.0%；水利措施减沙量 0.302 亿 t，占总减沙量的 68.7%，其中水库拦沙量又占总减沙量的 37.9%，居主导地位；人为年均增沙 867 万 t，占总减沙量的 –19.7%。

80 年代年均总减沙量为 0.495 6 亿 t，其中坡面措施减沙量 0.379 亿 t，占总减沙量的 76.5%，坡面措施减沙量中仍以造林减沙量为大，占坡面措施总减沙量的 51.6%，其次是梯田，其减沙量占坡面措施总减沙量的 37.7%；坝地减沙量 0.084 亿 t，占总减沙量的 17.0%；四大水保措施减沙量 0.463 亿 t，占总减沙量的 93.4%，比 70 年代上升了 42.4%；水利措施减沙量 0.137 亿 t，占总减沙量的 27.6%，比 70 年代下降了 41.1%，水库减沙量 0.064 6 亿 t，占总减沙量的 13.0%；人为年均增沙 1 045 万 t，占总减沙量的 –21.1%。80 年代四大水保措施减沙量比 70 年代大幅度提高，是由于四大水保措施保存面积大幅度增加的缘故。

90 年代泾河流域年均总减沙量 0.497 8 亿 t，其中坡面措施减沙总量为 0.382 6 亿 t，占总减沙量的 76.8%，坡面措施减沙量中仍以造林为大，梯田次之，二者分别占坡面措施总减沙量的 50.9%和 39.2%；坝地减沙量 0.055 亿 t，占总减沙量的 11.0%，四大水保措施减沙量占总减沙量的 87.8%；水利措施减沙量 0.207 亿 t，占总减沙量的 41.6%，水库减沙量占总减沙量的 19.2%；人为年均增沙量明显上升，达 1 465 万 t，占总减沙量的 –29.4%，接近 –30%，因此制止人为新增水土流失的任务十分艰巨。

水利水保措施蓄水减沙的本质是减少洪水和洪水输沙量。从计算结果看，70、80、90 年代年均减洪沙量分别为 0.368 亿 t、0.460 亿 t 和 0.444 亿 t，分别占各年代总减沙量的 83.8%、92.8%和 89.1%，说明泾河流域水利水保措施在蓄水减沙方面的确发挥了比较大的作用。泾河流域各项水利水保措施及人为因素影响水沙变化所占比重分析成果见表 6-31。

泾河流域各项水利水保措施减沙及人为因素增沙占"水保法"计算总减沙量的百分比柱状图见图 6-47。

表 6-30　　泾河流域“水保法”

区间	时段（年）	年降雨量（mm）	实测洪沙量	计算洪沙量	实测年沙量	计算年沙量	水保措施减沙量				
							梯田	造林	种草	坝地	小计
环江庆阳以上	1956～1969	450.2	9 407	9 649	9 946	10 225	14.1	35.8	2.4	219.5	271.8
	1970～1979	426.4	7 177	7 786	7 368	8 029	173.6	240.4	30.2	202.9	647.1
	1980～1989	392.7	6 700	7 520	6 971	7 816	211.2	418.3	78.7	369.2	1 077.4
	1990～1996	391.5	11 031	12 430	11 586	13 021	525.4	816.2	166.9	240.2	1 748.6
	1970～1996	404.8	8 000	8 892	8 314	9 244	278.7	455.6	83.6	274.2	1 092.0
庆阳—雨落坪区间（含柔远河流域）	1956～1969	548.0	4 347	4 752	4 549	5 017	56.1	105.2	7.3	77.2	245.8
	1970～1979	529.3	5 113	5 731	5 418	6 124	148.2	157.5	16.1	71.5	393.3
	1980～1989	523.2	2 884	3 564	2 891	3 613	239.6	301.9	48.8	118.0	708.3
	1990～1996	525.2	5 239	5 695	5 739	6 259	169.9	200.5	34.5	76.6	481.5
	1970～1996	526.0	4 320	4 919	4 565	5 229	187.7	222.1	33.0	90.1	532.8
杨家坪以上	1956～1969	577.4	10 395	10 895	10 732	11 319	18.1	26.3	1.8	123.5	169.7
	1970～1979	529.8	8 535	9 366	8 716	9 668	112.3	127.3	13.0	114.4	367.0
	1980～1989	507.7	5 705	6 872	5 795	7 016	467.8	410.6	84.7	188.9	1 151.9
	1990～1996	526.4	6 880	7 993	6 930	8 125	416.2	437.7	91.1	122.6	1 067.7
	1970～1996	520.7	7 058	8 086	7 171	8 286	322.8	312.7	59.8	144.1	839.4
雨落坪、杨家坪—张家山区间	1956～1969	596.1	4 877	5 611	4 898	5 954	28.2	23.0	6.3	108.1	165.6
	1970～1979	561.3	3 876	5 260	4 453	6 287	234.6	227.7	25.9	100.1	588.3
	1980～1989	604.9	2 801	4 225	2 991	4 648	463.9	450.5	103.4	165.3	1 183.0
	1990～1996	521.8	3 795	5 052	3 224	4 838	356.9	321.8	76.5	107.3	862.5
	1970～1996	567.2	3 457	4 822	3 593	5 305	351.3	334.6	67.7	126.1	879.7
流域合计（张家山以上）	1956～1969	591.5	29 026	30 908	30 125	32 515	116.4	190.3	17.8	528.4	852.9
	1970～1979	528.8	24 701	28 144	25 955	30 108	668.7	752.9	85.2	488.9	1 995.7
	1980～1989	502.3	18 090	22 181	18 648	23 093	1 382.6	1 581.2	315.5	841.4	4 120.7
	1990～1996	497.7	26 945	31 170	27 478	32 244	1 468.4	1 776.3	369.0	546.7	4 160.4
	1970～1996	510.9	22 834	26 720	23 644	28 064	1 140.4	1 325.0	244.1	634.4	3 343.9
流域合计 2	1956～1969	591.5	29 026	31 048	30 125	32 655	150.3	292.8	21.3	528.4	992.8
	1970～1979	528.8	24 701	28 386	25 955	30 350	760.6	885.5	102.8	488.9	2 237.8
	1980～1989	502.3	18 090	22 692	18 648	23 604	1 429.1	1 956.6	404.7	841.4	4 631.7
	1990～1996	497.7	26 945	31 382	27 478	32 456	1499.6	1 947.6	378.7	546.7	4 372.6
	1970～1996	510.9	22 834	27 054	23 644	28 398	1 199.8	1 557.5	286.1	634.4	3 677.9

注：流域合计 2 为全流域“以洪算沙”法计算结果。

减沙效益计算成果 （单位:万 t）

水利措施减水量					河道冲淤	人为增沙	减洪沙效益		减沙效益	
灌溉		水库		小计			减少量	%	减少量	%
洪沙	常沙	洪沙	常沙							
29.2	19.5	160.8	17.9	227.4	—	－219.6	242.3	2.5	279.6	2.7
40.8	27.2	224.8	25.0	317.7	—	－303.6	609.0	7.8	661.2	8.2
21.7	14.5	87.2	9.7	133.1	—	－365.9	820.4	10.9	844.6	10.8
33.4	22.3	129.2	14.4	199.3	—	－512.9	1 398.4	11.3	1 435.0	11.0
31.8	21.2	149.0	16.6	218.6	—	－380.9	892.0	10.0	929.7	10.1
58.4	38.9	214.4	23.8	335.6	—	－112.9	405.7	8.5	468.5	9.3
81.6	54.4	299.7	33.3	469.0	—	－156.1	618.4	10.8	706.1	11.5
43.4	29.0	116.2	12.9	201.6	—	－188.2	679.8	19.1	721.7	20.0
66.8	44.5	172.3	19.1	302.8	—	－263.8	456.9	8.0	520.6	8.3
63.6	42.4	198.7	22.1	326.9	—	－195.9	599.3	12.2	663.8	12.7
58.4	38.9	428.9	47.7	573.9	—	－156.8	500.1	4.6	586.7	5.2
81.6	54.4	599.4	66.6	802.0	—	－216.9	831.1	8.9	952.1	9.8
43.4	29.0	232.5	25.8	330.7	—	－261.4	1 166.5	17.0	1 221.3	17.4
66.8	44.5	344.6	38.3	494.3	—	－366.4	1 112.8	13.9	1 195.6	14.7
63.6	42.4	397.4	44.2	547.7	—	－272.1	1 028.4	12.7	1 114.9	13.5
438.1	292.1	268.0	29.8	1 028.0	—	－138.0	733.8	13.1	1 055.6	17.7
612.0	408.0	374.6	41.6	1 436.2	—	－190.8	1 384.1	26.3	1 833.7	29.2
325.8	217.2	145.3	16.1	704.4	—	－230.0	1 424.1	33.7	1 657.5	35.7
501.0	334.0	215.4	23.9	1 074.4	—	－322.4	1 256.5	24.9	1 614.5	33.4
477.2	318.2	248.4	27.6	1 071.4	—	－239.4	1 365.9	28.3	1 711.6	32.3
584.1	389.4	1 072.2	119.1	2 164.9	—	－627.4	1 881.9	6.1	2 390.4	7.4
816.0	544.0	1 498.4	166.5	3 024.9	—	－867.4	3 442.7	12.2	4 153.2	13.8
434.4	289.6	581.2	64.6	1 369.8	—	－1 045.4	4 090.8	18.4	4 445.0	19.2
668.1	445.4	861.6	95.7	2 070.8	—	－1 465.4	4 224.6	13.6	4 765.7	14.8
636.3	424.2	993.6	110.4	2 164.5	—	－1 088.4	3 885.5	14.5	4 420.1	15.8
584.1	389.4	1 072.2	119.1	2 164.9	—	－627.4	2 021.8	6.5	2 530.3	7.7
816.0	544.0	1 498.4	166.5	3 024.9	—	－867.4	3 684.8	13.0	4 395.3	14.5
434.4	289.6	581.2	64.6	1 369.8	—	－1 045.4	4 601.9	20.3	4 956.1	21.0
668.1	445.4	861.6	95.7	2 070.8	—	－1 465.4	4 436.8	14.1	4 977.9	15.3
636.3	424.2	993.6	110.4	2 164.5	—	－1 088.4	4 219.4	15.6	4 754.0	16.7

表 6-31　　泾河流域各项水利水保措施及人为因素影响水沙变化所占比重分析

项目	时段（年）	年减少量	坡面措施		淤地坝		水利措施		人为因素	
			减少量	占年减少量（%）	减少量	占年减少量（%）	减少量	占年减少量（%）	减少量	占年减少量（%）
减水量（万 m^3）	1970～1979	67 553	1 791	2.7	1 187	1.8	62 879	93.1	－814	－1.2
	1980～1989	62 457	3 648.5	5.8	2 266	3.6	54 395	87.1	－1 193	－1.9
	1990～1996	66 406	4 463	6.7	1 265	1.9	58 005	87.3	－1 508	－2.3
	1970～1996	65 368	3 172	4.8	1 607	2.5	58 473	89.4	－1 134	－1.7
减沙量（万 t）	1970～1979	4 396	1 749	39.8	489	11.1	3 025	68.8	－867	－19.7
	1980～1989	4 956	3 790	76.5	841	17.0	1 370	27.6	－1 045	－21.1
	1990～1996	4 979	3 826	76.8	547	11.0	2 071	41.6	－1 465	－29.4
	1970～1996	4 754	3 043	64.0	634	13.3	2 165	45.6	－1 088	－22.9

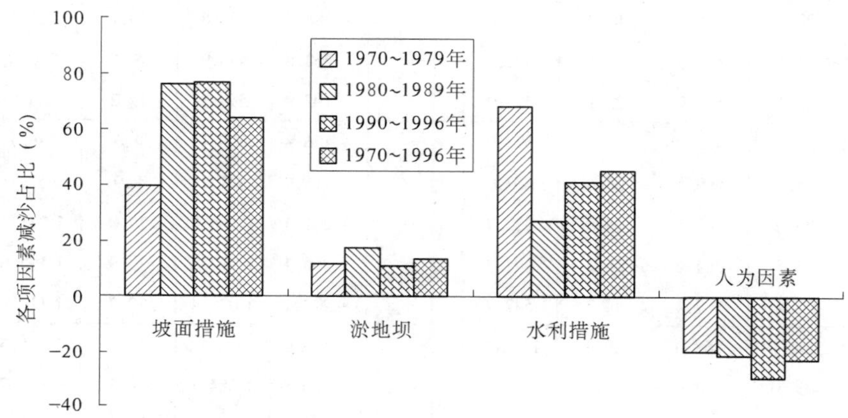

图 6-47　泾河流域"水保法"计算总减沙量的百分比柱状图

（四）"水保法"减沙量计算成果的验证

为了验证泾河流域"水保法"减沙量计算成果正确与否，本次研究又根据泾河流域坡面措施减洪量计算时的四个分区，即环江庆阳以上，庆阳至雨落坪区间（含柔远河流域），杨家坪以上，雨落坪、杨家坪至张家山区间，采用分区建立洪沙关系再进行"以洪算沙"的方法，求出各区计算结果，其合并值即为泾河全流域"水保法"减沙量（见表 6-30）。由此可见，泾河流域分区合并计算结果略小于全流域"以洪算沙"计算结果，其中减年沙量偏小 7.0%，减洪沙量偏小 7.9%，均在 10%以内，基本接近，说明计算结果比较准确。两种计算结果对比分析见表 6-32。本次研究推荐结果为全流域"以洪算沙"计算成果。

泾河流域本次研究"水文法"及"水保法"计算成果汇总对比见表 6-33。

（五）对水土保持减水减沙效益比的探讨

泾河流域自 1970 年以后开始了大规模的水土流失治理，其水土保持减水减沙效益变化有何趋势，以往的研究未曾涉及。本次研究根据泾河流域"减水减沙效益比"的变化进行了初步分析。所谓"减水减沙效益比"，是指泾河流域 1970 年以后历年"水保法"计算的年减水减沙量与实测年来水来沙量的比值。点绘泾河流域年降雨量与减水减沙效益比关系如图 6-48 ~ 图 6-51 所示。

表 6-32　　泾河流域“水保法”减沙量计算成果对比

时段（年）	减洪沙量(万 t)			减年沙量(万 t)		
	成果Ⅰ	成果Ⅱ	偏小(%)	成果Ⅰ	成果Ⅱ	偏小(%)
1970 ~ 1979	3 684.8	3 442.7	6.6	4 395.3	4 153.2	5.5
1980 ~ 1989	4 601.9	4 090.8	11.1	4 956.1	4 445.0	10.3
1990 ~ 1996	4 436.8	4 224.6	4.8	4 977.9	4 765.7	4.3
1970 ~ 1996	4 219.4	3 885.5	7.9	4 754.0	4 420.1	7.0

注：成果Ⅰ代表全流域“以洪算沙”计算成果，成果Ⅱ代表分区合并计算成果。

表 6-33　　泾河流域本次研究“水文法”及“水保法”计算成果汇总对比

时段（年）	水文法		水保法	
	减水量(亿 m^3)	减沙量(亿 t)	减水量(亿 m^3)	减沙量(亿 t)
1970 ~ 1979	6.165	0.574	6.755 3	0.439 5
1980 ~ 1989	5.559	0.627	6.245 7	0.495 6
1990 ~ 1996	4.415	0.442	6.640 6	0.497 8
1970 ~ 1996	5.487	0.559	6.536 8	0.475 4

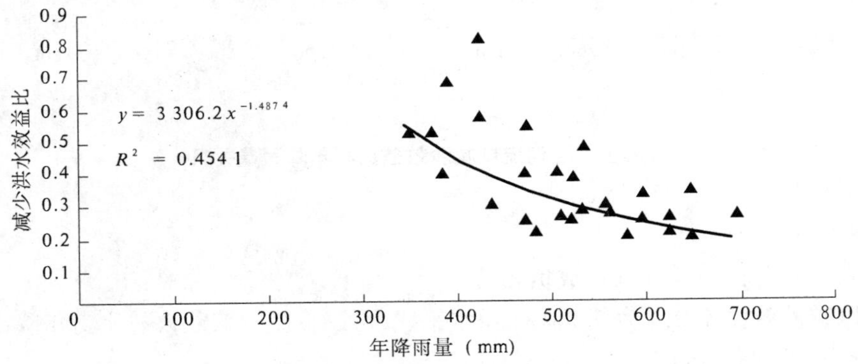

图 6-48　泾河流域减少洪水效益比与年降雨量关系

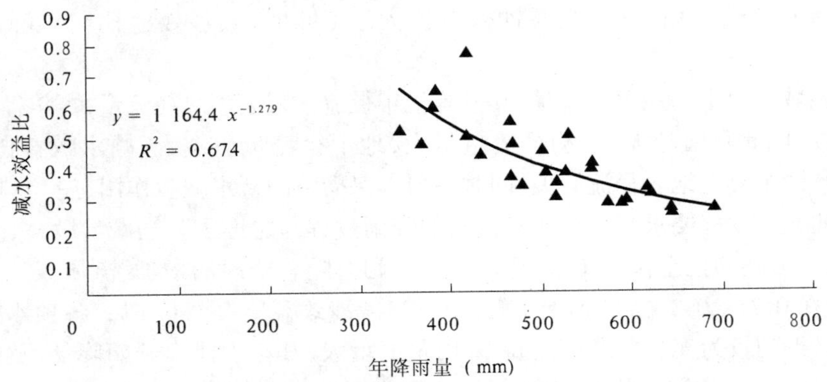

图 6-49　泾河流域减水效益比与年降雨量关系

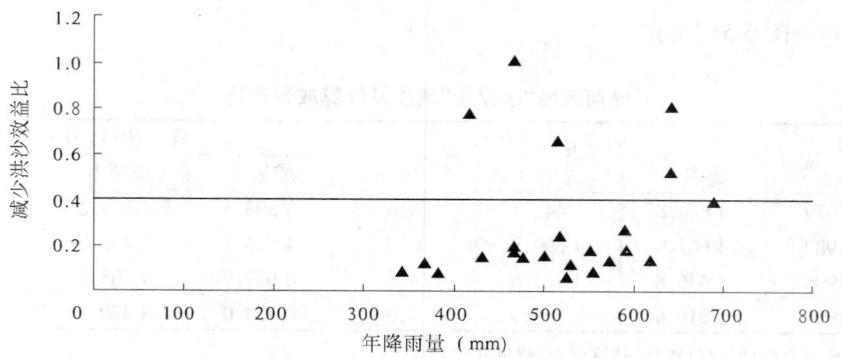

图 6-50　泾河流域减少洪沙效益比与年降雨量关系

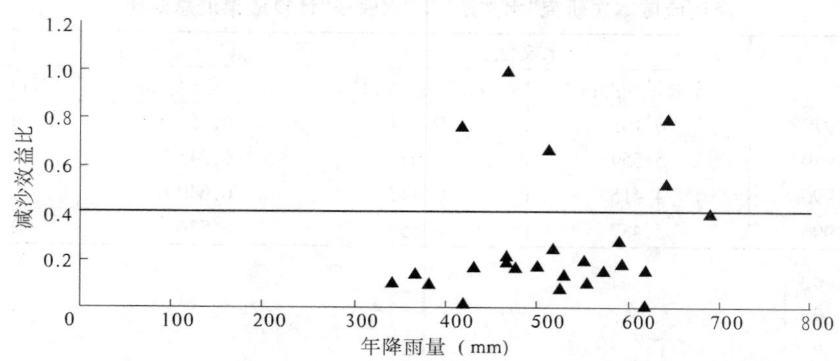

图 6-51　泾河流域减沙效益比与年降雨量关系

由图可以看出：

(1)减水效益比与年降雨量成负相关。

(2)以减沙效益比 0.4 为基准画一条水平线，可以将流域减沙效益比与年降雨量的关系明显分为上下两个区域。

(3)减沙效益比与年降雨量的关系分两种情况：①当减沙效益比小于 0.4 时，减沙效益比与年降雨量成正相关；②当减沙效益比大于 0.4 时，减沙效益比与年降水量成负相关。

泾河流域多年平均地下径流量(其值等于年径流量减去洪水径流量)占年径流量的比例达 55.4%，因此降雨越大，实测径流量越大，地下径流量也越大，减水效益比就越低。而流域的产沙主要与地表径流有关，同时各项水保措施的蓄水减沙作用有一个上限值，其拦蓄效益的充分发挥要求有一个比较恰当的降雨过程与之匹配。当减沙效益比小于 0.4 时，各项水保措施的拦蓄作用还未充分发挥。因此，随着降雨的增加，流域减沙效益比虽变幅不大(在 0.71～0.3 之间)但呈上升趋势；当减沙效益比大于 0.4 后，各项水保措施的减沙作用已得到较为充分的发挥，随着降雨量的增大，其拦沙能力开始降低，故此时减沙效益比与降雨成负相关。当然，从图 6-51 上可以看出，减沙效益比与年降水量的关系比较复杂，其规律性明显不及减水效益比与年降水量的关系，有待进一步深入研究。

泾河流域水沙变化已有研究成果及本次研究成果汇总对比一览见表 6-34。

三、可持续发展水资源利用探讨

(一)现状水资源利用率估算

泾河流域张家山水文站 1952 ~ 1998 年多年平均来水量为 17.998 亿 m^3,水利水保措施多年平均减水量为 5.439 亿 m^3,则泾河流域地表水资源总量 W_d 为:

$$W_d = 17.998 + 5.439 = 23.437(\text{亿 } m^3)$$

表 6-34　**泾河流域水沙变化研究已有成果对比一览**

时段	研究者	水文法		水保法	
		减水量(亿 m^3)	减沙量(亿 t)	减水量(亿 m^3)	减沙量(亿 t)
70 年代(1970 ~ 1979)	水沙基金①(曾茂林)	5.990	0.495	6.720	0.511
	水保基金(于一鸣)	6.165	0.430	6.206	0.399
	自然基金(熊贵枢)	0.735	- 0.182	—	0.397
	水沙基金②	6.165	0.574	6.755	0.439 5
80 年代(1980 ~ 1989)	水沙基金①(曾茂林)	5.010	0.449	6.390	0.327
	水保基金(于一鸣)	5.430	0.442	5.661	0.280
	自然基金(熊贵枢)	- 0.480	0.002 4	—	0.283
	水沙基金②	5.559	0.627	6.246	0.496
90 年代(1990 ~ 1996)	水沙基金②	4.415	0.442	6.641	0.498

注:表中 70、80 年代数据来自参考文献[27];水沙基金②代表本次研究。

泾河流域水利水保措施多年平均减水量为 5.439 亿 m^3,按 0.15 的回归系数折算,则实际减水量即生态用水量为:

$$5.439 \times (1 - 0.15) = 4.623(\text{亿 } m^3)$$

流域多年平均工业与生活用水量为 0.266 亿 m^3,则流域总用水量 W_c 为:

$$W_c = 4.623 + 0.266 = 4.889(\text{亿 } m^3)$$

故泾河流域地表水资源利用率 η 为:

$$\eta = W_c / W_d \times 100\% = 4.889/23.437 \times 100\% = 20.9\%$$

因此,泾河流域的水资源利用率还大有潜力可挖。

(二)可持续发展水资源利用探讨

泾河流域水资源有限,要大力提倡节约用水和推广适用的节水灌溉技术,把提高水的利用效率作为流域节水高效农业的核心。同时，要大力发展雨水收集和集水农业。泾河流域黄土高原地区自1995年开始实施的“121雨水集流工程”（即在吃窖水的地方，每户修建100 m^2 左右的雨水集流场，建2口水窖，发展1亩庭院经济），已成功地解决了农村饮水困难，同时还发展了众多的庭院农业。正如中国科学院刘昌明院士对“121雨水集流工程”所做的评价那样，“从理论上看，这就是人类向蒸发夺取水资源的重大举措。雨水集流应视为解决广大黄土高原与岩溶山区用水问题的主要途径。”[28]

此外，在泾河流域水资源的开发利用过程中还要保护好现有水资源，防止水污染，以水资源的可持续利用支持流域社会经济的可持续发展。泾河流域水资源的污染在环江、柔远河和马莲河中下游尤为突出，必须大力整治。只有保护好地表水，合理开采地下水（黄土高塬沟壑区尤需如此），就地收集天上水，才能保证泾河流域国民经济和社会的可持续发展。

四、治理方略探讨

泾河流域地处黄河中游多沙粗沙区，多沙粗沙区面积达12 392 km^2，其中支流环江洪德以上（面积4 640 km^2）为黄河流域著名的粗沙（$d \geqslant 0.05$ mm）来源区之一。泾河流域在黄河流域具有“承东启西”的过渡作用，在治黄大业中也有重要的战略地位。泾河流域综合治理的总方略应该为：坚持防治并举、坡沟兼治、综合治理，注重植被建设和保护，加强预防监督，努力控制人为新增水土流失面积的发展；在加快坡面治理的同时，大力加强沟道治理，特别是加快以治沟骨干工程和淤地坝为主的沟道坝系建设（环江洪德以上更要如此），全面实现泾河流域拦沙减蚀、保土蓄水、改善生态环境的综合效益。

黄土高原的水土保持生态环境建设近年来受到党中央和国务院的高度重视和关注。1997年，江泽民总书记号召要“建设一个山川秀美的西北地区”；1999年6月和8月，江总书记和朱镕基总理又亲临黄河视察，分别做了重要指示。生态环境建设已成为西部大开发战略的重要组成部分以及实现西部大开发战略目标的基础和切入点。当前，在泾河流域的水土保持工作中，要认真贯彻江总书记关于治理开发黄河的重要指示，落实朱总理提出的“退田还林（草），封山绿化，个体承包，以粮代赈”十六字方针，坚决制止新的毁林毁草开荒现象。由于泾河流域地区差异较大，水土流失类型区多，坚持因地制宜和综合治理的方针不能变。尤其是在退耕问题上，更要因地制宜。正如中国科学院、水利部水土保持研究所周佩华研究员所指出的那样，“当前迫切需要一个综合治理规划。还有几个具体问题应注意：①群众手中无粮是不行的，特别是开始阶段，所以梯田还要修，但要少而精。②淤地坝和治沟骨干工程非常重要，应适当加快发展。黄土高原的重力侵蚀是黄河泥沙的主要来源之一，沟道工程可抬高侵蚀基准面，防止重力侵蚀，并且可把坡面治理见效之前的侵蚀泥沙拦蓄起来，还可淤地、蓄水、发展水产业，一举多得。③养羊和造林种草的矛盾，农林牧争地，是应该认真对待的问题。④先易后难，先搞封山。”[29]通过本次对泾河流域的调查研究和水土保持蓄水减沙效益分析，我们认为，这些意见是十分中肯的，比较符合泾河流域的客观实际。泾河流域要实现“山川秀美”，必须要实行综合治理。林草措施是建立和维护良性生态环境的根本，有“绿”才能“秀”。但黄土高原地区长期以来存在林草措施效果不明显的问题，因此必须解决因地制宜适地适树适草的问题，强化管理，坚决制止人为破坏。西部大开发,生态是根本,科技要先行。如此,泾河流域实现“山川秀美”的目标就一定能达到。

第七节　环江流域90年代水沙变化研究及治理方略探讨

一、流域概况

环江发源于陕西省定边县白于山,是马莲河最大的一级支流,泾河二级支流。环江全长159 km,全流域布设有洪德和庆阳2个水文站,32个雨量站。其把口站庆阳水文站控制面积10 603 km^2,占马莲河流域把口站雨落坪水文站控制面积的55.7%,占泾河流域把口站张家山水文站控制面积的24.5%。流域属黄土丘陵沟壑区第二副区,水土流失十分严重。其土壤侵蚀类型主要为黄土丘陵沟壑区和黄土高塬沟壑区,其面积分别占流域面积的54.5%和45.5%[31]。

洪德水文站地处环江流域上游,控制面积4 640 km^2,全部为多沙粗沙区,占泾河流域多沙粗沙区总面积12 392 km^2 的37.4%。多年平均(1959~2000年)输沙量4 180万t,输沙模数9 000 t/(km^2·a);多年平均产粗沙量1 030万t,粗泥沙($d \geq 0.05$ mm)占比24.8%,粗沙模数2 220 t/(km^2·a)[7],是黄河中游粗泥沙的重要来源区之一。

二、水沙变化

(一)降雨、径流、泥沙变化[32]

环江庆阳水文站实测多年平均(1954~2000年)降雨量414.9 mm,多年平均径流量2.166亿 m^3,多年平均输沙量0.856亿t,其来水来沙量分别占雨落坪以上来水来沙量的47.1%和64.8%,分别占张家山以上来水来沙量的12.2%和34.8%。环江流域不同时段降雨、径流、泥沙特征值统计见表6-35。其中洪水按以下三项控制指标进行摘录:①流量模数大于0.005 m^3/(s·km^2);②输沙率模数大于0.1 kg/(s·km^2);③含沙量大于10 kg/m^3。表6-35所列洪水量已割去基流,洪水输沙量与洪水量对应统计。

表6-35　　环江流域不同时段降雨、径流、泥沙特征值统计

资料系列(年)	降雨量(mm)			径流量(万 m^3)			输沙量(万 t)			含沙量
	P_Y	P_{24h}	W	W_H	M	W_S	W_{HS}	M_S	(kg/m^3)	P_N
1954~1969	441.7	268.2	48.0	22 700	13 900	21 400	9 340	8 840	8 810	369.3
1970~1979	426.4	265.1	47.9	19 700	11 500	18 600	7 370	7 180	6 950	336.3
1980~1989	392.7	222.6	47.2	19 600	10 600	18 500	6 970	6 700	6 570	323.8
1990~2000	386.9	209.4	51.7	23 790	15 800	22 450	9 970	9 780	9 400	400.9

注:P_N、W、W_S 分别代表流域年降雨量、径流量和输沙量;P_Y 代表有效降水量,为汛期(5~9月)内日雨量≥10 mm的降水量累计值;P_{24h}代表流域最大24小时降雨量;W_H、W_{HS}分别代表洪水径流量和洪水输沙量;M、M_S 分别代表年径流模数和年输沙模数,单位分别为 m^3/km^2、t/km^2。

由表6-35可知,进入20世纪90年代(1990~2000年)后,环江流域年降水量和有效降

水量继续减小，但流域最大 24 小时降雨量明显增大，径流、泥沙大幅度增加。90 年代年径流、泥沙实测平均值分别高达 23 790 万 m^3 和 9 970 万 t，比 80 年代分别增大了 17.6%和 30.1%，比 70 年代分别增大了 17.2%和 26.1%，比 1969 年以前（1954 ~ 1969 年）分别增大了 4.6%和 6.3%，是四个阶段中的最大值。90 年代年均径流模数和输沙模数分别达到 22 450m^3/km^2 和 9 400t/km^2，分别是多年平均径流模数和输沙模数的 1.1 倍和 1.2 倍。多年平均洪水径流量和洪水输沙量占多年平均年径流量和年输沙量的比例分别为 60.6%和 96.4%。

（二）含沙量及来沙系数变化

从表 6-35 含沙量变化情况看，环江流域多年平均含沙量 360.0 kg/m^3，90 年代年均含沙量最大，达 400.9 kg/m^3，分别比 80 年代、70 年代及 1969 年以前偏大 19.2%、16.1%和 7.9%；比多年平均值偏大 10.2%。

来沙系数 Φ 是含沙量 ρ 与流量 Q 的比值，即 $\Phi=\rho/Q$，其物理意义是表示单位流量的含沙量。从环江流域多年平均来沙系数变化情况看，90 年代 Φ 值为 54.9 $(kg \cdot s)/m^6$，80 年代为 52.3 $(kg \cdot s)/m^6$，70 年代为 53.7 $(kg \cdot s)/m^6$，1969 年以前为 51.3 $(kg \cdot s)/m^6$。因此，进入 90 年代后，环江流域来沙系数明显增大，居四个阶段之首。这与环江流域高含沙量小洪水频繁出现有关[4]。

三、水沙关系

根据环江流域 1954 ~ 2000 年的实测水文资料，以 1970 年作为流域治理前后的分界年，利用回归分析法求出流域不同时期的幂函数水沙关系见表 6-36。从中可以发现一个有趣的现象：从 70 年代到 90 年代，年水沙关系的幂指数呈减小趋势，年洪沙关系的幂指数呈增大趋势；90 年代洪沙关系呈现出高含沙小洪水的水沙特征。

表 6-36　　环江流域不同时期水沙关系

资料系列	年水沙关系	r_1	年洪沙关系	r_2
1954 ~ 1969	$W_S=0.000\,93W^{1.598}$	0.981	$W_{HS}=0.409\,6W_H^{1.045}$	0.987
1970 ~ 1979	$W_S=0.000\,22W^{1.743}$	0.987	$W_{HS}=0.924W_H^{0.956}$	0.986
1980 ~ 1989	$W_S=0.000\,34W^{1.694}$	0.953	$W_{HS}=0.190W_H^{1.127}$	0.984
1990 ~ 2000	$W_S=0.001\,3W^{1.567}$	0.975	$W_{HS}=0.143W_H^{1.149}$	0.972

注：表中 W_S、W_{HS}分别代表年输沙量及年洪水输沙量，万 t；W、W_H 分别代表年径流量及年洪水量，万 m^3。r_1、r_2 代表相关系数。

四、高含沙水流输沙特性

暴雨是环江流域产流产沙的主要因素，流域的洪水泥沙主要集中于汛期（5 ~ 9 月）几场大暴雨所产生的几次大洪水。如 1966 年 7 月 24 日一次暴雨，流域平均次降雨量 150.8 mm，占年降雨量的 26.7%，而产洪量为 1.41 亿 m^3，占年径流量的 46.1%，产沙量 1.11 亿 t，占年输沙量的 70.3%；1977 年 7 月 5 日和 8 月 5 日两次暴雨，流域平均次降雨量之和 129.7 mm，占年降雨量的 25.6%，而输沙量之和高达 1.807 亿 t，占年输沙量的 88.4%，产洪量之和 2.51 亿 m^3，占年径流量的 65.5%；年内其余 377.0 mm 降雨，输沙量仅为 2 380

万 t。环江流域高强度暴雨易形成高含沙水流，高含沙水流既有极强的输沙能力，又有很强的侵蚀能力，是流域产生水力侵蚀、重力侵蚀和陷穴侵蚀等严重水土流失的直接原因。

环江流域洪德以上汛期经常出现高含沙水流。流域多年平均(1959～2000 年)降水量 361.3 mm；多年平均径流量 6 900 万 m^3，输沙量 4 180 万 t，分别占庆阳站多年平均值的 31.8%和 48.8%；多年平均产粗沙量为 1 030 万 t，粗沙模数 2 220 t/(km^2·a)；多年平均中值粒径 0.031 mm，平均粒径 0.041 mm[7]；多年平均含沙量约为 600 kg/m^3，年实测最大含沙量为 1 180 kg/m^3(1973 年 8 月 12 日)。

进入 90 年代后，环江洪德以上流域来水来沙量也明显增大，与环江全流域变化一致。90 年代年均降水量 315.9 mm，汛期降水量 255.4 mm，有效降水量 167.3 mm，最大 24 小时降雨量 46.6 mm，分别占 90 年代年均降水量的 80.8%、53.0%和 14.8%，各特征降水量集中程度进一步增大；90 年代年均径流量 8 130 万 m^3，年均输沙量 5 250 万 t，分别占庆阳站 90 年代对应平均值的 34.2%和 52.7%，分别比多年平均占比提高了 2.4 和 3.9 个百分点；年均含沙量更是高达 614.2 kg/m^3。1994 年洪德水文站实测年输沙量高达 1.56 亿 t，其中粗沙输移量达 3 870 万 t；年平均含沙量 795.5 kg/m^3，均为 90 年代最大值。

从输沙率与流量关系分析，根据作者以往的研究[8]，庆阳水文站及洪德水文站年平均输沙率 Q_S(kg/s)与年平均流量 Q(m^3/s)分别有如下的非线性幂函数关系：

庆阳水文站：
$$Q_S = 99.3Q^{1.667} \tag{6-33}$$
(相关系数 $r = 0.97$，资料系列 1954～1989 年)

洪德水文站：
$$Q_S = 386Q^{1.460} \tag{6-34}$$
(相关系数 $r = 0.99$，资料系列 1959～1989 年)

因此，流量的较小变化，可以引起输沙率的较大变化。从场次洪水的输沙率与流量关系分析看，洪德站次洪水的 $Q_S \sim Q$ 关系式 $Q_S = KQ^n$ 中 $n = 1.005$，反映出高含沙河流的鲜明输沙特征。若以 Q 为横坐标，以 Q_S 为纵坐标，在双对数纸上点绘 $Q_S \sim Q$ 散点图，其关系式为一直线方程，该直线的斜率即为流域多年平均含沙量。上两式所代表的相应流域多年平均含沙量分别为 600 kg/m^3 和 670 kg/m^3。

进入 90 年代后，由于来水来沙量剧增，庆阳水文站及洪德水文站 $Q_S \sim Q$ 关系式均有较大变化，二者关系式分别为：

庆阳水文站：
$$Q_S = 128.5Q^{1.565} \quad (r = 0.98) \tag{6-35}$$

洪德水文站：
$$Q_S = 519Q^{1.192} \quad (r = 0.99) \tag{6-36}$$

对比式(6-33)与式(6-35)及式(6-34)与式(6-36)可知，在同流量条件下，庆阳水文站 90 年代输沙能力有所降低，洪德水文站输沙能力则明显增大。因此，环江流域 90 年代水沙剧增的主要原因是洪德水文站以上来水来沙量明显增大。

五、减洪减沙效益计算

本节采用三种方法进行环江流域 90 年代减洪减沙效益计算。以 1970 年作为流域治理前后计算减洪减沙效益的分界年。

(一)单位毫米有效降雨产洪产沙量对比法

其原理是利用环江流域治理前后单位毫米有效降雨产洪产沙量的变化来推求流域治

理后的减洪减沙效益。计算方法为:根据环江流域1969年以前实测累积有效降雨、洪水、洪沙资料,求出治理前单位毫米有效降雨的产洪量和产沙量,再与治理后各年代的年有效降雨量累积值相乘,即得流域计算的产洪产沙量,与同期实测值比较后即可求出其减洪减沙效益。环江流域单位毫米有效降雨产流产沙量对比法计算结果见表6-37。

表6-37　环江流域单位毫米有效降雨产流产沙量对比法计算成果

计算时段(年)	实测值					计算值		减洪	减洪	减沙	减沙
	P_Y (mm)	W_H (亿 m^3)	W_{HS} (亿 t)	m_1	m_2	W_H (亿 m^3)	W_{HS} (亿 t)	ΔW_H (亿 m^3)	效益(%)	ΔW_{HS} (亿 t)	效益(%)
1954~1969	4 291.2	22.24	14.144	51.83	32.96						
1970~1979	2 651.0	11.50	7.180	43.38	27.08	13.74	8.738	2.240	16.3	1.558	17.8
1980~1989	2 226.0	10.60	6.700	47.62	30.10	11.537	7.337	0.937	8.1	0.637	8.7
1990~2000	2 303.4	17.365	10.762	75.39	46.72	11.938	7.592	-5.427	-45.4	-3.170	-41.8

注:m_1、m_2分别代表流域治理前单位毫米有效降雨产洪量及产沙量,单位:万 m^3/mm、万 t/mm。

由表6-37可知,90年代减洪减沙效益均为负值,说明90年代增洪增沙;从70年代开始,环江流域单位毫米有效降雨产洪产沙量呈上升趋势,90年代最大,其单位毫米有效降雨产洪产沙量分别比80年代增大了36.8%和35.6%,属于突变,值得注意。

(二)不同系列对比法

环江流域不同系列对比法减洪减沙效益计算结果见表6-38,说明90年代依然是增洪增沙。

表6-38　环江流域不同系列对比法减洪减沙效益计算结果

计算时段(年)	实测洪水量(万 m^3)	减洪(万 m^3)	减洪效益(%)	实测洪沙量(万 t)	减沙(万 t)	减沙效益(%)
1954~1969	13 900			8 840		
1970~1979	11 500	2 400	17.3	7 180	1 660	18.8
1980~1989	10 600	3 300	23.7	6 700	2 140	24.2
1990~2000	15 800	-1 900	-13.7	9 780	-940	-10.6

(三)经验公式法

根据环江流域治理前(1954~1969年)的水文资料,通过回归分析建立了如下的降雨产洪产沙数学模型:

$$W_H = 1.433\ P_{24h}^{2.333} \quad (r = 0.91) \tag{6-37}$$

$$W_{HS} = 0.418\ P_{24h}^{2.5305} \quad (r = 0.93) \tag{6-38}$$

据此,将流域治理后各年的最大24小时降雨量代入所建模型中,推算出治理后不受人类活动影响的"天然"产洪产沙量,并将此计算值与同期实测值比较,即得环江流域综合治理减洪减沙效益;将此计算值与治理前的实测值比较,即得降雨变化对环江流域减洪减沙量的影响,计算结果见表 6-39。

表 6-39　　环江流域综合治理减洪减沙效益计算结果

计算时段（年）	综合治理减洪减沙				降雨影响减洪减沙			
	减洪（万 m^3）	减洪效益（%）	减沙（万 t）	减沙效益（%）	减洪（万 m^3）	减洪效益（%）	减沙（万 t）	减沙效益（%）
1954～1969								
1970～1979	3 730	24.5	2 680	27.2	－1 330	－7.2	－1 020	－8.4
1980～1989	2 930	21.6	1 960	22.6	370	2.1	180	1.6
1990～2000	－600	－4.0	36	0.4	－1 300	－9.7	－976	－11.0

由此可知,进入 90 年代后,环江流域综合治理措施年均增洪 600 万 m^3,减洪效益 －4.0%(增洪);年均减沙仅 36 万 t,减沙效益几乎为零;降雨变化对流域减洪减沙的影响均为增洪增沙(负值)。说明 90 年代在流域最大 24 小时降雨量明显增大的情况下,水土保持综合治理措施抵御大暴雨的能力十分有限,减洪减沙作用微弱;90 年代单位毫米有效降雨产洪产沙量大大超出了水土保持综合治理措施的拦蓄能力。由表 6-39 还可以看出,环江流域水土保持综合治理措施的减洪减沙效益依时序递减,20 世纪 70 年代最大,80 年代次之但与 70 年代相差不大,90 年代锐减,说明水土保持综合治理措施的减洪减沙能力有一个上限值。进入 90 年代后,各项水土保持措施的减洪减沙能力已经得到充分发挥,随着时间的延续和最大 24 小时降雨量的明显增大,其蓄洪拦沙能力开始下降;水土保持措施拦蓄效益的充分发挥要求有一个恰当的降雨过程与之相匹配,当致洪暴雨超过其最大蓄洪拦沙能力时,势必增洪增沙。水土保持综合治理措施在大暴雨情况下的减洪减沙效益有待进一步研究;在大暴雨情况下水土保持综合治理措施如何配置才能发挥其最大减洪减沙能力也值得深入研究。

六、地下径流补给变化

环江流域内长庆油田建有多处生产区和生活基地,用水量很大,现有水资源又不同程度地受到污染,其地下径流补给变化情况是人们关心的问题。地下径流补给变化情况可以通过分析补给系数 K 来反映。令

$$K = Y_D/(P_N - Y_H) \tag{6-39}$$

式中:K 为地下径流补给系数,无量纲;Y_D 为地下径流深,mm;$Y_D = (Y_N - Y_H)$;Y_N 为年径流深,mm;Y_H 为年洪水径流深,mm;P_N 为流域年平均降雨量,mm。

环江流域不同年代 K 值计算结果见表 6-40。

由表 6-40 可知,治理前流域 K 平均值为 0.019 4,治理后 70 年代减小为 0.018 9,80 年代增大到 0.022 2,90 年代又减小为 0.020 9;就分年代 K 值看,80 年代 K 最大,90 年代次之,70 年代最小,说明由于水土保持综合治理各项措施的实施,流域地下径流补给情况有所好转。

表 6-40　　　　**环江流域不同年代 K 值计算结果**

时段(年)	K	减小(%)	增大(%)
1954～1969	0.019 4		
1970～1979	0.018 9	2.6	
1980～1989	0.022 2		12.6
1990～2000	0.020 9		7.2

七、可持续发展水资源利用探讨

(一)现状水资源利用率估算

环江流域庆阳水文站 1954～2000 年多年平均来水量为 21 660 万 m^3,水利水保措施多年平均减水量为 5 020 万 m^3,则环江流域地表水资源总量 W_d 为:

$$W_d = 21\,660 + 5\,020 = 26\,680(\text{万 } m^3)$$

环江流域水利水保措施多年平均减水量按 0.15 的回归系数折算,则实际减水量即生态用水量为:

$$5\,020 \times (1 - 0.15) = 4\,267 \approx 4\,270(\text{万 } m^3)$$

流域多年平均工业与生活用水量为 325 万 m^3,则流域总用水量 W_c 为:

$$W_c = 4\,270 + 325 = 4\,595(\text{万 } m^3)$$

故环江流域地表水资源利用率 η 为:

$$\eta = W_c / W_d \times 100\% = 4\,595/26\,680 \times 100\% = 17.2\%$$

因此,环江流域的水资源利用率还大有潜力可挖。

(二)可持续发展水资源利用探讨

环江流域水资源有限,要大力提倡节约用水和推广适用的节水灌溉技术,把提高水的利用效率作为流域节水高效农业的核心。同时,要大力发展雨水收集和集水农业。环江流域自 1995 年开始实施的“121 雨水集流工程”,已成功地解决了农村饮水困难,同时还发展了众多的庭院农业。

此外,环江流域在水资源的开发利用过程中还要保护好现有水资源,防止水污染,以水资源的可持续利用支持流域社会经济的可持续发展。环江流域水资源的污染问题比较突出,必须大力整治。在地下水资源的开发利用过程中,首先要加强生态保护,营造水源涵养林,保护植被,蓄积水资源,保证补给;其次要合理开发地下水资源,循环利用,减轻污染,绝不能以牺牲环境为代价而换取经济一时的发展。只有保护利用好地表水,合理开采地下水,就地收集天上水,才能让有限的水资源最大限度地支持和满足环江流域经济和社会发展的需要,才能保证环江流域国民经济和社会的可持续发展。

八、今后治理方略探讨

当前,以治理水土流失为主要内容的黄河中游多沙粗沙区水土保持生态环境建设,已经拉开序幕。环江流域地处黄河中游,其中洪德以上为黄河流域著名的粗沙($d \geqslant 0.05$ mm)来源区之一。环江流域综合治理的总方略应该为:坚持综合治理,加快坡面治理,注重草灌等植被建设,退耕还林还草;对地广人稀地区实施封禁保护,充分发挥生态系统的自我修复功能;加强预防监督,努力控制人为新增水土流失面积的发展;大力加强沟道治理,特别是加快以治沟骨干工程和淤地坝为主的沟道坝系建设,千方百计减少入黄泥沙尤其是粗泥沙,全面实现环江流域拦沙减蚀、蓄水保土、改善生态环境的综合效益。

在环江流域今后的综合治理中,首先,要积极贯彻"以沟道坝系建设为切入点,重点加强洪德以上多沙粗沙区的治理,千方百计减少入黄泥沙尤其是粗泥沙"的工作思路,解放思想,抢抓机遇,突出工作重点。洪德以上的多沙粗沙区,属黄土丘陵沟壑区第五副区,该地区虽然具有坝系建设的有利条件,但目前尚无比较成功的坝系建设示范样板。该地区多年平均降水量只有 418.6 mm,部分地区年降水量不足 300 mm,植被稀疏,粮食生产广种薄收,退耕还林还草任务相当艰巨。在该区进行坝系建设,不仅能抬高侵蚀基准面,减少沟道的重力侵蚀,有效减少入黄粗泥沙,而且能淤成较为稳定的高产稳产基本农田,还可以拦蓄洪水,改变径流的时空分布,对合理开发利用水资源,加速退耕还林还草工作进程,改善当地生态环境,具有显著的生态效益和经济效益。因此,可设立一定面积(以 500 km^2 左右为宜)的以坝系建设为主的水土保持生态工程建设示范区,进行坝系示范建设。此外,实施的水土保持综合治理措施必须符合设计标准和频率,必须坚持高质量、严要求,建成"精品工程"。

其次,在环江流域水土保持生态工程建设中,要因地制宜,努力促进农村产业结构调整。地处环江流域中上游的甘肃省庆阳市环县,结合当地半农半牧的实际,提出了"修饭碗田,念草木经,发畜牧财"的治理思路,掌地修梯田,坡耕地种植优良牧草,提高饲草产量,扩大舍饲养畜,促进产业结构调整,使土地利用进一步合理,农民收入不断增加[33]。

第三,在环江流域治理中,要认真贯彻全国政协副主席钱正英院士 2002 年 4 月 17 日就黄河中游"两川两河"(皇甫川、孤山川、窟野河、秃尾河)立项工作作出的重要指示,"以小流域治理推动大面积植被恢复。即通过重点开发小流域为当地居民创造生存、发展、富裕的条件,从而实现大面积地区退耕、禁牧,然后利用自然生态的自我恢复能力来实现大面积生态环境的改善,以这样的思路就可以大大减少治理的面积而取得大面积生态恢复的效果,也可以大大降低投资水平。"[34]环江流域经过多年的小流域治理,特别是 1994 年以来马莲河流域世界银行贷款项目的治理,已经积累了一定的成功经验。只要持之以恒,坚持不懈,就一定能实现在完全保护、恢复天然植被条件下,使当地人民能够生存、发展和生活富裕的目的,最终实现环江流域"山川秀美"和可持续发展,实现人与自然和谐相处、天人合一。

九、结论

(1)进入 90 年代后,环江流域年均降水量和有效降水量继续减小,但流域最大 24 小时降雨量明显增大,径流、泥沙大幅度增加;90 年代年均含沙量和来沙系数明显增大,单位毫米有效降雨产洪产沙量最大,居四个阶段之首。对庆阳水文站和洪德水文站不同时期的输沙率 - 流量关系分析表明,在同流量条件下,庆阳站 90 年代输沙能力有所降低,洪德站输沙能力则明显增大。

(2)90 年代环江流域综合治理措施年均增洪 600 万 m^3,减洪效益 - 4.0%(增洪);年均减沙仅 36 万 t,减沙效益几乎为零,说明水土保持综合治理措施抵御大暴雨的能力十分有限,减洪减沙作用微弱。由于水土保持综合治理各项措施的实施,流域地下径流补给情况有所好转;流域生态用水量 4 270 万 m^3,地表水资源利用率为 17.2%,还大有潜力可挖。

(3)环江流域综合治理的总方略应该为:坚持综合治理,加快坡面治理,注重草灌等植被建设,退耕还林还草;对地广人稀地区实施封禁保护,充分发挥生态系统的自我修复功能;加强预防监督,努力控制人为新增水土流失面积的发展;大力加强沟道治理,特别是加快以治沟骨干工程和淤地坝为主的沟道坝系建设,千方百计减少入黄泥沙尤其是粗泥沙,全面实现环江流域拦沙减蚀、蓄水保土、改善生态环境的综合效益。

参考文献与资料

[1] 张仁,程秀文,熊贵枢,等.拦减粗泥沙对黄河河道冲淤变化影响.郑州:黄河水利出版社,1998

[2] 王坤平.黄河流域水土保持基本资料.黄河上中游管理局,2001.12

[3] 韦中兴,蔺生睿,杨世理.泾河流域水文特性分析.见:三门峡库区水文水资源局编.水文水资源科技论文集.郑州:黄河水利出版社,2001

[4] 张翠萍,等.渭河下游近期水沙特性及冲淤规律.泥沙研究,1999(3)

[5] 冉大川.泾河流域水沙特性及减水减沙效益分析.水土保持通报,1992(5)

[6] 景可.泾河、北洛河泥沙输移规律.人民黄河,1999(12)

[7] 徐建华,牛玉国.水利水保工程对黄河中游多沙粗沙区径流泥沙影响研究.郑州:黄河水利出版社,2000

[8] 冉大川.环江流域高含沙洪水特性研究.泥沙研究,1994(4)

[9] 于一鸣.黄河中游多沙粗沙区水土保持减水减沙效益及水沙变化趋势研究报告.黄河流域水土保持科研基金第四攻关课题组,1993

[10] 冯相明,等.1996 年汛期黄河水情简析.人民黄河,1997(1)

[11] 钱意颖,等.黄河 1996 年汛期洪水的启示.人民黄河,1997(5)

[12] 何宏谋.泾河流域水资源利用规划.黄委会勘测规划设计研究院.黄河规划设计,1995(1)

[13] 杨万宏,等.甘肃省搞好水土保持世行贷款项目的做法.中国水土保持,1999(12)

[14] 孙永东.高原锦绣.中国水利报,2000-03-30

[15] 陕西省水土保持局.黄土高原沟壑区综合治理开发技术与研究.西安:陕西师范大学出版社,1997.

[16] 人民黄河,2000(1)封底文字

[17] 郑有义.六盘山建成森林生态体系.人民日报,2000-11-11

[18] 张胜利,于一鸣,姚文艺.水土保持减水减沙效益计算方法.北京:中国环境科学出版社,1994

[19] 冉大川,柳林旺,赵力仪,等.黄河中游河口镇至龙门区间水土保持与水沙变化.郑州:黄河水利出版社,2000

[20] 巩大洲.巴家嘴水库泄洪洞工程通过省上竣工验收.陇东报,2002-08-01

[21] 戴明英.渭河水沙及其变化.黄委会黄河水利科学研究院,1998

[22] 唐克丽.黄河流域的侵蚀与径流泥沙变化.北京:中国科学技术出版社,1993

[23] 蔡庆,唐克丽.植被对土壤侵蚀影响的动态分析.水土保持学报,1992(2)

[24] 冉大川.泾河流域人类活动对地表径流量的影响分析.西北水资源与水工程,1998(1)

[25] 冉大川.泾河流域人类活动减沙量变化研究.1998 年流域综合治理国际学术讨论会论文集(英文),1998

[26] 陈力．泾惠渠灌区方田建设的措施及效益．人民黄河，1994(10)
[27] 冉大川．黄河中游河龙区间水沙变化研究综述．泥沙研究，2000(3)
[28] 刘昌明．我国西部大开发中有关水资源的若干问题．中国水利，2000(8)
[29] 周佩华．对黄土高原退耕问题的几点看法——黄土高原新世纪水土保持方略纵论．黄委会水土保持局，2000
[30] 蔺生睿，张遂业．黄河·上游·水沙．郑州：黄河水利出版社，1999
[31] 冉大川．环江流域综合治理减水减沙效益的水文分析．见：黄土高原水土保持实践与研究．郑州：黄河水利出版社，1995
[32] 冉大川．环江流域综合治理蓄水减沙效益研究．土壤侵蚀与水土保持学报，1998(3)
[33] 黄自强．与时俱进，规范管理，建设黄河水土保持品牌工程．中国水土保持，2002(12)
[34] 田凯．以小流域治理推动大面积植被恢复．黄河报，2002-04-24

第七章 渭河流域水土保持措施减洪减沙作用研究

第一节 流域概况

一、自然环境

(一)水系分布

渭河发源于甘肃省渭源县鸟鼠山东麓,自西向东流经甘肃天水,陕西宝鸡、咸阳、西安、渭南等城市,于陕西潼关附近注入黄河。渭河是黄河最大的一级支流,流域出口水文控制站为华县水文站,流域面积(不包括泾河张家山站以上)63 282 km^2,干流全长 818 km,主河道平均比降为 2.23‰。从河源起至陕西宝鸡峡出口为上游,干流长 434 km,河道狭窄,川峡相间,水流湍急;宝鸡峡口至咸阳渭河铁桥为中游,干流长 176 km,河道宽,多沙洲,水流分散;咸阳渭河铁桥至潼关入黄口为下游,干流长 208 km,横穿关中平原,"八水绕长安"渭河为最。流域地貌类型大致可划分为黄土丘陵沟壑区、黄土阶地区、河谷冲积平原区和土石山区。渭河流域水土流失面积 47 461 km^2,占流域总面积的 75%,其中以黄土丘陵沟壑区为主要的侵蚀类型区,主要分布在流域的上游,占流域总面积的 50%,为泥沙的集中产区,年均土壤侵蚀模数 5 000 ~ 15 000 t/(km^2·a),局部地区高达30 000 t/(km^2·a)以上。渭河流域多年平均(1954 ~ 1996 年)降雨量 613.4 mm,径流量 59.93 亿 m^3,输沙量 1.339 亿 t。

渭河流域水系呈不对称的羽毛状分布,北岸支流源远流长,集水面积大;南岸为秦岭北坡,山高坡陡,支流密布,源短流急,集水面积小。从北岸流入渭河的一级支流主要有散渡河、葫芦河、牛头河、千河、漆水河、石川河等。从南岸流入渭河的一级支流主要有榜沙河、耤河、石头河、黑河、沣河、灞河等。渭河干流有武山、南河川、林家村、咸阳、华县等 5 个水文站。渭河流域水系分布见图 7-1。渭河干流南河川水文站(现为北道水文站)断面以上主要支流水文地理特征值表见表 7-1。

(二)地形地貌

渭河流域地势西高东低,西部发源地鸟鼠山海拔 3 495 m,东西部高差达 3 000 余米。干流将其分为南北两片,北部主要山脉有华家岭、六盘山、关山,南面主要为秦岭山脉。渭河流域地质、地貌复杂多样,主要有四大地貌类型区,即黄土丘陵沟壑区、黄土阶地区、河谷冲积平原区和土石山区(见图 7-2)。

(1)黄土丘陵沟壑区。包括:①黄土梁状丘陵沟壑区($Ⅰ_3$),主要分布在下游北岸的千河、漆水河、石川河的中上游地区;②黄土山麓丘陵沟壑区($Ⅰ_4$),主要分布在上游南岸的榜沙河至耤河一带;③干旱黄土丘陵沟壑区($Ⅰ_5$),主要分布在上游北岸地区,包括的支流

图 7-1 渭河流域水系分布图

表 7-1　　渭河流域上游主要支流水文地理特征值

河名	发源地	河长(km)	集水面积(km^2)	河道平均比降(‰)
秦祁河	甘肃省渭源县葫麻岭	67.5	858	5.95
咸　河	甘肃省陇西县马河镇	69	1 159	5.28
榜沙河	甘肃省岷县闾井乡	102.6	3 597	12.6
散渡河	甘肃省通渭县华家岭	141.5	2 485	5.97
葫芦河	宁夏回族自治区西吉县月亮山	300.6	10 730	2.93
耤　河	甘肃省天水市秦都区	81.2	1 267	7.91
牛头河	甘肃省清水县旺兴乡	85.9	1 846	6.64

注:本表数据来自参考文献[1]。

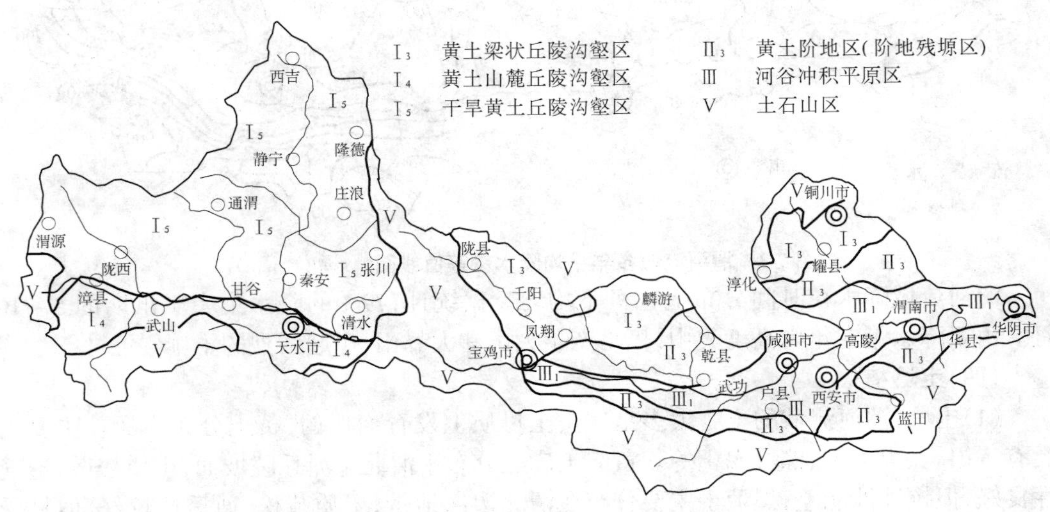

图 7-2 渭河流域土壤侵蚀类型区分布图

有散渡河、葫芦河、牛头河，属土壤极强烈侵蚀区，是渭河流域的主要产沙区。

(2)黄土阶地区(Ⅱ$_3$)。主要分布在下游北岸黄土梁状丘陵沟壑区的下部和南岸中部一带，属中度侵蚀区。

(3)河谷冲积平原区(Ⅲ$_1$)。也称河谷川台区，主要分布在下游干流两岸附近。该区地势平坦，土壤肥沃，富饶美丽，是陕西省政治、经济、文化发展的中心地段，号称“八百里秦川”。

(4)土石山区(Ⅴ)。主要分布在秦岭北坡、六盘山南坡及关山山地。该区雨量充沛，气候湿润，植被较好，土壤侵蚀轻微。

(三)气候条件

渭河流域属温暖带半干旱大陆性季风气候区，年平均气温西部中上游 5.7 ~ 11℃，东部下游 9 ~ 13.6 ℃；无霜期西部为 138 ~ 209 天，东部为 185 ~ 228 天；年日照时数平均为 1 900 ~ 2 600 h；年蒸发量 1 000 ~ 1 500 mm。区内受季风影响较为明显，春季干旱多风，寒流交替出现，气温迅速多变；夏季气温湿热，干旱与雨涝相间，多雷阵雨天气；秋季凉爽多雨，气温湿润；冬季寒冷干燥，降水量稀少。以上气候特点在中上游地区尤为明显，各地每年都有不同程度的霜冻和冰雹危害。降水是影响本区土壤侵蚀的主要外营力，年降水量 400~800 mm。由于受季风影响，降水在空间分布上呈现出东南多、西北少的特征(见图 7-3)。

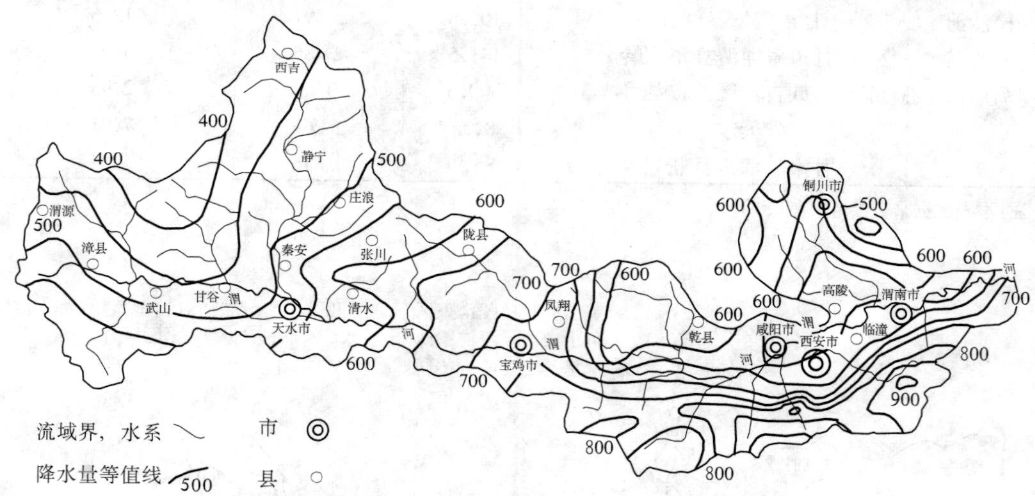

图 7-3 渭河流域多年平均降水量等值线图 (单位：mm)

渭河流域降水在时间分布上也极不均匀。据统计，79% 的降水集中于汛期的 5 ~ 10 月。由于降水量在年内高度集中，极易产生大雨和大暴雨，引起强烈的土壤侵蚀。

(四)土壤植被

(1)土壤：渭河流域的土壤大多是在黄土母质上发育而成的，黄土分布广泛。主要土类有黄绵土、黑垆土、棕壤褐土等。黄绵土广泛分布于渭北梁峁丘陵坡面，土质松散，透气性良好，但抗蚀性能差；黑垆土主要分布在渭北边缘地带，土质疏松，通透性较好，但易受侵蚀；渭河南岸秦岭北坡以山地棕壤、山地褐土分布为主，土质密实，透气性差，但抗蚀性较好；关中平原以褐土、黑褐土为主，其耕作性良好。

(2)植被：渭河流域属暖温带落叶阔叶林地带，森林破坏殆尽，目前所剩天然植被主要是天然次生林和荒地草山草坡。次生林以落叶阔叶树为主，主要分布在秦岭北坡及六盘山分水岭一带，树种主要有栎类、油松、华山松等；荒地草山草坡在全区均有分布，面积占流域总土地面积的20%左右。人工植被主要是人工造林和人工种草。人工林主要有用材林和乔木经济林，用材林多以刺槐、杨树、油松、旱柳、臭椿、泡桐等为主，在全区均有分布，面积占总土地面积的10%左右，一般成片的人工林郁闭度均在0.5以上；乔木经济林有苹果、核桃、桃树、梨树、枣树、桑树等。人工草主要以紫花苜蓿、沙打旺、小冠花、草木樨等为主，盖度都在0.7以上。

二、水文泥沙特征

(一)降雨

渭河流域属半湿润、半干旱地区，多年平均降雨量(1954～1996年)613.4 mm，其中20世纪50～60年代平均降雨量为640.1 mm，70年代为613.7 mm，80年代为623.7 mm，90年代(1990～1996年)为537.0 mm。降雨除在空间分布上呈现出南多北少的特征外，在时间分配上也极不均匀。

(1)降雨量在空间分布上差异显著。据统计，渭河上游(南河川以上)多年平均降雨量496.1 mm，中游(南河川至林家村)627.3 mm，下游686.8 mm，下游降雨量是上游的1.4倍。渭河南岸多年平均降雨量602.9～808.4 mm，北岸为442.3～643.4 mm，南岸雨量是北岸的1.3倍。渭河下游南部沣河流域最大年降雨量1 269.5 mm(1983年)，上游北岸的葫芦河流域最大年降雨量只有704.5 mm，最小年降雨量不足300 mm。

(2)降雨年内分配不均，年际变化大。渭河流域汛期降雨量487.2 mm，占年降雨量的79.4%，6～9月降雨量占年值的60.7%；最大月降雨量出现在汛期的7月份，占年降雨量的18.4%，其次是8、9月份，分别占年降雨量的16.9%和16.8%；最小月降雨量出现在12月，仅占年值的1.4%，其次是1、2月份，分别占年值的1.5%和1.9%。根据华县水文站以上流域1954～1996年资料统计，最大年降雨量825.6 mm(1983年)，最小年降雨量382.8 mm(1995年)，其大、中、小年降雨量之比为2.2:1.6:1。渭河支流中黑河流域的降雨在年际间的变化较大。根据实测降雨资料，最大年降雨量1 201.4 mm(1983年)，最小年降雨量364.5 mm(1995年)，其大、中、小年降雨量之比为3.3:2.0:1。

(3)暴雨雨量大，强度高。由于受地理条件和西风带、西太平洋副热带高压两大天气系统的影响，本区属高强度暴雨多发地区。夏季蒙古高压逐渐北移，西太平洋高压使大量海洋暖湿气流进入，形成本区区域性暴雨。其特点是雨量大，强度高，笼罩面积小，一般发生在6～9月。

据统计，渭河咸阳水文站以上流域点雨量大于50 mm的暴雨平均每年大约出现6次；点雨量大于80 mm的暴雨，平均每年出现1次。从实测资料来看，较突出的有1973年8月27日的一次暴雨，主要集中于上游，笼罩面积10 000 km^2左右，实测次降雨量首阳站91.9 mm，将台站88.1 mm；流域平均次降雨量只有27.3 mm，最大6小时降雨量首阳站为35.7 mm，将台站为32.9 mm。这次暴雨所形成的洪峰流量咸阳站实测为3 150 m^3/s，洪水输沙量为1.735亿t。由于暴雨中心主要在上游的黄土丘陵沟壑区，因而对产沙极为有利。1981 年 8 月 21 日一次暴雨主要集中于下游,强度大,雨量集中,最大 6 小时降雨量黑峪口站实测达 88.8 mm。

(二)径流

渭河流域多年平均(1954~1996 年)径流量 59.93 亿 m^3,径流模数为 94 703 m^3/km^2。河川径流主要由降水形成,其地区分布与降水相似,由东南向西北递减。据统计,渭河下游水量约是中上游的 1.6 倍,南岸水量是北岸的 5 倍多。径流的年内分配很不均匀,全年径流量不仅集中在汛期,而且多集中在汛期的几次大洪水。流域多年平均汛期径流量占年径流量的 75.3%,洪水径流量占年值的 52.6%,占汛值的 69.9%,基流量占年值的 47.4%。渭河上游南河川站以上流域多年平均径流量 13.11 亿 m^3,多年平均汛期径流量占年值的 73.1%,洪水径流量占年值的 46.1%,基流量占年值的 53.9%。最大月径流量出现在 9 月份,占年径流量的 19.0%,其次为 10 月份和 7 月份,分别占年值的 14.8%和 12.6%;最小月径流量出现在 1 月份,仅占年径流量的 2.8%。

渭河流域径流量在年际间的变化也很大。从变差系数 C_v 值看,渭河上游为 0.530,华县站以上为 0.552,最大支流葫芦河流域为 0.637。据华县水文站 1954~1996 年实测资料统计,最大年径流量为 148.7 亿 m^3(1964 年),最小年径流量为 5.17 亿 m^3(1995 年),其大、中、小比例为 27.5∶11.6∶1;上游最大、最小年径流量的比值为 7.46。

渭河流域以超渗产流为主,由于暴雨量大,强度大,雨量集中,超渗产流的洪量也大。所形成的洪水一般为尖瘦型,即峰高,历时短,洪峰流量大,含沙量高。不同的地面物质组成的下垫面,其产水特性有较大差异,该区地面物质组成从宏观上大致分为两类,即黄土及基岩。在基岩出露区,地面透水性差,蓄水能力较低,集流快,地表径流量很大;以黄土覆盖的地区,地面透水性较好,下渗力强,蓄水能力相对增高,地表径流量相对较小。如以黄土覆盖占流域总面积 80%以上的散渡河、葫芦河等流域,其洪量模数仅为17 410 m^3/km^2和 20 680 m^3/km^2,而下游以基岩和黄土组成的黑河、沣河等流域,其洪量模数高达 259 240 m^3/km^2和 29 185 m^3/km^2。渭河流域多年平均径流深等值线见图 7-4。

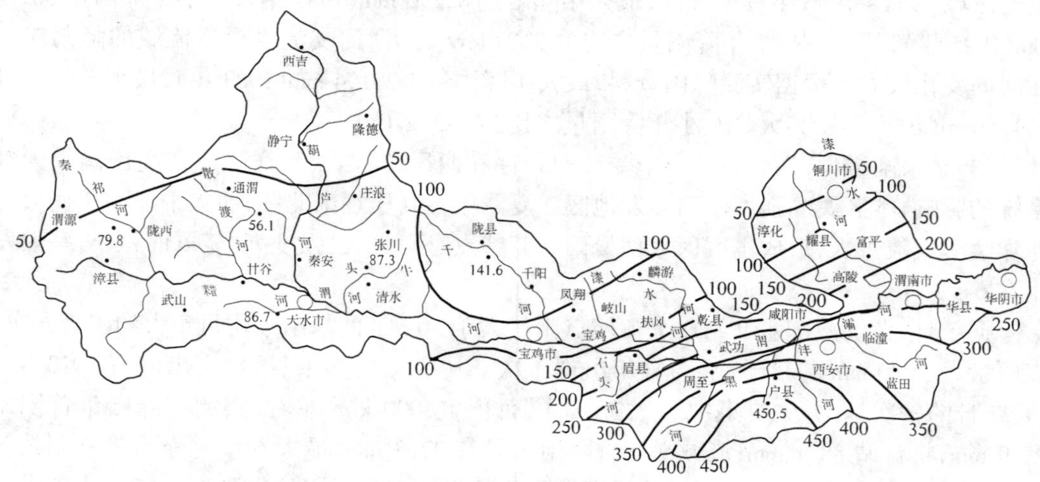

图 7-4　渭河流域多年平均径流深等值线　(单位:mm)

(三)泥沙

1. 泥沙来源

渭河流域泥沙主要来源于地表土壤侵蚀,其多年平均输沙量1.339亿t(1954~1996年),其中南河川以上流域多年平均输沙量1.203亿t,占全流域输沙总量的89.8%,由此可知,上游是主要的产沙区。据统计,上游北岸葫芦河支流多年平均输沙量为0.564 1亿t,占华县站年输沙量的42.1%,而年径流量仅占华县站年径流量的6.0%,属典型的多沙少水区。因此,渭河流域减沙的重点应放在上游,应集中治理葫芦河、散渡河等多沙粗沙支流。

2. 产沙特性

不同物质组成的下垫面产沙方式及过程有很大的差异。在黄土覆盖区,沟谷地以谷坡重力侵蚀和沟道水流侵蚀为主,沟间地以坡面侵蚀为主。由于渭河流域以黄土区为主,尤其是中上游地区,其黄土层深厚,垂直节理发育,质地疏松,遇水崩解速度较快,其抗蚀性很弱,因此地面沟壑密度大,侵蚀模数较高。渭河流域以黄土覆盖为主的支流,洪水输沙模数一般在1 000~10 000 t/km^2。

3. 输沙特性

渭河流域产沙量在年内比较集中,年际差异很大。在黄土覆盖区,流域侵蚀产沙及其输移过程主要是在汛期完成的,而汛期的输沙又往往集中于几场大暴雨。据渭河咸阳水文站1954~1996年资料统计,汛期输沙量占年输沙量的97.2%,7~9月输沙量占年输沙量的82.0%,洪水输沙量占年输沙量的89.9%。根据咸阳水文站1973年的实测资料,一次洪水输沙量高达1.735亿t,占该站年输沙量的44.6%。输沙量年内变化较大。咸阳水文站多年平均输沙量在各月的分配情况见表7-2。

表7-2　渭河咸阳水文站输沙量年内分配情况(1954~1989年)

月份	1	2	3	4	5	6	7	8	9	10	11	12
年内分配(%)	0.04	0.05	0.26	2.09	3.33	8.80	33.7	31.56	16.6	3.1	0.4	0.07

渭河流域输沙量在年际间的变化也很大。咸阳水文站实测最大年输沙量为3.89亿t(1973年),最小年输沙量仅为0.2亿t(1972年),最大最小相差悬殊,其值之比为19.5∶1。沣河、石头河、黑河等下游南岸支流,其年输沙量均不足流域年输沙量的1%。这些支流最明显的特征是水多沙少,非常有利于流域水资源的开发利用。

渭河流域咸阳水文站多年平均含沙量29.3 kg/m^3,其中上游南河川水文站多年平均含沙量91.8 kg/m^3;上游支流散渡河含沙量最高达303.8 kg/m^3。根据实测资料,支流葫芦河流域次洪水含沙量最高达1 210 kg/m^3(1970年),一般年份次洪水含沙量也都在500 kg/m^{3}以上,洪水基本属于高含沙水流,说明泥沙高度集中于洪水期。

渭河流域(华县水文站)降雨、径流、输沙量变化过程线见图7-5。

4. 水土保持措施拦减粗泥沙分析

渭河流域实施水利水土保持措施综合治理后,干支流控制粗泥沙来源的四个主要水文站的粗泥沙变化情况见表7-3;不同年代粗泥沙占比及粗泥沙来量变化过程线和柱状图分别见图 7-6、图 7-7。由此可见，自 1970 年以来，渭河支流散渡河甘谷水文站粗泥沙占比呈波动上升趋势且多年平均占比最大；支流葫芦河秦安水文站粗泥沙占比呈波动下降趋势；干流咸阳水文站粗泥沙占比呈明显下降趋势；干流华县水文站粗泥沙占比虽呈波动下

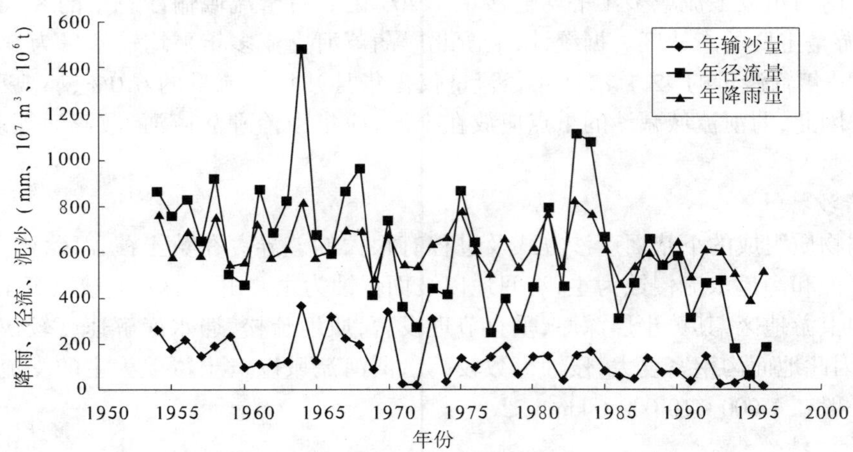

图 7-5　渭河流域降雨、径流、泥沙变化过程线

表 7-3　　渭河流域粗泥沙变化情况

时段（年）	粗泥沙（$d\geqslant0.05$ mm）占比（%）				粗泥沙输沙量（万 t）			
	甘谷	秦安	咸阳	华县	甘谷	秦安	咸阳	华县
1960 ~ 1969	11.5	12.1	11.5	11.0	317	915	2 210	4 800
1970 ~ 1979	12.7	11.5	11.6	12.6	246	759	1 630	4 900
1980 ~ 1989	16.8	12.6	9.2	10.6	241	402	604	2 900
1990 ~ 1996	14.0	9.8	8.5	12.0	162	253	468	3 710
1970 ~ 1996	14.6	11.5	9.9	11.7	222	496	949	3 850

注：表中部分数据来自参考文献[9]。

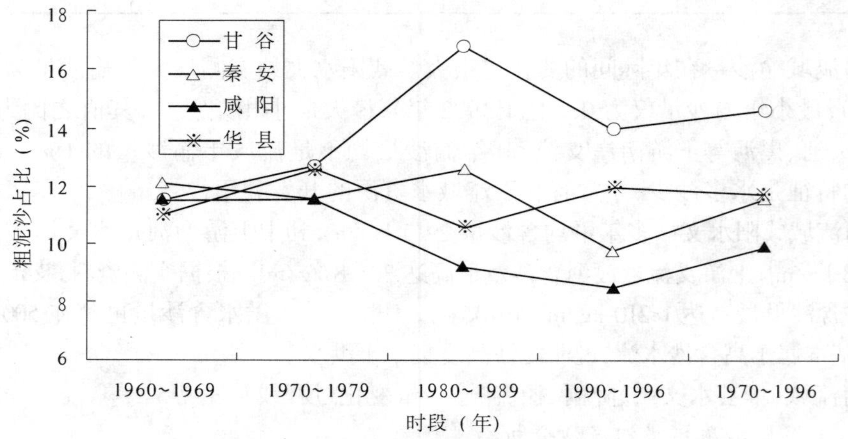

图 7-6　渭河流域不同年代粗泥沙占比变化过程线

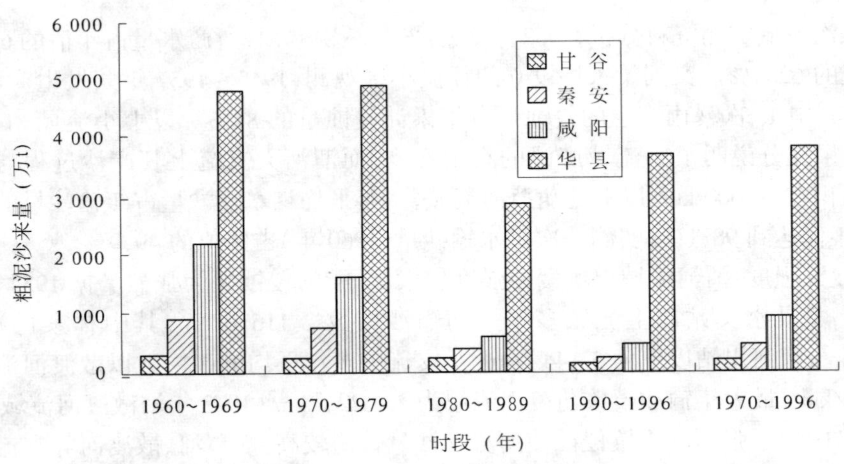

图 7-7 渭河流域不同年代粗泥沙来量变化柱状图

降趋势，但90年代比80年代有明显回升，仅略小于70年代。甘谷、秦安、咸阳等三个主要水文站粗泥沙来量均呈下降趋势。华县水文站粗泥沙来量虽呈波动下降趋势，但进入90年代后，粗泥沙来量比80年代有明显增大。90年代华县水文站粗泥沙占比和粗泥沙来量分别比80年代增大了13.2%和27.9%，这显然与90年代泾河流域暴雨较多、年输沙量明显增大有关。

三、水土流失

渭河流域地处黄土高原南缘，是我国水土流失较为严重的地区之一。全流域水土流失面积47 461 km^2，占流域总面积的75%；华县水文站以上治理前多年平均输沙量(1954~1969年)为1.85亿t，占黄河三门峡以上同期输沙量的12.9%。年输沙模数在5 000 t/(km^2·a)以上的强度侵蚀区面积约占流域水土流失总面积的50%。

（一）水土流失特点

渭河流域水土流失具有侵蚀类型复杂、过程集中、强度大等特点。

(1)土壤侵蚀类型：渭河流域土壤侵蚀类型比较复杂，大致可分为自然侵蚀和人为侵蚀两类。自然侵蚀主要有水力侵蚀、重力侵蚀、风力侵蚀。人为侵蚀分为直接和间接两种侵蚀方式。直接侵蚀主要是指由于开矿、修路、城镇庄院建设等一些社会经济活动所产生的弃土、石、渣、垃圾等，被直接倾倒、堆积在沟道、河道中，一遇暴雨洪水就会被冲走，从而增加了河流的含沙量；间接侵蚀是指由于毁林、毁草、开荒等破坏了天然植被，降低了地表抗蚀性，引起了新的水土流失。但从宏观上看，水力侵蚀和重力侵蚀是渭河流域主要的水土流失类型。

(2)侵蚀过程：渭河流域的土壤侵蚀过程从时间上来看比较集中。水力侵蚀主要发生在汛期中的6~9月，尤以7、8两月为最。这不仅是因为60%以上的年降水量集中在这一时期，而且是因为几乎所有暴雨都发生在这一时期。据咸阳水文站1954~1989年资料统计，6~9月输沙量占年输沙总量的90.8%，7、8月份输沙量占年输沙总量的65.4%。每年6~9月的侵蚀又集中在几次暴雨中。根据黄委会天水水土保持科学试验站在渭河二级支流吕二沟流域实测资料分析,1962 年 7 月 26 日一次暴雨,所产水量占年值的 62.5%,沙量占年值的 62.3%。又据梁家坪设立的径流小区观测,1945 ~ 1957 年共发生产流降雨侵蚀 54 次,其中 11 次暴雨产生的侵蚀量占年累计侵蚀量的 87%。以上小流域和径流小区的观测成果充分说明了小流域产沙的集中程度,而渭河大支流上其产沙过程与此类同。如流域面积在 10 000 km^2 以上的葫芦河流域,多年平均洪水输沙量占年输沙量的 92.5%,其中 90 年代达到 98.1%;实测一次洪水输沙量(1960 年)占年值的 49.9%。

(3)侵蚀强度:渭河流域土壤侵蚀强度较大,上游的侵蚀尤为强烈。据 1954 ~ 1996 年资料统计,华县水文站以上流域多年平均输沙模数 2 116 t/km^2,其中林家村站以上为 4 488 t/km^2,南河川站以上为 5 144 t/km^2。支流中多年平均输沙模数以散渡河流域最大,为8 244 t/km^2;最大年输沙模数葫芦河流域为 21 622 t/km^2(1973 年),散渡河流域为 20 692 t/km^2(1973 年)。强烈的土壤侵蚀使河流含沙量普遍较高,葫芦河、散渡河等支流,多年平均含沙量都在 100 kg/m^3 以上。渭河流域多年平均输沙模数等值线见图 7-8。

(4)侵蚀部位:流域产沙主要发生在坡面和沟道。按侵蚀程度一般划分为 6 个侵蚀带,即梁顶轻微侵蚀带、梁坡中度侵蚀带、谷坡强度侵蚀带、沟坡强度侵蚀带、阶地轻微侵蚀带和沟道强烈侵蚀带。根据黄委会天水水土保持科学试验站在耤河流域北岸罗玉沟支流调查研究,梁顶、阶地轻微侵蚀带年输沙模数小于 1 000 t/km^2,梁坡、谷坡、沟坡年输沙模数在 4 000 ~ 6 000 t/km^2 之间,沟道强烈侵蚀带年输沙模数在 30 000 t/km^2 以上。又据 1987 年、1988 年对罗玉沟流域两次暴雨洪水调查结果,沟道侵蚀量占流域总输沙量的 26% ~ 44%,坡面占 74% ~ 56%。从调查资料可以看出,沟道侵蚀也相当严重,开展流域治理必须沟坡兼治。

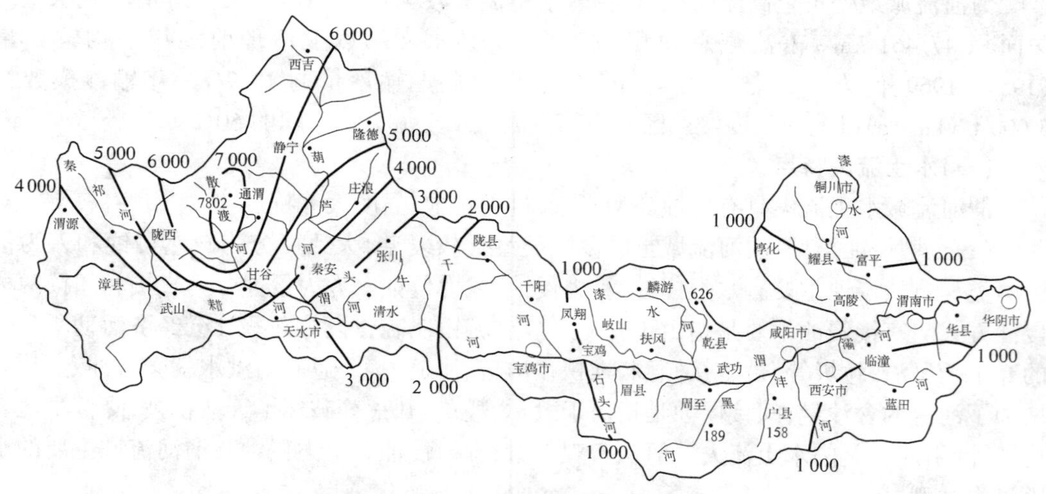

图 7-8　渭河流域多年平均输沙模数等值线　(单位:t/km^2)

(二)水土流失类型

渭河流域土壤侵蚀类型大致划分为 4 类:①黄土丘陵沟壑强烈侵蚀区,面积31 304 km^2,占流域总面积的 49.5%,集中分布在渭河中上游北岸。该区黄土深厚,丘陵起伏,地面破碎,沟壑纵横,植被稀少,人口稠密,年侵蚀模数一般在 5 000 ~ 15 000 t/km^2,局部地区高达 30 000 t/km^2 以上。②渭北旱塬沟壑及残塬沟壑中度侵蚀区，面积 7 678 km^2，占总面积的 12.1%，该区是渭北高原的主体，黄土深厚，塬面不断切割缩小，不少塬区已成为沟壑纵横的破碎残塬，天然植被稀少，人口密度在 100 ~ 200 人/km^2 之间，水土流失较重，年侵蚀模数 1 000 ~ 3 000 t/km^2，局部地区达 5 000 t/km^2 以上。③土石山区轻度侵蚀区，面积 16 875 km^2，占总面积的 26.7%。该区人口稀少，人口密度一般在 100 人/km^2 以下，雨量充沛，植被相对较好，中高山部分侵蚀轻微，低山部分人类活动影响较大，植被破坏严重，水土流失有加重趋势。土壤年侵蚀模数在 500 t/km^2 以下，局部地区高达 3 000 t/km^2。④河谷川台轻微侵蚀区，面积 7 425 km^2，占总面积的 11.7%。该区以冲积平原为主，两岸有台地分布，人口密度在 400 人/km^2 左右，川区年侵蚀模数在 200 t/km^2 以下，台地可达 1 000 t/km^2 以上。

由于渭河流域自然环境复杂，导致了土壤侵蚀程度、方式和类型的多样化。水力侵蚀遍布全区，并以面蚀为主，面蚀中又以片蚀为主，细沟侵蚀主要发生在坡耕地上；重力侵蚀和沟道分布相吻合，呈树枝状，其中崩塌多发生在 60°以上的陡崖，滑坡多出现在 35°左右的斜坡，泻溜多见于 35°以上的红土、黄土坡面。

渭河流域黄土丘陵沟壑区的水土流失状况是：梁峁坡以水力侵蚀为主，其上部侵蚀方式主要为溅蚀、细沟侵蚀和冲沟侵蚀，下部常形成陷穴和漏斗等潜蚀；沟谷坡的水力侵蚀和重力侵蚀都很活跃，主要侵蚀形式有沟谷扩展、沟床下切和沟头延伸，陡坡悬崖滑塌、崩塌、泻溜等重力侵蚀突出；沟谷底的重力侵蚀和水力侵蚀都很活跃，以侧蚀、下切、溯源侵蚀为主。

黄土旱塬沟壑区及残塬沟壑区其侵蚀方式为：塬面和塬嘴坡主要为水力侵蚀；沟谷的侵蚀情况比较复杂，水力和重力侵蚀都很活跃，主要形式有沟谷扩展、沟头延伸和沟床下切。

此外，由于人们对土地资源的过度开垦和开发建设活动对地面的破坏，引起新的水土流失，使本区的水土流失从自然侵蚀发展到人为加速侵蚀。新的水土流失的主要特点是：因素复杂，范围广泛，类型多样，破坏速度快，防治难度大。

新中国成立以来，由于渭河流域人口急剧增长，激化了人地矛盾，流域内毁草毁林、开荒扩耕不断加剧。据 1954 ~ 1996 年资料统计，渭河流域累计开荒垦殖面积达 34 万 hm^2，铲草皮面积 220 万 hm^2，不仅使生态环境受到严重破坏，而且加剧了水土流失。近年来，随着社会经济的高速发展，相应的铁路、公路、电厂、供水、供电等基础设施和小城镇建设迅猛发展，使开挖面、弃土、弃渣堆积面逐步扩展。据调查分析，仅修公路一项，平均每年约有 280 万 t 的泥沙输入渭河，而且多是粗沙。随着基础设施建设和开采规模的逐年扩大，危害程度将日趋严重，如不及时采取有力措施予以制止，日后将难以逆转，将大幅度的抵消水土保持正效应。

四、社会经济情况

（一）概况

渭河流域涉及甘肃、宁夏、陕西三个省（区）52 个县（市、区）（见表 7-4）。截至 1996 年底，渭河流域总人口约 2 025 万，其中农业人口 1 667 万；总户数 506 万户，其中农业户数

417万户；总劳力约730万个，其中农业劳力600万个。人口密度以总人口计算为320人/km^2，按农业人口计算为263人/km^2。人均耕地按总人口计算为0.13 hm^2/人，以农业人口计算为0.16 hm^2/人；人均耕地80%以上为低产田。实际人口增长率在15‰以上。

表7-4 渭河流域县(市、区)一览表

省(区)	县(市、区)
甘肃	岷山县、通渭县、渭源县、漳县、临洮县、陇西县、静宁县、庄浪县、秦都区、麦积区、秦安县、甘谷县、清水县、张家川县、武山县
陕西	渭滨区、金台区、眉县、凤翔县、岐山县、扶风县、麟游县、千阳县、陇县、宝鸡县、太白县、秦都区、杨凌区、渭城区、兴平市、礼泉县、乾县、三原县、淳化县、武功县、永寿县、泾阳县、西安市、长安区、蓝田县、周至县、户县、高陵县、临潼区、耀州区、临渭区、华县、华阴市、富平县
宁夏	西吉县、隆德县、原州区

(二)土地利用现状

渭河流域总土地面积632.82万hm^2。根据1996年土地变更调查资料，到1996年底，有农耕地267.31万hm^2，占总土地面积的42.2%；林地(包括果园)159.14万hm^2，占总面积的25.1%；草地53.04万hm^2，占总面积的8.4%；荒地96.26万hm^2，占总面积的15.2%；非生产用地(交通、工矿、居民点)44.25万hm^2，占总面积的7.0%；水域面积12.82万hm^2，占总面积的2.0%。1996年与1954年相比，农耕地减少了13万hm^2，下降了4.6%，林地增加了59.79万hm^2，上升了37.6%，草地减少了38.72万hm^2，下降了42.2%。这种调整，对农村经济的发展起到了重要作用。尤其是进入90年代后，实行对"四荒地"的拍卖，使农村林果业生产和产业经济得到了长足发展，荒草地的迅速下降和林果地比例上升正是这一实际情况的客观反映。然而，土地利用结构的调整对渭河流域水土流失治理来说，仍存在许多问题。黄土丘陵沟壑区的坡耕地、荒地、裸地的水土流失仍很严重，这几种土地面积占到流域总土地面积的50%左右。因此，努力改变土地利用状况，把荒地变为林草地，把坡地变为梯田，是减少水土流失、发展农村产业经济的根本途径。

五、流域治理概况

严重的水土流失不仅使渭河流域河流泥沙增加，而且造成生态环境恶化，人民生活贫困，成为制约当地经济发展尤其是农业经济发展的重要因素之一。新中国成立以来，渭河流域治理先在一些典型小流域进行试验，以后随着农业合作化的发展，很快在大流域进行推广。20世纪60年代初的"三年困难时期"曾一度中断，但困难时期过后，到1964年又迅速得以恢复。在这一时期，水土保持治理速度慢，措施单一，治理形式主要以培地埂、修条田、植树种草、挖水窖、涝池、筑谷坊等为主，虽然各项措施对流域水沙影响不大，但主要是创造积累了宝贵的经验，为以后的治理奠定了坚实的基础。到1969年底，渭河流域梯田、造林、种草三大措施累计治理面积17.71万hm^2，仅占水土流失面积的3.7%。

70年代初期，在1970年10月北方农业工作会议、1973年4月延安黄河中游水土保持工作会议和"农业学大寨"运动的推动下，渭河流域水土保持工作又再度兴起。随着农田基本建设的全面开展,由过去的培地埂、修条田等单一治理形式发展到大面积连片兴修水平梯田,造林也由过去零星的植树发展到封山育林,一沟一山大面积种树造林,同时流域内还大力开展了建库打坝、引水灌溉、引洪漫地等水利工程建设,使流域的治理工作上了一个新台阶,治理进度明显加快。这一阶段为发展建设时期,至70年代末,流域治理面积累计达到52.91万hm^2,占水土流失面积的11.1%。

80年代以来,随着农村生产体制的改变,从中央到地方加强了对水土保持工作的领导,增加了投资,推广了"户包治理"的经验,提出了以小流域为单元、治沟与治坡相结合、生物措施与工程措施相结合、水土保持治理与农业生产发展相结合的综合治理措施。这一时期,渭河流域水土保持综合治理工作无论是规模、速度还是质量都有了飞跃性的发展,水土保持工作出现了前所未有的稳定发展的新局面。

进入90年代后,随着我国农村经济改革的发展和经济体制的转变,渭河流域的水土保持工作从治理形式、运行机制到管理体制等方面都发生了巨大变化,由单纯的防护性治理发展到治理与开发相结合,生态效益、经济效益和社会效益等三大效益协调发展的新格局,取得了显著成就。经过近50年的综合治理,截至1996年底,全流域累计兴修梯田52.85万hm^2,造林75.66万hm^2,种草20.54万hm^2,三项措施累计面积达149.05万hm^2,占流域水土流失面积的31.4%。淤成坝地0.323 3万hm^2,建成百万立方米以上水库151座,总库容15.39亿m^3。70年代以来,各项水利水土保持措施年均减少径流量25亿m^3左右,减少泥沙0.476 5亿t,水利水土保持措施的减水减沙作用十分显著。大规模的水土保持综合治理不仅改善了当地生态环境,促进了农村经济的发展,而且对渭河下游和三门峡水库的防洪减淤十分有利。

第二节 基本资料的获取与整理

分析计算流域水土保持措施的减洪减沙作用,都是以流域内观测的水文泥沙资料和水土保持措施的数量等基本资料为依据,其可靠与否直接影响分析结果的精度。从目前渭河流域内实测水文泥沙资料及搜集到的水利水土保持资料情况看,在水文资料方面,主要存在雨量站网布设不均、资料系列不一致等问题;在水土保持资料方面,大面积上存在水土保持措施的数量、质量及分布状况不清,统计年报资料因受科技手段限制及人为因素干扰,与实际状况有较大出入等弊端,不但给分析研究工作带来影响,还严重影响了资料的完整性、代表性和可靠性。因此,对基本资料进行合理的处理势在必行,同时对提高分析成果精度至关重要。

一、水文资料的获取与整理

(一)水文站网布设情况

水文泥沙资料来源于水文部门各站历年观测资料及水土保持部门设立的小流域和径流小区观测成果。渭河流域内面上先后设立雨量站250余处,观测系列长短不一。资料系列在35年以上的有116处,20年以上的有144处。干流上布设水文站7处,支流上32处。渭河流域各干、支流主要控制站水文资料系列情况见表7-5。

表 7-5　　渭河流域各干、支流主要控制站水文资料系列

河流名称	水文站	控制面积(km^2)	资料年限(年)	河流名称	水文站	控制面积(km^2)	资料年限(年)
渭　河	武　山	8 080	1954～1996	牛头河	社　棠	1 846	1959～1996
渭　河	南河川	23 385	1954～1996	千　河	千　阳	2 935	1955～1996
渭　河	林家村	30 661	1954～1996	漆水河	好畤河	1 007	1955～1996
渭　河	咸　阳	46 827	1954～1996	漆水河	耀　县	797	1955～1996
渭　河	华　县	63 282	1954～1996	石头河	斜峪关	713	1954～1996
散渡河	甘　谷	2 484	1960～1996	黑　河	黑峪口	1 481	1954～1996
葫芦河	秦　安	9 805	1957～1996	灞　河	马渡王	1 602	1954～1996
耤　河	天　水	1 019	1960～1996	沣　河	秦渡镇	566	1954～1996

(二)资料的系列化整理

通过对渭河流域水文资料进行合理性分析,径流泥沙资料系列比较完整,而降水资料存在诸多问题。主要是 20 世纪 50～60 年代雨量站点偏少且分布不均,个别年份存在缺测、漏测等现象,影响了资料的完整性和代表性。例如渭河上游散渡河流域 1960～1965 年只有一个雨量站,1966～1975 年有 3 个站,1976 年以后设有 10 个站,其代表性分析结果见表 7-6。

表 7-6　　散渡河流域雨量站代表性分析

起讫年份	站数(个)	年均降雨量(mm)	1 站、3 站与 10 站相差	
			绝对值	%
1976～1985	1	396.3	32.9	7.7
1976～1985	3	384.5	44.7	10.4
1976～1985	10	429.2	—	—

从表 7-6 中看出,若以 10 站的年均降雨量为“真值”,则 1 站、3 站与 10 站的均值分别相差 7.7%和 10.4%。又如牛头河流域 1959～1965 年只有 1 个雨量站,1976 年以后有 6 个雨量站,用 1976 年以后同期观测的 1 站与 6 站的年降雨量均值比较,绝对值相差 34.1 mm,相对差为 5.7%。据此,有必要对降水资料进行系列化处理,以便提高其代表性。

本次研究对降雨资料进行的系列化处理,采取去伪存真、插缺补漏的办法,对部分支流的降雨资料进行了插补展延。从实测降雨资料情况看,1977 年以后的降雨资料系列基本趋于稳定,可作为参证变量;1977 年至 1989 年期间观测的多站与少站流域面平均雨量作为相关变量,按照 $y = kx + b$ 的形式建立相关关系;当相关关系显著时,将短系列资料插补延长至长系列的基础上。渭河流域各支流及区间降雨要素插补展延情况见表 7-7。

从表 7-7 中可知,各降雨要素之间关系密切,相关系数均在 0.85 以上,说明所选雨量站具有一定的代表性,用这种方法进行资料的插补比较合理,能够提高雨量资料的代表性。

(1)降雨量。降雨量指标包括日、汛期、年及有效降雨量。①日降雨量:有 1 日、30 日等,分别指汛期内最大 1 日和最大 30 日降雨量;②汛期降雨量:指 5～10 月降雨总量;③年降雨量:指 1～12 月降雨总量;④有效降雨量:指汛期内日雨量≥10 mm 的降雨累计值。

表 7-7　　　　　　　　**渭河流域部分雨量资料插补展延情况**

河名	站名	起讫年份	雨量站数	相关系数(r)			说明
				年降雨	汛降雨	最大30日降雨	
渭　河	武山	1954～1966 1977年以后	2 20	0.92	0 .95	0.89	插补1954～1966年年、汛期、最大30日降雨量;用1977～1986年资料系列相关
散渡河	甘谷	1959～1965 1966～1976 1977～1986	1 3 8	 0.90 0.98	 0.93 0.99	 0.88 0.97	插补1959～1976年年、汛期、最大30日降雨量;用1977～1986年资料系列相关
耤　河	天水	1959～1963 1964～1965 1966～1989	1 2 5	0.96	0.96	0.90	插补1959～1965年年、汛期、最大30日降雨量;用1966～1989年资料系列相关
牛头河	社棠	1959～1965 1966～1989	2 6	0.95	0.95	0.89	插补1959～1965年年、汛期、最大30日降雨量;用1966～1989年资料系列相关
漆水河	好畤水	1959～1973 1974年以后	1 6	0.97	0.96	0.98	插补1959～1973年年、汛期、最大30日降雨量;用1974～1989年资料系列相关
渭　河	咸阳至临潼	1959～1964 1965～1976 1977年以后	2 5 10	 0.98			插补1959～1964年年降雨量;用1977～1989年资料系列相关

根据以上各降雨指标,按“算术平均法”计算各支流平均降雨量;全流域平均降雨量按“面积加权法”计算。

(2)径流量。径流量包括年、汛期、洪水径流量。

洪水径流量:是指由暴雨所形成的地表径流量及洪水期的浅层潜流。其摘录指标根据各支流实际情况确定。汛期一般按:①流量模数大于 0.005 $m^3/(s·km^2)$;②输沙率模数大于 0.1 $kg/(s·km^2)$;③含沙量大于 10 kg/m^3 等三项控制指标进行洪水摘录。基流切割一般按:①以涨洪前日平均流量水平切割;②以涨洪前后流量斜割;③以涨洪前后的最小流量均值切割;④以非汛期平均流量切割。

汛期和年径流量:汛期是指5～10月份径流总量;年径流量是指把口站实测的1～12月的径流总量。

(3)输沙量。输沙量包括年、汛期、洪水输沙量等。洪水输沙量与逐次洪水相对应统计,其统计方法、步骤与洪水径流量相同。

(三)干、支流区间水文资料的整理

(1)降雨。区间有部分雨量站的按各站观测资料统计其降水特征值。区间无雨量站的,可借用相邻支流最靠近区间的雨量站资料或查流域各年代降水量等值线图。

(2)径流与泥沙。用干流下游水文站的实测值减去上游水文站及区间各支流控制水文站的实测值即可求得。

渭河流域降雨、径流、输沙量特征值统计见表 7-8。

表 7-8　　　　　　　　渭河流域降雨、径流、输沙量特征值统计

项目	均值	1969 年以前	1970 ~ 1979 年	1980 ~ 1989 年	1990 ~ 1996 年	多年平均
降雨量（mm）	年降雨量	640.1	613.7	623.7	537.0	613.4
	汛降雨量	505.7	475.9	514.6	436.1	489.5
径流量（亿 m^3）	年径流量	77.25	46.31	65.11	32.39	59.93
	汛期径流量	55.92	34.69	53.33	23.54	45.11
	洪水径流量	39.09	24.82	37.38	15.58	31.55
	基流量	38.16	21.49	27.73	16.81	28.38
	洪量模数（m^3/km^2）	61 771	39 221	59 069	24 620	49 851
输沙量（亿 t）	年输沙量	1.850	1.370	1.050	0.590	1.339
	汛期输沙量	1.750	1.330	1.020	0.530	1.284
	洪水输沙量	1.640	1.260	0.960	0.520	1.211
	洪水输沙模数（t/km^2）	2 592	1 991	1 517	822	1 914

渭河流域各水文站实测降雨、径流、泥沙特征值统计见表 7-9。

二、水利水土保持资料的获取与整理

（一）基本资料的来源

1999 年 9 月至 12 月，先后三次赴渭河流域的陕西、甘肃、宁夏等省（区）收集历年各项水利水土保持措施统计资料，同时进行典型调查，历时三个多月。在各省水利厅及各县（市、区）水利水土保持局及有关部门的大力支持下，对渭河流域所属 52 个县（市、区）的水利水土保持措施资料进行了广泛收集、调查和核实，为分析计算渭河流域水利水土保持措施减水减沙作用提供了较为完整的基础资料。

本次研究收集到的资料有：①流域内各县 1954 ~ 1996 年水利水土保持历年统计年报；②研究区域内径流小区历年观测成果；③ 1989 年各县土地详查成果，其中有 20% 的县收集到乡级土地详查成果；④ 1996 年各县土地变更调查成果，部分县收集到乡级土地变更调查成果；⑤“渭河流域水利水土保持措施减水减沙作用分析研究和预测”（属黄河流域第一期水土保持科研基金第四攻关课题子题）研究报告及有关基础资料；⑥研究区内相关专项典型调查报告及近期相关研究成果。

从搜集到的基本资料情况来看：①统计年报系列比较完整，是目前惟一的能在时空上全面反映流域治理状况的信息源，因受多种因素干扰，可靠性比较差。大多是当年治理当年统计上报，很少考虑保存率和成活率问题，加之存在重报、虚报、漏报等现象，致使统计数据与实际情况有很大出入，一般统计数据都偏大，使用时必须进行核实、修正。②土地详查、土地变更调查及部分典型抽样调查资料，属反映现状的专项调查，符合国家颁布的有关技术规范、规程和精度要求，其成果分别通过地、省和国家验收鉴定，用于核实面上水土保持措施状况，成果可靠，可信度大。因此，土地详查等资料也是本次研究核实水利水

表 7-9 渭河流域各干、支流降雨、径流、输沙特征值统计

流域	控制站	时段（年）	降雨（mm）			径流量（亿 m^3）								输沙量（万 t）					
			年降雨量均值	汛期降雨量		年径流量均值	汛径流量		洪水径流量		基流量		洪量模数	年输沙量均值	汛期输沙量		洪水输沙量		洪水输沙模数
				均值	占年值（%）		均值	占年值（%）	均值	占年值（%）	均值	占年值（%）			均值	占年值（%）	均值	占年值（%）	
渭河	武山	1954～1969	525.1	428.5	81.6	7.035	5.324	75.7	2.810	39.9	4.225	60.1	34 777	0.281 3	0.2608	92.7	0.2476	88.0	3 064
		1970～1979	532.3	443.9	83.4	6.727	5.174	76.9	2.627	39.1	4.100	60.9	32 512	0.311 3	0.3027	97.2	0.2955	94.9	3 657
		1980～1989	516.8	414.2	80.1	6.441	4.994	77.5	2.621	40.7	3.820	59.3	32 438	0.251 7	0.2517	100.0	0.2442	97.0	3 022
		1990～1996	483.8	400.2	82.7	4.720	3.796	80.4	2.314	49.0	2.406	51.0	28 639	0.255 5	0.2541	99.5	0.2486	97.3	3 077
		1954～1996	518.1	424.1	81.9	6.448	4.964	77.0	2.643	41.0	3.806	59.0	32 707	0.277 2	0.2673	96.4	0.2581	93.1	3 194
渭河	南河川	1954～1969	524.8	437.8	83.4	15.76	10.96	69.5	7.386	46.9	8.374	53.1	315 84	1.583	1.517	95.8	1.465	92.5	6 265
		1970～1979	495.4	415.9	84.0	13.61	10.29	75.6	6.120	45.0	7.490	55.0	26 171	1.357	1.278	94.2	1.243	91.6	5 315
		1980～1989	485.2	402.9	83.0	11.66	8.909	76.4	5.336	45.8	6.324	54.2	22 818	0.843 0	0.807	95.7	0.793 0	94.1	3 391
		1990～1996	473.4	397.8	84.0	8.419	6.410	76.1	3.908	46.4	4.511	53.6	16 712	0.6276	0.6246	99.5	0.612 3	97.6	2 618
		1954～1996	500.4	418.1	83.6	13.11	9.587	73.1	6.049	46.1	7.063	53.9	25 866	1.203	1.151	95.7	1.118	93.0	4 782
渭河	林家村	1954～1969	563.4	460.5	81.7	28.45	20.57	72.3	12.68	44.6	15.77	55.4	41 355	1.860	1.784	95.9	1.612	86.7	5 257
		1970～1979	543.3	430.8	79.3	22.14	16.65	75.2	9.653	43.6	12.49	56.4	31 483	1.494	1.371	91.8	1.322	88.5	4 312
		1980～1989	519.8	437.8	84.2	22.69	17.15	75.6	11.77	51.9	10.92	48.1	38 388	0.990	0.950	96.0	0.860	86.9	2 805
		1990～1996	482.1	406.2	84.3	10.43	8.620	82.6	5.870	56.3	4.560	43.7	19 145	0.650	0.640	98.5	0.590	90.8	1 924
		1954～1996	535.4	439.5	82.1	22.71	16.92	74.5	10.66	46.9	12.05	53.1	34 754	1.376	1.308	95.1	1.203	87.5	3 925
渭河	咸阳	1954～1969	612.7	503.3	82.1	60.60	44.04	72.7	30.25	49.9	30.35	50.1	64 599	1.966	1.897	96.5	1.739	88.5	3 714
		1970～1979	612.0	468.2	76.5	36.72	27.13	73.9	18.45	50.2	18.27	49.8	39 400	1.401	1.362	97.2	1.258	89.8	2 686
		1980～1989	618.1	491.4	79.5	46.46	36.11	77.7	25.46	54.8	21.00	45.2	54 370	0.8550	0.828	96.8	0.7620	89.1	1 627
		1990～1996	513.8	428.6	83.4	26.18	18.18	69.4	10.92	41.7	15.26	58.3	23 320	0.5513	0.5347	97.0	0.4851	88.0	1 036
		1954～1996	597.7	480.2	80.3	46.15	34.05	73.8	23.25	50.4	22.91	49.6	49 640	1.346	1.302	96.8	1.196	88.8	2 554
渭河	华县	1954～1969	640.1	505.7	79.0	77.25	55.92	72.4	39.09	50.6	38.16	49.4	61 771	1.850	1.750	94.6	1.64 0	88.6	2 592
		1970～1979	613.7	475.9	77.5	46.31	34.69	74.9	24.82	53.6	21.49	46.4	39 221	1.370	1.330	97.1	1.260	92.0	1 991
		1980～1989	623.7	514.6	82.5	65.11	53.33	81.9	37.38	57.4	27.73	42.6	59 069	1.050	1.020	97.1	0.960	91.4	1 517
		1990～1996	537.0	436.1	81.2	32.39	23.54	72.7	15.58	48.1	16.81	51.9	24 620	0.5400	0.5300	98.1	0.520	96.3	822
		1954～1996	613.4	489.5	79.8	59.93	45.11	75.3	31.55	52.6	28.38	47.4	49 851	1.339	1.284	95.9	1.211	90.4	1 914

续表 7-9

流域	控制站	时段（年）	降雨（mm）			径流量（亿 m^3）								输沙量（万 t）					
			年降雨量均值	汛期降雨量		年径流量均值	汛径流量		洪水径流量		基流量		洪量模数	年输沙量均值	汛期输沙量		洪水输沙量		洪水输沙模数
				均值	占年值（%）		均值	占年值（%）	均值	占年值（%）	均值	占年值（%）			均值	占年值（%）	均值	占年值（%）	
散渡河	甘谷	1959～1969	457.7	390.7	85.4	0.9100	0.6513	71.6	0.5665	62.3	0.3435	37.7	22 806	2 885	2 758	95.6	2734	94.8	11 006
		1970～1979	437.8	374.8	85.6	0.6303	0.5020	79.6	0.4278	67.9	0.2025	32.1	17 222	1 939	1 845	95.2	1 828	94.3	7 359
		1980～1989	437.5	371.6	84.9	0.5365	0.4061	75.7	0.3473	64.7	0.1892	35.3	13 981	1 438	1 374	95.5	1 357	94.4	5 463
		1990～1996	432.8	356.0	82.3	0.3674	0.2955	80.4	0.2545	69.3	0.1129	30.7	10 246	1 163	1157	99.5	1 146	98.5	4 614
		1959～1996	444.3	376.9	84.8	0.6698	0.5016	74.9	0.4325	64.6	0.2373	35.4	17 410	2 048	1 963	95.9	1 945	94.9	7 828
葫芦河	秦安	1957～1969	531.5	461.0	86.7	5.043	3.785	75.1	2.684	53.2	2.359	46.8	27 374	7 795	7 415	95.1	7 229	92.7	7 373
		1970～1979	480.5	403.9	84.1	3.768	2.838	75.3	2.043	54.2	1.725	45.8	20 836	6 584	6 010	91.3	5 880	89.3	5 997
		1980～1989	464.7	400.2	86.1	2.691	2.143	79.6	1.500	55.7	1.919	71.3	15 298	3 392	3 276	96.6	3 210	94.6	3 274
		1990～1996	479.7	409.4	85.3	2.062	1.6300	79.0	1.262	61.2	0.800	38.8	12 871	2 584	2 569	99.4	2 535	98.1	2 585
		1957～1996	495.7	425.2	85.8	3.714	2.832	76.2	2.028	54.6	1.855	50.0	20 684	5 641	5 337	94.6	5 216	92.5	5 320
耤河	天水	1959～1969	649.3	541.0	83.3	1.336	0.9948	74.5	0.6808	51.0	0.6552	49.0	66 811	479.0	468.6	97.8	454.5	94.9	4 460
		1970～1979	602.2	489.6	81.3	0.7660	0.5808	75.8	0.3955	51.6	0.3705	48.4	38 813	287.8	284.8	99.0	277.8	96.5	2 726
		1980～1989	607.1	487.0	80.2	0.8060	0.6231	77.3	0.4262	52.9	0.3798	47.1	41 825	355.0	348.4	98.1	342.6	96.5	3 362
		1990～1996	531.9	439.9	82.7	0.4567	0.3377	73.9	0.2331	51.0	0.2236	49.0	22 875	112.5	111.4	99.0	109.0	96.9	1 070
		1959～1996	609.4	500.0	82.1	0.9370	0.7051	75.2	0.4824	51.5	0.4547	48.5	47 337	346.0	339.8	98.2	331.1	95.7	3 250
牛头河	社棠	1959～1969	612.8	529.6	86.4	2.342	1.612	68.8	0.8838	37.7	1.4582	62.3	47 876	586.5	556.7	94.9	550.4	93.8	2 982
		1970～1979	594.3	505.5	85.1	1.356	1.006	74.2	0.6117	45.1	0.7443	54.9	33 137	579.3	553.0	95.5	540.8	93.4	2 930
		1980～1989	599.7	499.7	83.3	1.527	1.140	74.7	0.6414	42.0	0.8856	58.0	34 745	424.1	386.4	91.1	378.5	89.2	2 050
		1990～1996	531.4	455.7	85.8	0.9486	0.710	74.8	0.3520	37.1	0.5966	62.9	19 068	220.6	190.4	86.3	184.7	83.7	1 001
		1959～1996	592.2	505.0	85.3	1.696	1.215	71.6	0.6776	39.9	1.019	60.1	36 705	487.5	456.6	93.7	448.7	92.0	2 430
千河	千阳	1957～1969	669.7	532.4	79.5	4.758	3.225	67.8	2.178	45.8	2.580	54.2	74 208	412.0	400.0	97.1	377.3	91.6	1 286
		1970～1979	651.4	531.9	81.7	3.563	2.693	75.6	1.537	43.1	2.206	61.9	52 368	435.6	429.2	98.5	406.6	93.3	1 385
		1980～1989	690.2	552.3	80.0	4.330	3.405	78.6	2.239	51.7	2.091	48.3	76 286	373.3	370.3	99.2	348.7	93.4	1 188
		1990～1996	553.3	465.6	84.1	3.379	2.440	72.2	1.605	47.5	1.774	52.5	54 685	125.0	123.0	98.4	116.0	92.8	395
		1957～1996	651.3	526.0	80.8	4.156	3.015	72.6	1.950	46.9	2.248	54.1	66 434	361.8	354.8	98.1	334.9	92.6	1 141
漆水河	好畤河	1959～1969	620.8	490.1	78.9	0.7916	0.4992	63.1	0.4267	53.9	0.3649	46.1	42 373	73.60	72.40	98.4	69.73	94.7	692
		1970～1979	630.2	509.2	80.8	0.5146	0.3612	70.2	0.2993	58.2	0.2153	41.8	29 722	78.85	78.38	99.4	75.73	96.0	752
		1980～1989	648.2	570.8	88.1	0.8129	0.5463	67.2	0.4577	56.3	0.3552	43.7	45 452	57.03	47.33	83.0	46.01	80.7	457
		1990～1996	483.5	436.1	90.2	0.4887	0.2713	55.5	0.2267	46.4	0.2620	53.6	22 512	27.58	27.50	99.7	27.10	98.3	269
		1959～1996	607.0	504.5	83.1	0.6828	0.4410	64.6	0.3717	54.4	0.3111	45.6	36 914	63.5	60.7	95.6	58.7	92.4	583

续表 7-9

流域	控制站	时段(年)	降雨(mm)			径流量(亿 m^3)											输沙量(万 t)					
			年降雨量均值	汛期降雨量		年径流量均值	汛径流量		洪水径流量		基流量		洪量模数	年输沙量均值	汛期输沙量		洪水输沙量		洪水输沙模数
				均值	占年值(%)		均值	占年值(%)	均值	占年值(%)	均值	占年值(%)			均值	占年值(%)	均值	占年值(%)	
漆水河	耀县	1959~1969	583.8	471.9	80.8	0.3502	0.2642	75.4	0.1775	50.7	0.1725	49.3	22 271	180.4	180.4	100.0	179.4	99.4	2 251
		1970~1979	581.0	467.4	80.4	0.2538	0.2053	80.9	0.1426	56.2	0.1112	43.8	17 892	141.5	141.4	99.9	140.3	99.2	1 760
		1980~1989	638.6	534.1	83.6	0.3713	0.2709	73.0	0.1780	47.9	0.1933	52.1	22 334	65.48	65.47	100.0	64.00	97.7	803
		1990~1996	487.0	398.6	81.8	0.2146	0.1439	67.1	0.0949	44.2	0.1197	55.8	11 907						
		1959~1996	580.1	473.4	81.6	0.3106	0.2325	74.8	0.1561	50.2	0.1545	49.7	19 580	115.3	115.2	100.0	114.3	99.1	1 434
石头河	斜峪关	1954~1969	818.6	579.2	70.8	3.842	2.991	77.9	2.525	65.7	1.317	34.3	354 137	29.68	29.02	97.8			
		1970~1979	704.8	567.4	80.5	2.398	2.040	85.1	1.709	71.3	0.689	28.7	239 691						
		1980~1989	909.0	664.4	73.1	3.178	2.730	85.9	2.288	72.0	0.890	28.0	320 898						
		1990~1996																	
		1954~1996																	
黑河	黑峪口	1954~1969	797.9	578.3	72.5	7.028	4.936	70.2	3.995	56.8	3.033	43.2	269 750	24.48	23.38	95.5	23.10	94.4	156
		1970~1979	723.5	586.7	81.1	5.038	3.901	77.4	3.079	61.1	1.959	38.9	207 900	10.89	10.81	99.3	10.33	94.9	70
		1980~1989	832.6	709.0	85.2	7.607	6.357	83.6	5.070	66.6	2.537	33.4	342 336	57.03	56.51	99.1	53.77	94.3	363
		1990~1996	574.0	476.0	82.9	4.753	3.522	74.1	2.812	59.2	1.941	40.8	189 872	10.68	10.48	98.1	9.970	93.4	67
		1954~1996	752.2	594.0	79.0	6.330	4.796	75.8	3.839	60.7	2.490	39.3	259 243	26.64	26.1	97.8	25.13	94.3	170
沣河	秦渡镇	1954~1969	874.4	610.0	69.8	2.896	2.107	72.8	1.787	61.7	1.109	38.3	315 724	10.72	9.420	87.9	8.996	83.9	159
		1970~1979	774.7	597.3	77.1	2.260	1.686	74.6	1.448	64.1	0.812	35.9	255 830	8.135	7.237	89.0	6.860	84.3	121
		1980~1989	884.8	731.6	82.7	2.883	2.407	83.5	2.026	70.3	0.857	29.7	357 951	10.97	10.01	91.2	9.501	86.6	168
		1990~1996	710.9	546.1	76.8	1.748	1.205	68.9	1.100	62.9	0.648	37.1	194 346	3.747	3.457	92.3	3.272	87.3	58
		1954~1996	827.0	624.9	75.6	2.558	1.932	75.5	1.652	64.6	0.906	35.4	291 856	9.042	8.079	89.3	7.685	85.0	136
灞河	马渡王	1954~1969	861.2	623.1	72.4	6.096	4.412	72.4	3.592	58.9	2.504	41.1	224 360	387.4	362.7	93.6	346.3	89.4	2 163
		1970~1979	811.8	624.2	76.9	4.484	3.410	76.0	2.705	60.3	1.779	39.7	168 957	218.9	205.0	93.7	196.0	89.5	1 224
		1980~1989	871.4	720.4	82.7	6.044	4.898	81.0	3.824	63.3	2.220	36.7	238 851	216.9	213.5	98.4	203.7	93.9	1 272
		1990~1996	690.4	524.3	75.9	3.173	2.127	67.0	1.659	52.3	2.073	65.3	103 623	61.90	58.26	94.1	55.39	89.5	346
		1954~1996	824.3	629.9	76.4	5.233	3.920	74.9	3.125	59.7	2.199	42.0	195 191	255.6	241.8	94.6	230.8	90.3	1 442

注：洪量模数和洪水输沙模数的单位分别是 m^3/km^2、t/km^2。

土保持年报资料的基本依据。

(二)水土保持措施典型调查及保存率分析

"七五"期间,黄河流域第一期水土保持科研基金第四攻关课题对渭河流域的水土保持措施进行了详细的调查研究。其方法是按照渭河流域不同类型区,选择了最基层的56个典型行政村作为研究单元进行抽样调查,同时还采用了渭河中上游地区应用遥感技术对水土保持措施面积的调研成果。本次典型调查在以往调查研究的基础上,以1990年土地详查成果和1996年土地变更调查成果为基准,以本次实地调查为佐证,通过与相应的统计年报数据的比较分析,求得各项水土保持坡面措施和坝地面积的保存率。根据上述研究途径的分析结果,进行综合分析比较,最后得出渭河流域水平梯田、人工林、草地、坝地面积的保存率,详见表7-10。

表7-10　　**渭河流域各项水土保持措施保存率分析成果**

县(市、区)	保存率(%)				县(市、区)	保存率(%)			
	梯田	林地	草地	坝地		梯田	林地	草地	坝地
岷县	66.79	93.01	77.93		麟游	67.11	55.18	71.17	76.67
秦都区	100.0	65.37	67.88	83.33	太白	88.89	68.50	40.00	
麦积区	62.64	74.48	9.66	92.86	杨凌区	91.23	64	0	
秦安	75.65	21.19	40.19	87.50	兴平市		100.00		
甘谷	60.38	47.37	68.02	100.0	礼泉县	70.33	31.07	35.80	96.97
清水	73.64	72.31	69.83	100.0	乾县	68.82	32.52	22.82	88.89
张家川	91.29	70.89	47.19		三原	100.0	17.45	11.52	86.36
武山	74.00	82.15	60.72	83.33	淳化	100.0	43.29	18.88	87.50
通渭	66.70	43.39	0.20	50.00	武功	83.96	72.73	0.00	
渭源	72.12	86.95	100.0	70.00	永寿	91.70	46.53	24.53	100.0
漳县	73.91	100.0	100.0	87.50	泾阳	91.26	6.79	50.00	88.89
临洮	77.99	59.65	100.0	45.74	雁塔区	100.0			
陇西	67.36	29.35	100.0	78.57	灞桥区	77.51	48.77	45.71	
会宁	80.84	57.18	49.66	88.62	长安区	61.44	100.0	100.0	
静宁	63.75	48.85	23.28	83.33	蓝田	75.28	55.05	51.16	87.50
庄浪	98.21	42.26	16.81	71.43	周至	93.18	72.39	44.92	70.00
西吉	28.78	62.15	61.97	0.00	户县	98.19	73.52	33.60	80.00
隆德	41.47	100.0	20.63	0.00	临潼区	61.64	27.48	45.14	85.00
原州区	70.78	76.88	8.95	93.30	王益区	100.0	91.09	45.00	91.07
渭滨区	82.86	56.28	58.33	0.00	印台区	91.02	88.61	42.86	91.15
金台区	81.08	49.02		0.00	耀州区	87.34	77.09	48.75	90.00
眉县	88.14	66.29	100.0	100.0	临渭区	63.04	88.26	40.74	100.0
凤翔	100.0	79.42	62.50	75.00	华县	80.98	100.0	33.33	90.91
岐山	87.85	55.75	49.75	88.33	华阴市	73.49	42.27	24.14	90.00
扶风	84.41	61.10	3.01	91.67	富平	100.0	23.45	24.16	91.07
千阳	96.21	48.04	16.04		潼关	80.77	74.67	35.14	81.82
陇县	73.08	68.27	61.83	65.00	大荔	93.38	65.42	43.33	86.67
宝鸡县	94.57	70.08	75.30	85.71	平均	71.38	63.55	49.48	93.60

三、水土保持措施状况核实与分析

(一)资料系列的整理

通过对渭河流域水土保持措施面积统计年报资料的合理性审查,并从点绘的各项措施面积累积过程中发现,个别年份统计值呈跳跃性变化。例如葫芦河流域内的秦安县,1973 年至 1977 年历年梯田面积累积的过程是:1.47 万 hm^2、2.46 万 hm^2、3.14 万 hm^2、3.55 万 hm^2、2.29 万 hm^2,可以看出,1974 年、1975 年、1976 年三年的统计值明显偏大(其余各县均有类似情况),说明有重报或虚报现象;1978 年至 1980 年梯田面积的累积过程是:2.60 万 hm^2、1.5 万 hm^2 和 2.79 万 hm^2,1979 年突然减少,说明出现了统计错误。上述现象仅用保存率修正是解决不了问题的,必须根据实际情况进行合理化处理,可运用内插的方法予以解决。例如秦安县 1979 年梯田累积面积通过内插其值为 2.7 万 hm^2,基本上趋于合理,也符合流域梯田建设的实际情况。

(二)水土保持措施保存面积的核实

鉴于渭河流域研究区域面积大、下垫面结构比较复杂、用一个保存率很难代表各地的实际情况,本次研究以行政县为单元,分别求得各县(市、区)水土保持措施面积保存率,再乘以经过系列化处理后的历年统计年报资料,即得到各县(市、区)历年治理实有的水土保持措施保存面积。渭河流域各年代末各干、支流核实后的水土保持措施保存面积见表 7-11。

(三)水土保持措施状况分析

(1)水土流失治理度:20 世纪 50 年代中期,渭河流域水土流失治理工作开始起步,主要以培地埂、挖涝池、修条田等措施为主,治理水平较低,1959 年底的治理度不到 1%。60 年代开展试点试验,至 60 年代末治理水平有所提高,其治理度为 3.7%。70 年代初在全国“北方农业工作会议”精神的推动下,流域治理由试点试验到示范推广,治理初具规模,至 1979 年底,治理度为 11.1%。80 年代治理规模有所提高,广泛开展以小流域为单元的综合治理,至 1989 年底,治理度达到 23.9%。进入 90 年代后,由于注重质量,治理进度明显加快,截至 1996 年底,渭河流域水土保持措施核实后的治理保存面积累计达 149.05 万 hm^2,治理度已达到 31.4%。

(2)水土保持措施结构:经过 40 多年的治理,渭河流域各年代水土保持措施结构比例逐步得到调整,由单一的治理趋向综合治理。据分析,至 1969 年底,渭河流域梯、林、草的结构比例分别为 47.6%、43.2% 和 9.2%;70 年代其结构比例分别为 45.2%、49.1% 和 5.7%;进入 80 年代,由于人们认识到水土保持的重要性,造林、种草增长速度较快,加大了陡坡退耕还林力度,至 1989 年底,梯、林、草的结构比例分别调整为 32.7%、50.5% 和 16.7%;90 年代比例基本保持稳定。从各年代结构比例看,基本农田和水土保持林的面积占治理面积的 80% 以上,比重相当大,人工种草的比例则相对偏小。这是由于种草生长周期与草田轮作面积不稳定的客观状况以及对种草的认识不够造成的。从治理现状看,渭河流域已基本形成了以基本农田为骨架、以水土保持林为主体、以沟道坝系建设和种草为辅的流域水土保持综合治理措施结构体系。

表 7-11　　渭河流域各年代末水土保持措施累积保存面积统计　　（单位：hm^2）

区间	年份	水土保持措施面积				
		梯田	造林	种草	坝地	合计
全流域	1959	14 206	15 512	4 464	231	34 413
	1969	84 362	76 443	16 274	833	177 912
	1979	239 188	259 590	30 326	2 279	531 383
	1989	372 025	574 352	190 169	2 964	1 139 510
	1996	528 482	756 645	205 407	3 233	1 493 767
中上游	1959	8 555	3 929	4 051	102	16 637
	1969	51 243	36 335	13 261	464	101 303
	1979	176 559	108 885	23 180	647	309 271
	1989	278 803	296 471	173 776	1 119	750 169
	1996	397 354	418 591	186 050	1 167	1 003 162
下游	1959	5 651	11 583	413	129	17 776
	1969	33 119	40 107	3 014	369	76 609
	1979	62 630	150 705	7 145	1 632	222 112
	1989	93 222	277 880	16 393	1 845	389 340
	1996	131 127	338 054	19 657	2 067	490 905
武山以上	1959	1 213	908	358	18	2 497
	1969	21 443	23 285	2 082	133	46 943
	1979	26 869	30 591	7 344	224	65 028
	1989	39 494	77 648	65 811	247	183 200
	1996	56 373	106 291	63 269	255	226 188
葫芦河	1959	3 193	1 247	1 330	20	5 790
	1969	13 931	5 256	5 250	81	24 518
	1979	68 993	26 634	5 755	131	101 513
	1989	124 286	82 962	56 109	407	26 3764
	1996	175 881	107 579	55 390	446	339 296
散渡河	1959	851	201	152	18	1 222
	1969	3 371	984	559	76	4 990
	1979	12 722	5 105	1 239	84	19 150
	1989	28 211	17 170	6 719	91	52 191
	1996	40 779	22 923	8 371	91	72 164
武山—南河川	1959	1 295	612	458	9	2 374
	1969	3 332	2 328	1 611	31	7 302
	1979	19 208	10 370	3 746	65	33 389
	1989	25 664	33 107	20 109	143	79 023
	1996	40 352	48 861	25 022	143	114 378
南河川—林家村	1959	2 002	960	1 755	37	4 754
	1969	9 166	4 482	3 759	143	17 550
	1979	48 765	36 184	5 097	143	90 189
	1989	61 148	85 584	25 027	231	171 990
	1996	83 969	132 937	33 999	231	251 136
林家村—咸阳	1959	3 098	7 616	290	74	11 078
	1969	21 443	23 285	2 082	204	47 014
	1979	40 019	71 605	5 557	589	117 770
	1989	59 012	150 407	12 473	622	222 514
	1996	86 317	184 077	15 053	742	286 189
咸阳—华县	1959	2 553	3 967	122	54	6 696
	1969	11 676	16 822	932	166	29 596
	1979	22 611	79 100	1 589	1 043	104 343
	1989	34 210	127 473	3 919	1 224	166 826
	1996	44 811	153 977	4 304	1 325	204 417

四、水土保持措施的质量和分布

(一)水土保持措施的质量状况

各项水土保持治理措施的质量直接影响其减水减沙作用计算的精度；同一措施因质量情况不同,其减水减沙作用差异很大。不同水土保持措施质量状况一般按以下几个方面确定:①根据不同措施的特点,选取评价指标;②依据指标差异,结合实际情况综合分析确定出不同的质量等级;③通过实际勘查,结合不同年代的航片判读,确定出各项措施不同质量等级的面积组成。

(1)梯田质量。根据实际调查,梯田的质量主要体现在田面平整、田坎完整、田面宽窄以及梯田的毁坏程度上。据此,一般将梯田分为三个不同的质量等级:田面纵横水平或成反坡田坎,田埂坚实完整,田面宽度在 5 m 以上,一般在设计暴雨下不发生毁坏或水土流失为第一类;田面坡度小于 2°,田面宽度小于 5 m,无边埂但田坎完好,少部分渠湾冲毁,蓄水能力降低的为第二类;田面宽度在 4 m 以下,田面坡度 2°~5°,田坎、田埂破坏严重,蓄水、拦沙能力极差的为第三类。根据上述标准,通过典型调查,结合近期土地详查及变更调查成果等综合分析,该流域一类梯田占 25%~35%,二类占 50%左右,三类占 15%~25%。根据实际调查,70 年代及以前修筑的老式梯田,目前大部分已老化失修,梯田地埂变平,蓄水拦沙能力降低。因此,当务之急是一方面要提高新修梯田的标准,另一方面要加强老式梯田的改造和维修。

(2)林地质量。影响林地减水减沙作用的指标主要有覆盖度、有无枯枝落叶层和有无工程整地措施。依据上述标准可将林地划分为三个质量等级:郁闭度大于 0.7,枯枝落叶覆盖全部地面,有工程整地措施,具有较强滞洪能力的为第一类;郁闭度在 0.5~0.7 之间,枯枝落叶覆盖在 70%以上,有工程整地和一定滞洪能力的为第二类;郁闭度在 0.3~0.5 之间,无整地工程,只有零星的枯枝落叶,基本无滞洪能力的为第三类。根据调查,渭河流域第一类林地面积占 25%~30%,第二类占 40%~55%,第三类占 20%左右。

(3)草地质量。影响草地减洪减沙作用的指标主要有盖度,其次是草种、草龄、生长季节等。但大面积调查时,其他因素不易确定,只能以盖度作为衡量质量标准的惟一指标。盖度在 70%以上的一般为第一类,盖度在 45%~70%的为第二类,盖度小于 45%的为第三类。根据调查,人工种草多分布在弃耕、退耕坡地上,荒地部位较少。第一类占 20%左右,第二类和第三类各占 40%左右。

(4)淤地坝。淤地坝作为一项治沟工程措施,其滞洪拦沙作用最明显也最直观。根据调查,截至 1996 年底,渭河流域已建成淤地坝 2 336 座。其中上中游 337 座,下游 1 999 座。上中游主要分布在葫芦河上游,下游主要分布在渭南、铜川和咸阳三市。从调查结果看,现有淤地坝多建于 70~80 年代,由于设计标准低,虽然有一定数量但质量较差,抵御洪水能力低。现有小型淤地坝已基本淤满,大、中型淤地坝库容淤积率在 75%以上,大多数库坝运行方式已由拦转排,且病险坝占总坝数的 70%以上。

(二)水土保持措施的分布

(1)梯田:渭河流域梯田的分布是北部多,南部少;上游多,中下游少。全流域梯田平均分布密度为 8.35 hm^2/km^2。其中,上游为 13.4 hm^2/km^2,下游为 4.02 hm^2/km^2。支流中以葫芦河流域最大，达 17.93 hm^2/km^2。渭河流域梯田密度分布等值线见图 7-9。

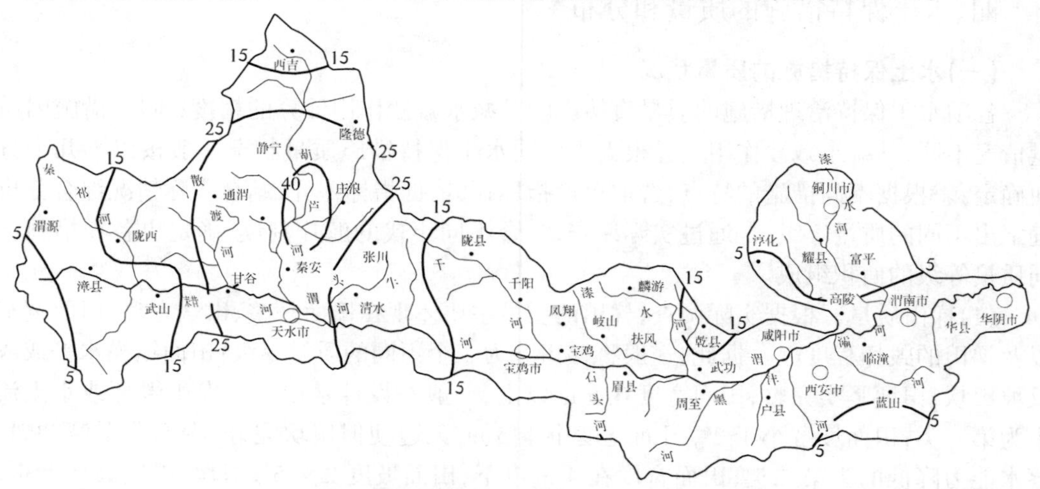

图 7-9　渭河流域梯田密度分布等值线　（单位：hm^2/km^2）

（2）林地：渭河流域人工林地南部和中部分布较多，以灌木林为主，而东北部相对较少。全区造林地平均分布密度为 11.96 hm^2/km^2，其中上游为 12.22 hm^2/km^2，中游（南河川至林家村区间）为 18.27 hm^2/km^2，下游为 10.36 hm^2/km^2。支流中以耤河、石川河流域分布最多，其分布密度在 30 ~ 40 hm^2/km^2 之间，局部地区在 40 hm^2/km^2 以上（见图 7-10）。

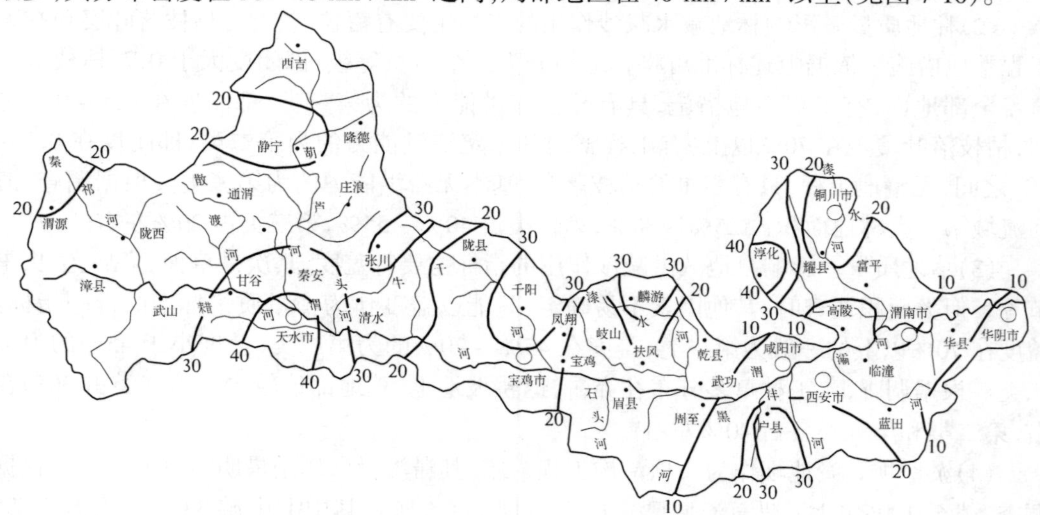

图 7-10　渭河流域人工林密度分布等值线　（单位：hm^2/km^2）

（3）草地：渭河流域基本没有大面积的人工草地，零星的草地主要分布在中上游地区。全区草地的平均分布密度为 3.25 hm^2/km^2。其中，中上游地区分布密度在 5 ~ 20 hm^2/km^2 之间，局部地区在 20 hm^2/km^2 以上。下游草地分布密度在 5 hm^2/km^2 以下（见图 7-11）。

（4）淤地坝：渭河流域淤地坝的分布与地形地貌有关，一般黄土丘陵沟壑区分布较多。如葫芦河上游的宁夏西吉、隆德及下游北岸的陕西铜川、富平分布最多，坝地分布密度在 0.15 hm^2/km^2 以上，而中南部几乎没有，其坝地分布密度在 0.05 hm^2/km^2 以下（见图 7-12）。

渭河流域历年梯田、造林、种草、坝地保存面积累积变化过程线见图 7-13。

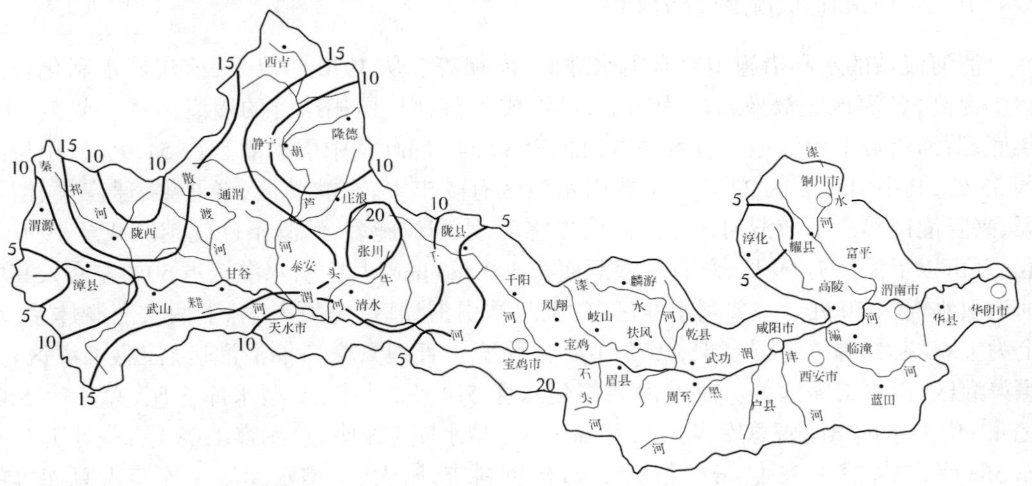

图 7-11　渭河流域人工草密度分布等值线　（单位：hm^2/km^2）

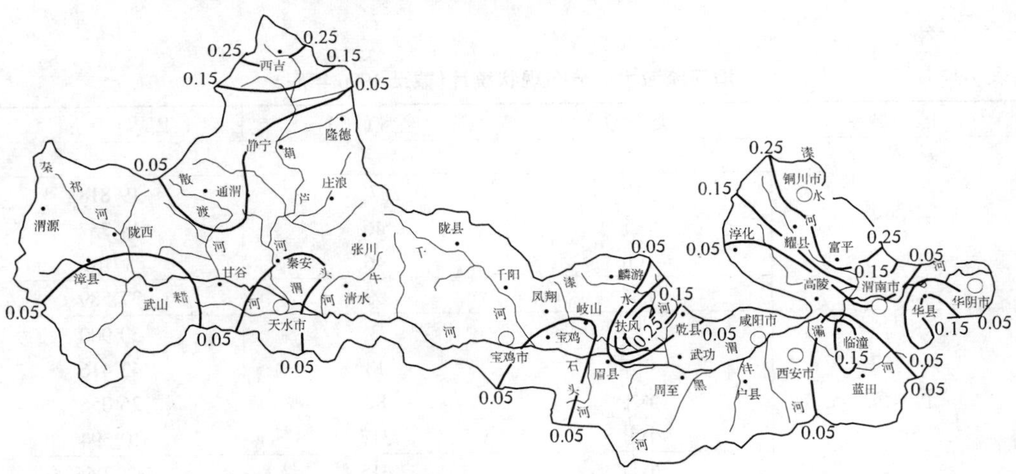

图 7-12　渭河流域坝地密度分布等值线　（单位：hm^2/km^2）

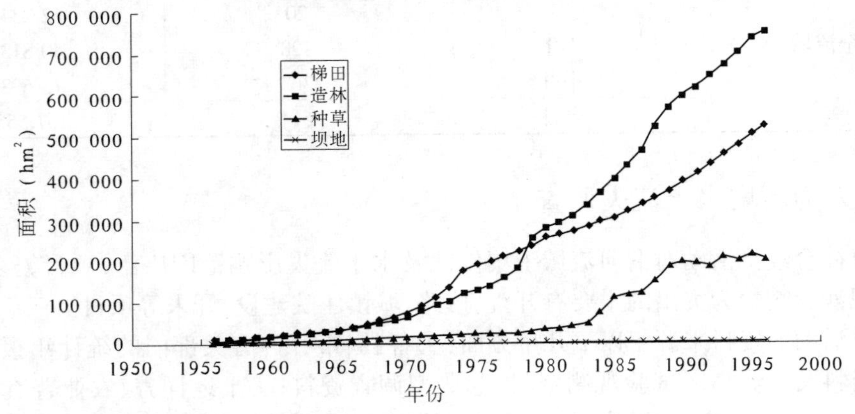

图 7-13　渭河流域梯田、造林、种草、坝地保存面积累积变化过程线

五、水利措施状况调查分析

渭河流域的水利措施主要有引水灌溉、库坝等。从1970年以来，该流域水利化程度逐步提高，各灌区灌溉效益较为明显，已形成了蓄、引、提相结合的灌溉体系。截至1996年底，渭河流域上中游地区有效灌溉面积为80 547 hm^2(其中引水灌区占54.9%)，中型灌区33处，其中引水灌区22处。主要引水灌区有陇丰渠、东峡灌区、老北渠、通广渠、渭济渠、兴隆灌区等。下游渭河平原灌溉历史悠久，水利设施多，灌溉条件优越。截至1996年底，万亩以上灌区有99处，总有效灌溉面积590 886 hm^2(其中引水灌区占50%左右)，其中河道引水灌区50处。主要引水灌区有：宝鸡峡引渭灌区(分塬上、塬下两大灌溉体系，塬上为宝鸡峡渠，塬下为渭惠渠，1975年后合并统一管理)、交口抽渭灌区、沣惠渠灌区、黑惠渠灌区、涝惠渠灌区等。流域内共修建水库514座，其中，大型水库3座，总库容5.09亿m^3；中型水库20座，总库容6.22亿m^3；小Ⅰ型水库128座，总库容4.08亿m^3；小Ⅱ型水库363座，总库容1.36亿m^3。根据1996年资料统计，大、中型水库淤积库容占总库容的17.3%，小型水库淤积库容占总库容的30%左右。渭河流域百万立方米以上水库统计见表7-12。

表7-12　渭河流域水库分布现状统计(截至1996年底)

区　域	类　型	座数(座)	库容(万m^3)
中上游	大	—	—
	中	7	19 818
	小Ⅰ	46	14 757
	小Ⅱ	46	3 014
	小计	99	37 589
下　游	大	3	50 900
	中	13	42 416
	小Ⅰ	82	26 056
	小Ⅱ	317	10 594
	小计	415	129 966
全流域	大	3	50 900
	中	20	62 234
	小Ⅰ	128	40 813
	小Ⅱ	363	13 608
	合计	514	167 555

六、人为新增水土流失调查

人类社会经济活动对渭河流域土壤侵蚀及水土流失影响范围广泛，项目繁多。对河川径流泥沙影响较为突出的主要有开荒、修路、城镇庄院建设、开采等项目。

人类活动的资料来源于以下几个方面：①各县(市、区)有关部门的统计年报；②小流域规划资料及径流小区试验观测资料；③典型调查资料；④土地详查、农业普查等成果；⑤专题调查报告；⑥交通、城建、矿建等部门的设计施工资料。资料系列以年报较全，是分析计算增洪增沙作用的基本依据。

本次研究着重对渭河流域中上游地区的部分县(市、区)进行了重点调查,同时结合水土保持坡面措施的典型调查,先后两次对下游区域内的部分县(市、区)进行摸底调查,以访问、座谈为主,现场实际丈量为佐证,然后与近期(1996 年)土地变更调查成果、专项调查及设计施工资料等多渠道验证核实,通过综合分析确定出各项人类活动影响量及流失系数。根据统计,1950 年至 1996 年底,渭河流域累计开荒面积 3.40 万 hm^2,城镇庄院建设 64.02 万处,挖窑洞 25.13 万孔,修路 9.39 万 km,挖药材破坏地表 36.48 万 hm^2,铲草皮 22.03 万 hm^2。

第三节 减洪减沙作用分析计算方法

一、研究方法概述

渭河流域水系众多,地域广阔,自然条件十分复杂,水土流失比较严重,且东西、南北又差别很大。为了使计算结果能最大程度地反映流域实际情况,研究中根据自然条件将渭河流域分为三大片共 16 个单元,即上游片、中游片和下游片。南河川以上为上游片,包括武山站以上流域及散渡河、葫芦河、牛头河等支流;南河川至林家村区间为中游片;林家村至华县为下游片。下游片包括千河、漆水河(好畤河)、漆水河(耀县)、石头河、黑河、灞河、沣河等 7 条主要支流和林家村至咸阳、咸阳至华县 2 个区间共 9 个研究单元。在计算步骤上,先以支流及区间计算取得结果,再以大区(片)为单元进行整体分析,最后汇总提出渭河流域水土保持措施减洪减沙作用总体研究成果。

渭河流域水土保持措施减洪减沙作用的分析计算采用“水文法”和“水保法”两种不同的方法,目的在于使计算结果能够互相检验和印证。

(一)水文分析法

水文分析法,简称“水文法”,是从水文统计方面分析计算河流水沙变化的一种方法。流域产流产沙主要取决于流域内气象因素及下垫面条件相互作用的结果。气象因素主要是降雨,而降雨随时间和空间分布也有不同。下垫面条件是制约流域径流运动的重要因素。影响流域下垫面变化的条件,一是自然因素,二是人类活动。对于一个流域,自然因素在短时期内变化不大,因此影响水沙变化的主要是人类活动。由于人类活动只能改变流域下垫面的状况,不能显著地影响降雨,因此可把整个流域实测的水沙过程分为不受人类活动影响和受人类活动影响两个系列。“水文法”就是根据此原理,利用治理前实测的水文资料,建立降雨与径流、泥沙关系式即降雨产流产沙水文统计数学模型,以治理后的降雨资料代入关系式,求得在未治理状况下流域可能产生的水量和沙量,即天然产水产沙量,将计算值与同期实测值相比较,其差值即为流域治理后减少的水量和沙量。若以不受人类活动影响的系列作为对比的基准期,则计算的受人类活动影响时期的水量和沙量与基准期的差值,即为该时期由于降雨变化所引起的水沙变化量。

“水文法”计算的主要任务,就是通过对降雨产流产沙关系的分析,区别出降雨和水利水土保持措施对流域水沙变化及减洪减沙的影响程度。降雨产流产沙模型是流域进行综合治理减洪减沙作用计算的基础,也是“水文法”研究的核心。降雨产流产沙数学模型的精度及降雨资料的代表性是“水文法”计算的关键。

在本次研究中,针对渭河流域不同水土流失类型区建立了多种降雨产流产沙数学模型,现将主要的几种概括于后。

(1)降雨产流模型。降雨产流模型是以流域平均降雨量和径流量经逐步回归分析建立的基于水文统计的数学模型。若以 W 代表径流量,P 代表降雨指标,则 W 与 P 之间的关系有指数型和复合指数型等形式。

(2)降雨产沙模型。若以 W_S 代表流域产沙量,则 W_S 与各种降雨指标 P 的关系有指数型($W_S = BP^{\alpha}$)、线性($W_S = B_1P_1 + B_2P_2 + \cdots$)和复合指数型($W_S = BP_1^{\alpha 1} \cdot P_2^{\alpha 2} \cdots$)等形式。

(3)洪水泥沙模型。经分析渭河流域绝大部分支流的洪水泥沙关系良好,其关系式为:

$$W_{HS} = KW_H^{\alpha} \tag{7-1}$$

式中:W_{HS}为流域洪水输沙量;W_H 为流域洪水量;K 为系数;α 为指数。当 $\alpha = 1.0$ 时,K 值即代表该流域的多年平均含沙量,此时为典型的高含沙水流。统计分析渭河流域 1970 年以前各干支流的洪沙关系,α 取值范围为 $0.5 \sim 1.2$。

(4)计算方法。根据渭河流域水文站网布设情况,研究中对降雨资料均作了系列化处理和代表性分析,并分水文站进行了减水减沙作用研究。在水文分析中,对洪水与洪沙作了重点研究。具体计算方法有 3 种:①经验公式法(降雨产流产沙模型);②双累积曲线法;③不同系列对比法。

3 种计算方法其结果相互印证对照。其中经验公式法为“水文法”分析计算的基本方法。

(二)成因分析法

成因分析法又称为“水保法”,它是从成因方面通过分析黄河中游各地水土保持科学试验站各项水土保持措施减洪减沙作用的观测资料,确定减洪减沙指标,按各类措施分项计算,逐项相加,并考虑流域产沙在河道运行中的冲淤变化以及人类活动新增水土流失等因素,分析计算流域水土保持措施减洪减沙作用的一种方法。其特点有三:一是能清楚地了解各项水土保持措施在流域水沙变化中的作用;二是能检查分析“水文法”计算结果是否合理;三是能预测流域未来水沙变化趋势。

本次研究在原黄河流域水土保持科研基金第四攻关课题子题——“渭河流域水利水土保持措施减洪减沙作用分析研究和预测”的基础上,对研究方法进行了重大改进。在渭河流域“水保法”减洪减沙作用计算中,将洪水和常水分开研究,然后合并说明其减水作用;对坡面措施减洪减沙作用计算采用了“以洪算沙”的分析方法;在淤地坝减洪减沙作用计算方法上也作了较大改进。同时,还对渭河流域人类社会经济活动中新增水土流失、城镇工业、生活用水等进行了研究。现分述如下:

(1)坡面措施减洪减沙作用计算方法。坡面措施减洪作用计算的关键有二:一是建立坡面措施减洪指标体系;二是解决如何把代表小区减洪指标应用于大面积流域上的问题,即小区推大区问题。本次研究的基本思路是:将渭河流域的年平均雨量(面雨量)和代表小区的年平均雨量(点雨量)同频率对应,消除时段差异、地区差异和点面差异后,确定应用于流域的减洪指标。即先解决雨量的代表性问题,其次解决径流的差异。坡面措施减沙量计算采用“以洪算沙法”,即以流域水沙规律为依据,以成因法为基础,着重考虑坡面系统和沟道系统、洪水和泥沙的有机联系,根据减洪量推算减沙量。计算步骤如图 7-14。

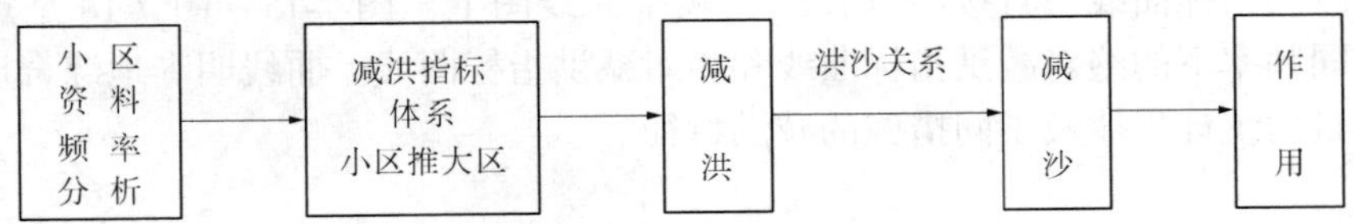

图 7-14 坡面措施减洪减沙作用计算步骤框图

"以洪算沙法"减洪减沙计算模型的特点是:①保证计算独立性;②反映不同保证率条件下的差异,从特定流域天然坡面产沙关系稳定性概念出发,考虑了坡面与沟道减沙的相互联系,即因坡面减洪对沟道减沙的影响;③采用"迭代法"逐步逼近还原。

(2)对淤地坝减沙作用计算方法的改进。将淤地坝的减沙量分为拦泥量和减蚀量两部分,分别进行计算。在计算出淤地坝的减沙量后,将淤地坝的减洪量计算分为两步:第一步,计算正在拦洪时期淤地坝的减洪量 ΔW_1。其拦洪量可根据淤地坝的拦泥量依据淤地坝拦洪时的洪沙比反推;第二步,计算已淤平坝地的减洪量 ΔW_2。淤地坝的减洪总量为 $\Delta W_1 + \Delta W_2$。

二、"水保法"计算方法

(一)坡面措施减洪减沙作用计算方法

坡面水土保持措施主要包括梯田、人工造林、人工种草等 3 项。

1. 小区减洪指标体系的建立

1)代表小区选择

遵循地区一致性、资料系列代表性的原则,选择确定黄委会天水、西峰两个水土保持科学试验站的径流小区,分别代表渭河流域内的黄土丘陵沟壑区和黄土高塬沟壑区等主要水土流失类型区。

2)代表小区的资料整理及措施区与对照区的确定

首先对确定小区的径流泥沙长系列实测资料进行系统性整理分析。在水土保持措施区与对照区系列的确定上,根据分析计算要求,结合小区观测布设情况,采用梯田与坡耕地、人工林与荒草坡、人工草地与宜牧坡耕地对比系列。

3)代表小区坡面措施减洪指标体系

代表小区坡面措施减洪指标体系的建立,采用"频率分析法",分为以下几个步骤:

(1)代表小区坡面措施减洪量频率分析。对确定的措施区与对照区的径流系列分别计算其频率,并点绘经验频率曲线,高水部分依据皮尔逊Ⅲ型理论频率曲线外延。依据各系列措施区洪水径流量与对照区洪水径流量的经验频率曲线,以同频率量值比较,即可得出某一频率下的减洪指标(绝对减洪指标),按下式计算:

$$\Delta R' = R'_1 - R'_2 \tag{7-2}$$

式中:$\Delta R'$ 为绝对减洪指标;R'_1、R'_2 分别代表同频率下经验频率曲线上量读的对照区和措施区的洪水径流量。

相对减洪指标按下式计算:

$$\eta = \Delta R' / R'_1 \times 100\% \quad (7\text{-}3)$$

绝对减洪指标曲线可直接绘制在经验频率曲线图上。图 7-15 ~ 图 7-18 是点绘的坡面措施不同频率下的绝对减洪指标曲线和相对减洪指标曲线。曲线明晰地综合反映了代表小区洪量的统计规律及不同措施的减洪特征。

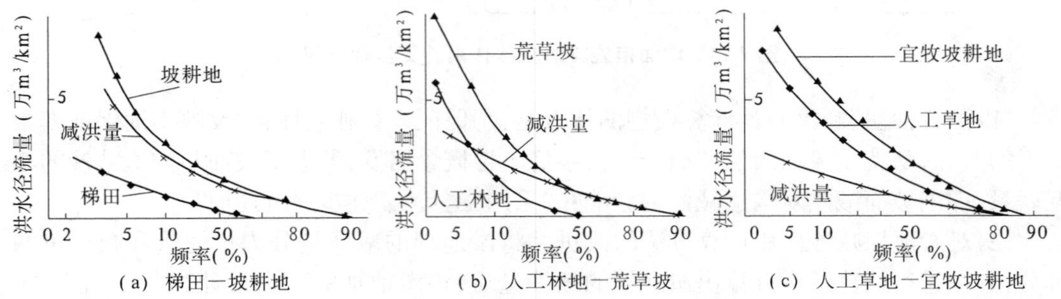

图 7-15 西峰南小河沟小区措施区与对比区径流量、减洪量频率曲线

对于林、草地，由图上查得的值基本接近实际状况。对于梯田，因图上反映的是无埂梯田的状况，需要引入“有埂率”指标，采用“二步到位法”进行修正。即

$$\eta = (1 - \beta) \cdot A + \beta \cdot B \quad (7\text{-}4)$$

式中：η 为小区梯田的实际相对减洪指标，%；A 为无埂梯田的相对减洪指标；B 为有埂梯田的相对减洪指标；β 为梯田的有埂率。

(2)小区汛降雨量与措施减洪量的相关分析。通过分析点绘各代表小区汛期降雨量与各项措施减洪量关系曲线，可以看出二者存在着良好的相关关系，说明汛期降雨量是影响措施减洪量的主要因素，这是将不同频率洪量下的减洪指标转化为不同频率降雨量下的减洪指标的前提和基础。

(3)代表小区不同雨量级下的减洪指标。点绘不同小区汛期降雨量频率曲线图(图 7-16(b)、图 7-18(b)]，同时计算统计参数(均值 P、C_v、C_s)。采用“同频率对应”的方法，将不同洪量频率下的减洪指标转换为同一频率不同雨量级下的减洪指标，见表 7-13。

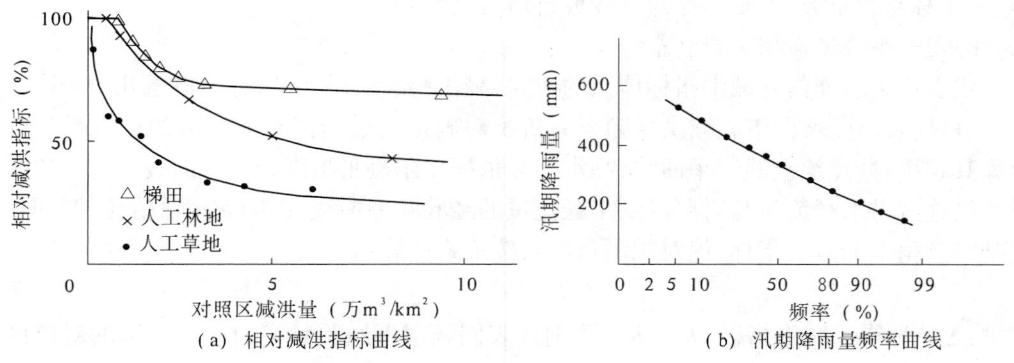

图 7-16 西峰南小河沟相对减洪指标曲线与汛期降雨量频率曲线

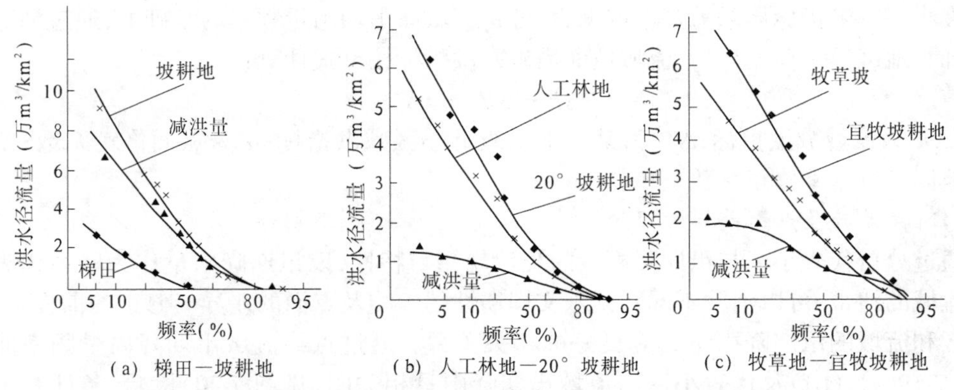

图 7-17　天水大柳树沟小区措施区与对照区径流量、减洪量频率曲线

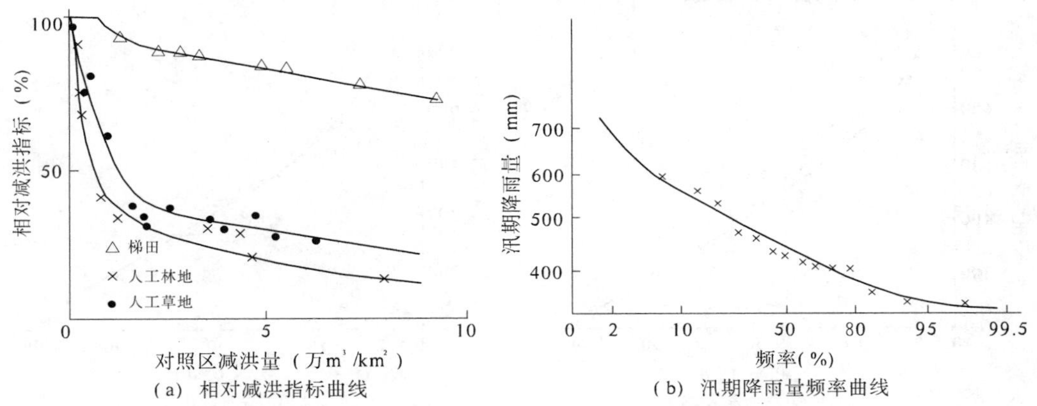

图 7-18　天水大柳树沟相对减洪指标曲线与汛期降雨量频率曲线

表 7-13　代表小区不同洪量频率不同雨量级下的减洪指标　（单位：万 m³/km²）

频率（%）	汛降雨量(mm)	天水大柳树沟						汛降雨量(mm)	西峰南小河沟					
		梯田(无埂)		人工造林		人工种草			梯田(无埂)		人工造林		人工种草	
		绝对	相对（%）	绝对	相对（%）	绝对	相对（%）		绝对	相对（%）	绝对	相对（%）	绝对	相对（%）
5	608	7.7	71.4	1.0	21.3	1.90	27.1	534.0	6.6	69.6	3.5	43.6	2.1	27.3
10	570	6.2	76.3	0.95	26.5	1.70	28.9	486.0	3.8	70.4	2.5	52.0	1.9	31.3
20	523	4.4	82.1	0.9	32.6	1.67	30.5	443.0	2.5	73.5	1.9	67.9	1.7	33.3
30	490	3.3	85.7	0.7	35.5	1.33	31.2	397.0	1.8	75.0	1.4	77.8	1.1	34.4
40	463	2.4	93.3	0.6	36.4	1.00	33.3	370.0	1.5	77.8	1.4	88.0	0.9	37.5
50	439	1.8	95.0	0.5	37.5	0.80	37.5	343.0	1.3	86.7	0.7	98.3	0.8	42.1
60	417	1.2	100	0.3	41.7	0.60	38.9	318.0	1.1	91.7	0.5	100.0	0.7	53.9
70	394	0.7	100	0.25	60.0	0.50	42.3	290.0	0.8	100.0	0.3	100.0	0.5	57.5
80	370	0.3	100	0.2	70.0	0.45	53.3	260.0	0.5	100.0	0.1	100.0	0.3	60.0
90	342	0.1	100	0.1	100	0.10	100	224.0	0.2	100.0	0.1	100.0	0.2	100.0
系列均值	461.6	2.8	90.4	0.55	46.1	1.01	42.3	365.0	2.0	84.5	1.2	82.3	1.8	82.0

2. 流域坡面措施减洪指标体系

建立流域坡面措施减洪指标体系，实质上是解决以小区指标推算大区指标的问题。

以代表小区减洪指标体系为基本依据，在分析流域面平均雨量频率的基础上，通过消除时段、点面、地区等主要差异后，流域坡面措施减洪指标按下式计算：

$$\Delta R = \Delta R' \cdot \alpha \cdot X \tag{7-5}$$

式中：ΔR 为流域减洪指标；$\Delta R'$为某一雨量级下小区减洪指标；α 为点面修正系数；X 为不同地区产洪水平修正系数。

1)时段差异及点面差异的消除

通过分析代表小区与汛期降雨量的统计规律与特性，以汛期降雨量作为联系代表小区与流域的纽带，可以消除不同系列水文周期性的影响及点面的差异。修正的前提是：代表小区和流域的汛期降雨量具有良好的相关关系。通过点绘流域汛期降雨量频率曲线(见图 7-19(a)、(b))及代表小区与流域汛期降雨量相关图(见图 7-20)检验，条件基本满足。修正可采用下述两种方法：

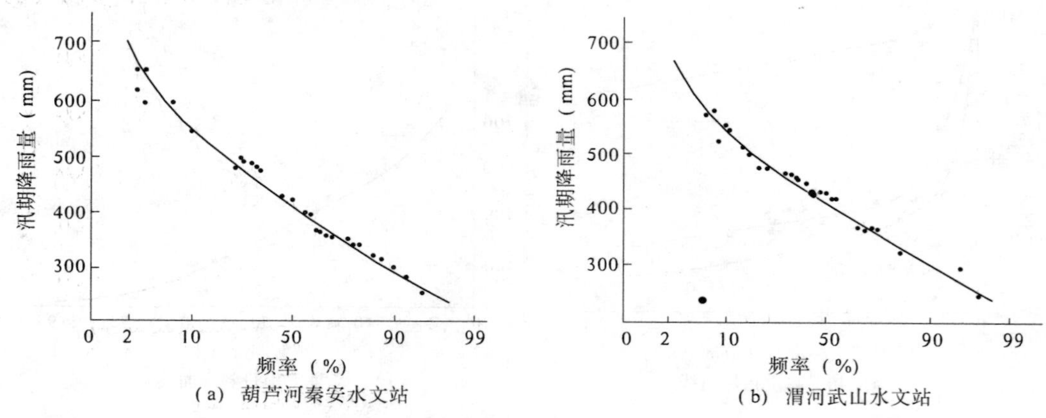

(a) 胡芦河秦安水文站　　(b) 渭河武山水文站

图 7-19　代表站汛期降雨量频率曲线

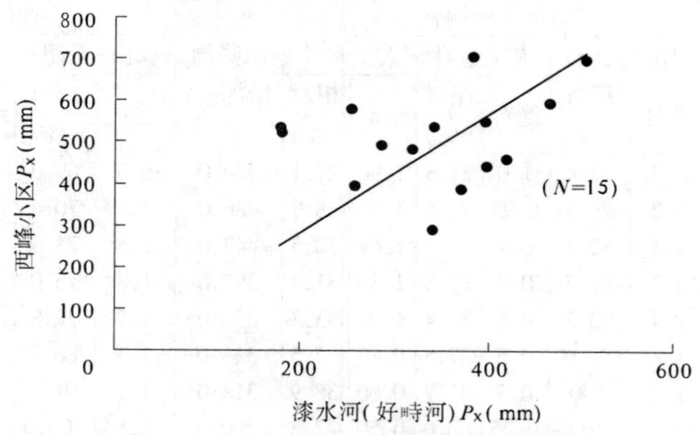

图 7-20　流域－小区降雨量相关关系

(1)模比系数法：分别计算代表小区系列、流域系列汛期降雨量模比系数 K_i，其值为流域(或代表小区)各年份汛期降雨量与多年平均降雨量之比值。根据模比系数相近的原则，用计算流域各年份的模比系数对应在代表小区减洪指标体系中查取相应的减洪指标

ΔR′,则计算流域的减洪指标值为 $\Delta R=\alpha\cdot\Delta R'$。$\alpha$ 值为流域和代表小区平均汛期降雨量之比。

(2)雨量对应法:分两种情况。第一种情况,当代表小区与流域汛期降雨量系列统计参数接近时,用计算流域汛期降雨量直接对应于代表小区某一雨量级查得减洪指标,即 $\Delta R'=\Delta R(\alpha\approx1)$;第二种情况,当代表小区与计算流域汛期降雨量系列统计参数相差较大时,要进行点面汛期降雨量及减洪量改正。即用点面修正系数 α 分别对代表小区系列汛期降雨量及措施减洪指标进行修正,得到新的降雨—减洪指标系列,然后用流域计算年份汛期降雨量值查得同雨量下的减洪指标 ΔR。

"模比系数法"适用于代表小区系列较短的情况;当代表小区系列较长时,运用"同雨量对应法"更为合理。

2)地区差异的消除

用上述方法求得的 ΔR 值,没有考虑降雨产洪水平的地区差异,因此不能直接用于计算减洪量。地区差异消除的基本方法是以计算流域年洪量与代表小区地区的年洪量比较进行水平改正,即 $\Delta R=m\cdot\Delta R'$,m 为计算流域洪量模数与代表小区地区洪量模数之比。对于代表小区所在流域,取 m 为 1。

3. 减洪量计算

对坡面措施减洪量的计算采用下式:

$$W_H=\sum\Delta W_H \tag{7-6}$$

$$\Delta W_H=\Delta R\cdot f \tag{7-7}$$

式中:W_H 为计算流域坡面措施减洪量;ΔW_H 为单项坡面措施减洪量;ΔR 为单项坡面措施减洪指标;f 为单项坡面措施保存面积。

4. 减沙量计算

1)"以洪算沙"模型

黄河中游地区绝大部分流域在未治理状况下,其洪水与泥沙存在 $W_S=K\cdot W^{\alpha}$ 的良好关系,因此,"以洪算沙"模型的公式原型为:

$$W_S'+\Delta W_S=K(W'+\Delta W)^{\alpha} \tag{7-8}$$

式中:W'、W_S' 分别代表流域出口站实测洪水径流量和洪水输沙量;ΔW、ΔW_S 分别为流域洪水径流量和洪水输沙量的变化量;K、α 分别为系数和指数。

式(7-8)由于受统计误差、各种成因量值精度、公式独立性等因素影响,实用性受到限制。

"以洪算沙"实用计算模型为:

$$(W_S)_n=K[W'+(n-1)\sum\Delta W]^{\alpha} \tag{7-9}$$

$$\Delta W_S=(W_S)_n-(W_S)_{n-1} \tag{7-10}$$

式中:W' 为流域实测洪水径流量;$\sum\Delta W$ 为水土保持措施减洪量之和;n 为试算次数;$(W_S)_n$ 为中间变量;ΔW_S 为水土保持措施减沙量。

2)坡面措施总减沙量与单项措施减沙量计算

(1)参数确定:式(7-9)中 K、α 值利用计算流域出口处非治理期经还原后的实测洪量和沙量,按照 $Y=KX^{\alpha}$ 型关系式通过回归分析确定(参见表 7-20)。

(2)减沙量计算:将确定的各参数和计算年份水土保持措施总减洪量分别代入式(7-9)、式(7-10)中,采用“逐步逼近法”进行迭代计算。当试算相对误差$[(\Delta W_S)_n-(\Delta W_S)_{n-1}]/(\Delta W_S)_n\times100\%$小于 3% 时,即认为坡面上的输沙率与流量具有稳定的关系,此时坡面上洪量的变化不再对沙量变化产生影响,坡面措施减沙量趋于稳定,由此求得的 ΔW_S 即为水土保持措施减沙总量。从中扣除治沟措施减沙量后即可得到坡面措施减沙量,其中包括拦沙量和因减洪对下部沿程的减蚀量。单项坡面措施的减沙量,按照流域洪沙线性关系进行分配。

(二)淤地坝减洪减沙量计算方法

淤地坝在黄河中游已有悠久的历史。几十年的生产实践证明,淤地坝拦截泥沙、蓄洪滞洪、固沟减蚀作用十分显著,在治沟工程中起着非常重要的减洪减沙作用。

1. 淤地坝的减沙量计算

淤地坝的减沙作用主要包括拦泥量、减轻沟蚀量以及由于淤地坝的减洪减沙而减轻坝下部沟道沿程的侵蚀量。本次研究着重计算淤地坝的拦泥量和减蚀量,对坝下游沟道沿程减蚀量因受资料限制暂不作计算。

(1)拦泥量。淤地坝的拦泥量计算式如下:

$$\Delta V_1=G\cdot\Delta f\cdot(1-\alpha_1)\cdot(1-\alpha_2) \tag{7-11}$$

式中:ΔV_1 为流域计算效益年份淤地坝的拦泥量,万 t;G 为拦泥定额,万 t/ hm^2;Δf 为坝地增长面积,hm^2;α_1 为推移质泥沙在淤积量中所占比例;α_2 为人工回填量在淤积量中所占比例。α_1、α_2 根据实际调查情况分析确定,据调查 $\alpha_1=0.1\sim0.2$,$\alpha_2=0.1$;拦泥定额 G 根据典型调查资料综合分析确定(见表 7-14)。

表 7-14　　渭河流域淤地坝拦泥定额　　(单位:万 t/ hm^2)

流域区段	50 ~ 60 年代	70 年代	80 ~ 90 年代
中上游	3.30	7.00	8.00 ~ 9.00
下　游	4.70	5.85	7.40 ~ 7.80

(2)减蚀量。淤地坝的减蚀量按下式计算

$$\Delta V_2=K_1\cdot K_2\cdot M_S\cdot f_b \tag{7-12}$$

式中:ΔV_2 为淤地坝的减蚀量,万 t;M_S 为计算流域年平均侵蚀模数,t/km^2;f_b 为计算年份坝地保存面积,hm^2;K_1 为沟谷侵蚀模数(M_{sg})与流域平均侵蚀模数(M_S)之比,参照山西省水土保持科学研究所在晋西离石王家沟流域的多年观测资料,取 $K_1=1.75$;K_2 为坝地以上沟谷侵蚀的影响系数。

据调查,在淤地坝中还有一部分是修在沟道比降比较平缓、沟床已不再继续下切、沟坡比较稳定、沟谷侵蚀已达到相对稳定程度的流域内,建坝后基本无减蚀作用,计算淤地坝的减蚀量时还应扣除这一部分。本次计算可假设这部分量和对坝地以上影响沟谷侵蚀的减少量相互抵消,则式(7-12)可简化为:

$$\Delta V_2=1.75\ M_S\cdot f_b \tag{7-13}$$

淤地坝的减沙总量为拦泥量与减蚀量之和($\Delta V_1+\Delta V_2$)。

2. 淤地坝的减洪量计算

淤地坝的减洪量计算包括两部分，一部分是计算正在拦洪时期淤地坝的减洪量，另一部分是计算已淤满作为农地利用的减洪量。新修和未淤满仍在拦洪时期的淤地坝，其拦泥和拦洪是同时进行的，拦洪的目的是拦泥，泥中有水，水中含沙。拦蓄在淤地坝中的浑水经澄清，水分有一部分耗于蒸发，有一小部分入渗回归到河中，剩余的清水可以通过人工排泄出去，因此淤地坝的减洪作用是相当大的。淤地坝淤平后，坝地已经利用，其减洪作用与有埂的水平梯田基本相同。

(1)拦洪时期淤地坝的减洪量。拦洪时期的淤地坝，可根据淤地坝的蓄洪减沙机理，以淤地坝的拦泥量反推其减洪量。计算减洪量的公式为：

$$\Delta W_1 = \beta \cdot \Delta V_1 / \gamma \tag{7-14}$$

式中：ΔW_1 为拦洪时期淤地坝的减洪量，万 m^3；γ 为淤积体干容重，t/m^3；β 为洪沙关系系数，根据小流域观测资料、洪水调查资料及流域洪沙关系综合分析确定。本次研究渭河中上游取 $\beta = 2.0$，渭河下游取 $\beta = 1.5$ 。

(2)淤满坝地的减洪量。淤地坝淤满作为坝地使用后，相当于有埂水平梯田的减洪作用，其减洪量可按下式计算：

$$\Delta W_2 = \eta \cdot M_{\mathrm{H}} \cdot f_{\mathrm{b}} \tag{7-15}$$

式中：ΔW_2 为淤满坝地的减洪量，万 m^3；η 为减洪指标，根据径流小区观测资料分析，有埂水平梯田的 η 值接近于 1.0；M_{H} 为径流模数，m^3/km^2，根据水量平衡原理按迭代逼近法求得。

淤地坝的减洪总量等于拦洪时期淤地坝的减洪量与淤满坝地减洪量之和($\Delta W_1 + \Delta W_2$)。

(三)水库的减水减沙量计算

1. 拦沙量计算

水库的拦沙量是指淤积在水库内的悬移质泥沙量。调查资料表明，渭河流域内百万立方米以上水库大多数有不同年份的淤积测验资料。有逐年实测资料的可直接计入，有时段实测资料的可按年输沙模数占水库相应时段输沙模数之和的比例分配后计入。对于部分无实测资料的小型水库，淤积库容按下式计算：

$$\Delta V_{\mathrm{S}} = \alpha \cdot \sum V_i \tag{7-16}$$

式中：ΔV_{S} 为水库淤积库容，万 m^3；$\sum V_i$ 为无实测资料水库的总库容，万 m^3；α 为淤积比，%，即已淤积库容占总库容的百分比，由有淤积测验资料的小型水库资料分析确定。

水库悬移质泥沙淤积量(减沙量)按下式计算：

$$\Delta V_{\mathrm{m}} = (1 - \alpha') \cdot \Delta V_{\mathrm{S}} \cdot \gamma \tag{7-17}$$

式中：ΔV_{m} 为水库悬移质淤积量，即水库减沙量，万 t；α' 为水库淤积量中推移质所占比例，根据水库测验资料分析确定，由于该流域内缺乏水库测验资料，本次研究采用流域内淤地坝的调查值来代替，计算中取 $\alpha' = 0.15$；γ 为淤积体的干容重，计算中取 $\gamma = 1.4\ t/m^3$。

2. 减水量计算

水库的减水量可分为两部分，一是水库的蓄水量，二是水库的蒸发量。蓄水量包括灌溉、城镇工业、生活用水量和蓄水变量。灌溉、城镇工业、生活用水量单独计算，不计入水库减水。水库的减水量及蒸发量计算公式如下：

$$\Delta W_H = \Delta W_K + \Delta W_X \tag{7-18}$$

$$\Delta W_K = 1\,000 \cdot F \cdot [E - (P - R)] \tag{7-19}$$

$$\Delta W_X = V_b - V_a \tag{7-20}$$

式中：ΔW_H 为水库减水量，万 m^3；ΔW_K 为水库蒸发量，万 m^3；F 为水库水面年平均面积，km^2；E 为水库年水面蒸发量，mm；P 为库区年平均降水量，mm；R 为库区实测年径流深，mm；ΔW_X 为水库蓄水量变量，万 m^3；V_b 为水库年终蓄水量，万 m^3；V_a 为年初蓄水量，万 m^3。

水库减水量计算仅限于大、中型水库，小型水库不予考虑。水库的减洪量按年洪量占年径流量的比例推算。

（四）灌溉引水引沙量计算

渭河流域灌区的灌溉引水包括蓄灌、自流引灌、泵站提灌、机电井灌等；因井灌对河道水量基本无影响，故计算灌溉引水量时不计入。

1. 引水量

对于渠首有实测资料的灌区，扣除退水量后直接计入；对无实测资料的灌区，灌溉引水量按下式计算：

$$\Delta W_g = 1/\psi \cdot (1 - \xi) \cdot f_g \cdot G_m \tag{7-21}$$

式中：ΔW_g 为灌溉引水量；ψ 为灌溉水有效利用系数；ξ 为灌溉水回归系数；f_g 为实灌面积；G_m 为灌溉定额。

灌溉定额 G_m 是指农作物在播种前及整个生育期各次灌水定额之和。灌溉定额因受气候、农作物等多方面因素影响，各年都不相同，计算中需定出历年的灌水定额。但目前还缺乏试验资料，不能逐年求得，只能根据调查资料和部分灌区试验资料，确定出某一时段的平均灌溉定额。本次研究根据渭河流域各县（市、区）1980～1996 年农业灌溉用水量调查资料，结合下游宝鸡峡渠、渭惠渠、交口抽渭三大灌区灌溉定额综合确定的渭河流域各地区灌溉定额，见表 7-15。

表 7-15　渭河流域灌区灌溉定额　（单位：$m^3/(hm^2 \cdot a)$）

区域	中上游					下游				
地区	天水	平凉	定西	固原	平均	西安	宝鸡	咸阳	渭南	平均
灌水定额	3 635	3 391	3 027	1 545	2 900	4 500	2 910	3 525	3 045	3 495

灌溉水有效利用系数 ψ 与渠道等级、设计标准、管理运用水平等有关，经调查分析，渭河中上游 $\psi = 0.5$，下游 $\psi = 0.763$。

灌溉水回归系数 ξ 是指由田间灌溉水回归到河道的水量与灌溉总引水量的比值，取 $\xi = 0.113$。

据调查，灌区各季灌水比例渭河中上游冬春季和夏季分别为 0.76 和 0.24，渭河下游冬春季和夏季分别为 0.65 和 0.35。

2. 引沙量

对于渠首有实测输沙量资料的灌区，直接计入；对无实测资料的灌区，引沙量为毛灌溉引水量与渠道平均含沙量之积，即：

$$\Delta W_{sg} = \omega \cdot \Delta W_g \cdot \rho \tag{7-22}$$

式中：ΔW_{sg}为灌溉引沙量；ω 为系数，$\omega = 1/(1-\xi)$；ρ 为渠道断面平均含沙量，其值依据实测的河、渠含沙量关系按 $\rho = m \cdot \rho'$ 计算。其中 ρ' 为河道断面平均含沙量；m 为河、渠含沙量转换系数，m 值由河、渠同步观测资料分析确定。本次研究采用渭河宝鸡峡渠林家村站与渭河干流林家村水文(三)站各年代平均含沙量之比值(见表 7-16)。

表 7-16 渭河流域河、渠含沙量转换系数 m 值表

时段(年)	全　年	汛　期	非汛期
1959～1969	0.251	0.382	0.136
1970～1979	0.296	0.512	0.427
1980～1989	0.212	0.403	0.825
1990～1996	0.266	0.382	0.626

在计算引沙量时，扣除蓄水工程所引水量。渭河下游地区只计算干流及北岸支流渠道的引沙量(南岸各支流含沙量很小，忽略不计)。

(五)河道冲淤量计算

河道冲淤变化是影响流域水沙变化的重要因素。河道发生淤积，河口输沙量将会小于流域产沙量；河道发生冲刷，河口输沙量将会大于流域产沙量；河道处于不冲不淤的临界状态，河口输沙量就是流域产沙量。本次研究根据水文资料情况，采用“断面法”和“输沙率法”计算各干、支流河道冲淤量。计算式如下：

$$\Delta W_{sh} = 0.1\beta \cdot \gamma \cdot \Delta L \cdot (\Delta F_1 + \Delta F_2)/2 \tag{7-23}$$

式中：ΔW_{sh}为河道悬移质冲淤量，万 t；ΔF_1、ΔF_2 为计算河段上、下断面冲淤面积，m^2；ΔL 为两断面间距，km；γ 为河床质干容重，取 $\gamma = 1.4\ t/m^3$；β 为悬移质在冲淤物中所占的比重。有实测资料时，采用实测值；若无实测资料，可近似采用 $\beta = 1.0$。

对于河道上下游设立两处以上水文站的干、支流，可采用式(7-23)直接计算冲淤量。对于部分只在出口处设立一处水文站的支流，其冲淤量按下式计算：

$$\Delta W_{sh} = 0.1\beta \cdot \gamma \cdot \Delta F \cdot \Delta L' \tag{7-24}$$

式中：ΔF 为河道断面冲淤面积；$\Delta L'$ 为计算河段长度，一般取河长的 1/2 或 1/3 进入计算；其余字母意义同上。

(六)城镇生活及工业用水量计算

城镇生活及工业用水是指从河道引用供给生活和工业产品加工等所用水量，其与城镇人口密度、工业生产发展状况等因素有关。有调查年报资料的经整理、分析后可直接进入计算，无年报资料时生活用水量按照城镇人口乘以人均年用水量(用水定额)求得。工业用水量是根据工业产值与年产值的万元用水定额(m^3/万元)计算的。

根据调查分析，渭河中上游人均年用水量为 9.0 m^3，渭河下游关中地区人均年用水量为 12.7 m^3；年工业产值万元用水定额渭河中上游为 29.8 m^3/万元，渭河下游为 35.0

m^3/万元。

（七）人类活动增洪增沙量计算

随着渭河流域社会经济的不断发展和人口的增长，人类活动对土壤侵蚀的加速作用已日趋明显，其对水土流失的影响范围广泛，项目繁多。本次主要对山区较突出的开荒、修路、城镇庄院建设、开矿等项目进行分析计算，对平川区不作计算。

1. 开荒

开荒增沙量按下式计算：

$$\Delta W_{sk} = f_k \cdot (M_{s1} - M_{s2}) \tag{7-25}$$

式中：ΔW_{sk}为开荒增沙量；f_k 为开荒面积；M_{s1}、M_{s2}分别为坡耕地、荒坡地产沙模数。根据黄委会天水、西峰、绥德水土保持科学试验站径流小区观测系列资料综合分析，确定渭河流域中上游开荒增沙模数（$M_{s1} - M_{s2}$）平均为 4 200 t/(km^2·a)，下游平均为 3 600 t/(km^2·a)。

2. 修路（公路、农路）

修路可从两方面增加水土流失，一是破坏了原来的地形和植被，增加了新的裸露坡面；二是由于大量的弃土堆积于路旁或倾泄于沟道、河道，构成了新的沙源。此外，修成后的路面，由于结构严密或表层被沥青、水泥等坚硬物质所覆盖，无植物吸收水分且降水下渗减弱，一旦遇暴雨路面上会产生较大的径流。因此，修路既要计算增沙量，还要计算增洪量。

(1)增沙量。修路增沙量按下式计算：

$$\Delta W_{sg} = \xi \cdot L \tag{7-26}$$

式中：ΔW_{sg}为修路新增沙量；ξ 为增沙指标；L 为修路里程。据调查，渭河流域公路修建中单位公里弃土弃石量约为 2 万 t/km，农路约为 1 万 t/km。弃土 3～5 年后坡面植被基本恢复。

(2)增洪量。路面增洪量等于增洪指标乘以路面面积。增洪指标是指单位路面面积产流量，是根据径流小区系列观测资料及典型调查资料综合分析后确定的。

3. 庄院及窑洞建设

庄院建设及挖窑洞，除产生一定数量的弃土外，还增加了非生产用地，增大了径流量。

(1)增沙量。庄院建设及挖窑洞增沙量按下式计算：

$$\Delta W_{sz} = \psi \cdot G \tag{7-27}$$

式中：ΔW_{sz}为庄院建设或挖窑洞的增沙量；ψ 为增沙指标；G 为庄院处数或挖窑洞孔数。

(2)增洪量。庄院建设增洪量（挖窑洞不计算增洪量）等于庄院建设面积乘以增洪指标。根据径流小区资料及调查资料综合分析，确定渭河流域庄院及窑洞建设增洪指标为 178 m^3/ hm^2。

4. 挖药材、铲草皮

挖药材、铲草皮破坏了原有植被，加剧了新的水土流失。挖药材、铲草皮的增沙量按下式计算：

$$\Delta W_{sy} = \mu \cdot F_g \tag{7-28}$$

式中：ΔW_{sy}为挖药材或铲草皮的增沙量；μ 为增沙指标，根据农坡地与荒坡地侵蚀模数之差分析确定；F_g 为挖药材或铲草皮面积。

5. 其他

除上述主要人类活动项目外，还有工程毁坏、工程建设（主要指打坝、修渠等）、开矿等引起的新的水土流失。其增沙量按工程规模或弃土弃石量及毁坏程度与增沙指标的乘积推算。通过大量的现场调查，根据黄委会天水、西峰、绥德水土保持科学试验站的系列径流小区观测资料及近期土地详查、土地变更调查资料等，综合分析求出渭河流域各类人为水土流失因素的增沙指标见表 7-17。

表 7-17　渭河流域人为因素增沙指标

增沙因素	开荒（t/hm^2）	修路（t/km）	挖窑洞（t/孔）	修庄院（t/处）	挖药材（t/hm^2）	铲草皮（t/hm^2）
增沙指标	39.0	1 297	24.3	5.05	28.6	28.6

三、“水文法”计算方法

（一）基本原理

“水文法”是依据数理统计学原理，选择某一时段作为基准期（黄河中游地区一般将1970年以前作为基准期），认为基准期内人类活动影响较小，自然因素起主导作用，视为天然状况。利用基准期内实测的降雨、径流、泥沙资料，建立天然状态下的流域产流产沙模型，再根据流域实施水土保持措施之后治理期内的降雨资料，计算出相当于治理期内“天然状况”下的产流产沙量，与同期实测值之差即为流域综合治理的减水减沙量。同时还可定量分析受降水影响的减水减沙量。

（二）经验公式法减水减沙作用计算

流域的产流产沙主要取决于下垫面情况及降水条件。人类活动通过对下垫面条件的改变，对流域的水沙变化起着极为显著的影响作用。因此，根据流域内实测的降雨、径流、泥沙资料，建立降雨产流产沙数学模型（经验公式）来分析降雨和各种人类活动对流域水沙变化的影响程度，是“水文法”最基本的研究内容。

20 世纪 50 及 60 年代，渭河流域内虽然也进行了水土流失初步治理，但时断时续，治理程度很低，从点绘的渭河流域降雨与径流、降雨与输沙量双累积曲线上可以证明这一点。因此，对 1970 年以前的径流、泥沙资料，通过水土保持措施影响量的还原计算后，可以建立流域降雨产流产沙数学模型。

（1）降雨产流数学模型。根据径流成因及流域降雨资料系列代表性分析结果，用降雨因子 X 分别与还原后的径流量 W 作散点图，确定其相关形式。分析可知，W 与降雨因子 X 间存在着幂函数关系。因此，按照 $W=\beta\cdot X^{\alpha}$ 型关系进行因子优选的回归分析，得到影响径流变化的主要因子，然后按照线性和非线性进行不同因子组合的多元回归分析，即可求得各支流降雨与径流量的相关关系即降雨产流数学模型（见表 7-18）。

表 7-18　　**渭河流域各干、支流降雨产流数学模型**

河流	水文站名	数学模型($Y = KX^{\alpha}$)	复相关系数
渭河	武山	$W = 9.649 \times 10^{-6} P^{2.150}$	0.919
散渡河	甘谷	$W = 3.388 \times 10^{-2} P^{0.0661} N_P^{0.8153}$	0.800
葫芦河	秦安	$W = 1.7246 \times 10^{-6} P^{2.3695}$	0.900
渭河	武山 - 南河川	$W = 1.9725 \times 10^{-6} P^{2.2674}$	0.893
渭河	南河川	$W = 7.3164 \times 10^{-5} P^{1.9690}$	0.914
耤河	天水	$W = 1.2398 \times 10^{-8} P^{2.8343}$	0.917
牛头河	社棠	$W = 1.95976 \times 10^{-6} P^{2.1699}$	0.919
渭河	南河川 - 林家村	$W = 8.1643 \times 10^{-5} P^{1.7784}$	0.866
渭河	林家村	$W = 2.5627 \times 10^{-4} P^{1.845}$	0.866
千河	千阳	$W = 2 \times 10^{-6} P^{2.219}$	0.956
漆水河	好畤河	$W = 2 \times 10^{-9} P^{3.108}$	0.965
石头河	斜峪关	$W = 4.7195 \times 10^{-3} P^{1.0221}$	0.903
黑河	黑峪口	$W = 6 \times 10^{-5} P^{1.8141}$	0.800
沣河	秦渡镇	$W = 1.2621 \times 10^{-5} P^{1.8139}$	0.895
灞河	马渡王	$W = 1.5194 \times 10^{-5} P^{1.9041}$	0.910
漆水河	耀县	$W = 2.9425 \times 10^{-9} P^{2.916}$	0.894
渭河	咸阳	$W = 4.4226 \times 10^{-3} P^{1.494}$	0.869
渭河	华县	$W = 1.0105 \times 10^{-3} P^{1.745}$	0.901

注:N_P 代表汛期降雨产流系数,$N_P = P'/P \times 100\%$,P′代表汛期各次洪水所对应的降雨量之和(mm);P 代表流域年平均降水量(mm);W 代表径流量(亿 m^3)。

表 7-18 中各公式的复相关系数均在 0.80 以上,其中部分干、支流在 0.90 以上,说明相关程度较好,它们能够比较确切地反映流域降雨与径流间的内在联系;实测值与计算值间的相对误差在 20% 左右,平均误差 2% 左右,具有较高的精度,可以作为干、支流减水作用计算的依据。

(2)降雨产沙数学模型。流域产沙是流域内气象因素与下垫面条件相互作用的结果。渭河流域地处半干旱、半湿润气候带,雨量分配季节性很强,汛期暴雨频繁,土壤侵蚀十分严重。但对于某一特定流域而言,下垫面条件在短时期内可以认为不变,故影响流域产沙的主要因子是暴雨洪水。根据渭河流域泥沙特性及日降雨量资料系列代表性较好的情况,采用汛期按不同等级累加的日雨量(P_1、P_3、P_5)分别与输沙量 W_S 作散点图,确定降雨产沙关系形式;通过因子优选和不同因子组合的多元回归分析,建立的各干、支流降雨与输沙量的相关关系即降雨产沙数学模型见表 7-19。

表 7-19 中的各降雨产沙数学模型的相关系数均在 0.80 以上,相关程度较好,具有较高的精度,可以作为干、支流减沙作用计算的依据。

(3)基准期洪水洪沙关系。根据各干、支流把口站 1970 年以前实测的年洪水量和洪水输沙量作散点图,发现它们之间存在着良好的相关关系。据此,建立以下洪水洪沙关系,其形式为:

$$W_{HS} = AW_H^B \qquad (7\text{-}29)$$

式中:A、B 分别为系数和指数;W_{HS}为洪水输沙量;W_H 为洪水径流量。

表 7-19　　　　滑河流域各干、支流降雨产沙数学模型

河流	水文站名	数学模型	复相关系数
渭河	武山	$W_S = -0.001\,113X_1 + 0.021\,2X_2 + 0.019\,38X_3 - 0.504\,3X_4 - 0.001\,87X_5 + 0.433\,3X_6 - 0.039\,25$	0.937
散渡河	甘谷	$W_S = 0.000\,169X_1 - 0.016\,15X_2 - 0.007\,85X_3 + 0.183\,7X_4 - 0.031\,13X_5 + 2.42X_6 + 0.543\,2$	0.970
葫芦河	秦安	$W_S = 0.005\,873X_{1+3} + 0.004\,552X_5 - 1.112\,5$	0.971
渭河	武山－南河川	$W_S = 0.000\,763\,8X_{1+3} + 0.014\,6X_5 - 0.674\,3X_6 - 0.042\,38$	0.862
渭河	南河川	$W_S = -0.086\,63X_1 + 1.310\,4X_2 + 0.013\,52X_3 - 0.107\,1X_4 - 0.118\,7X_5 + 9.106\,6X_6 - 0.604\,8$	0.970
耤河	天水	$W_S = 35.12X_{2+4} - 25.85X_5 + 1\,865.5X_6 - 292.4$	0.927
牛头河	社棠	$W_S = 0.009\,28P_1^{1.136\,8}(P_{30} - P_1)^{0.534\,2}(P_X - P_{30})^{0.683\,8}$	0.817
渭河	林家村	$W_S = 3.662\,7 \times 10^{-7} P_{有效}^{0.248\,4} I^{4.784}$	0.828
渭河	咸阳	$W_S = 1.031\,2 \times 10^{-7} P_{有效}^{0.415\,5} I^{4.810}$	0.877
渭河	咸阳	$W_S = 1.741 \times 10^{-6} P_1^{1.827}(P_X - P_1)^{1.238}$	0.747
灞河	马渡王	$W_S = 8.312 \times 10^{-6}X_1 - 1.809 \times 10^{-3}X_2 + 4.187 \times 10^{-4}X_3 - 1.11 \times 10^{-2}X_4 + 3.214 \times 10^{-3}X_5 - 0.205\,8X_6 + 0.046\,59$	0.925
渭河	华县	$W_S = 4.168 \times 10^{-6} P_{30}^{0.825\,8}(P_X - P_{30})^{1.513\,2}$	0.799

注：X_1、X_3、X_5 分别代表流域汛期日雨量分别为 10～24.9 mm、25～49.9 mm、≥50 mm 的累计平均值；X_2、X_4、X_6 分别代表前三级雨量相应的累计日次；X_{1+3}代表 $X_1 + X_3$；X_{2+4}代表 $X_2 + X_4$；P_1、P_{30}分别代表流域最大 1 日、最大 30 日降雨量；P_X 代表汛期流域平均降雨量；$P_{有效}$代表日雨量≥10 mm 的累计值；I 代表降雨强度，$I = P_{有效}/T_{有效}$；$T_{有效}$代表日雨量≥10 mm 相对应的累计日数。

将各分析流域 1970 年以前的洪水洪沙实测值分别代入式(7-29)中，通过计算机回归分析，即可率定出系数 A 和指数 B。渭河流域基准期洪水洪沙关系见表 7-20。

表 7-20　　　　渭河流域基准期洪水洪沙关系

河流	水文站名	数学模型	相关系数	资料系列
渭河	武山	$W_{HS} = 0.083\,W_H^{0.975\,4}$	$7R = 0.78$	1954～1969 年
葫芦河	秦安	$W_{HS} = 2\,190.1\,W_H^{1.162\,8}$	$R = 0.96$	1957～1969 年
散渡河	甘谷	$W_{HS} = 4\,599.4\,W_H^{1.050\,2}$	$R = 0.93$	1958～1969 年
渭河	武山－南河川	$W_{HS} = 0.316\,6W_H^{0.742\,4}$	$R = 0.88$	1954～1969 年
渭河	南河川	$W_{HS} = 0.316\,6W_H^{0.742\,4}$	$R = 0.88$	1954～1969 年
渭河	南河川－林家村	$W_{HS} = 0.298\,4W_H^{0.646\,8}$	$R = 0.89$	1954～1969 年
渭河	林家村	$W_{HS} = 0.298\,4W_H^{0.646\,8}$	$R = 0.89$	1954～1969 年
渭河	咸阳	$W_{HS} = 0.212\,W_H^{0.594\,8}$	$R = 0.77$	1954～1969 年
渭河	华县	$W_{HS} = 0.037\,4W_H^{0.985\,3}$	$R = 0.81$	1954～1969 年

(三)减水减沙作用及降水变化对径流泥沙影响分析

1. 流域综合治理的减水减沙作用计算

把渭河流域整个实测水沙过程分为不受人类活动和受人类活动影响两个系列。用不

受人类活动影响系列的降雨、径流、泥沙资料建立经验公式，并以此公式为依据，用受人类活动影响的实测降雨推算出相应的径流、泥沙系列 $W'_i(W'_{si})$，把计算值与同期实测值 $W_i(W_{si})$ 比较，即 $W'_i(W'_{si})-W_i(W_{si})$ 为人类活动影响的径流、泥沙减少量。减水减沙作用 η 计算公式为：

$$\eta=[W'_i(W'_{si})-W_i(W_{si})]/W'_i(W'_{si})\times 100\% \tag{7-30}$$

2. 降雨变化对径流泥沙的影响

以不受人类活动影响的径流、泥沙与基准期的差值作为该时期由于降雨变化引起的径流、泥沙变化量。计算公式有二：

$$\Delta R_1=R_{前实}-R_{后计} \tag{7-31}$$

$$\Delta R_2=R_{前计}-R_{后计} \tag{7-32}$$

式中：ΔR_1、ΔR_2 分别为降雨变化对径流或泥沙影响的变化量；$R_{前实}$、$R_{前计}$分别为基准期实测和计算的径流或泥沙量（采用时段均值）；$R_{后计}$为计算的治理期径流或泥沙量。

降雨变化对径流泥沙的影响计算一般采用式(7-32)。

（四）双累积曲线法

根据流域累积降雨量与累积径流量和累积输沙量分别建立双累积关系曲线，通过观察关系曲线斜率的变化，找出流域治理与非治理系列的分界点；沿非治理期曲线顺势延长，求得治理期在非治理状况下的径流、泥沙累积值 $\sum W'$ 和 $\sum W'_s$，与同期实测累积值 $\sum W$ 和 $\sum W_s$ 比较，其差值（$\sum W'-\sum W$）和（$\sum W'_s-\sum W_s$）即为径流泥沙某一时段的变化量。减水作用 η_1、减沙作用 η_2 计算公式分别为：

$$\eta_1=(\sum W'-\sum W)/\sum W'\times 100\% \tag{7-33}$$

$$\eta_2=(\sum W'_s-\sum W_s)/\sum W'_s\times 100\% \tag{7-34}$$

渭河华县水文站降雨径流泥沙双累积曲线分别见图 7-21 和图 7-22，其余各干、支流与此类同。

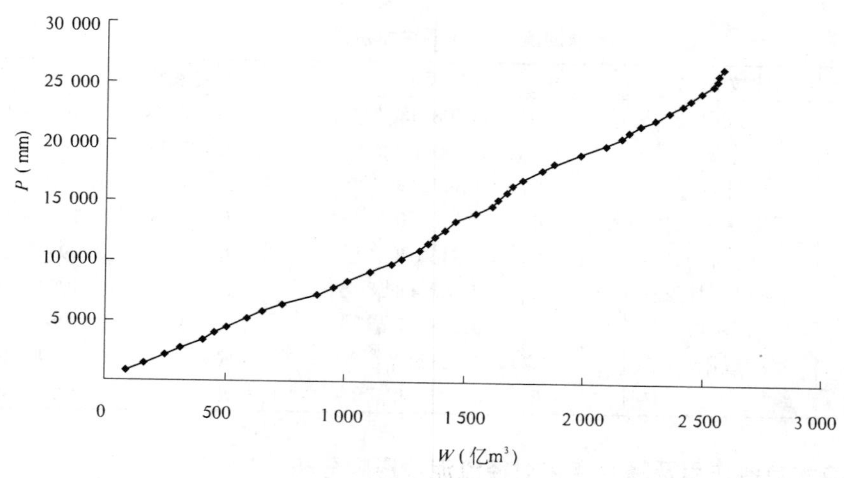

图 7-21　渭河华县水文站降雨量—径流量双累积曲线

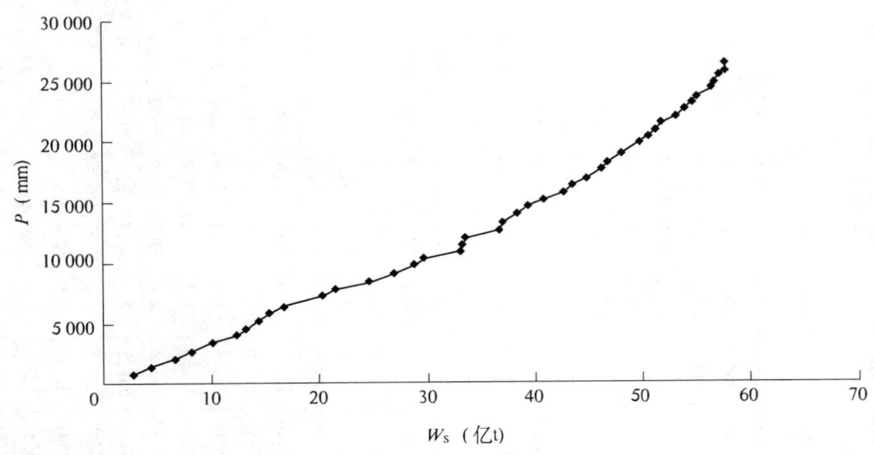

图 7-22 渭河华县水文站降雨量—输沙量双累积曲线

(五)不同系列对比法

利用流域治理阶段和天然状态(基准期)实测的径流、泥沙量的时段均值进行比较,求得流域治理阶段径流、泥沙的变化量及其减水减沙作用。在分析计算中,需对非治理期实测的历年径流量和输沙量进行各项水利水土保持措施影响量的还原计算,然后用还原后的径流、泥沙量进行流域减水减沙作用分析计算。计算公式如下:

$$\Delta W = W_I - W_J \tag{7-35}$$

$$\eta = \Delta W / W_I \times 100\% \tag{7-36}$$

式中:ΔW 为各时段降水和人类活动综合影响的减水减沙总变化量;W_I 为基准期径流、泥沙实测值;W_J 为治理期径流、泥沙实测值;η 为效益(%)。

第四节 计算成果对比与分析

一、"水保法"计算成果分析

(一)减水减沙作用计算成果

渭河流域各干、支流及区间"水保法"减水减沙作用分析计算成果分别见表 7-21 和表 7-22。

由此可见,1970 ~ 1996 年,渭河华县站以上(不包括泾河张家山站以上流域,下同)年均减水量 25.50 亿 m^3,减水作用 33.7%,其中年均减洪量 8.238 亿 m^3,减洪作用 23.3%;减常水量 17.27 亿 m^3。在减少的洪量中,坡面措施(梯、林、草)减洪 1.03 亿 m^3,占减洪总量的 12.5%;淤地坝减洪 0.06 亿 m^3,占 0.7%;水利措施减洪 7.15 亿 m^3,占 86.8%;人为增洪 0.004 5 亿 m^3,仅占 -0.05%。

1970 ~ 1996 年,渭河华县站以上年均减沙量 4 765 万 t,减沙作用 27.4%,其中年均减洪沙量 3 964 万 t,减洪沙作用 25.3%; 减常沙量 801 万 t。在减少的洪沙量中, 坡面措施

表 7-21 渭河流域各干、支流"水保法"减水作用计算成果

（单位：万 m^3）

流域	时段（年）	年降雨量(mm)	实测洪量	计算洪量	实测年径流量	计算年径流量	水土保持措施减洪量					水利措施减洪量					工业生活用水	人为增洪	减洪效益		减水作用	
							梯田	造林	种草	坝地	小计	灌溉		水库		小计			减少量	%	减少量	%
												洪水	常水	洪水	常水							
武山以上	1954～1969	525.1	28100	29164	70350	73922	64.40	10.7	7.36	7.59	90.05	977	2279			3255	228.6	-2.4	1064	3.6	3572	4.8
	1970～1979	532.3	26720	29078	67270	73495	587.2	139.7	51.5	56.6	835	1530	3571			5101	296.3	-7.1	2358	8.1	6225	8.5
	1980～1989	516.8	26210	28881	64410	71105	618.2	201.6	220.1	60.6	1101	1575	3674			5249	349.3	-4.3	2671	9.2	6695	9.4
	1990～1996	483.8	23140	26430	47200	54531	758.0	456.4	526.6	11.2	1752	1546	3608			5154	432.9	-8.3	3290	12.4	7331	13.4
	1970～1996	514.0	25603	28319	61007	67693	643.0	244.8	237.1	46.3	1171	1551	3619			5170	351.3	-6.4	2716	9.6	6686	9.9
葫芦河	1957～1969	532.3	26836	28838	50430	55627	271.0	8.45	23.55	14.10	317	1157	2699	532	218	4605	277.4	-2.9	2002	6.9	5197	9.3
	1970～1979	480.5	20434	24869	37680	47554	967.9	86.3	36.46	26.63	1117	1992	4649	1334	431	8406	359.5	-8.6	4435	17.8	9874	20.8
	1980～1989	464.7	15004	20603	26910	38319	1793.8	235.5	184.78	172.74	2387	2156	5031	1061	355	8603	423.9	-5.2	5599	27.2	11409	100.0
	1990～1996	479.1	12619	19486	20620	33598	3210.2	460.6	453.36	43.22	4167	2349	5480	361	106	8296	525.4	-10.1	6867	35.2	12978	38.6
	1970～1996	474.4	16397	21893	29268	40515	1855.1	238.6	199.48	85.05	2378	2145	5006	981	319	8450	426.4	-7.7	5497	25.1	11247	36.8
散渡河	1959～1969	464.1	5721	6197	9100	10590	56.3	1.52	2.33	12.78	73	404	944			1348	70.3	-0.7	477	7.7	1491	100.0
	1970～1979	429.0	4278	5299	6303	8920	263.5	15.4	7.12	5.87	292	639	1492	91.7	13.9	2237	91.1	-2.2	1021	19.3	2617	100.0
	1980～1989	440.5	3473	4879	5365	8443	543.7	38.8	27.99	6.50	617	661	1542	130.3	21.4	2355	107.4	-1.3	1407	28.8	3078	100.0
	1990～1996	432.8	2545	4011	3674	6811	632.9	77.1	57.28	1.78	769	656	1531	43.0	7.1	2237	133.1	-2.6	1466	36.5	3137	33.0
	1970～1996	434.2	3531	4810	5274	8197	462.9	40.0	27.85	5.04	536	652	1521	93.4	14.9	2280	108.0	-2.0	1279	26.6	2923	63.9
武山至南河川	1959～1969	519.5	13255	14198	27720	31027	75.5	6.09	7.64	5.35	95	850	2279			3128	85.3	-0.9	943	6.6	3307	10.7
	1970～1979	499.7	9768	11607	24850	30370	443.4	41.2	23.47	18.29	526	1315	3571			4886	110.6	-2.7	1839	15.8	5520	18.2
	1980～1989	504.4	8677	11128	19915	26170	858.0	93.7	104.96	51.79	1108	1344	3674			5018	130.4	-1.6	2451	22.0	6255	23.9
	1990～1996	458.6	775	3143	12706	18844	786.1	113.7	168.86	3.77	1072	1299	3608			4907	161.6	-3.1	2368	75.3	6138	32.6
	1970～1996	490.8	7032	9235	19874	25826	685.8	79.4	91.35	26.94	884	1321	3619			4940	131.2	-2.4	2203	23.9	5952	23.0
南河川至林家村	1954～1969	638.2	52940	54017	126900	130556	190.0	11.5	30.98	24.88	257	822	1917			2739	661.5	-2.1	1077	2.0	3656	2.8
	1970～1979	624.7	35330	37368	85300	91253	521.6	165.8	40.99	5.31	734	1310	3058			4368	857.5	-6.4	2038	5.5	5953	6.5
	1980～1989	710.0	64340	69059	110300	119209	2910.7	251.0	140.69	58.54	3361	1362	3178			4541	1011	-3.8	4719	6.8	8909	7.5
	1990～1996	495.8	19620	23016	16500	24339	1400.4	448.3	183.43	4.60	2037	1367	3190			4557	1253	-7.5	3396	14.8	7839	32.2
	1970～1996	622.9	42001	45385	76722	84259	1634.3	270.6	114.85	24.84	2045	1344	3137			4481	1017	-5.7	3383	7.5	7537	8.9

续表 7-21

流域	时段（年）	年降雨量(mm)	实测洪量	计算洪量	实测年径流量	计算年径流量	水土保持措施减洪量					水利措施减洪量					工业生活用水	人为增洪	减洪效益		减水作用	
							梯田	造林	种草	坝地	小计	灌溉		水库		小计			减少量	%	减少量	%
												洪水	常水	洪水	常水							
林家村至咸阳	1954～1969	706.2	175700	186097	321500	357603	155.0	187.0	9.04	39.6	391	9565	22317	445	447	32774	2942	－3.8	10397	5.6	36103	10.1
	1970～1979	742.3	87970	119598	145800	247928	560.3	383.0	38.9	227	1209	27213	63497	3217	3186	97113	3817	－11.6	31628	26.4	102128	100.0
	1980～1989	804.5	136900	170989	249700	358042	1019.9	1523.5	110	36.1	2689	29067	67823	2340	1930	101160	4500	－7.0	34089	19.9	108342	90.0
	1990～1996	573.9	50500	89159	149100	275597	1010.6	1388.7	118	129	2647	34106	79580	1920	2683	118289	5575	－13.6	38659	43.4	126497	45.9
	1970～1996	721.7	96378	130740	185137	295884	847.3	1066.2	85.8	131	2130	29687	69269	2556	2590	104102	4526	－10.4	34362	26.3	110747	72.0
咸阳至华县	1954～1969	718.1	88400	99784	166500	206885	93.5	95.0	3.28	32.6	224	11133	25976	30.5	29.8	37169	2995	－3.9	11384	11.4	40385	19.5
	1970～1979	648.5	63700	94931	95900	201020	285.7	286.7	14.8	508	1095	29916	69804	231.7	200.6	100152	3885	－11.8	31231	32.9	105120	52.3
	1980～1989	639.6	119200	151680	196500	303548	674.3	1525.4	35.0	142	2377	29943	69867	167.8	120.6	100098	4580	－7.1	32480	21.4	107048	35.3
	1990～1996	603.0	46600	82460	62100	182947	539.5	1117.9	35.2	110	1803	33921	79150	149.6	161.4	113382	5675	－13.8	35860	43.5	120847	66.1
	1970～1996	633.4	79822	112716	124396	234308	495.4	961.0	27.6	269	1753	30964	72250	187	161	103562	4606	－10.6	32894	29.2	109911	46.9
中上游	1969年以前	563.4	126852	132415	284500	301722	657.0	38.2	71.9	64.7	831	4209	10118	532	218	15077	1323	－8.9	5563	4.2	17222	5.9
	1970～1979	543.3	96530	108221	221403	251592	2783.6	448.5	160	113	3504	6787	16339	1426	445	24997	1715	－26.9	11690	10.8	30189	12.3
	1980～1989	519.8	117704	134550	226900	263245	6724.2	820.7	678	350	8574	7098	17100	1191	376	25765	2022	－16.2	16846	12.5	36345	15.7
	1990～1996	482.1	58699	76086	100700	138123	6787.6	1556.1	1390	64.6	9798	7217	17417	404	113	25151	2506	－31.5	17387	22.9	37423	26.6
	1970～1996	518.7	94564	109641	192145	226490	5281.2	873.5	671	188	7013	7014	16900	1074	333	25321	2034	－24.1	15077	13.8	34345	16.1
下游	1969年以前	712.2	264100	285880	488000	564488	248.0	282.0	12.3	72.2	615	20697	48294	476	477	69944	5937	－7.7	21780	7.6	76488	13.5
	1970～1979	680.4	151670	214529	241700	448948	846.0	669.8	53.7	735	2304	57129	133301	3449	3387	197265	7702	－23.4	62859	29.3	207248	68.4
	1980～1989	722.1	256100	322670	446200	661590	1694.2	3048.9	145	178	5066	59010	137690	2508	2051	201258	9080	－14.1	66570	20.6	215390	50.8
	1990～1996	588.5	97100	171619	211200	458543	1550.1	2506.6	154	239	4450	68027	158730	2070	2844	231671	11250	－27.4	74519	43.4	247343	53.9
	1970～1996	672.0	176200	243456	309533	530192	1342.7	2027.2	113	400	3883	60651	141519	2743	2751	207664	9132	－21.0	67256	27.6	220659	41.6
全流域	1969年以前	640.1	390952	418295	772500	866209	905.0	320.0	84.2	137	1446	24906	58411	1008	695	85020	7260	－16.7	27344	6.5	93710	10.8
	1970～1979	613.7	248200	322799	463103	700541	3629.6	1118.3	213	848	5809	63916	149640	4874	3832	222262	9417	－50.4	74599	23.1	237438	33.9
	1980～1989	623.7	373804	457250	673100	924835	8418.5	3869.6	823	528	13639	66108	154790	3699	2427	227024	11102	－30.3	83446	18.2	251735	27.2
	1990～1996	537.0	155799	247764	311900	596666	8337.7	4062.7	1543	304	14247	75244	176147	2474	2957	256822	13756	－59.0	91965	37.1	284766	47.7
	1970～1996	597.6	270764	353143	501679	756682	6623.9	2900.7	784	588	10897	67665	158420	3817	3085	232986	11166	－45.2	82379	23.3	255003	33.7

注:表中数据为时段均值。

表 7-22　　**渭河流域各干、支流“水保法”减沙作用计算成果**　　(单位:万 t)

流域	时段(年)	年降雨量(mm)	实测洪沙量	计算洪沙量	实测年沙量	计算年沙量	水土保持措施减沙量					水利措施减沙量					河道冲淤	人为增沙	减洪沙效益		减沙效益	
							梯田	造林	种草	坝地	小计	灌溉 洪沙	灌溉 常沙	水库 洪沙	水库 常沙	小计			减少量	%	减少量	%
武山以上	1954 ~ 1969	525.1	2484	2499	2821	2849	5.0	0.8	0.6	8.4	14.9	20.1	13.4			33.4	8.4	-20.7	14.3	0.6	27.6	1.0
	1970 ~ 1979	532.3	2832	2871	2990	3063	46.2	11.0	4.1	61.9	123.2	50.4	33.6			83.9	-123.3	-134.5	39.0	1.4	72.6	2.4
	1980 ~ 1989	516.8	2434	2542	2509	2644	48.6	15.9	17.3	66.8	148.6	39.5	26.4			65.9	-7.8	-79.9	108.2	4.3	134.6	5.1
	1990 ~ 1996	483.8	2496	2584	2565	2679	60.3	36.4	42.0	9.4	148.1	37.9	25.3			63.1	9.8	-97.6	88.4	3.4	113.7	4.2
	1970 ~ 1996	514.0	2597	2675	2702	2808	50.8	19.4	18.8	50.1	139.0	43.1	28.7			71.9	-46.0	-104.7	77.5	3.0	106.2	3.9
葫芦河	1957 ~ 1969	532.3	7279	7601	7845	8205	87.4	2.6	7.5	15.2	112.7	14.4	9.6	257.8	28.6	310.3	49.9	-62.7	322.2	4.2	360.4	4.4
	1970 ~ 1979	480.5	5920	6769	6624	7564	301.4	26.6	11.4	29.4	368.8	36.1	24.1	606.7	67.4	734.2	40.2	-163.2	848.3	12.5	939.8	12.4
	1980 ~ 1989	464.7	3246	4564	3428	4819	572.7	74.1	58.2	194.9	899.8	28.3	18.9	486.5	54.1	587.8	36.3	-97.0	1317.7	28.9	1390.7	28.9
	1990 ~ 1996	479.1	2544	3996	2593	4081	1047.9	147.6	145.8	41.2	1382.6	27.1	18.1	160.4	17.8	223.4	9.2	-118.4	1451.7	36.3	1487.6	36.5
	1970 ~ 1996	474.4	4055	5233	4395	5644	595.4	75.6	63.6	93.7	828.3	30.9	20.6	446.5	49.6	547.6	30.7	-127.1	1178.6	24.8	1248.8	24.7
散渡河	1959 ~ 1969	464.1	2742	2803	2893	2960	51.6	1.4	2.1	14.4	69.5	8.0	5.3			13.4	7.7	-15.9	61.6	2.2	67.0	2.3
	1970 ~ 1979	429.0	1837	2058	1948	2183	211.2	12.8	5.9	5.4	235.2	20.1	13.4	6.8	0.8	41.1	9.0	-41.3	220.8	10.7	235.0	10.8
	1980 ~ 1989	440.5	1363	1828	1444	1921	404.1	30.3	21.5	5.8	461.7	15.8	10.5	11.8	1.3	39.4	6.4	-24.6	464.7	25.4	476.5	24.8
	1990 ~ 1996	432.8	1144	1662	1161	1690	434.4	54.8	40.7	0.7	530.6	15.1	10.1	2.7	0.3	28.2	-2.1	-30.0	518.5	31.2	528.8	31.3
	1970 ~ 1996	434.2	1482	1870	1557	1958	340.5	30.2	20.7	4.3	395.7	17.2	11.5	7.6	0.8	37.1	5.2	-32.2	388.3	21.5	400.6	21.3
武山至南河川	1959 ~ 1969	519.5					9.7	0.8	1.0	7.6	19.1	18.3	12.2			30.5	57.4	-19.3	18.1		30.3	
	1970 ~ 1979	499.7					63.6	6.0	3.3	26.1	99.1	45.9	30.6			76.5	-115.4	-50.2	94.7		125.3	
	1980 ~ 1989	504.4					125.0	14.3	15.9	62.6	217.8	36.0	24.0			60.0	-60.3	-29.8	224.0		248.0	
	1990 ~ 1996	458.6					114.8	17.9	25.8	8.3	166.8	34.5	23.0			57.5	92.5	-36.4	164.9		187.9	
	1970 ~ 1996	490.8					99.6	12.2	13.8	35.0	160.6	39.3	26.2			65.5	-41.1	-39.1	160.8		187.0	
南河川至林家村	1954 ~ 1969	638.2					13.4	0.9	2.3	29.0	45.5	15.7	10.5			26.1	-276.9	-46.5	14.7		25.2	
	1970 ~ 1979	624.7					45.8	15.2	3.8	4.8	69.5	39.4	26.2	23.4	2.6	91.6	525.3	-121.1	11.2		40.0	
	1980 ~ 1989	710.0					217.8	20.9	11.5	58.4	308.6	30.9	20.6	27.6	3.1	82.2	-247.7	-72.0	295.2		318.8	
	1990 ~ 1996	495.8					114.6	39.0	15.3	3.0	171.9	29.6	19.7	9.2	1.0	59.5	-93.6	-87.9	122.8		143.6	
	1970 ~ 1996	622.9					127.3	23.5	9.7	24.2	184.6	33.7	22.5	21.3	2.4	79.8	78.6	-94.3	145.3		170.1	

续表 7-22

流域	时段（年）	年降雨量(mm)	实测洪沙量	计算洪沙量	实测年沙量	计算年沙量	水土保持措施减沙量					水利措施减沙量					河道冲淤	人为增沙	减洪沙效益		减沙效益	
							梯田	造林	种草	坝地	小计	灌溉		水库		小计			减少量	%	减少量	%
												洪沙	常沙	洪沙	常沙							
林家村至咸阳	1954～1969	706.2					10.1	4.5	0.1	39.5	54.3	144.7	96.4	154.2	17.1	412.4	－520.2	－84.3	268.8		382.4	
	1970～1979	742.3					20.8	7.8	0.3	226.0	254.9	479.0	319.3	1106.1	122.9	2027.3	1455.0	－220.1	1619.9		2062.1	
	1980～1989	804.5					33.0	18.4	0.8	28.8	81.0	264.2	176.2	738.0	82.0	1260.4	1837.0	－130.9	952.3		1210.5	
	1990～1996	573.9					44.1	22.1	1.1	124.5	191.7	282.9	188.6	795.8	88.4	1355.8	1778.0	－159.9	1110.5		1387.6	
	1970～1996	721.7					31.3	15.4	0.7	126.6	174.1	348.6	232.4	889.3	98.8	1569.2	1249.0	－171.5	1240.6		1571.8	
咸阳至华县	1954～1969	718.1					3.7	1.5	0.0	32.1	37.3	175.7	117.1	38.5	4.3	335.6	1541.0	－85.8	165.7		287.1	
	1970～1979	648.5					10.6	4.6	0.1	512.6	527.9	581.9	388.0	276.7	30.7	1277.3	699.0	－224.1	1162.4		1581.1	
	1980～1989	639.6					27.1	16.4	0.3	138.1	181.9	321.1	214.0	184.5	20.5	740.1	364.0	－133.2	554.3		788.8	
	1990～1996	603.0					25.1	13.3	0.3	110.5	149.2	343.7	229.1	199.0	22.1	794.0	1372.0	－162.7	529.2		780.5	
	1970～1996	633.4					20.5	11.2	0.3	269.7	301.6	423.6	282.4	222.4	24.7	953.0	749.4	－174.5	773.0		1080.1	
中上游	1969年以前	563.4	15950	16381	18430	18940	167.2	6.6	13.5	74.5	261.7	76.4	50.9	257.8	28.6	413.7	－153.4	－165.0	430.9	2.6	510.4	2.7
	1970～1979	543.3	13556	14770	15276	16689	668.2	71.6	28.5	127.5	895.8	191.8	127.8	636.9	70.8	1027.3	335.8	－510.3	1214.2	8.2	1412.8	8.5
	1980～1989	519.8	8327	10737	9627	12196	1368.2	155.4	124.3	388.5	2036.4	150.6	100.4	526.0	58.4	835.4	－273.1	－303.2	2409.8	22.4	2568.6	21.1
	1990～1996	482.1	6316	8662	6516	8978	1772.0	295.7	269.7	62.6	2400.0	144.3	96.2	172.3	19.1	431.8	15.8	－370.2	2346.4	27.1	2461.7	27.4
	1970～1996	518.7	9742	11693	10913	13025	1213.6	160.7	126.5	207.4	1708.2	164.2	109.5	475.4	52.8	801.8	27.3	－397.3	1950.5	16.7	2112.8	16.2
下游	1969年以前	712.2					13.8	6.0	0.2	71.6	91.6	320.3	213.6	192.7	21.4	748.0	1020.8	－170.1	434.5		669.5	
	1970～1979	680.4					31.4	12.4	0.4	738.6	782.8	1060.9	707.3	1382.8	153.6	3304.6	2154.0	－444.2	2782.3		3643.2	
	1980～1989	722.1					60.1	34.8	1.1	167.0	262.9	585.3	390.2	922.5	102.5	2000.5	2201.0	－264.1	1506.6		1999.3	
	1990～1996	588.5					69.2	35.4	1.4	234.9	340.9	626.7	417.8	994.8	110.5	2149.7	3150.0	－322.6	1639.8		2168.1	
	1970～1996	672.0					51.8	26.7	0.9	396.3	475.7	772.2	514.8	1111.7	123.5	2522.2	1998.4	－346.0	2013.6		2651.9	
全流域	1969年以前	640.1	17791	18656	19890	21070	181.0	12.6	13.7	146.0	353.3	396.7	264.5	450.5	50.1	1161.7	868.0	－335.1	865.4	4.6	1179.9	5.6
	1970～1979	613.7	14660	18656	15760	20816	699.6	84.0	28.9	866.1	1678.6	1252.7	835.1	2019.7	224.4	4331.9	2489.8	－954.5	3996.5	21.4	5056.0	24.3
	1980～1989	623.7	11444	15360	12544	17112	1428.2	190.2	125.4	555.5	2299.3	735.9	490.6	1448.5	160.9	2835.9	1927.9	－567.3	3916.4	25.5	4567.9	26.7
	1990～1996	537.0	7892	11878	8292	12922	1841.2	331.1	271.1	297.6	2741.0	770.9	513.9	1167.0	129.7	2581.6	3165.8	－692.8	3986.1	33.6	4629.7	35.8
	1970～1996	597.6	11714	15678	12633	17397	1265.4	187.4	127.4	603.7	2183.9	936.4	624.2	1587.1	176.3	3324.0	2015.0	－743.3	3964.1	25.3	4764.7	27.4

注：(1)河道冲淤栏数值带“－”者为冲；(2)表中数据为时段均值；(3)减沙量中未包括河道冲淤量。

(梯、林、草)减少 1 580 万 t,占减洪沙总量的 39.9%;淤地坝减少 604 万 t,占 15.2%;水利措施减少 2 523 万 t,占 63.6%;人为增沙 743 万 t,占 -18.7%。坡面措施、淤地坝、水利措施减洪沙量分别占同期河道实测输沙量的 12.5%、4.8%和 20.0%;河道冲淤量及人为增沙分别占同期河道实测输沙量的 18.0%和 5.9%。

需要特别指出的是,由于河道冲淤量占同期河道实测输沙量的比重较大,且冲淤量只是河流泥沙在河道中的暂时淤积或冲刷,当来水来沙条件发生改变时,冲淤可以相互转化。因此,渭河流域各干、支流及区间"水保法"减沙作用分析计算成果中不包括河道冲淤量。

渭河流域 1970~1996 年"水保法"计算的各项因素年均减少洪沙量占比见图 7-23。渭河流域不同年代各项因素年均减少洪沙占比变化过程见图 7-24。

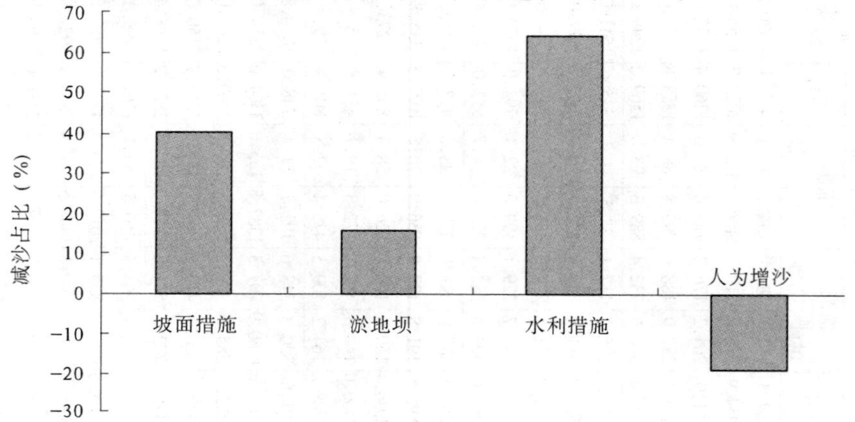

图 7-23 渭河流域 1970~1996 年各项因素年均减少洪沙量占比柱状图

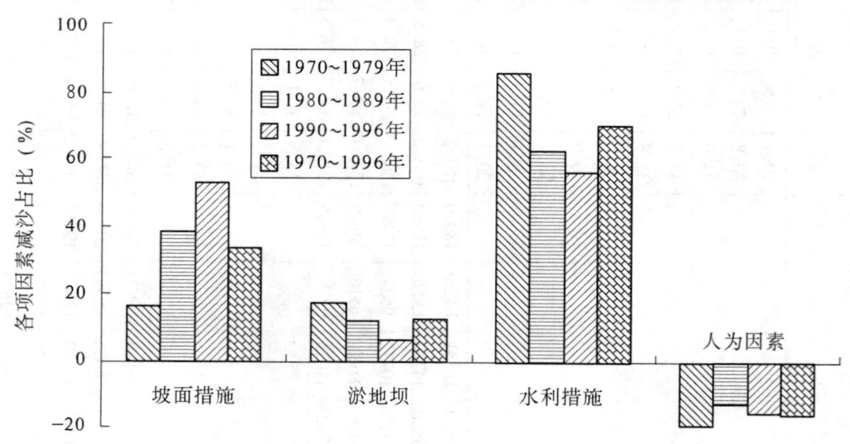

图 7-24 渭河流域不同年代各项因素年均减少洪沙占比变化过程柱状图

渭河上游南河川站以上流域 1970~1996 年年均减水量 2.681 亿 m^3,减水作用为 18.8%,其中年均减洪量 1.169 亿 m^3,减常水量 1.512 亿 m^3。在减少的洪量中,坡面措施减少 0.480 5 亿 m^3,占减洪总量的 41.1%;淤地坝减少 0.016 3 亿 m^3,占 1.4%;水利措施减少0.674 4 亿 m^3,占 57.7%;人为增洪 0.001 8 亿 m^3,占 -0.2%。

1970~1996 年年均减沙量 1 943 万 t,减沙作用为 16.6%,其中年均减洪沙量1 806 万 t,

减常沙量137万t。在减少的洪沙量中,坡面措施减少1 342万t,占减洪沙总量的74.3%;淤地坝减少183万t,占10.1%;水利措施减少584万t,占32.3%;人为增沙303万t,占-16.7%。坡面措施、淤地坝、水利措施减少洪沙量分别占同期河道实测输沙量的13.7%、1.9%和6.0%;河道冲淤和人为增沙分别占同期河道实测输沙量的0.5%和3.1%。

渭河中游南河川至林家村区间,1970~1996年年均减水量0.753 7亿m^3,减水作用为8.9%,其中年均减洪量0.338 3亿m^3,减常水量0.415 4亿m^3。在减少的洪量中,坡面措施减少0.202亿m^3,占减洪总量的59.6%;淤地坝减少0.002 5亿m^3,占0.7%;水利措施减少0.134 4亿m^3,占39.7%。

1970~1996年年均减沙量170万t,其中年均减洪沙量145万t,减常沙量25万t。在减少的洪沙量中,坡面措施减少160万t,占减洪沙总量的110.3%;淤地坝减少24万t,占16.6%;水利措施减少55万t,占37.9%;人为增沙94万t,占-64.8%。

渭河下游林家村至华县区间1970~1996年年均减水量22.07亿m^3,减水作用为41.6%,其中年均减洪量6.727亿m^3,减常水量15.343亿m^3。在减少的洪量中,坡面措施减少0.348亿m^3,占减洪总量的5.2%;淤地坝减少0.04亿m^3,占0.6%;水利工程措施减少6.339亿m^3,占94.2%。

1970~1996年年均减沙量2 652万t,其中年均减洪沙量2 014万t,减常沙量638万t。在减少的洪沙量中,坡面措施减少80万t,占减洪沙总量的4.0%;淤地坝减少396万t,占19.7%;水利措施减少1 884万t,占93.5%,人为增沙346万t,占-17.2%。

(二)计算结果分析与讨论

1. 水土保持综合治理措施各年代作用较为显著

计算结果表明,渭河流域20世纪50~60年代、70年代、80年代、90年代(1990~1996年)减水作用分别为10.8%、33.9%、27.2%和47.7%;减沙作用分别为5.6%、24.3%、26.7%和35.8%。其中70年代以前减水减沙作用较低,以后明显上升,这与流域实际治理情况相吻合。

2. 各年代减水作用均高于减沙作用

由于渭河流域内水利工程措施较多,尤其是下游关中平原灌区多,灌溉面积大,大中型水库也较多,灌溉引水量和水库拦蓄水量所占比重较大,因此导致减水作用偏大。

3. 水土保持各项措施减洪减沙的主要特点

(1)坡面措施减洪减沙作用呈稳定增长趋势。渭河流域50~60年代、70年代、80年代、90年代坡面措施年均减洪量分别为0.130 9亿m^3、0.496 1亿m^3、1.311 1亿m^3和1.394 3亿m^3;年均减洪沙量分别为0.020 7亿t、0.081 3亿t、0.174 4亿t和0.244 3亿t。70年代、80年代、90年代与50~60年代比较,减洪量相对值分别为73.6%、90.0%和90.6%;减洪沙量相对值分别为74.5%、88.1%和91.5%。从以上分析可以看出,80年代、90年代坡面措施的减洪减沙作用明显高于70年代,这是因为70年代中、后期实施的坡面措施,其减洪减沙作用到80年代才开始显现出来。

(2)库坝工程尤其是淤地坝减沙作用较为显著,但到一定程度后就开始下降。渭河流域内水库较多,其拦沙作用较为显著。据分析,1956~1996年渭河流域水库拦沙总量为

54 600 万 t,占同期流域综合治理减沙总量的 37.6%。其中,50～60 年代、70 年代、80 年代、90 年代水库拦沙比分别为 1:4.5:3.2:2.6。1956～1996 年,渭河流域淤地坝减沙总量为 18 350 万 t,各年代减沙比分别为 1:5.9:3.8:2.0。从各年代减沙量的变化反映出库坝工程的减沙作用具有时限性,70 年代为减沙的高峰期,80 年代较 70 年代减沙作用下降了 28.3%,90 年代又较 80 年代下降了 19.3%。这是因为 70 年代初期修筑的小型水库和淤地坝,经过多年的运行,库容已基本淤满,防洪能力大大降低,而且病险情况比较严重,因此减洪减沙作用达到最大值后开始衰减。库坝工程的减沙能力变化过程曲线近似为具有最大值的抛物线型。

(3)人为增沙影响有增长势头。渭河流域内的人类活动增沙因素错综复杂,项目繁多。对主要的几类增沙影响因素的分析计算结果表明,1954～1996 年,渭河流域人为增沙总量为 24 760 万 t,占流域综合治理减沙总量的 17.1%,其中,50～60 年代、70 年代、80 年代、90 年代所占百分比分别为 13.1%、37.4%、22.2%和 27.2%。可以看出,70 年代增沙量最大,因为 70 年代乱开荒、铲草皮、挖药材等现象十分严重,再加上大搞农田基本建设,地表遭到严重破坏,人为造成了新的水土流失且比较严重。到了 80 年代,由于农村生产体制的改变,“三料”(燃料、饲料、肥料)紧缺现象较 70 年代有所缓解。一方面,群众乱垦荒、铲草皮的现象有所减缓,另一方面,70 年代遭破坏的地面经过数年后自然得到恢复,因此 80 年代人为增沙量较 70 年代小。进入 90 年代后,人为增沙又有增长的势头,90 年代人为增沙量较 80 年代增长了 18.1%。这是因为随着经济体制改革的推进,流域内的社会经济活动迅速发展,城镇、农村庄院建设规模越来越大,乡镇企业遍地开花,各类建设的弃土、弃石、弃渣量猛增,造成河流含沙量增加,加剧了新的水土流失。

(三)与以往各家“水保法”研究成果的比较

为便于对比分析,表 7-23 列出了本次研究“水保法”成果和以往“水沙基金”及“水保基金”的研究成果。

表 7-23　　渭河华县水文站以上“水保法”减水减沙作用研究成果对比

时段(年)	水沙基金		水保基金		本次研究	
	水量(亿 m^3)	沙量(亿 t)	水量(亿 m^3)	沙量(亿 t)	水量(亿 m^3)	沙量(亿 t)
1970～1979	21.36	0.500	16.51	0.613 5	23.74	0.505 6
1980～1989	23.67	0.596	16.00	0.319 8	25.17	0.456 8
1970～1989	22.52	0.548	16.26	0.466 7	24.46	0.481 2
1990～1996	—	—	—	—	28.48	0.463 0

从表 7-23 中通过计算可知,本次研究成果中 70 年代减沙量仅比“水沙基金”成果偏大 1.1%,十分接近,比“水保基金”成果偏小 17.6%;80 年代减沙量比“水沙基金”成果偏小 23.4%,比“水保基金”成果偏大 42.8%,相差很大。1970～1989 年,“水沙基金”、“水保基金”和本次研究成果分别为 0.548 亿 t、0.466 7 亿 t 和 0.481 2 亿 t,本次研究成果居中。本次研究计算的减水量和“水沙基金”计算成果比较接近,较“水保基金”计算成果明显偏大。与“水沙基金”成果比较,70、80 年代减水量分别偏大 11.1%和 6.3%;与“水保基金”比较,70、80 年代分别偏大 43.8%和 57.3%。本次计算减水量偏大的原因是:①“水保基

金”对工业生活用水未作计算，本次作了详细的分析计算；②以往的研究对淤地坝的减水量只进行拦泥量中含水量的计算，本次研究分正在拦洪时期淤地坝的减洪量和淤满坝地的减洪量两部分计算；③本次计算灌溉引水量时，灌溉面积采用1996年土地变更调查的面积，较统计面积大，导致引水量也偏大。

二、“水文法”计算成果分析

（一）减水减沙作用计算成果

渭河流域各干、支流“水文法”减水减沙作用计算成果分别见表7-24～表7-26。

1.“经验公式法”计算结果

渭河华县水文站以上流域1970～1996年综合治理年均减水量21.58亿m^3，减水作用为30.3%，其中年均减洪量11.37亿m^3，减常水量10.21亿m^3。70年代、80年代、90年代年均减水量分别为27.39亿m^3、12.87亿m^3和25.71亿m^3，减水作用分别为37.2%、16.5%和44.3%。1970～1996年流域综合治理年均减沙量6 400万t，减沙作用为38.2%，其中年均减洪沙量占91.2%。70年代、80年代、90年代年均减沙量分别为3 180万t、8 500万t和8 000万t，减沙作用分别为18.8%、44.7%和59.7%。

渭河上游流域1970～1996年综合治理年均减水量2.563亿m^3，减水作用为18.2%，其中年均减洪量1.326亿m^3，减常水量1.237亿m^3。70年代、80年代、90年代年均减水量分别为1.49亿m^3、2.29亿m^3和4.481亿m^3，减水作用分别为9.9%、16.4%和34.7%。1970～1996年渭河上游流域综合治理年均减沙量4 655万t，减沙作用为31.8%，其中，减洪沙量占92.9%。70年代、80年代、90年代年均减沙量分别为1 940万t、5 080万t和8 724万t，减沙作用分别为12.5%、37.6%和58.2%。

渭河中游流域1970～1996年综合治理年均减水量3.677亿m^3，减水作用为32.1%，其中年均减洪量1.829亿m^3，减常水量1.848亿m^3。70年代、80年代、90年代年均减水量分别为3.35亿m^3、1.56亿m^3和7.189亿m^3。1970～1996年渭河中游流域综合治理年均减沙量1 085万t，其中减洪沙量占90.0%。70年代、80年代、90年代年均减沙量分别为180万t、1 620万t和886万t。

渭河下游流域1970～1996年综合治理年均减水量15.34亿m^3，减水作用为33.6%，其中年均减洪量8.215亿m^3，减常水量7.125亿m^3。70年代、80年代、90年代年均减水量分别为24.55亿m^3、9.02亿m^3和14.04亿m^3。1970～1996年渭河下游流域综合治理年均减沙量1 400万t，其中减洪沙量占91.5%。70年代、80年代、90年代年均减沙量分别为1 060万t、1 800万t和1 290万t。

2.“双累积曲线法”计算结果

渭河华县水文站以上1970～1996年减水总量589.1亿m^3，其中减洪量298.9亿m^3；减沙总量16.22亿t，其中减洪沙量15.00亿t。

渭河上游1970～1996年减水总量为148.4亿m^3，其中减洪量67.6亿m^3；减沙总量17.1亿t，其中减洪沙量16.35亿t。

渭河中游1970～1996年减水总量为99.4亿m^3，其中减洪量35.9亿m^3；减沙总量3.71亿t，其中减洪沙量2.92亿t。

表 7-24　**渭河流域各干、支流“水文法”减水减沙作用计算成果(经验公式法)**

流域	控制站	时段(年)	年径流量均值(亿 m^3)								洪水径流量均值(亿 m^3)				年输沙量均值(亿 t)							
			实测Ⅰ	计算Ⅱ	减少年径流量						推算Ⅰ	计算Ⅱ	效益		实测Ⅰ	计算Ⅱ	减少年输沙量					
					总量	人类活动影响			降雨影响				Ⅱ－Ⅰ	%			总量	人类活动影响			降雨影响	
						Ⅱ－Ⅰ	效益(%)	占总量(%)	减少量	占总量(%)								Ⅱ－Ⅰ	效益(%)	占总量(%)	减少量	占总量(%)
渭河	武山	1969 年以前	7.035	7.210							2.810				0.2813	0.3260						
		1970～1979	6.727	7.137	0.483	0.410	5.7	85.0	0.073	15.0	2.627	2.790	0.163	5.8	0.3113	0.3200	0.0147	0.0087	2.7	59.2	0.006	40.8
		1980～1989	6.441	6.778	0.769	0.337	5.0	43.8	0.432	56.2	2.621	2.750	0.137	5.0	0.2517	0.2871	0.0743	0.0354	12.3	47.6	0.0389	52.4
		1990～1996	4.720	5.829	2.49	1.109	19.0	44.5	1.381	55.5	2.314	2.860	0.544	19.0	0.2555	0.3100	0.0705	0.0545	17.6	77.3	0.016	22.7
		1970～1996	6.101	6.591	1.109	0.490	7.4	44.2	0.619	55.8	2.544	2.793	0.2493	8.9	0.2748	0.3052	0.0512	0.0304	10.0	59.4	0.0208	40.6
渭河	南河川	1969 年以前	15.76	15.98							7.386				1.583	1.640						
		1970～1979	13.61	15.10	2.37	1.49	9.9	62.9	0.88	37.1	6.12	6.790	0.67	9.9	1.357	1.551	0.283	0.194	12.5	68.6	0.089	31.4
		1980～1989	11.66	13.95	4.32	2.29	16.4	53.0	2.03	47.0	5.336	6.790	1.053	16.4	0.843	1.351	0.797	0.508	37.6	63.7	0.289	36.3
		1990～1996	8.419	12.00	7.561	4.481	34.7	59.3	3.08	40.7	3.908	5.988	2.080	34.7	0.6276	1.210	1.012	0.5824	48.1	57.5	0.4296	42.5
		1970～1996	11.54	14.10	4.44	2.563	18.2	57.8	1.877	42.2	5.256	6.528	1.326	20.1	0.9975	1.389	0.6425	0.3915	28.2	60.9	0.251	39.1
渭河	林家村	1969 年以前	28.45	30.48							12.68				1.860	1.898						
		1970～1979	22.14	26.98	8.34	4.84	17.9	58.0	3.50	42.0	9.653	11.77	2.117	18	1.494	1.706	0.404	0.212	12.4	52.5	0.192	47.5
		1980～1989	22.69	26.54	7.79	3.85	14.5	49.4	3.94	50.6	11.77	13.58	1.810	13.3	0.990	1.660	0.908	0.670	40.4	73.8	0.238	26.2
		1990～1996	10.43	22.10	20.05	11.67	52.8	58.2	8.38	41.8	5.870	12.43	6.568	52.8	0.650	1.321	1.248	0.671	50.8	53.8	0.577	46.2
		1970～1996	19.31	25.55	11.12	6.24	24.4	56.1	4.88	43.9	9.456	12.61	3.155	25.0	1.089	1.589	0.809	0.500	31.5	61.8	0.309	38.2
渭河	咸阳	1969 年以前	60.60	64.53							30.25				1.966	2.044						
		1970～1979	36.72	58.67	27.81	21.95	37.4	78.9	5.86	21.1	18.45	29.00	10.55	36.3	1.401	1.757	0.643	0.356	20.3	55.4	0.287	44.6
		1980～1989	46.46	62.85	18.07	16.39	26.1	90.7	1.68	9.3	25.46	34.44	8.98	26.1	0.855	1.636	1.189	0.781	47.7	65.7	0.408	34.3
		1990～1996	26.18	49.61	38.35	23.43	47.2	61.1	14.92	38.9	10.92	20.69	9.77	47.2	0.551	1.347	1.493	0.796	59.1	53.3	0.697	46.7
		1970～1996	37.57	57.87	26.96	20.30	35.1	75.3	6.66	24.7	19.09	28.86	9.77	33.9	0.978	1.606	1.066	0.628	39.1	58.9	0.438	41.1

续表 7-24

流域	控制站	时段（年）	年径流量均值（亿 m^3）								洪水径流量均值（亿 m^3）				年输沙量均值（亿 t）							
			实测Ⅰ	计算Ⅱ	减少年径流量						推算Ⅰ	计算Ⅱ	效益		实测Ⅰ	计算Ⅱ	减少年输沙量					
					总量	人类活动影响			降雨影响				Ⅱ－Ⅰ	%			总量	人类活动影响			降雨影响	
						Ⅱ－Ⅰ	效益（%）	占总量（%）	减少量	占总量（%）								Ⅱ－Ⅰ	效益（%）	占总量（%）	减少量	占总量（%）
渭河	华县	1969 年以前	77.25	79.61							39.09				1.850	1.940						
		1970～1979	46.31	73.70	36.00	27.39	37.2	68.6	8.61	31.4	24.82	39.50	14.68	37.2	1.370	1.688	0.57	0.318	18.8	55.8	0.252	44.2
		1980～1989	65.11	77.98	17.20	12.87	16.5	74.8	4.33	25.2	37.38	44.76	7.389	16.5	1.050	1.900	0.89	0.850	44.7	95.5	0.04	4.5
		1990～1996	32.39	58.10	49.92	25.71	44.3	51.5	24.21	48.5	15.58	27.95	12.37	44.2	0.540	1.340	1.40	0.800	59.7	57.1	0.600	42.9
		1970～1996	49.66	71.24	32.65	21.58	30.3	66.1	11.07	33.9	27.08	38.45	11.37	29.6	1.036	1.676	0.904	0.640	38.2	70.8	0.264	29.2
散渡河	甘谷	1969 年以前	0.9100	0.9100							0.5665				2885	3150						
		1970～1979	0.6303	0.8849	0.2797	0.2546	28.8	91.0	0.0251	9.0	0.4278	0.6005	0.1727	28.8	1939	2955	1211	1016	34.4	83.9	195	16.1
		1980～1989	0.5365	0.7852	0.3735	0.2487	31.7	66.6	0.1248	33.4	0.3473	0.5083	0.1610	31.7	1438	3079	1712	1641	53.3	95.9	71	4.1
		1990～1996	0.3674	0.6820	0.5426	0.3146	46.1	58.0	0.228	42.0	0.2545	0.4724	0.2179	46.1	1163	3013	1987	1850	61.4	93.1	137	6.9
		1970～1996	0.5274	0.7954	0.3826	0.2680	33.7	70.0	0.1146	30.0	0.3531	0.5331	0.1800	33.8	1552	3016	1598	1464	48.5	91.6	134	8.4
葫芦河	秦安	1969 年以前	5.043	5.050							2.684				7795	7890						
		1970～1979	3.768	4.053	1.282	0.285	7.0	22.2	0.997	77.8	2.043	2.198	0.1545	7.0	6584	6909	1306	325	4.7	24.9	981	75.1
		1980～1989	2.691	3.753	2.359	1.062	28.3	45.0	1.297	55.0	1.500	2.092	0.592	28.3	3392	5459	4498	2067	37.9	46.0	2431	54.0
		1990～1996	2.062	3.884	2.988	1.822	46.9	61.0	1.166	39.0	1.262	2.377	1.115	46.9	2584	3824	5306	1240	32.4	23.4	4066	76.6
		1970～1996	2.927	3.898	2.123	0.971	24.9	45.7	1.152	54.3	1.639	2.205	0.566	25.7	4365	5572	3525	1207	21.7	34.2	2318	65.8
耤　河	天水	1969 年以前	1.336	1.336							0.6808				479.0	542						
		1970～1979	0.766	0.9814	0.570	0.2154	21.9	37.8	0.3546	62.2	0.3955	0.5067	0.1112	21.9	287.8	342	254.2	54.2	15.8	21.3	200.0	78.7
		1980～1989	0.8060	1.034	0.530	0.228	22.1	43.0	0.302	57.0	0.4262	0.5468	0.1206	22.0	355.0	504	187.0	149.0	29.6	80.0	38.0	20.0
		1990～1996	0.4567	0.6383	0.8793	0.1816	28.5	20.7	0.6977	79.3	0.2331	0.3258	0.0927	28.5	112.5	294.3	429.5	181.8	61.8	42.3	247.7	57.7
		1970～1996	0.7006	0.9119	0.6354	0.2113	23.2	33.3	0.4241	66.7	0.3648	0.4746	0.1098	23.1	267.2	389.6	274.8	122.4	31.4	44.8	152.4	55.5

续表 7-24

流域	控制站	时段（年）	年径流量均值（亿 m³）								洪水径流量均值（亿 m³）				年输沙量均值（亿 t）							
			实测Ⅰ	计算Ⅱ	减少年径流量						推算Ⅰ	计算Ⅱ	效益		实测Ⅰ	计算Ⅱ	减少年输沙量					
					总量	人类活动影响			降雨影响				Ⅱ－Ⅰ	%			总量	人类活动影响			降雨影响	
						Ⅱ－Ⅰ	效益（%）	占总量（%）	减少量	占总量（%）								Ⅱ－Ⅰ	效益（%）	占总量（%）	减少量	占总量（%）
牛头河	社棠	1969 年以前	2.342	2.342							0.8838				586.5	752						
		1970～1979	1.356	2.098	0.986	0.742	35.4	75.3	0.244	24.7	0.6117	0.9464	0.3347	35.4	579.3	703	172.7	124	17.6	71.8	48.7	28.2
		1980～1989	1.527	2.146	0.815	0.619	28.8	76.0	0.196	24.0	0.6414	0.9014	0.2600	28.8	424.1	600	327.9	175.9	29.3	53.6	152.0	46.4
		1990～1996	0.9486	1.606	1.393	0.6574	40.9	47.2	0.736	52.8	0.3520	0.5959	0.2439	40.9	220.6	409.4	531.4	188.8	46.1	35.5	342.6	64.5
		1970～1996	1.314	1.988	1.028	0.6740	33.9	65.6	0.354	34.4	0.5553	0.8389	0.2836	33.8	428.8	588.7	323.2	159.9	27.2	49.5	163.3	50.5
千河	千阳	1969 年以前	4.758	5.100							2.178											
		1970～1979	3.563	4.441	1.537	0.878	19.8	57.1	0.659	42.9	1.537	1.916	0.379	19.8								
		1980～1989	4.330	5.000	0.770	0.670	13.4	87.0	0.100	13.0	2.239	2.585	0.346	13.4								
		1990～1996	3.379	3.499	1.721	0.120	3.40	7.0	1.601	93.0	1.605	1.662	0.057	3.4								
		1970～1996	3.799	4.404	1.301	0.605	13.7	46.5	0.696	53.5	1.815	2.098	0.2829	13.5								
漆水河	好畤河	1969 年以前	0.7916	0.7916							0.4267											
		1970～1979	0.5146	0.7675	0.277	0.2529	33.0	91.3	0.0241	8.7	0.2993	0.4464	0.1471	33.0								
		1980～1989	0.8129	0.9823	－0.191	0.1694	17.2		－0.36		0.4577	0.5531	0.0954	17.2								
		1990～1996	0.4887	0.4891	0.3029	0.0033	0.7	1.1	0.2996	98.9	0.2267	0.2269	0.0002	0.1								
		1970～1996	0.6181	0.4920	0.1735	0.1568	20.2	90.4	0.0167	9.6	0.3391	0.4290	0.0899	21.0								
漆水河	耀县	1969 年以前	0.3500	0.4090							0.1775											
		1970～1979	0.2538	0.3530	0.1552	0.0992	28.1	63.9	0.0560	36.1	0.1426	0.1983	0.0557	28.1								
		1980～1989	0.3713	0.4860	0.0377	0.1147	23.6		－0.077		0.1780	0.2330	0.055	23.6								
		1990～1996	0.2146	0.220	0.1944	0.0054	2.5	2.8	0.1890	97.2	0.0949	0.0973	0.0024	2.5								
		1970～1996	0.2872	0.3678	0.1218	0.0806	21.9	66.2	0.0412	33.8	0.1433	0.1850	0.0416	22.5								

续表 7-24

流域	控制站	时段（年）	年径流量均值(亿 m³)								洪水径流量均值(亿 m³)				年输沙量均值(亿 t)							
			实测Ⅰ	计算Ⅱ	减少年径流量						推算Ⅰ	计算Ⅱ	效益		实测Ⅰ	计算Ⅱ	减少年输沙量					
					总量	人类活动影响			降雨影响				Ⅱ－Ⅰ	%			总量	人类活动影响			降雨影响	
						Ⅱ－Ⅰ	效益(%)	占总量(%)	减少量	占总量(%)								Ⅱ－Ⅰ	效益(%)	占总量(%)	减少量	占总量(%)
石头河	斜峪关	1969 年以前	3.842	4.281							2.525											
		1970～1979	2.398	3.847	1.883	1.449	37.7	77.0	0.434	23.0	1.709	2.742	1.033	37.7								
		1980～1989	3.178	4.237	1.103	1.059	25.0	96.0	0.044	4.0	2.288	3.050	0.7642	25.0								
		1990～1996																				
		1970～1996																				
黑河	黑峪口	1969 年以前	7.028	7.028							3.995											
		1970～1979	5.038	6.47	1.990	0.625	11.0	31.4	1.365	68.6	3.079	3.461	0.382	11.0								
		1980～1989	7.607	8.547	-0.579	0.940	11.0		-1.519		5.070	5.697	0.627	11.0								
		1990～1996	4.753	4.815	2.275	0.062	1.3	2.7	2.213	97.3	2.812	2.849	0.037	1.3								
		1970～1996	5.916	6.810	1.112	0.8940	13.1	80.4	0.2180	19.6	3.747	4.121	0.374	9.1								
沣河	秦渡镇	1969 年以前	2.896	2.896							1.787											
		1970～1979	2.260	2.489	0.636	0.229	9.2	36.0	0.407	64.0	1.448	1.595	0.1467	9.2								
		1980～1989	2.883	3.155	0.013	0.272	8.6		-0.259		2.206	2.414	0.2081	8.6								
		1990～1996	1.748	2.319	1.148	0.571	24.6	49.7	0.577	50.3	1.100	1.459	0.3593	24.6								
		1970～1996	2.358	2.692	0.538	0.334	12.4	62.1	0.204	37.9	1.639	1.863	0.2241	12.0								
灞河	马渡王	1969 年以前	6.096	6.300							3.592				387.4	395.0						
		1970～1979	4.484	5.361	1.816	0.877	16.4	48.3	0.939	51.7	2.705	3.234	0.529	16.4	218.9	233.0	176.1	14.1	6.1	8.0	162.0	92.0
		1980～1989	6.044	6.502	0.256	0.458	7.0		-0.202		3.824	4.114	0.2898	7.0	216.9	404.0	178.1	187.1	46.3		-9.0	
		1990～1996	3.173	3.869	3.127	0.696	18.0	22.3	2.431	77.7	1.100	1.341	0.2413	18.0	61.9	196.0	333.1	134.1	68.4	40.3	199.0	59.7
		1970～1996	4.722	5.397	1.578	0.675	12.5	42.8	0.903	57.2	2.703	3.069	0.366	11.9	177.5	283.4	217.5	105.9	37.4	48.7	111.6	51.3

注：甘谷、秦安、天水水文站年输沙量均值单位为万 t；下游各支流输沙量很小，未计算。

表 7-25　滑河流域各干、支流"水文法"减水减沙作用计算成果(双累积曲线法)

(单位:亿 m^3;亿 t)

干流	水文站名	时段(年)	年降雨量-年径流量				年降雨量-年输沙量				汛降雨量-年洪量				汛降雨量-年洪沙			
			年径流量		减少量		年输沙量		减少量		洪水径流量		减少量		洪水输沙量		减少量	
			实测Ⅰ	计算Ⅱ	Ⅱ-Ⅰ	%	实测Ⅰ	计算Ⅱ	Ⅱ-Ⅰ	%	实测Ⅰ	计算Ⅱ	Ⅱ-Ⅰ	%	实测Ⅰ	计算Ⅱ	Ⅱ-Ⅰ	%
渭河	武山	1969 年以前																
		1970~1979	67.27	70.0	2.730	3.9	3.113	3.200	0.087	2.7	26.27	27.50	1.23	4.5	2.955	3.000	0.045	1.5
		1980~1989	64.41	69.5	6.285	9.0	2.517	3.150	0.633	20.1	26.21	27.50	1.29	4.7	2.442	3.000	0.558	18.6
		1990~1996	33.04	50.0	16.96	33.9	1.789	2.000	0.211	10.6	16.20	20.0	3.80	19.0	1.740	1.96	0.22	11.2
		1970~1996	164.7	189.5	24.8	13.1	7.419	8.350	0.931	11.1	68.68	75.0	6.32	8.40	7.137	7.96	0.823	10.3
渭河	南河川	1969 年以前																
		1970~1979	136.1	165.0	28.9	17.5	13.57	16.50	2.93	11.8	61.20	72.5	11.3	15.6	12.43	15.0	2.57	17.1
		1980~1989	116.6	165.0	48.4	29.3	8.43	16.00	7.57	47.3	53.36	75.0	21.64	28.6	7.93	15.0	7.07	47.1
		1990~1996	58.9	130.0	71.07	54.7	4.393	11.0	6.607	60.1	27.36	62.0	34.64	55.9	4.286	11.0	6.714	61.0
		1970~1996	311.6	460.0	148.4	32.3	26.39	43.5	17.1	39.3	141.9	209.5	67.6	32.3	24.65	41.0	16.35	39.9
渭河	林家村	1969 年以前																
		1970~1979	221.4	300.0	78.6	26.2	14.94	19.50	4.56	23.4	96.53	138.0	41.47	30.1	13.22	17.50	4.28	24.5
		1980~1989	226.9	295.0	68.1	23.1	9.90	19.00	9.10	47.9	117.7	140.0	22.3	15.9	8.60	17.00	8.40	49.4
		1990~1996	78.89	180.0	101.1	56.2	4.55	11.7	7.15	61.1	44.31	84.0	39.69	47.3	4.41	11.00	6.59	59.9
		1970~1996	527.2	775.0	247.8	32.0	29.39	50.2	20.81	41.2	258.5	362.0	103.5	28.6	26.23	46.00	19.27	41.9
渭河	咸阳	1969 年以前																
		1970~1979	367.2	580.0	212.8	36.7	14.0	20.0	6.0	30.0	184.5	285.0	100.5	35.3	12.58	16.0	3.42	21.4
		1980~1989	464.9	570.0	105.1	18.4	8.55	19.5	10.95	56.2	254.6	280.0	25.4	9.1	7.62	16.1	8.48	52.7
		1990~1996	183.3	370.0	186.7	50.5	3.86	11.0	7.14	64.9	76.44	170.0	93.56	55.0	3.396	10.4	7.00	67.3
		1970~1996	1015.4	1520	504.6	33.2	26.4	50.5	24.1	47.7	515.6	735.0	219.4	29.9	23.60	42.5	18.1	44.5

续表 7-25

干流	水文站名	时段（年）	年降雨量 - 年径流量				年降雨量 - 年输沙量				汛降雨量 - 年洪量				汛降雨量 - 年洪沙			
			年径流量		减少量		年输沙量		减少量		洪水径流量		减少量		洪水输沙量		减少量	
			实测Ⅰ	计算Ⅱ	Ⅱ－Ⅰ	%	实测Ⅰ	计算Ⅱ	Ⅱ－Ⅰ	%	实测Ⅰ	计算Ⅱ	Ⅱ－Ⅰ	%	实测Ⅰ	计算Ⅱ	Ⅱ－Ⅰ	%
渭河	华县	1969 年以前																
		1970～1979	463.1	750.0	286.9	38.3	13.7	17.0	3.3	19.4	248.2	390.0	141.8	36.4	12.6	15.7	2.9	18.7
		1980～1989	651.1	740.0	88.9	12.0	10.5	17.2	6.7	39.0	373.8	400.0	26.2	6.6	9.4	16.0	6.6	41.3
		1990～1996	226.7	440.0	213.3	48.5	3.78	10.0	6.22	62.2	109.1	240.0	130.9	54.5	3.5	9.0	5.5	61.1
		1970～1996	1341	1930	589.1	30.5	27.98	44.2	16.22	36.7	731.1	1030.0	298.9	29.0	25.5	40.5	15.0	37.0
散渡河	甘谷	1969 年以前																
		1970～1979	6.303	9.50	3.179	33.7	19390	29200	9810	33.6	4.278	6.50	2.222	34.2	18280	27000	8720	32.3
		1980～1989	5.365	9.50	4.135	43.5	14380	29400	15020	51.1	3.473	6.30	2.827	44.9	13570	27500	13930	50.7
		1990～1996	2.572	6.00	3.428	57.1	8141	17600	9459	53.7	1.782	4.00	2.218	55.5	8022	16500	8478	51.4
		1970～1996	14.24	25.0	10.76	43.0	41911	76200	34289	45.0	9.533	16.80	7.267	43.3	39872	71000	31128	43.8
葫芦河	秦安	1969 年以前																
		1970～1979	37.68	51.5	13.82	26.8	65840	80000	14160	17.7	20.43	28.00	7.57	27.0	58800	72000	13200	18.3
		1980～1989	26.91	50.0	23.09	46.2	33920	75000	41080	54.8	15.00	28.50	13.50	47.4	32100	71500	39400	55.1
		1990～1996	14.43	34.0	19.57	57.6	18088	50000	31912	63.8	8.834	17.00	8.166	48.0	17745	43200	25455	58.9
		1970～1996	79.02	135.5	56.48	41.7	117848	205000	87152	42.5	44.26	73.5	29.24	39.8	108645	186700	78055	41.8
耤 河	天水	1969 年以前																
		1970～1979	7.660	11.3	3.64	32.2	2878	5131	2253	43.9	3.955	6.155	2.20	35.7	2778	4800	2022	42.1
		1980～1989	8.060	11.50	3.44	29.9	3550	5100	1550	30.4	4.262	6.200	1.938	31.3	3426	4850	1424	29.4
		1990～1996	3.197	7.00	3.803	54.3	787.5	3060	2273	74.3	1.632	3.700	2.068	55.9	763.0	2800	2037	72.8
		1970～1996	18.92	29.80	10.88	36.5	7216	13291	6075	45.7	9.849	16.06	6.211	38.7	6967	12450	5483	44.0

续表 7-25

干流	水文站名	时段(年)	年降雨量－年径流量				年降雨量－年输沙量				汛降雨量－年洪量				汛降雨量－年洪沙			
			年径流量		减少量		年输沙量		减少量		洪水径流量		减少量		洪水输沙量		减少量	
			实测Ⅰ	计算Ⅱ	Ⅱ－Ⅰ	%	实测Ⅰ	计算Ⅱ	Ⅱ－Ⅰ	%	实测Ⅰ	计算Ⅱ	Ⅱ－Ⅰ	%	实测Ⅰ	计算Ⅱ	Ⅱ－Ⅰ	%
牛头河	社棠	1969年以前																
		1970～1979	13.56	21.24	7.68	36.2	5793	6400	607	9.50	6.117	9.600	3.483	36.3	5408	5800	392	6.8
		1980～1989	15.27	21.00	5.73	27.3	4241	6450	2209	34.2	6.414	9.650	3.236	33.5	3785	5750	1965	34.2
		1990～1996	6.640	12.00	5.36	44.7	1544	3800	2256	59.4	2.464	5.70	3.236	56.8	1293	3400	2107	62.0
		1970～1996	35.47	54.24	18.77	34.6	11578	16650	5072	30.5	14.995	24.95	9.955	39.9	10486	14950	4464	29.9
千河	千阳	1969年以前																
		1970～1979	35.63	47.80	12.12	25.5	4356	4400	44	1.0	15.37	20.00	4.630	23.2	4066	4100	56	1.4
		1980～1986	30.32	36.00	5.68	15.8	2613	2800	187	6.7	15.68	16.00	0.320	2.0	2441	2600	159	6.1
		1990～1996	23.65	28.00	4.35	15.5	875	2600	1725	66.3	11.24	14.00	2.76	19.7				
		1970～1996	89.62	111.8	22.18	19.8	7394	9800	2406	24.5	31.08	50.00	18.95	37.9				
漆水河	好畤河	1969年以前																
		1970～1979	5.146	8.700	3.554	40.9	788.5	790.0	1.5	0.2	2.993	4.500	1.507	33.5	757.3	750.0	－7.3	－1.0
		1980～1989	8.129	8.700	0.571	6.6	570.3	790.0	219.7	27.8	4.577	4.500	－0.077	－1.7	460.1	750.0	289.9	38.7
		1990～1996	3.4209	5.20	1.779	34.2	193.1	470.0	280.9	59.8	1.587	2.70	1.113	41.2	189.7	450.0	260.3	57.8
		1970～1996	16.70	22.6	5.900	26.1	1552	2050	498.0	24.3	9.157	11.7	2.543	21.7	1407	1950	543.0	27.8
漆水河	耀县	1969年以前																
		1970～1979	2.538	3.500	0.962	27.4	1415	1700	285	16.8	1.426	1.700	0.274	16.1	1403	1650	24.7	15.0
		1980～1989	3.713	3.500	0.213	－6.1	654.8	1700	1045	61.5	1.780	1.700	－0.08	－4.7	640	1600	960	60.0
		1990～1996	1.502	2.10	0.598	59.8					0.6643	1.00	0.3357	33.6				
		1970～1996	7.753	9.10	1.347	14.8					3.870	4.40	0.530	12.0				

续表 7-25

干流	水文站名	时段（年）	年降雨量－年径流量				年降雨量－年输沙量				汛降雨量－年洪量				汛降雨量－年洪沙			
			年径流量		减少量		年输沙量		减少量		洪水径流量		减少量		洪水输沙量		减少量	
			实测Ⅰ	计算Ⅱ	Ⅱ－Ⅰ	%	实测Ⅰ	计算Ⅱ	Ⅱ－Ⅰ	%	实测Ⅰ	计算Ⅱ	Ⅱ－Ⅰ	%	实测Ⅰ	计算Ⅱ	Ⅱ－Ⅰ	%
石头河	斜峪关	1969 年以前																
		1970～1979	23.98	35.00	11.02	31.5					17.09	26.00	8.91	34.3				
		1980～1989	15.89	17.50	1.61	9.2					11.44	13.00	1.56	12.0				
		1990～1996																
		1970～1996																
黑河	黑峪口	1969 年以前																
		1970～1979	50.38	68.00	17.62	25.9	108.9	180.0	71.1	39.5	30.79	42.00	11.21	26.7	103.3	175.0	71.7	41.0
		1980～1989	76.07	68.50	－7.57	－11.1	570.3	185.0	－385.3	－208	50.70	42.50	－8.2	－19.2	537.7	175.0	－362.7	－207
		1990～1996	23.75	32.00	10.25	32.0	42.72	74.0	31.28	42.3	14.06	21.00	6.94	33.0	39.88	70.0	30.12	43.00
		1970～1996	150.2	168.5	18.3	10.9	721.9	439.0	－282.9	－64.4	95.55	105.5	9.95	9.4	680.9	420.0	－260.9	－62.1
沣河	秦渡镇	1969 年以前																
		1970～1979	22.60	29.00	6.40	22.1	81.35	110.0	28.65	26.0	14.48	22.1	7.62	34.5	68.6	95.10	26.5	27.9
		1980～1989	28.83	29.00	0.17	0.6	109.7	110.0	0.3	0.3	22.06	22.1	0.04	0.2	95.01	95.10	0.09	0.1
		1990～1996	12.24	17.0	5.16	30.4	26.23	66.0	39.77	60.3	7.70	13.20	5.50	41.7	22.90	57.00	34.10	59.8
		1970～1996	63.67	75.0	11.33	15.1	217.3	286.0	68.70	24.0	44.24	57.40	13.16	22.9	186.5	247.2	60.70	24.6
灞河	马渡王	1969 年以前																
		1970～1979	44.84	61.0	16.16	26.5	2189	4100	1911	46.6	27.05	38.00	10.95	28.8	1960	3700	1740	47.0
		1980～1986	60.44	61.0	0.56	0.9	2169	4100	1931	47.1	38.24	38.50	0.26	0.7	2037	3700	1663	44.9
		1990～1996	22.21	36.0	13.79	38.3	433.3	2460	2027	82.3	7.70	22.0	14.3	65.0	387.8	2200	1812	81.6
		1970～1996	127.5	158.0	30.5	19.3	4791	10660	5869	55.1	72.99	98.5	25.51	25.9	4385	9600	5215	54.3

注：甘谷、秦安、天水水文站年输沙量均值单位为万 t。

表 7-26　**渭河流域各干、支流“水文法”减水减沙作用计算成果(不同系列对比法)**

干流	控制站	时段(年)	年降雨量(mm) 均值	Ⅰ与各时段比较 差值	%	年径流量(亿 m³) 均值	Ⅰ与各时段比较 差值	%	年输沙量(亿 t) 均值	Ⅰ与各时段比较 差值	%	汛期降雨量(mm) 均值	Ⅰ与各时段比较 差值	%	洪水径流量(亿 m³) 均值	Ⅰ与各时段比较 差值	%	基流量(亿 m³) 均值	Ⅰ与各时段比较 差值	%	洪水输沙量(亿 t) 均值	洪水输沙量 差值	%
渭河	武山站	1969 年以前	525.1			7.035			0.2813			428.5			2.810			4.225			0.2476		
		1970 ~ 1979	532.3	-7.2	-1.4	6.727	0.308	4.4	0.3113	-0.030	-10.7	443.9	-15.4	-3.6	2.627	0.183	6.5	4.100	0.125	3.0	0.2955	-0.048	-19.3
		1980 ~ 1989	516.8	8.3	1.6	6.441	0.594	8.4	0.2517	0.030	10.5	414.2	14.3	3.3	2.621	0.189	6.7	3.820	0.405	9.6	0.2442	0.0034	1.4
		1990 ~ 1996	483.8	41.3	7.9	4.720	2.315	32.9	0.2555	0.026	9.2	400.2	28.3	6.6	2.314	0.496	17.7	2.406	1.819	43.1	0.2486	-0.001	-0.4
		1970 ~ 1996	514.0	11.1	2.1	6.101	0.934	13.3	0.2748	0.007	2.3	421.6	6.9	1.6	2.544	0.266	9.5	3.557	0.6679	15.81	0.2643	-0.017	-6.8
渭河	南河川	1969 年以前	524.8			15.76			1.583			437.8			7.386			8.374			1.465		
		1970 ~ 1979	495.4	29.4	5.6	13.61	2.150	13.6	1.357	0.226	14.3	415.9	21.9	5.0	6.120	1.266	17.1	7.490	0.884	10.6	1.243	0.222	15.2
		1980 ~ 1989	485.2	39.6	7.5	11.66	4.100	26.0	0.843	0.740	46.7	402.9	34.9	8.0	5.336	2.050	27.8	6.324	2.05	24.5	0.7930	0.672	45.9
		1990 ~ 1996	473.4	51.4	9.8	8.419	7.341	46.6	0.6276	0.955	60.4	397.8	40.0	9.1	3.908	3.478	47.1	4.511	3.863	46.1	0.6123	0.853	58.2
		1970 ~ 1996	485.9	38.9	7.4	11.54	4.218	26.8	0.9775	0.605	38.2	406.4	31.4	7.2	5.256	2.130	28.8	6.286	2.088	24.9	0.9128	0.552	37.7
渭河	林家村	1969 年以前	563.4			28.45			1.860			460.5			12.68			15.77			1.612		
		1970 ~ 1979	543.3	20.1	3.6	22.14	6.310	22.2	1.494	0.366	19.7	430.8	29.7	6.4	9.653	3.027	23.9	12.49	3.283	20.8	1.322	0.290	18.0
		1980 ~ 1989	519.8	43.6	7.7	22.69	5.760	20.2	0.990	0.870	46.8	437.8	22.7	4.9	11.77	0.910	7.2	10.92	4.850	30.8	0.8600	0.752	46.7
		1990 ~ 1996	482.1	81.3	14.4	11.27	17.18	60.4	0.650	1.210	65.1	406.2	54.3	11.8	6.330	6.350	50.1	4.940	10.83	68.7	0.590	1.022	63.4
		1970 ~ 1996	518.7	44.7	7.9	19.53	8.924	31.4	1.089	0.771	41.5	427.0	33.5	7.3	9.576	3.104	24.5	9.950	5.820	36.9	0.9611	0.651	40.4
渭河	咸阳	1969 年以前	612.7			60.60			1.966			503.3			30.25			30.35			1.739		
		1970 ~ 1979	612.0	0.7	0.1	36.72	23.88	39.4	1.401	0.565	28.7	468.2	35.1	7.0	18.45	11.80	39.0	18.27	12.08	39.8	1.258	0.481	27.7
		1980 ~ 1989	618.1	-5.4	-0.9	46.46	14.14	23.3	0.8550	1.111	56.5	491.4	11.9	2.4	25.46	4.790	15.8	21.00	9.350	30.8	0.762	0.977	56.2
		1990 ~ 1996	513.8	98.9	16.1	26.18	34.42	56.8	0.5513	1.415	72.0	428.6	74.7	14.8	10.92	19.33	63.9	15.26	15.09	49.7	0.4851	1.254	72.1
		1970 ~ 1996	588.8	23.9	3.9	37.59	23.01	38.0	0.9785	0.988	50.2	466.5	36.8	7.3	19.09	11.16	36.9	18.50	11.85	39.0	0.8739	0.8651	49.7

续表 7-26

干流	控制站	时段（年）	年降雨量（mm）			年径流量（亿 m³）			年输沙量（亿 t）			汛期降雨量（mm）			洪水径流量（亿 m³）			基流量（亿 m³）			洪水输沙量（亿 t）		
			均值	Ⅰ与各时段比较		均值	Ⅰ与各时段比较		均值	Ⅰ与各时段比较		均值	Ⅰ与各时段比较		均值	Ⅰ与各时段比较		均值	Ⅰ与各时段比较		均值	洪水输沙量	
				差值	%		差值	%		差值	%		差值	%		差值	%		差值	%		差值	%
渭河	华县	1969 年以前	640.1			77.25			1.850			505.7			39.09			38.16			1.640		
		1970～1979	613.7	26.4	4.1	46.31	30.94	40.1	1.370	0.480	25.9	475.9	29.8	5.9	24.82	14.27	36.5	21.49	16.67	43.7	1.260	0.380	23.2
		1980～1989	623.7	16.4	2.6	65.11	12.14	15.7	1.050	0.800	43.2	514.6	−8.9	−1.8	37.38	1.710	4.4	27.73	10.43	27.3	0.960	0.680	41.5
		1990～1996	537.0	103.1	16.1	32.39	44.86	58.1	0.5400	1.310	70.8	436.1	69.6	13.8	15.58	23.51	60.1	16.81	21.35	55.9	0.5200	1.120	68.3
		1970～1996	597.5	42.6	6.7	49.66	27.59	35.7	1.036	0.814	44.0	479.9	25.8	5.1	27.08	12.01	30.7	22.59	15.57	40.8	0.9570	0.6830	41.6
散渡河	甘谷	1969 年以前	457.7			0.91			2885			390.7			0.5665			0.3435			2734		
		1970～1979	437.8	19.90	4.3	0.6303	0.280	30.7	1939	946	32.8	374.8	15.9	4.1	0.4278	0.139	24.5	0.2025	0.141	41.0	1828	906	33.1
		1980～1989	437.5	20.20	4.4	0.5365	0.374	41.0	1438	1447	50.2	371.6	19.1	4.9	0.3473	0.219	38.7	0.1892	0.1543	44.9	1357	1377	50.4
		1990～1996	432.8	24.90	5.4	0.3674	0.543	59.6	1163	1722	59.7	356.0	34.7	8.9	0.2545	0.312	55.1	0.1129	0.2306	67.1	1146	1588	58.1
		1970～1996	436.4	21.31	4.7	0.5274	0.383	42.0	1552	1333	46.2	368.7	22.0	5.6	0.3531	0.213	37.7	0.1743	0.1692	49.2	1477	1257	46.0
葫芦河	秦安	1969 年以前	531.5			5.043			7795			461.0			2.684			2.359			7229		
		1970～1979	480.5	51.0	9.6	3.768	1.275	25.3	6584	1211	15.5	403.9	57.1	12.4	2.043	0.641	23.9	1.725	0.634	26.9	5880	1349	18.7
		1980～1989	464.7	66.8	12.6	2.691	2.352	46.6	3392	4403	56.5	400.2	60.8	13.2	1.500	1.184	44.1	1.919	0.44	18.7	3210	4019	55.6
		1990～1996	479.7	51.8	9.7	2.062	2.981	59.1	2584	5211	66.9	409.4	51.6	11.2	1.262	1.422	53.0	0.800	1.559	66.1	2535	4694	64.9
		1970～1996	474.4	57.1	10.7	2.927	2.116	42.0	4365	3430	44.0	404.0	57.0	12.4	1.639	1.045	38.9	1.557	0.8020	34.0	4024	3205	44.3
耤河	天水	1969 年以前	649.3			1.336			479.0			541.0			0.6808			0.6552			454.5		
		1970～1979	602.2	47.1	7.3	0.766	0.570	42.7	287.8	191.2	39.9	489.6	51.4	9.5	0.3955	0.285	41.9	0.3705	0.2847	43.5	277.8	176.7	38.9
		1980～1989	607.1	42.2	6.5	0.806	0.530	39.7	355.0	124.0	25.9	487.0	54.0	10.0	0.4262	0.255	37.4	0.3798	0.2754	42.0	342.6	111.9	24.6
		1990～1996	531.9	117.4	18.1	0.4567	0.879	65.8	112.5	366.5	76.5	439.9	101.1	18.7	0.2331	0.448	65.8	0.2236	0.4316	65.9	109.0	345.5	76.0
		1970～1996	585.8	63.5	9.8	0.7006	0.635	47.6	267.2	211.8	44.2	475.8	65.2	12.1	0.3648	0.316	46.4	0.3359	0.3193	48.7	258.0	196.5	43.2

续表 7-26

干流	控制站	时段（年）	年降雨量（mm）			年径流量（亿 m³）			年输沙量（亿 t）			汛期降雨量（mm）			洪水径流量（亿 m³）			基流量（亿 m³）			洪水输沙量（亿 t）		
			均值	Ⅰ与各时段比较		均值	Ⅰ与各时段比较		均值	Ⅰ与各时段比较		均值	Ⅰ与各时段比较		均值	Ⅰ与各时段比较		均值	Ⅰ与各时段比较		均值	洪水输沙量	
				差值	%		差值	%		差值	%		差值	%		差值	%		差值	%		差值	%
牛头河	社棠	1969 年以前	612.8			2.342			586.5			529.6			0.8838			1.4582			550.4		
		1970～1979	594.3	18.5	3.0	1.356	0.986	42.1	579.3	7.2	1.2	505.5	24.1	4.6	0.6117	0.272	30.8	0.7443	0.7139	49.0	540.8	9.6	1.7
		1980～1989	599.7	13.1	2.1	1.527	0.815	34.8	424.1	162.4	27.7	499.7	29.9	5.6	0.6414	0.242	27.4	0.8856	0.5726	39.3	378.5	171.9	31.2
		1990～1996	531.4	81.4	13.3	0.9486	1.393	59.5	220.6	365.9	62.4	455.7	73.9	14.0	0.3520	0.532	60.2	0.5966	0.8616	59.1	184.7	365.7	66.4
		1970～1996	580.0	32.8	5.4	1.314	1.028	43.9	428.8	157.7	26.9	490.4	39.2	7.4	0.5554	0.328	37.2	0.7583	0.6999	48.0	388.4	162.0	29.4
千河	千阳	1969 年以前	669.7			4.758			412.0			532.4			2.178			2.580			377.3		
		1970～1979	651.4	18.3	2.7	3.563	1.195	25.1	435.6	－23.6	－5.7	531.9	0.5	0.1	1.537	0.641	29.4	2.206	0.374	14.5	406.6	－29.3	－7.8
		1980～1989	690.2	－20.5	－3.1	4.33	0.428	9.0	373.3	38.7	9.4	552.3	－19.9	－3.7	2.239	－0.061	－2.8	2.091	0.489	19.0	348.7	28.6	7.6
		1990～1996	553.3	116.4	17.4	3.379	1.379	29.0	125.0	287.0	69.7	465.6	66.8	12.5	1.605	0.573	26.3	1.774	0.806	31.2		377.3	100
		1970～1996	640.3	29.4	4.4	3.799	0.959	20.1	332.0	80.0	19.4	522.3	10.1	1.9	1.815	0.363	16.7	2.051	0.529	20.5	279.7	97.6	25.9
漆水河	好畤河	1969 年以前	620.8			0.7916			73.60			490.1			0.4267			0.3649			69.73		
		1970～1979	630.2	－9.4	－1.5	0.5146	0.277	35.0	78.85	－5.25	－7.1	509.2	－19.1	－3.9	0.2993	0.127	29.9	0.2153	0.1496	41.0	75.73	－6.0	－8.6
		1980～1989	648.2	－27.4	－4.4	0.8129	－0.021	－2.7	57.03	16.57	22.5	570.8	－80.7	－16.5	0.4577	－0.031	－7.3	0.3552	0.0097	2.7	46.01	23.7	34.0
		1990～1996	483.5	137.3	22.1	0.4887	0.303	38.3	27.58	46.02	62.5	436.1	54.0	11.0	0.2267	0.200	46.9	0.2620	0.1029	28.2	27.10	42.6	61.1
		1970～1996	598.8	22.0	3.5	0.6184	0.173	21.9	57.48	16.12	21.9	513.1	－23.0	－4.7	0.3391	0.088	20.5	0.2792	0.0857	23.5	52.11	17.6	25.3
漆水河	耀县	1969 年以前	583.8			0.350			180.4			471.9			0.1775			0.1725			179.4		
		1970～1979	581.0	2.8	0.5	0.2538	0.096	27.5	141.5	38.9	21.6	467.4	4.5	1.0	0.1426	0.035	19.7	0.1112	0.06	35.5	140.3	39.1	21.8
		1980～1989	638.6	－54.8	－9.4	0.3713	－0.021	－6.0	65.48	114.9	63.7	534.1	－62.2	－13.2	0.1780	－0.001	－0.3	0.1933	－0.02	－12.1	64.00	115.4	64.3
		1990～1996	487.0	96.8	16.6	0.2146	0.136	38.7		180.4	100.0	378.6	93.3	19.8	0.0949	0.083	46.5	0.1197	0.05	30.6			
		1970～1996	578.0	5.8	1.0	0.2872	0.063	18.0	76.66	103.7	57.5	469.1	2.8	0.6	0.1433	0.034	19.2	0.1438	0.03	16.6	75.67	103.7	57.8

续表 7-26

干流	控制站	时段（年）	年降雨量（mm）均值	年降雨量 I与各时段比较 差值	年降雨量 %	年径流量（亿 m^3）均值	年径流量 I与各时段比较 差值	年径流量 %	年输沙量（亿 t）均值	年输沙量 I与各时段比较 差值	年输沙量 %	汛期降雨量（mm）均值	汛期降雨量 I与各时段比较 差值	汛期降雨量 %	洪水径流量（亿 m^3）均值	洪水径流量 I与各时段比较 差值	洪水径流量 %	基流量（亿 m^3）均值	基流量 I与各时段比较 差值	基流量 %	洪水输沙量（亿 t）均值	洪水输沙量 差值	洪水输沙量 %
石头河	斜峪关	1969 年以前	818.6			3.842			29.68			579.2			2.525			1.317					
		1970 ~ 1979	704.8	113.8	13.9	2.398	1.444	37.6				567.4	11.8	2.0	1.709	0.8	32.3	0.6890	0.628	47.7			
		1980 ~ 1989	909.0	-90.4	-11.0	3.178	0.664	17.3				664.4	-85.2	-14.7	2.288	0.2	9.4	0.8900	0.427	32.4			
		1990 ~ 1996																					
		1970 ~ 1996																					
黑河	黑峪口	1969 年以前	797.9			7.028			24.48			578.3			3.995			3.033			23.10		
		1970 ~ 1979	723.5	74.4	9.3	5.038	1.990	28.3	10.89	13.59	55.5	586.7	-8.4	-1.5	3.079	0.9	22.9	1.959	1.074	35.4	10.33	12.77	55.3
		1980 ~ 1989	832.6	-34.7	-4.3	7.607	-0.579	-8.2	57.03	-32.55	-133.0	709.0	-130.7	-22.6	5.070	-1.1	-26.9	2.537	0.496	16.4	53.77	-30.67	-132.8
		1990 ~ 1996	574.0	223.9	28.1	4.75	2.275	32.4	10.68	13.80	56.4	476.0	102.3	17.7	2.8120	1.2	29.6	1.941	1.092	36.0	9.97	13.13	56.8
		1970 ~ 1996	725.1	72.8	9.1	5.916	1.112	15.8	27.92	-3.444	-14.1	603.3	-25.0	-4.3	3.747	0.2	6.2	2.490	0.543	17.9	26.33	-3.226	-14.0
沣河	秦渡镇	1969 年以前	874.4			2.896			10.72			610.0			1.787			1.109			8.996		
		1970 ~ 1979	774.7	99.7	11.4	2.260	0.636	22.0	8.135	2.585	24.1	597.3	12.7	2.1	1.448	0.3	19.0	0.812	0.297	26.8	6.860	2.136	23.7
		1980 ~ 1989	884.8	-10.4	-1.2	2.883	0.013	0.4	10.97	-0.250	-2.3	731.6	-121.6	-19.9	2.026	-0.2	-13.4	0.857	0.252	22.7	9.501	-0.505	-5.6
		1990 ~ 1996	710.9	163.5	18.7	1.748	1.148	39.6	3.747	6.973	65.0	546.1	63.9	10.5	1.100	0.7	38.4	0.6480	0.461	41.6	3.272	5.724	63.6
		1970 ~ 1996	798.9	75.5	8.6	2.358	0.538	18.6	8.047	2.673	24.9	633.8	-23.8	-3.9	1.572	0.2	12.0	0.7861	0.323	29.1	6.908	2.088	23.2
灞河	马渡王	1969 年以前	861.2			6.096			387.4			623.1			3.592			2.504			346.3		
		1970 ~ 1979	811.8	49.4	5.7	4.484	1.612	26.4	218.9	168.5	43.5	624.2	-1.1	-0.2	2.705	0.9	24.7	1.779	0.725	29.0	196.0	150.3	43.4
		1980 ~ 1989	871.4	-10.2	-1.2	6.044	0.052	0.9	216.9	170.5	44.0	720.4	-97.3	-15.6	3.824	-0.2	-6.5	2.220	0.284	11.3	203.7	142.6	41.2
		1990 ~ 1996	690.4	170.8	19.8	3.173	2.923	47.9	61.9	325.5	84.0	524.3	98.8	15.9	1.100	2.492	69.4	2.073	0.431	17.2	55.4	290.9	84.0
		1970 ~ 1996	802.4	58.8	6.8	4.722	1.374	22.5	177.5	209.9	54.2	633.9	-10.8	-1.7	2.703	0.889	24.7	2.019	0.485	19.4	162.4	183.9	53.1

注：甘谷、秦安、天水水文站年输沙量均值为万 t；黑峪口水文站年、汛期、洪水径流量，年、汛期、洪水输沙量 90 年代资料系列均为 1990 ~ 1994 年；耀县水文站年、汛期、洪水径流量 90 年代资料系列为 1990 ~ 1994 年，部分资料截至 1996 年；年、汛期、洪水输沙量资料系列截至 1990 年，缺 1991 ~ 1996 年资料；Ⅰ代表基准期。

渭河下游 1970～1996 年减水总量为 341.3 亿 m^3，其中减洪量 195.4 亿 m^3；增沙总量 4.59 亿 t，其中增洪沙量 4.27 亿 t。

3.“不同系列对比法”计算结果

渭河华县水文站以上 1970～1996 年与 50～60 年代比较，年均减水量 27.59 亿 m^3，其中年均减洪量 12.01 亿 m^3；年均减沙量 8 140 万 t，其中年均减洪沙量 6 956 万 t。

渭河上游 1970～1996 年与 50～60 年代比较，年均减水量 4.218 亿 m^3，其中年均减洪量 2.130 亿 m^3；年均减沙量 6 050 万 t，其中年均减洪沙量 5 520 万 t。

渭河中游 1970～1996 年与 50～60 年代比较，年均减水量 4.706 亿 m^3，其中年均减洪量 0.974 亿 m^3；年均减沙量 1 660 万 t，其中年均减洪沙量 890 万 t。

渭河下游 1970～1996 年与 50～60 年代比较，年均减水量 18.67 亿 m^3，其中年均减洪量 8.906 亿 m^3；年均减沙量 430 万 t，其中年均减洪沙量 311 万 t。

（二）分析与讨论

（1）从点绘的渭河流域各干、支流双累积曲线图上可以看出，流域来水来沙从 1970 年以后开始呈现明显的递减变化趋势，这与流域开展水土保持治理的实际情况相吻合，符合流域水沙变化特性及其一般规律。

（2）降雨影响。渭河华县水文站以上流域受降雨和人类活动的共同影响，年均减水量 70 年代、80 年代、90 年代分别为 36.00 亿 m^3、17.20 亿 m^3 和 49.92 亿 m^3。其中，降雨和人类活动影响各年代所占百分比分别为 31.4%、68.6%、25.2% 和 74.8%、48.5%、51.5%。1970～1996年降雨和人类活动共同影响的流域年均减水量为 32.65 亿 m^3，其中，降雨影响占 33.9%，人类活动作用占 66.1%。

渭河华县水文站以上流域受降雨和人类活动共同影响的年均减沙量 70 年代、80 年代、90 年代分别为 5 700 万 t、8 900 万 t 和 14 000 万 t。其中，降雨和人类活动影响分别占 44.2%、55.8%、4.5% 和 95.5%、42.9%、57.1%。1970～1996 年降雨和人类活动共同影响的流域年均减沙量为 9 040 万 t，其中，降雨影响占 29.2%，人类活动作用占 70.8%。

综上所述，渭河流域综合治理对水沙的影响作用占主导地位。

（3）双累积曲线法和不同系列对比法。二者分析结果反映的是降雨和人类活动综合影响的变化量，其结果可以作为其他分析方法的参考依据，进行结果的合理性检验。

（三）与以往各家“水文法”研究成果的对比

表 7-27 列出了本次研究“水文法”和以往“水沙基金”、“水保基金”的研究成果，以便对比分析。

表 7-27　渭河华县水文站以上“水文法”减水减沙作用计算成果对比

时段（年）	水沙基金		水保基金		本次研究	
	水量（亿 m^3）	沙量（亿 t）	水量（亿 m^3）	沙量（亿 t）	水量（亿 m^3）	沙量（亿 t）
1970～1979	21.02	0.218	21.02	0.269 2	27.39	0.318
1980～1989	12.39	0.781	12.39	0.809 2	12.87	0.850
1970～1989	16.70	0.500	16.7	0.539 2	20.13	0.584
1990～1996					25.71	0.800

从表 7-27 中可以看出，本次研究"水文法"中"经验公式法"计算结果 70 年代年均减水量与水沙基金、水保基金两家计算成果比较，其值虽属同一数量级，但绝对值偏大约 6 亿 m^3，相对值偏大 23.3%；80 年代年均减水量与两家成果很接近。减沙量 70 年代、80 年代与两家成果都比较接近，无明显偏差。经检查，本次计算成果比较合理、可信，而 70 年代减水量计算成果偏大，有待进一步研究。

(四)"水文法"与"水保法"计算成果对比

表 7-28 列出了本次研究"水文法"和"水保法"计算结果。

从减水量计算结果看，1970～1996 年"水文法"计算的年均减水量与"水保法"结果比较接近；从各年代的计算结果看，70 年代和 90 年代两种方法计算的减水量结果无明显偏差，80 年代"水文法"减水量计算结果为 12.87 亿 m^3，而"水保法"计算结果为 25.17 亿 m^3，远大于"水文法"计算结果。此外，"水文法"各年代减水量计算结果依时序呈明显的抛物线变化，80 年代计算结果最小；而"水保法"计算结果依时序呈明显的上升趋势。

从减沙量计算结果看，70 年代"水保法"计算结果大于"水文法"计算结果，而 80 年代和 90 年代"水保法"计算结果又小于"水文法"结果；"水文法"计算结果依时序呈明显的上升趋势且有一定波动，而"水保法"计算结果各年代呈波动下降趋势。通过对比分析，"水保法"计算结果较为合理。

表 7-28　渭河流域"水文法"与"水保法"计算结果对比

时段(年)	减水量(亿 m^3)				减沙量(亿 t)			
	水文法	水保法	差值	%	水文法	水保法	差值	%
1970～1979	27.39	23.74	－3.65	－15.4	0.318	0.505 6	0.187 6	37.1
1980～1989	12.87	25.17	12.30	48.9	0.850	0.456 8	－0.393 2	－86.1
1990～1996	25.71	28.48	3.31	11.6	0.800	0.463 0	－0.337 0	－72.8
1970～1996	21.58	25.50	3.92	15.4	0.640	0.476 5	－0.163 5	－34.3

三、90 年代水沙变化成果分析

分析渭河流域 90 年代(1990～1996 年)水利水土保持措施的减水减沙作用是本项研究富有创新性的工作。实测资料表明，渭河流域 50～60 年代、70 年代、80 年代、90 年代年均降水量分别为 640.1 mm、613.7 mm、623.7 mm、537.0 mm；年均径流量分别为 77.25 亿 m^3、46.31 亿 m^3、65.11 亿 m^3、32.39 亿 m^3；年均输沙量分别为 1.85 亿 t、1.37 亿 t、1.05 亿 t 和 0.54 亿 t。降水、径流、泥沙总的变化趋势是由大变小：50～60 年代最大，90 年代最小；各年代年均降水量呈波动递减趋势，年均径流量亦呈波动递减趋势，年均输沙量则呈明显的递减变化趋势。

(一)减水减沙作用分析

1."水文法"计算成果分析

渭河华县水文站以上 90 年代综合治理年均减水量 25.71 亿 m^3，减水作用为 44.3%，其中年均减洪量 12.37 亿 m^3；年均减沙量 8 000 万 t，减沙作用为 59.7%。

渭河上游 90 年代综合治理年均减水量 4.481 亿 m^3，减水作用为 34.7%，其中年均减洪量 2.080 亿 m^3;年均减沙量 5 820 万 t,减沙作用为 48.1%。

渭河中游 90 年代综合治理年均减水量 7.189 亿 m^3,其中年均减洪量 4.488 亿 m^3;年均减沙量 886 万 t。

渭河下游 90 年代综合治理年均减水量 14.04 亿 m^3,其中年均减洪量 5.802 亿 m^3;年均减沙量 1 290 万 t。

2."水保法"计算成果分析

渭河华县水文站以上流域 90 年代水利水土保持措施年均减水量 28.48 亿 m^3,减水作用为 47.7%,其中年均减洪量 9.191 亿 m^3;年均减沙量 4 630 万 t,减沙作用为 35.8%。

渭河上游 90 年代水利水土保持措施年均减水量 2.958 亿 m^3,其中年均减洪量 1.399 1 亿 m^3,年均减沙量 2 320 万 t。

渭河中游 90 年代水利水土保持措施年均减水量 0.783 9 亿 m^3,其中年均减洪量 0.339 6亿 m^3;年均减沙量 144 万 t。

渭河下游 90 年代水利水土保持措施年均减水量 24.73 亿 m^3,减水作用为 53.9%,其中年均减洪量 7.452 亿 m^3;年均减沙量 2 170 万 t。

由以上分析结果不难看出,90 年代渭河流域水利水土保持措施减水减沙作用比较明显。"水保法"计算的减水量大于"水文法"计算结果,其主要原因是 90 年代属枯水年代,各项水利措施减水量明显增加,尤其是农业灌溉用水量猛增。据分析,90 年代渭河流域灌溉用水量较 80 年代增加了 12.1%,较 70 年代增加了 15.1%。因此,"水保法"计算结果比较合理,符合流域实际情况,而"水文法"计算结果偏小。

90 年代渭河流域"水文法"计算的减沙量大于"水保法"计算结果,这是因为"水保法"计算的减沙量是流域内主要水利水土保持措施的减沙量之和,在水利措施中农业灌溉的引水量很大,而引沙量则很小。"水文法"是根据流域出口处的实测资料计算的,其减沙量包括流域内所有能对泥沙起影响作用的下垫面因素。因此,"水文法"计算的减水量比"水保法"结果小,减沙量比"水保法"结果大是合理的。

用"水文法"计算的渭河南河川至林家村区间的减水减沙量远大于"水保法"计算结果,原因是"水文法"计算结果中包括宝鸡峡灌区的引水引沙量,而"水保法"计算结果中不包括此项。

(二)水沙变化原因分析

从实测值看,渭河流域 90 年代的降雨、径流、输沙量较 80 年代分别减少了 13.9%、50.3%和 48.6%,较 70 年代分别减少了 12.5%、30.1%和 60.6%。可见,90 年代水量、沙量都较小,属枯水少沙期。

(1)降雨影响:受降雨和人类活动的综合影响,90 年代渭河流域年均减水量 49.92 亿 m^3,其中,降水和人类活动作用分别占 48.5%和 51.5%;年均减沙量 14 000 万 t,其中降雨和人类活动作用分别占 42.9%和 57.1%。可以看出,对年均减水量而言,90 年代降雨影响和人类活动作用各占一半;对年均减沙量而言,90 年代人类活动影响居于主导地位,降雨影响居于次要地位。

(2)人类活动影响:由以上分析可知,渭河流域 90 年代人类活动影响只占减水总量的 50%左右,占到减沙总量的 57%,比 80 年代有明显下降。虽然 90 年代各项水利水土保持措施的数量有所增加,但质量有所下降,致使减水减沙作用降低。据调查,渭河流域内各项水利水土保持治理措施大部分是70年代及其以前实施的,80年代是各项措施发挥效益的最佳时期(80年代人类活动影响分别占减水减沙总量的74.8%和95.5%)。进入90年代,经过多年运行,水利水土保持措施的质量普遍下降,拦蓄洪水的能力大大降低。例如,流域内的梯田大部分是老式梯田,其有埂率不到70%;水库的淤损率已达到30%~50%,一旦遇到大暴雨,随时都有毁田、垮坝的可能,引起增洪增沙。此外,进入90年代后,随着国民经济和社会的快速发展,加之人们更重视经济效益、缺乏水土保持意识,造成新的水土流失愈演愈烈,致使大量的弃土、弃石、废渣等随洪水流入河道,造成沙量增加、河道淤积。据分析,渭河流域90年代人为增洪量较80年代年均增加28.7万 m^3,人为增沙量年均增加125.5万t。可见人为造成的水土流失增长速度较快。

四、渭河流域近期冲淤变化分析

1974年以来,渭河下游河道呈现累积性淤积的态势,1991年以后淤积更为严重。淤积导致河床抬高,河槽萎缩,过洪能力明显下降。根据程龙渊等人的研究[10],三门峡库区渭河库段冲淤变化情况是:当以渭河来水为主,且林家村以上来水占40%以上时,渭河下游多为淤积;林家村以上与泾河张家山同时来水,同样发生淤积;以泾河来水为主时,一般主槽大水冲刷、小水淤积。张家山洪峰平均流量为800 m^3/s 左右时,泾河口至华阴河段冲淤基本平衡;大于800 m^3/s 则发生冲刷,流量越大冲刷越多;小于800 m^3/s 则发生淤积。

本次研究"水保法"结果表明,70、80、90年代渭河全流域河道年均冲淤量分别为2 490万t、1 930万t和3 170万t,呈持续淤积状态,90年代最为严重,淤积量明显增大。从淤积量的沿程分布来看,林家村至咸阳河段最为严重,各年代淤积量分别为1 455万t、1 840万t和1 780万t,分别占全流域淤积总量的58.4%、95.3%和56.2%;咸阳至华县河段次之,各年代淤积量分别为699万t、364万t和1 370万t,分别占全流域淤积总量的28.1%、18.9%和43.2%,90年代淤积量剧增。

王平等人[11]对近期渭河下游冲淤变化的成因分析研究表明,1991年以来渭河下游来水锐减是河道淤积的主要原因。汛期水量60亿 m^3、来沙系数0.1 $kg\cdot s/m^6$,基本为渭河下游冲淤的临界值。汛期水量大于60亿 m^3、来沙系数小于0.1 $kg\cdot s/m^6$,河道多为冲刷;反之,多为淤积。汛期洪水是引起渭河下游冲淤变化的主要因素;中、高含沙量洪水排沙比多小于100%,造成河槽淤积。尤其是1991年以来持续枯水、平均流量小于500 m^3/s 的高含沙小洪水频繁出现,是近期河槽淤积萎缩、平滩流量减小的主要原因。

五、渭河流域2003年下游洪水研究成果简介

2003年8月下旬至10月中旬,渭河流域遭遇多年不遇的"华西秋雨",渭河下游连续出现6场洪水,由此形成了2003年渭河下游来水来沙和河道冲淤演变与近期显著不同的特点。黄河水利科学研究院侯素珍、王平等人经过研究,对渭河流域2003年下游洪水提出了如下几点认识[12]:

(1)2003年洪水历时长,来水量大。华县站洪水总量为55.36亿 m^3,总沙量2.22亿t,

分别占华县水文站汛期水沙量的73.8%和75.5%。洪水水量主要来自咸阳水文站以上干流，为28.98亿 m^3，占华县水文站洪水总量的52.3%；沙量主要来自泾河张家山水文站以上，为1.36亿t，占华县水文站洪沙总量的61.3%。华县水文站平均含沙量40 kg/m^3，属于中水少沙年份。

(2)受水沙条件的影响，近年来渭河下游河床淤积抬升加剧，河槽萎缩严重，平滩流量急剧减小。2003年洪水期咸阳、临潼、华县等主要水文站点的洪水位在洪峰并非是有实测资料以来最大的情况下达到最高。洪水大面积漫滩，洪水传播时间及削峰率均为有实测资料以来历史最大。

(3)下游全河段汛期共冲刷泥沙0.169 3亿 m^3，其中河槽冲刷1.011 8亿 m^3，滩地淤积0.824 5亿 m^3，为典型的淤滩刷槽。滩地普遍淤高，河槽普遍拓宽，槽深增加，过流面积增大。汛后华县站平滩流量增大到2 300 m^3/s。

(4)根据对汛期渭河下游冲淤量与水沙条件关系的分析，可以认为汛期华县水文站来水量约超过60亿 m^3、来沙系数小于0.1 $kg \cdot s/m^6$ 时，可望使渭河下游河道不淤或发生冲刷。

六、渭河流域生态需水量分析

作为黄河最大支流的渭河，是陕西关中地区的生命河，在黄河流域治理开发中占有重要地位，在区域经济发展和西部大开发中也具有重要作用和战略意义。渭河生态环境的健康发展直接影响着关中地区社会经济发展的兴衰，关系着关中地区社会经济的可持续发展和小康社会的全面建设。渭河流域主要的生态环境问题是：近年来入境水量锐减，造成河道干涸、地下水超采、水质污染严重，下游淤积严重，洪涝灾害频繁。渭河流域生态环境需水量应保障现状生态环境总体状况不再恶化，生态环境面临重大危机的局部地区有所改善为基本前提。因此，在进行渭河流域水资源配置时，必须体现生态环境用水优先的原则。根据有关研究成果，防止渭河河道淤积的生态需水量约为65亿 m^3/a，相当于通过华县断面的年平均流量为 $207m^3/s$[13]。

近年来，宋进喜[14]等从河流基本生态环境需水量、自净需水量及输沙需水量等三方面对渭河生态环境需水量进行了较为深入的研究和定量计算。研究认为，渭河生态环境需水量的大小主要由自净需水量和输沙需水量决定。在现状排污下，汛期生态环境需水量主要体现在输沙需水量，非汛期生态环境需水量主要体现在自净需水量；在达标排污下，枯水年非汛期，生态环境需水量则主要体现在自净需水量，而丰、平水年汛期和非汛期以及枯水年的汛期，生态环境需水量主要体现在输沙需水量。如以平水年($P=50\%$典型年)来评估，自净需水量以达标排污计，渭河林家村、魏家堡、咸阳、临潼、华县各断面生态环境需水量分别为16.05亿 m^3/a、37.10亿 m^3/a、59.21亿 m^3/a、86.61亿 m^3/a 和90.04亿 m^3/a。

参考以上研究成果，根据本次研究确定的渭河流域1970~1996年各单项水土保持措施(指梯田、林地、草地、坝地)减水指标(等于单项措施减水量/单项措施保存面积)，结合2004年黄河水利委员会编制的《渭河流域近期重点治理规划》中确定的2010年、2030年渭河流域各单项水土保持措施实施面积，计算出各单项水土保持措施耗水量，再考虑流域自净需水量和输沙需水量,得到渭河流域生态需水量约为 85 亿 m^3/a,相当于通过华县断面的年平均流量约为 260 m^3/s。

七、关于渭河流域近期治理

(1)渭河是黄河的第一大支流,涉及陕、甘、宁三省(区),从西向东横贯美丽富饶的关中平原,被誉为陕西的"母亲河",是西部大开发的重要区域,在黄河治理开发中占有重要地位。随着经济社会的快速发展,渭河流域水资源短缺、水环境污染、水土流失、下游河道淤积导致防洪压力增大等问题日益突出,造成了"上游水少、中游水黑、下游淤积"的不利局面。当前,渭河流域几乎是以超采地下水、减少冲沙水、牺牲生态水为代价来换取发展的。从 1960 年 5 月至 2002 年 10 月的 42 年间,黄河三门峡库区的渭河、北洛河库段共淤积泥沙 16.72 亿 m^3,占三门峡水库全部淤积量的 23.5%。自 1994 年以来,渭河来水来沙条件发生了明显变化:咸阳站出现了连续枯水年份,尤其是汛期水量明显偏枯,无较大洪水发生;华县站较大洪水主要来自于泾河,尤以支流马莲河洪水居多,含沙量大。渭河来水来沙条件的变化,使得渭河下游频繁发生高含沙中小洪水过程,水流挟沙能力降低,造床作用减弱,泾河洪水所挟带的泥沙在渭河下游河道中大量淤积,致使河床逐年抬高,下游河道萎缩严重。2003 年 8 月 26 日至 10 月 13 日,渭河连续发生了 6 次洪水过程,造成堤防多处溃口,直接经济损失近 28 亿元。

(2)渭河流域的治理应按照科学发展观的要求,遵循全面规划、统筹兼顾、标本兼治、综合治理的原则进行。尤其要加强以多沙粗沙区为重点的水土保持生态建设,加大水污染治理力度,加强南山支流治理和水源保护;研究确定生态需水量,协调好生活、生产和生态用水,努力改善渭河流域的生态环境。

(3)要通过多种措施降低潼关高程。潼关高程上升的根本原因是泥沙淤积。在黄河小北干流(即禹门口至潼关河段)实行放淤是降低潼关高程的好办法。由于潼关高程的变化与上游来水来沙条件和三门峡水库运用方式关系密切:来自渭河的高含沙大洪水会使潼关高程大幅度下降;来自渭河的若是高含沙小洪水,则潼关高程上升。因此,大力加强泾河和北洛河流域的水土保持综合治理工作,努力减少渭河下游高含沙小洪水发生的机会,是减轻渭河下游河道淤积、降低潼关高程的治本之举。泾河、北洛河、渭河流域的水土保持综合治理应该是一个有机结合的整体,三大流域"联动"方可大见成效。

(4)实施《渭河流域近期重点治理规划》。由黄河水利委员会组织编制的《渭河流域近期重点治理规划》,于 2004 年 3 月 18 日在北京通过了水利部组织的专家委员会的审查。2005 年 12 月 16 日,国务院批复了《渭河流域近期重点治理规划》(以下简称《规划》)。《规划》项目总投资 229 亿元,其中涉及陕西省投资 160 亿元。

《规划》确定渭河近期重点治理的目标是:通过防洪工程建设、跨流域调水、节水、水污染防治、水土保持生态建设的重点治理,利用 10 年左右时间初步建成渭河流域防洪减淤体系,确保重点河段和地区的防洪安全,缓解水资源短缺状况,改善渭河干流及支流水质,遏制人为造成新的水土流失。

(5)《规划》的主要内容有以下三方面:

一是水资源配置与保护建设项目,主要包括灌区节水改造、污水回用、外流域调水、雨水利用与城乡供水水源和水资源保护等工程。通过实施陕西省内南水北调项目缓解关中地区水资源短缺问题,保证渭河河道内生态环境低限用水。通过节水改造,使陕西省大中型灌区灌溉水利用系数由现状的0.4提高到0.6以上,工业用水重复利用率由现状的40%提高到70%~80%,工业万元产值综合取水量降至35 m^3,新建住宅节水器具普及率达到100%。水资源保护重点是加强工业污染源治理,建设城市污水处理厂,严格控制污染物排放总量,同时建设渭河沿线西安、宝鸡、咸阳、铜川、渭南等地区垃圾处理项目。通过这些防污治污措施,使渭河干流水环境有较大改观,基本消除Ⅴ类和超Ⅴ类水质。

二是防洪工程项目,主要包括降低潼关高程、北洛河改道直接入黄等减少渭河下游河道淤积措施和渭河下游干流堤防、南山支流堤防、三门峡库区移民安全建设、排水除涝、东庄水库等项目。

三是水土保持项目,主要包括骨干坝与淤地坝建设、水土保持林、基本农田、人工种草、生态修复和预防监督监测网络建设,实施后将使流域内植被增加,减少土壤面蚀,使渭河流域的生态环境得到有效改善。

(6)关于《规划》的实施,国务院要求要立足当前,着眼长远,突出重点,合理安排,加强管理。近期要把渭河下游防洪减淤体系作为治理重点,同时,坚持节流与开源并举,加大节水和治污的力度,把解决渭河流域水资源不足和水污染问题放到突出位置。加快水价改革步伐,建立合理的水价形成机制,实行水资源统一管理。切实加强流域水土保持生态建设,加快淤地坝建设,充分发挥生态系统的自我修复能力,进一步加大水土保持监督执法力度。要切实做好水资源防治和水污染防治工作,加强对入河污染物排放总量的控制和断面水质监测,加大监督管理力度。涉及的建设项目,要积极做好前期工作,按照建设程序报批,并区分轻重缓急,优先启动重点项目。工程项目建设,要严格实行项目法人制、招标投标制和工程建设监理制等,加强资金管理,确保工程质量。

《渭河流域近期重点治理规划》通过国务院审批并于2006年开始启动实施,在渭河流域治理历史上具有里程碑意义。《规划》的实施,对加快渭河流域及其相关地区经济社会发展,促进西部大开发战略实施,具有十分重要的意义。该《规划》将是渭河流域近期治理的纲领性文件,必须不折不扣地坚决贯彻执行。

第五节　结论与认识

一、主要结论

(1)渭河流域多年平均(1954~1996年)降水量613.4 mm,多年平均径流量59.93亿m^3,多年平均输沙量1.339亿t。

(2)渭河流域1970年以前水沙变化很小,从1970年开始呈明显的递减趋势。

(3)截至1996年底,全流域累计修梯田52.85万hm^2,造林75.66万hm^2,种草20.54万hm^2,淤成坝地0.323 3万hm^2;建成百万立方米以上水库151座,总库容15.39亿m^3。

(4)经用"水文法"分析,渭河流域1970~1996年年均减水量32.65亿m^3,其中降水影响和人类活动作用分别占33.9%和66.1%;年均减沙量9 040万t,其中降水影响和人类活动作用分别占29.2%和70.8%。

(5)经用“水保法”分析，渭河流域1970~1996年年均减水量25.50亿m^3，其中减少洪量8.23亿m^3。在减少的水量中，水利措施减少23.30亿m^3，水土保持措施减少1.09亿m^3；年均减沙量4 765万t，其中减少洪沙3 964万t。在减少的沙量中，水利措施减少3 324万t，水土保持措施减少2 184万t。

二、研究成果评价

(一)“水文法”研究成果评价

“水文法”是以流域实测水文泥沙资料为依据进行水沙变化的分析计算，其结果具有一定的可靠性。

本次研究“水文法”分析计算共采用了三种方法。“不同系列对比法”和“双累积曲线法”分析结果反映的是流域综合治理和降雨变化的共同影响。“经验公式法”是以流域治理前的降水与径流、输沙量建立相关关系，然后将流域治理后的降水量代入公式中推算出径流量和输沙量，用计算值与实测值比较得出水沙变化量，其结果反映的是流域内下垫面因素对径流、泥沙的影响量。

由于在“水文法”分析中采用了多种方法相互验证，并在建立降雨产流产沙数学模型时对基准期的降雨资料全部进行了系列化处理；对主要干流站治理前的径流泥沙资料进行了还原计算，因此本次研究的分析成果比较合理、可靠。

(二)“水保法”研究成果评价

“水保法”属成因分析法的范畴，侧重于对各项水利水土保持措施减水减沙作用的剖析，其分析结果可信度较高。

本次研究中采用了1990年土地详查和1996年土地变更调查资料，并采取典型抽样调查方法核实了渭河流域水土保持措施保存面积，其准确程度较以往研究有很大提高。在水土保持坡面措施减水减沙作用计算中，采用了“以洪算沙”的分析方法，注重了坡面与沟道、洪水与泥沙的有机联系；对淤地坝分为淤平坝地和正在拦洪时期坝地两部分，分别计算其减洪量，并计算了淤地坝的减蚀量；水库、灌溉减水减沙量的计算分为减洪水与减常水、减洪沙与减常沙两部分。此外，还考虑了渭河流域工业、生活用水和人为增洪对河川径流变化的影响。因此，本次研究所取得的成果比较符合实际。

三、几点认识

(1)渭河流域面积大，下垫面情况错综复杂，其水沙情况受多种因素影响，千变万化。本次研究采取“水文法”和“水保法”两种方法，以“水保法”研究为重点。在技术路线上注重实际调查和核实基本资料，突出宏观综合分析和重点剖析；在研究方法上较以往研究有较大的改进和提高，研究结论具有一定的可靠性，为渭河流域水沙变化和水土保持措施减水减沙作用研究提供了说服力较强的论证资料，各种数据可作为决策部门的科学依据。

(2)在水土保持坡面措施减水减沙作用计算中，采用了“以洪算沙”的计算方法。“以洪算沙”是以流域水沙规律为依据，以成因分析为基础，强调洪水与泥沙、坡面与沟道的有机联系。该方法的核心是以流域内的水土保持径流小区观测资料为依据，建立坡面措施减洪指标体系;流域治理前的洪沙关系是以实测水文资料通过回归分析建立的。因此,"以洪算沙法"属统计 - 成因模型,有互补优势,可控性强,研究前景广阔。和"水文法"比较,技术路线互相平行,分析结果独立,对于提高计算精度具有重要意义。

(3)无论是"水文法"还是"水保法"都存在一些问题。

在"水文法"方面,首先由于建立模型所依据的基准期降雨资料站年较少,其精度偏低,代表性欠佳,虽经插补展延,但插补和展延本身还存在误差,这些误差必然会带到计算结果中;其次,对暴雨产流产沙研究不够,还有待进一步深化研究。

在"水保法"方面,主要是水土保持措施的数量、质量等多为统计、调查资料,难免掺杂人为因素的干扰,很难做到准确无误;人为增洪增沙的负效益问题,虽然作了一些探讨研究,但仍因资料所限,准确估算尚嫌不足。

(4)在今后的研究中,首先要加强基础研究,尤其要在水土保持径流小区观测项目和内容上针对流域水沙变化中出现的新情况、新问题等尽量补充、完善;其次,要重视水沙变化基本规律的研究,特别要注重暴雨产流产沙规律的研究。

参考文献与资料

[1] 蔺生睿,张遂业．黄河·上游·水沙．郑州:黄河水利出版社,1999

[2] 汪岗,范昭．黄河水沙变化研究(第2卷).郑州:黄河水利出版社,2002

[3] 张胜利,等．黄河中游多沙粗沙区水沙变化原因及发展趋势．郑州:黄河水利出版社,1998

[4] 冉大川,柳林旺,赵力仪,等．黄河中游河口镇至龙门区间水土保持与水沙变化．郑州:黄河水利出版社,2000

[5] 孟庆枚．黄土高原水土保持(黄河水利科学技术丛书).郑州:黄河水利出版社,1996

[6] 唐克丽．黄河流域的侵蚀与径流泥沙变化．北京:中国科学技术出版社,1993

[7] 张胜利,于一鸣,姚文艺．水土保持减水减沙效益计算方法．北京:中国环境科学出版社,1994

[8] 熊维新,等．渭河流域水利水土保持措施减水减沙效益初步分析．人民黄河,1992(7)

[9] 张仁,程秀文,熊贵枢,等．拦减粗泥沙对黄河河道冲淤变化影响．郑州:黄河水利出版社,1998

[10] 程龙渊,刘栓明,肖俊法,等．三门峡库区水文泥沙实验研究(第1版).郑州:黄河水利出版社,1999

[11] 王平,侯素珍,李萍．近期渭河下游冲淤变化及成因分析．见:第六届全国泥沙基本理论研究学术讨论会论文集(第1卷).郑州:黄河水利出版社,2005

[12] 黄河水利科学研究院.2003黄河河情咨询报告．郑州:黄河水利出版社,2005

[13] "水资源"课题组.西北地区水资源及其供需发展趋势分析．中国水利,2003(5)(A刊)

[14] 宋进喜,李怀恩．渭河生态环境需水量研究．北京:中国水利水电出版社,2004

[15] 于一鸣．黄河中游多沙粗沙区水土保持减水减沙效益及水沙变化趋势研究．黄河流域水土保持科研基金第四攻关课题组,1993

[16] 黄河水利委员会天水水土保持科学试验站．渭河流域水利水土保持措施减水减沙效益分析研究和预测.1991

第八章　北洛河流域水土保持措施减洪减沙作用研究

第一节　流域概况

一、水系分布

北洛河是渭河的第二大支流，发源于陕西省定边县的白于山，流经陕西省榆林市的定边、靖边县，延安市的吴旗、志丹、甘泉、富县、洛川、黄龙、黄陵县，铜川市及宜君县，渭南市的白水、澄城、蒲城、大荔、合阳县以及中游支流葫芦河上游伸入的甘肃省华池、合水两县，于大荔县东南注入渭河。北洛河全长 680 km，河源海拔高程 1 785 m，河口高程 325 m，总落差 1 460 m；平均比降 1.52‰，流域面积 26 905 km^2。流域出口水文控制站为洑头水文站，集水面积 25 154 km^2，占流域面积的 93.5%。

北洛河从河源至甘泉为上游，河长 275 km，比降 1.6‰；甘泉至白水河口为中游，河长 251 km，比降 1.2‰；白水河至河口为下游，河长 154 km，比降 0.8‰。上中游河道大部分流经峡谷，谷底宽 200～300 m；下游河道两岸地势平坦，河道弯曲，河岸崩塌变动较为频繁[1]。北洛河流域面积大于 1 000 km^2 的较大支流有 3 条，即葫芦河、沮河和周水河。流域横跨黄土丘陵沟壑区、黄土高塬沟壑区、黄土丘陵林区、黄土阶地区和冲积平原区等五个水土流失类型区。其中黄土丘陵林区面积最大，达 10 542 km^2，占流域面积的 39.2%，著名的子午岭林区和黄龙山林区较大部分均在北洛河流域内，此外，还有桥山、崂山林区。黄土丘陵沟壑区面积 6 755 km^2，占流域面积的 25.1%，该区沟壑密度大，地形破碎，土质疏松，沟蚀、重力侵蚀活跃，是北洛河流域的主要产沙区，年土壤侵蚀模数在 10 000 t/(km^2·a)以上；高塬沟壑区土壤侵蚀程度居中，其余类型区较轻微[2]。北洛河流域水系图见图 8-1。

二、土壤类型及分布[3]

北洛河流域土壤类型主要有黄绵土、灰褐土和黑垆土等三类。其中，黄绵土主要分布在侵蚀严重的梁峁、沟坡、掌湾和塬边，其土壤特征是在黄土母质上发育的耕作土壤，土壤侵蚀严重，土壤熟化程度低，常处于发育—侵蚀—发育的循环过程中，没有明显的剖面发育层次，其基本性状仍接近母质的特性。由于黄绵土直接发育于黄土母质上，土壤剖面只有耕作层与母质层之分。有机质含量一般低于 1%，抗蚀性差，湿陷性大，容易受流水侵蚀，土力瘠薄。

灰褐土主要分布在流域的中上游，成土母质为岩石风化物或黄土，是在中性或碱性森林灌丛环境下由腐殖质积累过程、弱黏化过程、石灰淋溶与淀积过程共同作用下形成的。剖面层次分化明显,由凋落物层、腐殖质层、黏化层和母质层构成,腐殖质层有机物含量高达5.5%~7.5%,氮的含量为0.22%~0.38%;剖面中部黏化现象显著,黏粒含量在15%~20%之间,较上层和下层都高;剖面上部呈中性反应,下部呈微碱性反应。

图 8-1 北洛河流域水系图

黑垆土主要分布在黄土丘陵及残塬和风蚀残丘处,质地轻壤,疏松通透性好,保水保肥。其剖面层次明显,腐殖质层深厚,一般在 34~70 cm,肥力高,耕性好,适种性广,是良好的耕作土壤。

三、植被及分布[3]

北洛河流域的植被由于有子午岭林区、黄龙山林区、桥山林区和崂山林区的存在,类型较多。其中沙芦草、甘草、蒿类草原主要分布在河源地带,草原成分以羽茅属和蒿类为主。羽茅草原有本氏羽茅、蒙古羽茅、戈壁羽茅等;蒿类有铁杆蒿、茭蒿、蒙古蒿等,其间伴生有甘草。其他如鹅冠草、沙芦草、野苜蓿、达乌里胡枝子、泡泡刺等亦常见。

桦、杨、辽东栎阔叶林及灌丛草地主要分布在流域上游和中游两侧的石质山地和黄土丘陵区,多属次生阔叶林,以山杨、桦木林为主。小片侧柏林多分布于阳面陡坡;油松林多呈小片散生;虎榛子、沙棘等灌丛和草地分布面积大,生长状况良好。

桦、杨、栎阔叶林和油松针叶林及灌丛草地主要分布在上中游地区,成片油松林主要分布在海拔较高的地方,生长茂盛。山杨、桦木、辽东栎阔叶林面积大,尚有小片侧柏林分布于向阳陡坡;虎榛子、沙棘、荆条、酸枣灌丛和草地分布面积大,生长茂盛。

在流域上游的黄土丘陵沟壑区,植被类型有虎榛子、绣线菊灌丛。植被特征为:在沟谷和梁峁坡常见虎榛子、狼牙刺、三桠绣线菊、绒毛绣线菊、沙棘、黄刺玫、胡枝子等灌丛。

在流域上游和中游地区林区外缘的黄土丘陵沟壑区,残存有虎榛子、沙棘、狼牙刺灌丛的铁杆蒿、黄白草和马牙草草原。植被特征基本上是铁杆蒿、黄白草、马牙草草原。在沟谷和梁峁的阴坡,常见虎榛子、丁香、柔毛绣线菊、胡颓子、本氏马棘、毛樱桃、卫矛、忍冬等灌木,以及蛇葡萄、蝙蝠藤等藤本植物。沟道中多芦苇、香蒲、泽泻等草类;沟道两侧间有苦参、鹅冠草、翻白草、委陵菜、地榆、茵陈蒿、茭蒿等。在流域中游的黄土丘陵沟壑区,植被类型主要是残存有荆条、酸枣灌丛的黄白草草地。在阳坡多黄白草群丛,杂有茵陈蒿、闭穗等;在阴坡常见铁杆蒿。阳坡灌木常为荆条、酸枣、狼牙刺等;阴坡有时可见沙棘、虎榛子等。

在流域中下游残存有丁香、虎榛子、扁核木的本氏羽茅、黄白草、马牙草、达乌里胡枝子草原,基本上为本氏羽茅、黄白草、马牙草和达乌里胡枝子草原。沟谷陡坡有时可见紫丁香、虎榛子、扁核木、杠柳、三桠绣线菊等灌丛,临近山地的边缘地带灌丛更为常见。除上述种类外,如南蛇藤、小叶悬钩子、酸枣、文冠果、本氏马棘、枸杞、狼牙刺、白茇梢、荆条、小叶鼠李等也常见。

第二节　水沙基本特性

北洛河流域从20世纪50年代开始,先后在干支流河道上布设了金佛坪、志丹、刘家河、交口河、张村驿、黄陵、洑头等7个水文站,其中刘家河水文站以上主要为黄土丘陵沟壑区,植被稀少,水土流失严重,控制面积7 325 km^2,占洑头以上控制面积的29.1%,其来水量占洑头以上来水量的29.4%,而来沙量却占到87.7%;张村驿以上的黄土丘陵林区,控制面积4 715 km^2,占洑头以上控制面积的18.7%,来水量占洑头以上来水量的13.6%,来沙量只占1.1%;刘家河、张村驿至洑头区间的来水量占洑头以上来水量的57.0%,来沙量占11.2%。因此,北洛河流域的泥沙主要来源于刘家河以上的黄土丘陵沟壑区,而水量则主要来源于刘家河测站以下的黄土丘陵林区及其他区域,水沙异源。本次研究在分析北洛河流域的水沙变化时,以刘家河、张村驿及洑头三站的资料为主。

一、降雨、径流、泥沙特性

北洛河流域属半干旱气候区,多年平均(1954~1996年)降雨量514.2 mm,流域降雨主要有以下特征:

(1)降雨量时空分布不均,由南向北逐渐减小。北洛河流域降雨量的地区分布,以子午岭林区为最大,张村驿水文站以上多年平均降雨量为539.8 mm,北部黄土丘陵沟壑区多年平均降雨量为434.8 mm,二者相差105.0 mm。

(2)年际变化大。北洛河流域最大年降雨量797.6 mm(1958年),最小年降雨量320.2

mm(1995 年),二者相差 2.5 倍。

(3)降雨量年内的分配高度集中。汛期(5~9 月)降雨量 391.9 mm,占年降雨量的 76.2%。

(4)暴雨多。暴雨最明显的特征是历时短,强度大。短历时、高强度的暴雨是造成北洛河流域严重水土流失的主要原因。

北洛河流域降雨特征值统计见表 8-1。

表 8-1　　北洛河流域降雨特征值统计

区域	面积		时段(年)	年降雨量		汛降雨量		
	km^2	占洑头水文站以上(%)		均值(mm)	占基准期比值(%)	均值(mm)	占年值(%)	占基准期比值(%)
刘家河水文站以上	7 325	29.1	1954~1969	473.0	100.0	378.9	80.1	100.0
			1970~1979	449.4	95.0	367.0	81.7	96.9
			1980~1989	409.6	86.6	317.8	77.6	83.9
			1990~1996	362.3	76.6	287.5	79.4	75.9
			1954~1996	434.8	91.9	347.0	79.8	91.6
张村驿水文站以上	4715	18.7	1954~1969	557.8	100.0	427.8	76.7	100.0
			1970~1979	509.4	91.3	405.2	79.6	94.7
			1980~1989	544.3	97.6	435.3	80.0	101.8
			1990~1996	535.5	96.0	409.7	76.5	95.8
			1954~1996	539.8	96.8	421.3	78.1	98.5
洑头水文站以上	25 154	100.0	1954~1969	555.4	100.0	402.4	72.4	100.0
			1970~1979	499.4	89.9	395.6	79.2	98.3
			1980~1989	511.0	92.0	407.0	79.6	101.1
			1990~1996	445.8	80.3	341.1	76.5	84.8
			1954~1996	514.2	92.6	391.9	76.2	97.4

注:基准期指 1954~1969 年。

北洛河流域径流量特征值统计见表 8-2。由此可知,洑头水文站多年平均(1954~1996 年)径流量 8.651 5 亿 m^3,其中汛期径流量 5.002 3 亿 m^3,占年径流量的 57.8%,最大年径流量20.15亿 m^3(1964 年),最小年径流量 3.5032 亿 m^3(1995 年),最大最小相差 5.8 倍。流域多年平均洪水量为 3.197 2 亿 m^3,占年径流量的 37.0%,占汛期径流量的 63.9%。由于刘家河水文站以上和张村驿水文站以上分属黄土丘陵沟壑区和黄土丘陵林区,其来水量及洪水量占年径流量的比例相差很大。刘家河水文站多年平均(1959~1996 年)径流量 2.545 6 亿 m^3,占洑头水文站多年平均径流量的 29.4%;多年平均洪水径流量为 1.343 1 亿 m^3,占刘家河水文站年径流量的50.4%。张村驿水文站多年平均(1959~1996 年)径流量 1.178 4 亿 m^3,占洑头水文站多年平均径流量的 13.6%;洪水径流量仅为 0.362 8亿 m^3,占张村驿水文站年径流量的 30.8%。由于子午岭林区森林覆盖率较高,其洪水径流占年径流量的比例明显较小。

表 8-2　　　　　　　　　　北洛河流域径流量特征值统计

控制站	面积 km²	面积 占洑头以上(%)	时段(年)	年径流量 均值(万 m³)	年径流量 占洑头(%)	年径流量 占基准期比值(%)	洪水径流量 均值(万 m³)	洪水径流量 占年值(%)	洪水径流量 占基准期比值(%)	年径流模数(万 m³/km²)
刘家河以上	7 325	29.1	1959～1969	26 990	30.2	100.0	15 681	58.1	100.0	3.68
			1970～1979	24 656	29.5	91.4	12 648	51.3	80.7	3.37
			1980～1989	21 891	23.8	81.1	9 299	42.5	59.3	2.99
			1990～1996	29 282	38.3	108.5	16 919	57.8	107.9	4.00
			1959～1996	25 456	29.4	94.3	13 431	50.4	85.7	3.48
张村驿以上	4 715	18.7	1959～1969	13 506	15.1	100.0	4 136	30.6	100.0	2.86
			1970～1979	9 862	11.8	73.0	2 812	28.5	68.0	2.09
			1980～1989	12 024	13.0	89.0	3 533	29.4	85.4	2.55
			1990～1996	11 478	15.0	85.0	4 133	36.0	99.9	2.43
			1959～1996	11 784	13.6	87.3	3 628	30.8	87.7	2.50
洑头以上	25 154	100.0	1954～1969	89 274	100.0	100.0	33 807	37.9	100.0	3.55
			1970～1979	83 487	100.0	93.5	27 407	32.8	81.1	3.32
			1980～1989	92 150	100.0	103.2	34 094	37.0	100.8	3.66
			1990～1996	76 488	100.0	85.7	31 272	40.9	92.5	3.04
			1954～1996	86 515	100.0	96.9	31 972	37.0	94.6	3.44

北洛河流域输沙量特征值统计见表 8-3。由此可见，洑头站多年平均(1954～1996年)输沙量为 8 654 万 t，最大年输沙量 2.242 8 亿 t(1966 年)，最小年输沙量 0.139 5 亿 t(1955 年)，最大最小相差 16 倍。多年平均洪水输沙量 7 884 万 t，占多年平均输沙量的 91.1%。刘家河测站多年平均(1959～1996 年)输沙量 7 588 万 t，占洑头站多年平均输沙量的87.7%；多年平均洪水输沙量为 7 508 万 t，占刘家河年输沙量的 98.9%。张村驿测站多年平均(1959～1996 年)输沙量只有 99 万 t，仅占洑头站多年平均输沙量的 1.1%。

表 8-3　　　　　　　　　　北洛河流域输沙量特征值统计

控制站	面积 km²	面积 占洑头以上(%)	时段(年)	年输沙量 均值(万 t)	年输沙量 占洑头(%)	年输沙量 占基准期比值(%)	洪水输沙量 均值(万 t)	洪水输沙量 占年值(%)	洪水输沙量 占基准期比值(%)	年输沙模数(万 t/km²)
刘家河以上	7 325	29.1	1959～1969	9 917	99.5	100.0	9 822	99.0	100.0	1.35
			1970～1979	7 386	75.9	74.5	7 362	99.7	75.0	1.01
			1980～1989	4 693	86.7	47.3	4 659	99.3	47.4	0.64
			1990～1996	8 352	95.5	84.2	8 185	97.6	83.3	1.14
			1959～1996	7 588	87.7	76.5	7 508	98.9	76.4	1.04
张村驿以上	4 715	18.7	1959～1969	59	0.6	100.0	56	93.8	100.0	0.01
			1970～1979	67	0.7	113.6	67	99.2	119.6	0.01
			1980～1989	49	0.9	83.1	48	97.6	85.7	0.01
			1990～1996	215	2.5	364.4	213	98.8	380.4	0.05
			1959～1996	99	1.1	167.8	98	97.7	175.0	0.02
洑头以上	25 154	100.0	1954～1969	9 968	100.0	100.0	9 639	96.7	100.0	0.40
			1970～1979	9 725	100.0	97.6	7 917	81.4	82.1	0.39
			1980～1989	5 415	100.0	54.3	4 970	91.8	51.6	0.22
			1990～1996	8 749	100.0	87.8	7 990	91.3	82.9	0.35
			1954～1996	8 654	100.0	86.8	7 884	91.1	81.8	0.34

二、各时期降雨径流泥沙的变化

根据北洛河流域实测降雨资料统计，20世纪50、60年代年均降水量为555.4 mm，70年代为499.4 mm，80年代为511.0 mm，1990～1996年为445.8 mm。50、60年代降水量偏丰，占多年平均降水量的108.0%，70、80年代降水量略小于多年平均值，分别占多年平均降水量的97.1%和99.4%，而1990～1996年的降水量比多年平均值偏小13.3%。从各时期的具体变化来看，70年代与1969年以前相比，年降水量减少了10.1%，汛期降雨量减少了11.7%；80年代与1969年以前相比，年降水量减少了8.0%，汛期降雨量反而增加了1.1%。1990～1996年年降水量、汛期降雨量则分别比1969年以前减少了19.7%和15.2%。虽然从时段平均值来看，1990～1996的年降水量及汛期降雨量较1969年以前减少较多，但降雨集中程度比80年代明显增大并出现了几次较大暴雨。尤其是1994年8月发生在北洛河上游地区的"94.8"暴雨，笼罩面积大，强度高，历时短。暴雨中心吴旗县吴仓堡8月30日6小时降雨量高达214.0 mm，100 mm以上降雨量的笼罩面积达1 966 km^2，刘家河流域发生了有实测资料以来的最大洪水。

从北洛河流域洑头水文站所统计的径流资料来看，50、60年代年均径流量89 274万m^3，70年代83 487万m^3，80年代92 150万m^3，1990～1996年为76 488万m^3，径流量各时期的变化较为复杂。70年代径流量较50、60年代减少了6.5%，80年代径流量因受汛期降雨量增加的影响而增加了3.2%，1990～1996年又减少了14.3%。对于洪水径流量来说，其年代变化趋势与年径流量基本一致，除80年代洪水径流量比50、60年代增加0.8%外，其余两个时段分别减少了18.9%和7.5%。

输沙量各个时期也呈现出明显的变化。据统计，50、60年代北洛河流域年均输沙量为9 968万t，70年代为9 725万t，80年代为5 415万t，1990～1996年为8 749万t。与1969年以前值相比，70、80年代及1990～1996年年均输沙量分别减少了2.4%、45.7%、12.2%；洪水输沙量分别减少了17.9%、48.4%、17.1%。90年代输沙量减幅比80年代明显变小。

北洛河流域年降水、径流、输沙量变化过程线分别见图8-2、图8-3、图8-4。

三、降雨径流关系

北洛河流域洑头水文站长系列(1956～1996年)年、汛期、7～8月降雨与径流关系分别见图8-5～图8-7。从图中可以看出，二者相关关系尚好。随着流域降雨量的增大，径流量增大趋势明显。在三种降雨径流关系中，年降雨径流关系最好。

(1)年降雨径流关系式为：

$$y = 1.898\,6x^{0.492\,4} \tag{8-1}$$

式中：y为流域年平均降雨量，mm；x为年径流量，万m^3；相关系数$R=0.83$。

(2)汛期降雨径流关系式为：

$$y = 0.003\,2x + 228.45 \tag{8-2}$$

式中：y为流域汛期平均降雨量，mm；x为汛期径流量，万m^3；相关系数$R=0.81$。

(3)7、8月降雨径流关系式为：

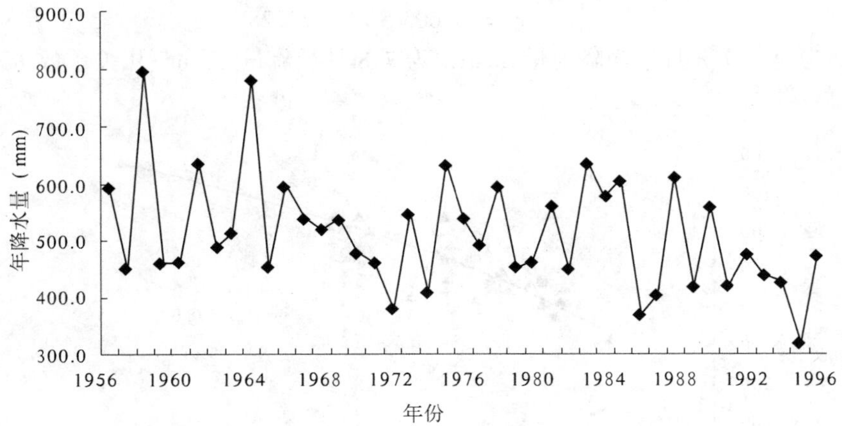

图 8-2　北洛河流域年降水量变化过程线

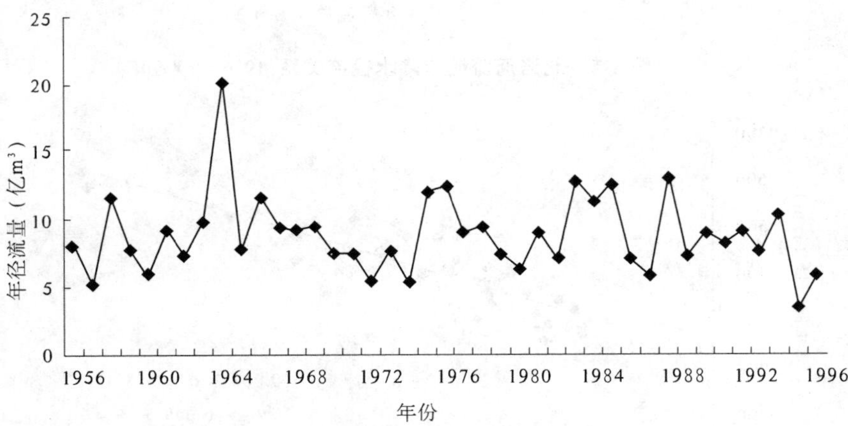

图 8-3　北洛河流域年径流量变化过程线

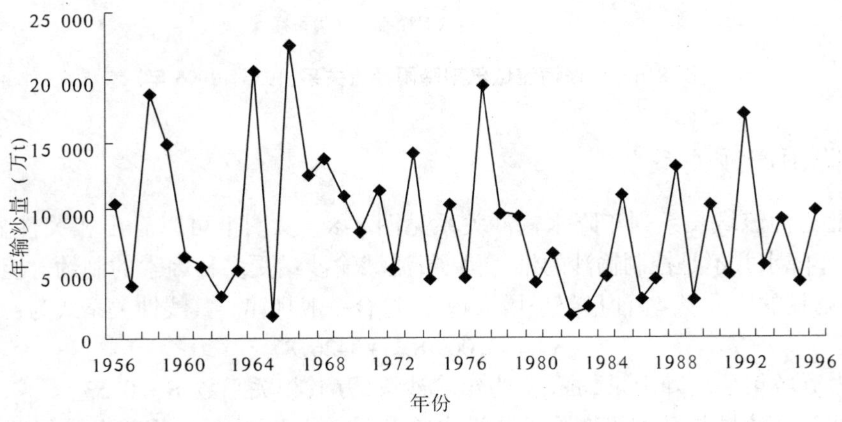

图 8-4　北洛河流域年输沙量变化过程线

$$y = 0.0035x + 122.28 \tag{8-3}$$

式中：y 为流域 7、8 月平均降雨量，mm；x 为 7、8 月径流量，万 m^3；相关系数 $R = 0.77$。

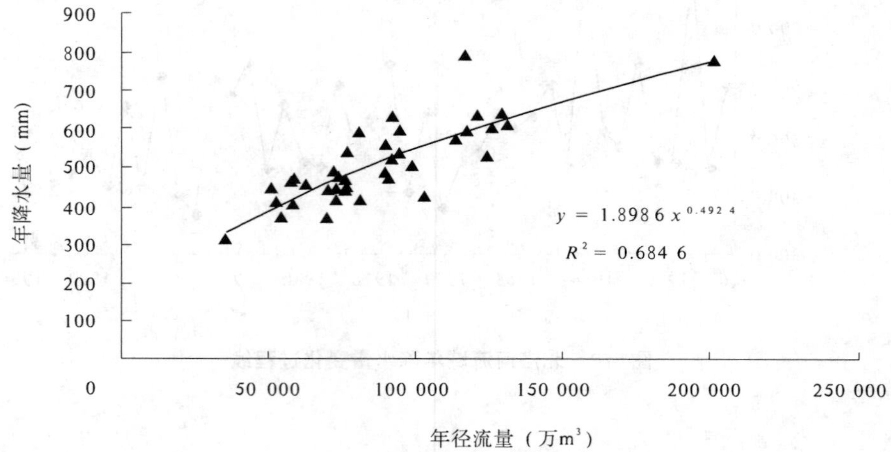

图 8-5　北洛河流域年降水径流关系(1956～1996 年)

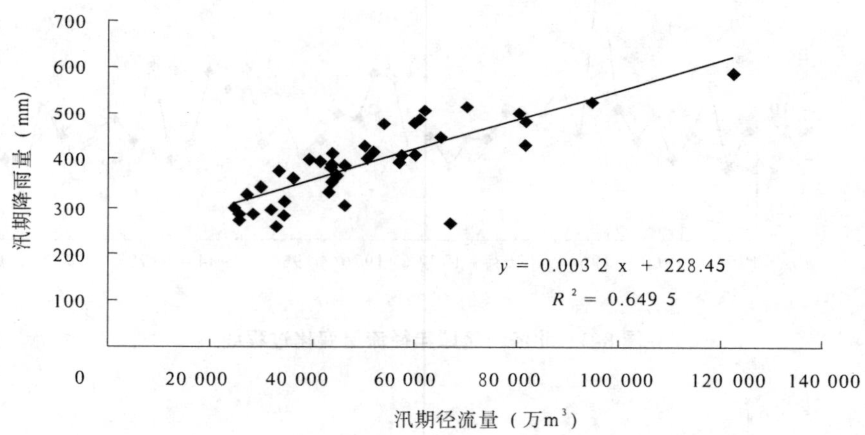

图 8-6　北洛河流域汛期降雨径流关系(1956～1996 年)

四、降雨产沙关系

(1)北洛河流域长系列年降水输沙关系见图 8-8。从图上可以看出相关性显然很差，说明流域年降水并不是控制输沙的惟一因子；流域输沙量受多种因素的制约。但随着流域年平均降雨量的增大，年输沙量仍呈增大趋势，符合一般规律。其线性关系式为：

$$y = 0.0098x + 426.87 \tag{8-4}$$

式中：y 为流域年平均降雨量，mm；x 为年输沙量，万 t；相关系数 $R = 0.53$。

(2)北洛河流域长系列汛期降雨与洪水输沙量关系见图 8-9，相关性也很差。随着流域汛期平均降雨量的增大，洪水输沙量呈增大趋势，符合一般规律。其线性关系式为：

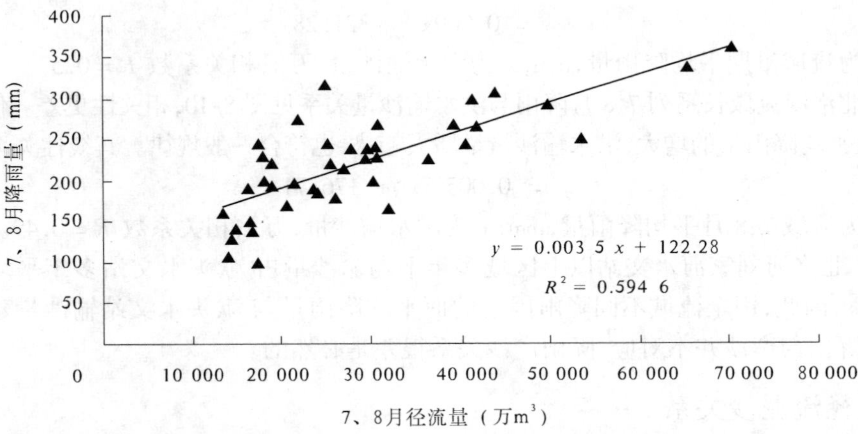

图 8-7　北洛河流域 7、8 月降雨径流关系(1956～1996 年)

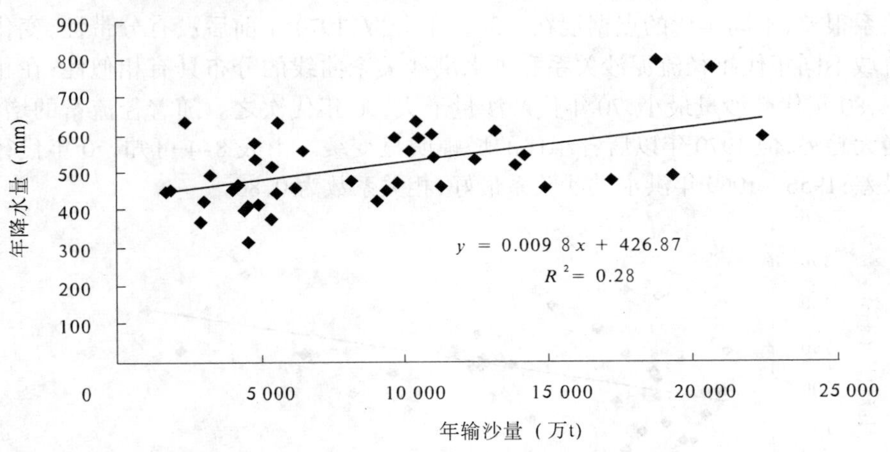

图 8-8　北洛河流域年降水输沙关系(1956～1996 年)

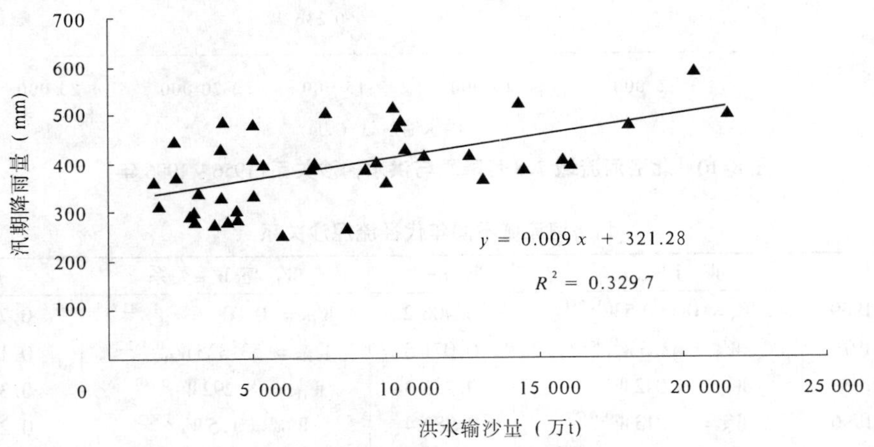

图 8-9　北洛河流域汛期降雨与洪水输沙关系(1956～1996 年)

$$y = 0.009x + 321.28 \tag{8-5}$$

式中：y 为流域汛期平均降雨量，mm；x 为洪水输沙量，万 t；相关系数 $R = 0.57$。

(3)北洛河流域长系列 7、8 月降雨与洪水输沙量关系见图 8-10，相关性更差。但随着流域 7、8 月平均降雨量的增大，洪水输沙量呈增大趋势，也符合一般规律。其线性关系式为：

$$y = 0.005\,6x + 176.71 \tag{8-6}$$

式中：y 为流域 7、8 月平均降雨量，mm；x 为洪水输沙量，万 t；相关系数 $R = 0.49$。

由于北洛河刘家河水文站以上区域多年平均输沙量占 洑头水文站多年平均输沙量的 87.7%，因此，用全流域不同降雨因子的面平均降雨量与 洑头水文站输沙量建立相关关系时，降雨与产沙并不对应，降雨产沙关系很差是必然的。

五、径流泥沙关系

北洛河流域不同年代径流泥沙关系分别见表 8-4 和图 8-11 ~ 图 8-14。可见其径流泥沙关系很差，不同年代的点据混在一起且很分散，1970 年前后没有分带性，变化比较复杂。流域不同年代年径流泥沙关系和洪水洪沙关系曲线的分布具有相似性；在相同的径流量下，80 年代产沙量最小，70 年代产沙量最大，90 年代次之。随着径流量的增大，输沙量有增大趋势，但 1970 年以后各年代的增幅明显变缓。由表 8-4 可知，70 年代径流泥沙关系最差；1956 ~ 1969 年洪水洪沙关系最好，相关系数为 0.86。

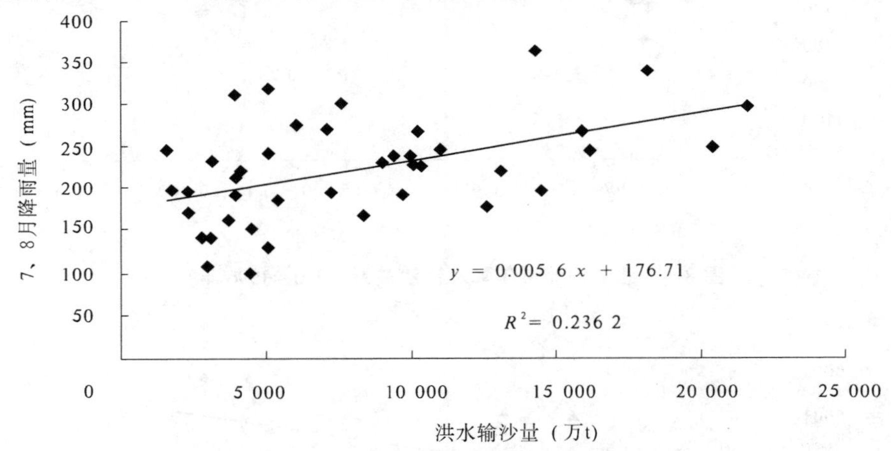

图 8-10　北洛河流域 7、8 月降雨与洪水输沙关系(1956 ~ 1996 年)

表 8-4　北洛河流域不同年代径流泥沙关系

年 代	W 与 W_S 关系	R^2	W_H 与 W_{HS} 关系	R^2
1956 ~ 1969	$W_S = 0.000\,5W^{1.460\,8}$	0.406 2	$W_{HS} = 0.000\,6W_H^{1.582\,8}$	0.733 1
1970 ~ 1979	$W_S = 62.3W^{0.438\,4}$	0.071 5	$W_{HS} = 53.325W_H^{0.482\,2}$	0.197 3
1980 ~ 1989	$W_S = 0.042W^{1.016\,1}$	0.253 3	$W_{HS} = 8.292W_H^{0.601\,1}$	0.318 0
1990 ~ 1996	$W_S = 3.213W^{0.697\,4}$	0.281 4	$W_{HS} = 1.5W_H^{0.822}$	0.298 5
1956 ~ 1996	$W_S = 0.325\,6W^{0.883\,2}$	0.180 9	$W_{HS} = 1.174W_H^{0.837\,5}$	0.341 2

注： W 代表年径流量(万 m^3)，W_S 代表年输沙量(万 t)；W_H 代表洪水径流量(万 m^3)，W_{HS} 代表洪水输沙量(万 t)；R 代表相关系数。

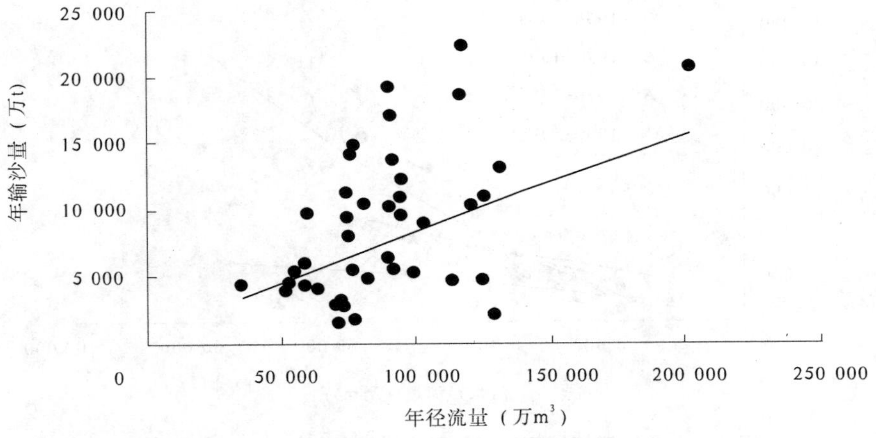

图 8-11　北洛河流域径流泥沙关系(1956～1996 年)

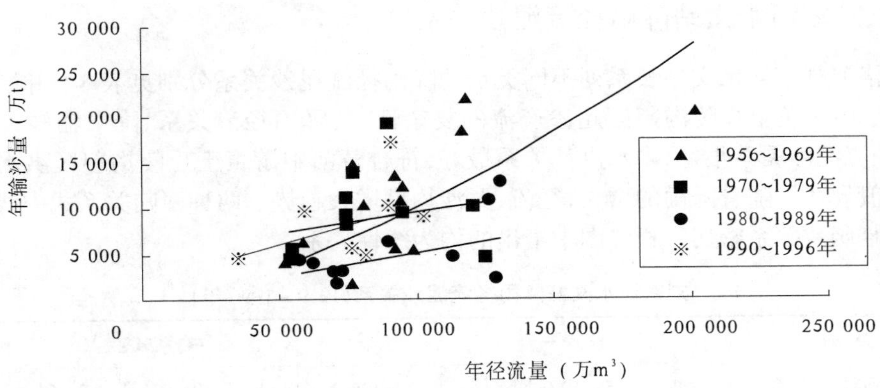

图 8-12　北洛河流域不同年代径流泥沙关系(1956～1996 年)

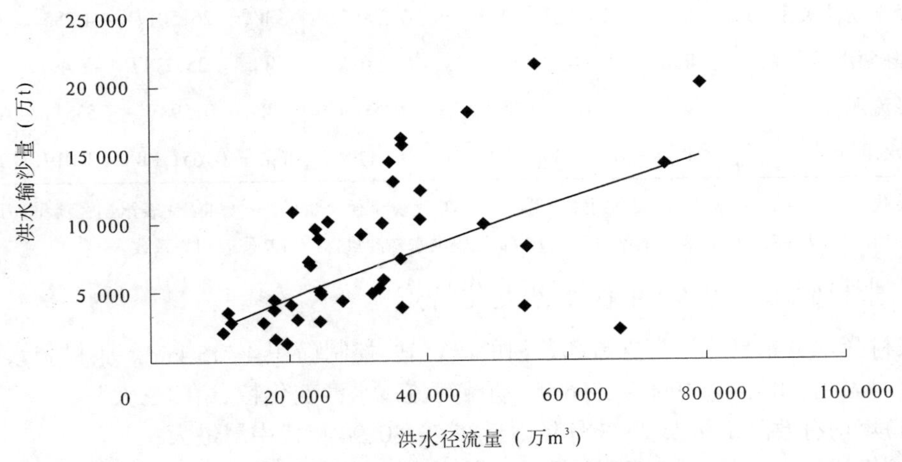

图 8-13　北洛河流域洪水洪沙关系(1956～1996 年)

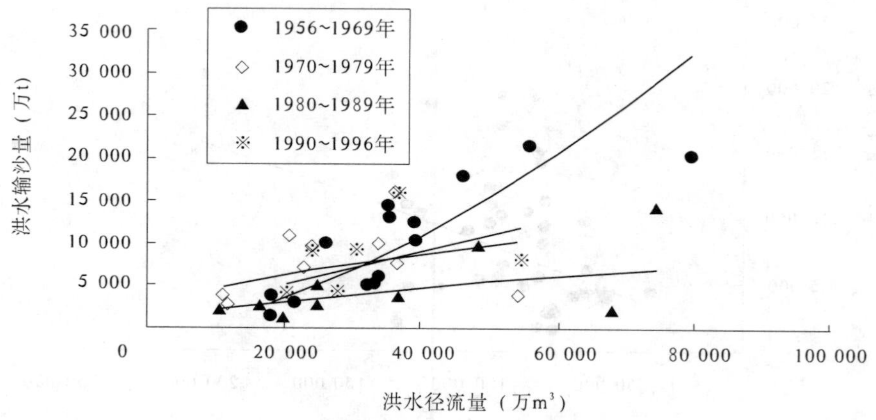

图 8-14　北洛河流域不同年代洪水洪沙关系(1956～1996 年)

六、刘家河水文站降雨径流泥沙关系

北洛河刘家河水文站长系列不同类别的降雨径流泥沙关系分别见表 8-5 和图 8-15～图 8-20。由于黄土丘陵沟壑区超渗产流的复杂性,其降雨径流关系、降雨输沙关系都很差,但径流泥沙关系很好,洪水洪沙关系最好,符合黄河中游黄土丘陵沟壑区洪水洪沙关系的一般规律。随着降雨的增大,径流、泥沙均呈增大趋势。两种回归关系式中线性关系普遍比幂函数关系密切。相关图中给出的均为线性关系。

表 8-5　　　　刘家河水文站降雨径流泥沙关系(1959～1996 年)

类 别	关系式一	R^2	关系式二	R^2
年降雨径流关系	$W = 155.62P_N^{0.8301}$	0.408 2	$W = 49.521P_N + 3\ 164$	0.422 3
汛期降雨径流关系	$W_X = 171.8P_X^{0.7745}$	0.279 2	$W_X = 43.487P_X + 1\ 876$	0.315 6
年降雨输沙关系	$W_S = 0.270\ 7P_N^{1.6469}$	0.299 3	$W_S = 26.501P_N - 4\ 285$	0.310 6
汛期降雨洪沙关系	$W_{HS} = 11.748P_X^{1.0668}$	0.201 6	$W_{HS} = 25.271P_X - 1\ 491$	0.252 6
年径流泥沙关系	$W_S = 2\times10^{-6}W^{2.1869}$	0.890 9	$W_S = 0.598W - 7\ 535.1$	0.918 4
洪水洪沙关系	$W_{HS} = 0.085W_H^{1.1974}$	0.947 7	$W_{HS} = 0.651\ 1W_H - 1\ 019.3$	0.956 2

注:P_N 代表年降雨量(mm),P_X 代表汛期降雨量(mm);W 代表年径流量(万 m³),W_X 代表汛期径流量(万 m³),W_H 代表洪水径流量(万 m³);W_S 代表年输沙量(万 t),W_{HS}代表洪水输沙量(万 t);R 代表相关系数。

七、张村驿水文站 90 年代水沙变化特点

张村驿水文站是北洛河支流葫芦河的出口站,控制面积 4 715 km²。张村驿水文站的实测资料表明,90 年代(1990～1996 年)葫芦河流域水沙变化特点有"三大":

(1)年均有效降雨量及 7～8 月降雨量在 70、80、90 年代中属最大;

(2)年均洪水量及 7～8 月径流量在三个年代中属最大;

(3)年均输沙量为建站以来最大值。

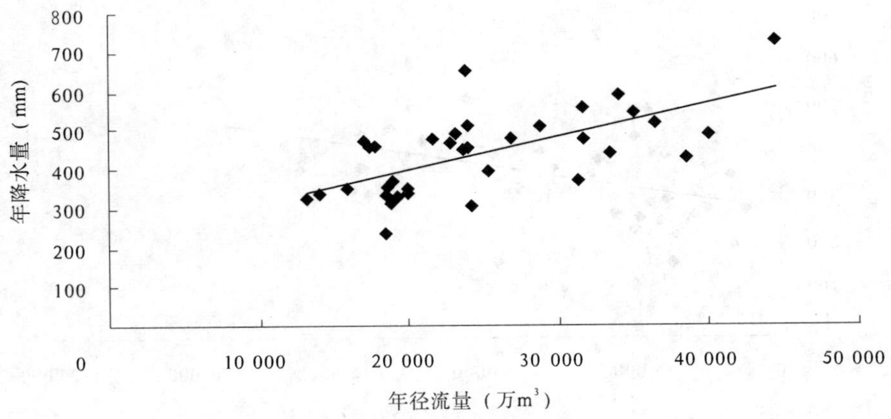

图 8-15 刘家河水文站年降水径流关系

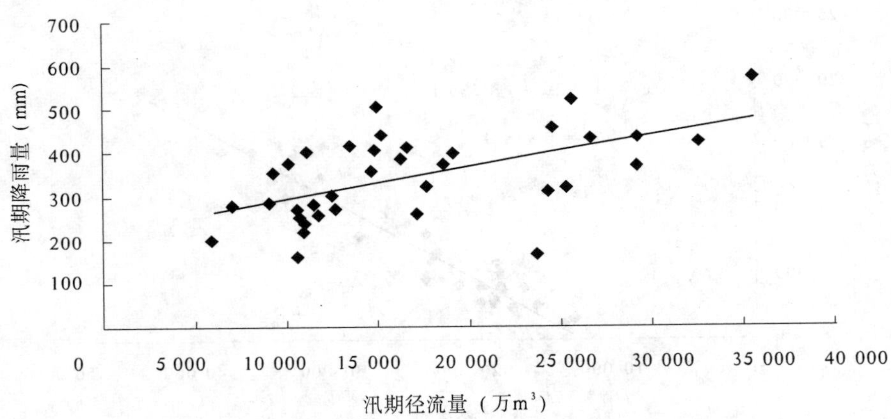

图 8-16 刘家河水文站汛期降雨径流关系

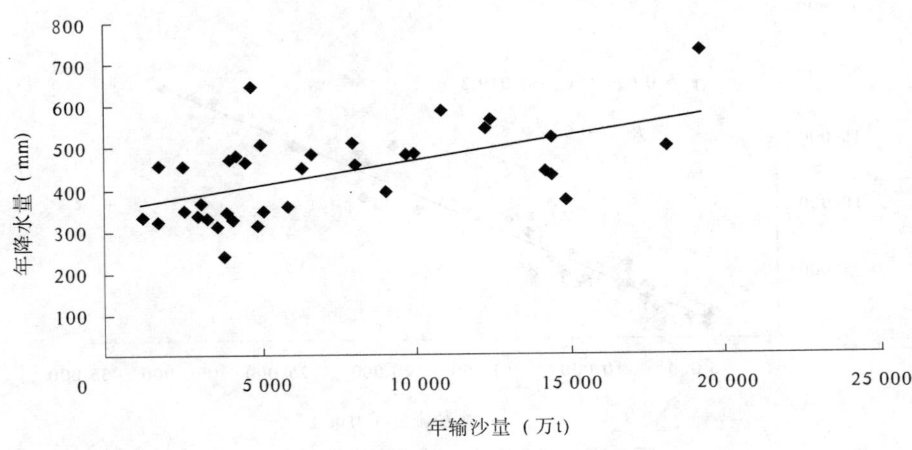

图 8-17 刘家河水文站年降水输沙关系

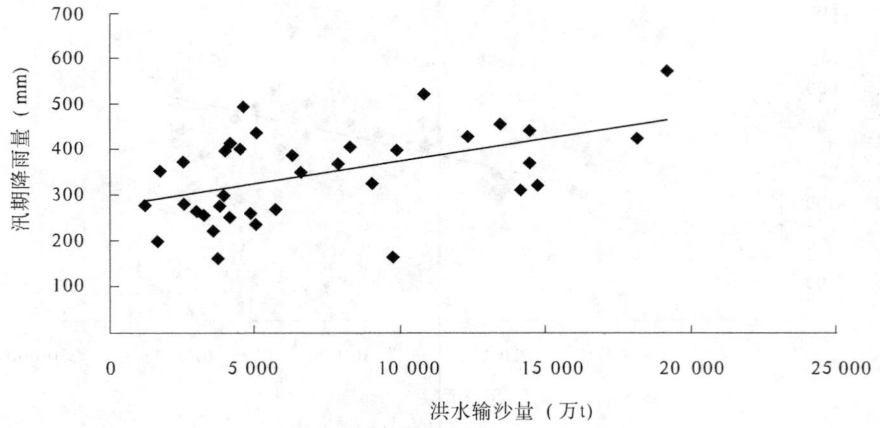

图 8-18　刘家河水文站汛期降雨洪沙关系

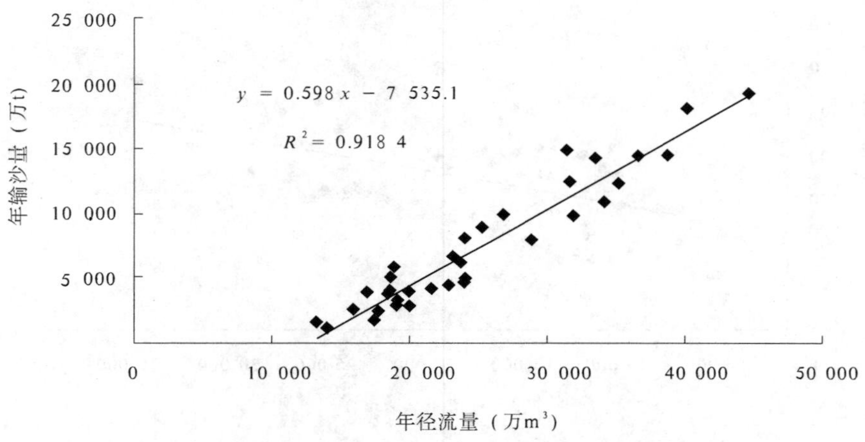

图 8-19　刘家河水文站年径流泥沙关系

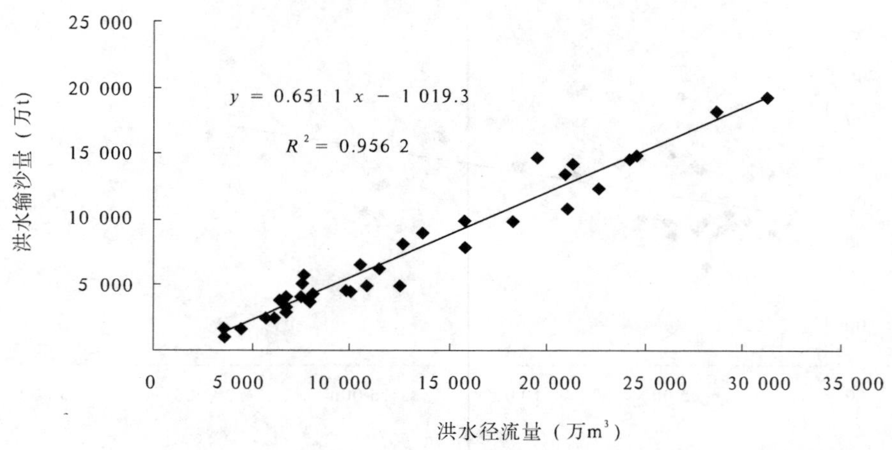

图 8-20　刘家河水文站洪水洪沙关系

90年代张村驿水文站年均实测输沙量高达215万t，是50年代以来的最大值；1996年年输沙量竟达到643万t，属有实测水文资料以来的最大值（1996大洪水为千年一遇）；90年代年均含沙量高达51.8 kg/m^3，比张村驿水文站多年平均（1959～1996年）含沙量0.74 kg/m^3 高出70倍。

八、北洛河流域90年代暴雨洪水情况

该流域是高强度暴雨的多发地区之一，经常出现历时短、强度大、总量也很大的暴雨，由此形成较大的洪水。进入90年代以后，北洛河流域连续发生了几次较大的暴雨洪水，尤其以北洛河上游"94·8"洪水和其支流葫芦河流域"96·7"洪水造成的灾害最为严重。

1994年8月30日20时至31日凌晨2时，在北洛河流域出现了一次大暴雨[4]，主雨区在吴旗、志丹两县，降雨中心位于北洛河上游吴旗县吴仓堡乡境内，孙台水库6小时实测降雨量达214.0 mm，根据延安地区水文手册推算，暴雨中心的点雨量其重现期在百年一遇以上。流域内大于100 mm雨量笼罩面积约1 966 km^2，90～100 mm等雨量线笼罩面积约4 900 km^2，50～90 mm等雨量线笼罩面积约4 250 km^2。本次暴雨由于历时短、雨量大，其产生的洪水在干流各站均突破了实测系列的最大洪峰流量，发生了有实测资料以来的最大洪水。刘家河水文站实测洪峰流量8 500 m^3/s，次洪水径流量高达23 775万 m^3，占刘家河测站全年洪水量的57.5%；洑头站实测洪峰流量6 360 m^3/s，次洪水径流量为13 481万 m^3，占北洛河流域全年洪水量的24.7%。本次暴雨由于发生在北洛河上游水土流失极其严重的黄土丘陵沟壑区，产生了大量的水土流失，洪水到达洑头水文站时，含沙量达到1 000 kg/m^3 以上。暴雨产生的洪水给北洛河流域内的水利水土保持工程造成了严重的破坏。"94·8"洪水导致吴旗和富县县城进水，吴旗县水利水土保持局院内泥沙淤厚1 m多；富县县城组织近5 000人（次），出动拖拉机410台（次），清理城区街道淤泥20余天。吴旗、志丹、富县三县15%的淤地坝被水毁。志丹县杨家沟骨干坝，1990年10月建成，设计拦泥库容138.5万 m^3，在"94·8"洪水过后，拦泥库容全部淤满（即10年的淤积库容只用了4年的时间就已淤满），从而失去了拦截泥沙的作用。本次洪水在下泄中，给沿河农田水利设施等也造成了极大的破坏，仅在澄城就冲毁沿河农田2 560 hm^2，果园1 133 hm^2，成材林木1万株，抽水站11处，房屋38间；冲走原煤160余吨，淹没矿井10眼。直接经济损失达1 108万余元[5]。

1996年7月31日，北洛河支流葫芦河遭受千年一遇的特大洪灾，流域降雨时间长达12小时，雨量为93.0 mm。由于流域内的天然林自新中国成立后遭到很大的破坏，森林的蓄水保土作用降低，长时间高强度的降水，造成山洪暴发，山体滑塌，河水暴涨。葫芦河最大洪峰流量达到1 240 m^3/s，超过防洪警戒线流量7.86倍，超过保证流量225 m^3/s 的4.5倍，张村驿测站实测输沙量高达643万t，是设站以来的最大输沙量。洪水裹挟着大量的树木柴草，席卷了富县直罗镇南川和葫芦河下游，使葫芦河川多年建设形成的农田水利及电力、通讯和交通等设施毁于一旦。大面积农作物被冲毁淹没，人员伤亡和经济损失十分惨重。据富县的灾情统计，此次洪灾死亡14人，2人失踪，7人受伤，261户进水，倒塌房窑183间（孔），14个机关单位进水，部分围墙倒塌、断裂，其中两个单位基本全毁。因灾造成131户550人无家可归，农户、居民及机关直接经济损失348万元[6]。这次洪水为千年一

遇，葫芦河流域的毁林开荒起到了推波助澜的作用；水利水土保持措施抵御特大洪水的能力有限，加之一部分水利工程年久失修，在突然袭来的洪水面前无能为力，教训极其沉痛。

北洛河流域地处黄河中游多沙粗沙区，受降水特性、地面物质组成和地面形态结构的影响，流域内的水土流失强度大，同时在时间上的集中性及空间上的多变性也很突出。据治理水平尚不很高的50、60年代实测资料分析，洑头以上年均洪水输沙模数为3 832 t/(km^2·a)，刘家河水文站以上年均洪水输沙模数为13 539 t/(km^2·a)。北洛河流域侵蚀产沙过程主要发生在汛期，尤其是7、8月，而汛期的输沙，又往往集中于几场大暴雨。每年暴雨出现的次数及强度，决定着该区输沙量在年际间变化的大小。据白水县水利水土保持局统计，该县暴雨洪水在36年中出现了35次[7]；宜君县的统计是几乎平均每年有一场暴雨出现，每次暴雨平均降水62.5 mm[8]。暴雨的危害一是造成严重的水土流失，使沟头延伸，沟岸扩张，沟谷下切，减少耕地。据洛川县水利水土保持局调查，洛川县石头乡的九丰庄沟，自1933年至1983年的50年间，沟头溯源侵蚀84 m，沟岸扩张20多米，沟床下切10 m。而朱牛乡的月合沟在32年内沟头延伸247 m，沟道加宽15 m。白水县西沟因无沟头防护措施，沟头以每年12.8 m的速度向前延伸。二是淤积水库，破坏水利设施。白水县唯一的中型水库林皋水库，设计年限为50年，仅运用12年，300万 m^3 死库容全部淤满[7]。许道乡新卓村北洼河水库，坝未修成，4万多立方米死库容即已淤满。三是毁坏基本农田，危害人民生命财产安全。

第三节　水土保持措施典型调查及面积核实

一、计算分区

根据流域内地质、地貌、植被及水土流失等差异，同时考虑流域内径流泥沙来源和水文站布设情况，将北洛河流域（洑头水文站以上）分为四个土壤侵蚀类型区[2]：黄土丘陵沟壑区、黄土高塬沟壑区、黄土丘陵林区和阶地平原区，四个区分别占总面积的26.9%、23.2%、41.8%和8.1%。根据我们对1979、1989、1996年流域水土保持年报资料的统计分析，发现林区和阶地平原区梯田、人工林地、人工草地及坝地的面积仅占流域内对应的坡面措施总面积的23.7%、4.7%、3.4%和12.1%。因此，水土保持措施面积按黄土丘陵沟壑区、黄土高塬沟壑区和其他类型区三个区分别进行统计。各县所属类型区根据1990年刘万铨先生主编的《黄河流域黄土高原地区水土保持专项治理规划要点》中的"水土保持分区图"(1:450万)确定。

二、水土保持措施面积的核实

(一)水土保持措施年报资料的统计

水土保持措施保存面积的数量及质量状况的调查核实，是进行水土保持措施蓄水减沙作用分析及计算的基础工作。为此，我们从1999年10月起对北洛河流域水土保持措施的实施及保存情况进行了历时一个月的较为详细的调查。本次调查收集到的年报资料主要有：陕西省1949～1981年水土保持统计资料汇编；陕西省1989～1997年分年度水土保持统计资料汇编;黄河流域水土保持基本资料汇编(1979 年资料);黄河流域水土流失区水土保持基本资料汇编(1980 ~ 1990 年);黄河流域水土流失区水土保持基本资料汇编(1997 年)。

在统计流域内各县各年的水土保持措施面积时,我们以陕西省水土保持统计资料汇编和黄河流域水土流失区水土保持基本资料汇编为基础,互相补充完善。

由于以上资料全部为分县资料,且序列比较完整一致。因此,该数据经过处理后可以作为我们进行水土保持措施保存面积核实的基础数据。按各县面积在北洛河流域内所占的比例(见表 8-6)分别对水土保持各项措施的逐年统计面积进行折算,然后将其分配到流域中去,即可得到北洛河流域历年各项水土保持措施的上报面积。

表 8-6　　北洛河流域分县面积统计

省名	县名	全县面积(km²)	流域内面积(%)	流域面积占全县面积(%)	省名	县名	全县面积(km²)	流域内面积(%)	流域面积占全县面积(%)
陕西	靖边	4 974	260	5.0	陕西	黄陵	2 288	2 288	100.0
	定边	6 920	969	14.0		宜君	1 476	1 155	78.3
	吴旗	3 776	3 398	90.0		铜川	793	290	36.6
	志丹	3 781	3 025	80.0		澄城	1 112	1 112	100.0
	甘泉	2 287	2 287	100.0		白水	920	920	100.0
	富县	4 185	4 185	100.0	甘肃	华池	3 789	1 137	30.0
	洛川	1 886	1 886	100.0		合水	2 900	1 160	40.0
	黄龙	2 383	1 084	46.0					

注:本表摘自参考文献[2],分县面积指洑头水文站以上。

(二)水土保持措施保存面积的核实

由于各种人为因素的影响,统计上报的水土保持措施年报资料与实际情况存在着较大的差异。但是统计资料可以反映北洛河流域各年水土保持措施的开展情况及历年变化趋势,是进行逐年水土保持措施面积核实的基础。在对统计年报资料进行核实时,我们主要利用了调查收集到的北洛河流域各县 1989 年土地详查资料和 1996 年土地变更调查资料以及黄土高原水土保持规划资料等。另外,我们还对 1997 年北洛河流域内各县所完成的《洛河流域水土保持实施规划》中的水土保持措施现状资料进行了分析。但该资料现状均远大于当时的各县年报资料,因此未对其再做深入分析。

土地详查是由国家土地管理部门按照统一的标准和方法,以各县及乡为单元对土地利用情况开展的一项全面普查工作,它是核实大面积水土保持措施数量、质量及分布的一种较为精确的方法。北洛河流域内各县的土地详查工作在 1988 ~ 1989 年前后基本完成,个别县 1992 年详查结束。至 1996 年,原国家土地管理局为及时掌握土地利用变化信息,要求全面开展农村日常地籍变更调查。它以行政村为单位,在土地详查及基本农田划定工作的基础上对地类变化进行全面调绘,技术上采用以土地利用现状图作调绘底图、详查与航片定位相结合的方法,将调绘的内容全部上图,实地面积和图表、账、册完全相符;内业量算则以变更的土地斑块为单位进行。它是最新的土地利用现状资料。

表 8-7 是根据 1989 年流域内各县土地详查资料求出的北洛河流域水土保持措施的核

实率,从中可以看出各县的保存率存在较大的差异。以梯田为例,核实率从 23% 到 100%,大小不等。从北洛河流域各县核实率的平均值来看,梯田、林地、草地、坝地的核实率分别为 63.2%、61.5%、26.1% 和 81.4%。

表 8-7　　北洛河流域 1989 年各项水土保持措施核实率

县名	所占比例(%)	核实率(%)			
		梯田	林地	草地	坝地
靖边	5	78.08	58.00	34.98	83.40
定边	14	72.72	58.39	24.68	66.01
吴旗	90	52.74	32.71	15.05	87.88
志丹	80	75.00	45.00	22.00	68.00
甘泉	100	20.99	95.14	72.28	96.39
富县	100	100.00	93.10	76.84	89.47
洛川	100	65.12	65.96	41.41	88.89
黄龙	46	84.00	100.00	39.80	71.43
黄陵	100	100.00	78.29	42.53	88.24
宜君	78	34.62	87.88	0.35	91.10
铜川	37	69.94	83.84	65.71	85.71
澄城	100	71.28	54.89	1.18	100.00
白水	100	74.86	61.94	58.14	93.33
华池	30	68.00	79.99	33.67	34.80
合水	40	23.24	70.06	4.67	66.53
平　均		63.16	61.47	26.10	81.43

由于北洛河流域 1996 年的土地面积变更调查资料未能全部收集到,但从收集到的资料分析来看,其相对于 1989 年的核实率均呈下降趋势。因此,对于北洛河流域水土保持措施的核实率,我们以 1989 年土地详查资料为基本控制数,90 年代的核实率由 1996 年的土地变更调查资料与 1989 年的资料平均而得,80 年代以前的核实率则参考国家"八五"重点科技攻关项目研究中,陕西省水土保持勘测规划研究所完成的"无定河流域水沙变化原因分析"以及水利部第二期黄河水沙变化研究基金项目"河龙区间水土保持措施减水减沙作用分析"中陕北片的核实率综合定出。北洛河流域最后核实的各年代末水土保持措施的保存面积见表 8-8。由此可知,至 1996 年底,北洛河流域梯、林、草、坝累计保存面积为 27.318 7 万 hm^2,其中梯田 4.638 1 万 hm^2,林地 18.258 4 万 hm^2,草地 3.981 9 万 hm^2,坝地 0.440 3 万 hm^2。

表 8-8　　北洛河流域水土保持措施核实面积统计　　(单位:hm^2)

项目		1959 年	1969 年	1979 年	1989 年	1996 年
全流域总计	梯田	674	8 024	19 577	30 810	46 381
	林地	11 386	36 004	62 371	120 399	182 584
	草地	244	1 943	5 298	24 938	39 819
	坝地	160	1 192	3 119	3 063	4 403
	小计	12 464	47 163	90 365	17 9210	273 187
黄土丘陵沟壑区	梯田	293	3 489	8 513	13 398	20 169
	林地	5 199	16 439	28 478	54 973	83 366
	草地	164	1 302	3 551	16 712	26 685
	坝地	68	504	1 320	1 296	1 863
	小计	5 724	21 734	41 862	86 379	13 2083
黄土高塬沟壑区	梯田	221	2 633	6 425	10 111	15 221
	林地	5 657	17 889	30 989	59 820	90 717
	草地	72	575	1 567	7 377	11 779
	坝地	73	543	1 421	1 396	2 006
	小计	6 023	21 640	40 402	78 704	119 723
其他类型区	梯田	160	1 902	4 639	7 301	10 991
	林地	530	1 676	2 904	5 606	8 501
	草地	8	66	180	849	1 355
	坝地	19	145	378	371	534
	小计	717	3 789	8 101	14 127	21 381

第四节　减洪减沙作用分析计算方法

一、坡面措施减洪量计算方法[10]

(一)小区及汛降雨量资料的选用

在计算北洛河流域坡面措施减洪量时,黄土丘陵沟壑区利用延安小区资料,汛降雨量采用刘家河水文站以上的平均资料;黄土高塬沟壑区利用西峰小区资料,汛降雨量采用张村驿水文站和洑头水文站之间的平均资料。在黄土阶地区、冲积平原区及黄土丘陵林区,由于其水土保持措施面积所占的比例较小,因此借用黄土高塬沟壑区的小区资料来进行减洪量的分析计算。

(二)小区减洪指标体系的建立

小区减洪指标体系建立的方法与第六章第五节泾河流域水土保持坡面措施减洪指标体系的建立方法相同,不再赘述。

(三)流域坡面措施减洪指标体系

流域坡面措施减洪指标体系的建立过程,实质上是解决以小区指标推大区指标的问题,亦即消除时段、点面、地区等三方面的差异。基本途径为:先解决雨量的代表性问题,其次解决径流的差异。流域坡面措施减洪指标的基本公式为:

$$\Delta R = \Delta R_1 \cdot \alpha \cdot X \tag{8-7}$$

式中：ΔR 为流域减洪指标；ΔR_1 为某一雨量级下的代表小区减洪指标；α 为点面修正系数；X 为地区水平修正系数。

式(8-7)的推求过程是个动态过程，可以经过以下两个步骤：先求中间值 $\Delta R' = \Delta R_1 \cdot \alpha$，即时段及点面差异的消除，再求最终值 $\Delta R = \Delta R' \cdot X$，即地区差异的消除。

1. 时段差异及点面差异的消除

通过分析代表小区与流域的汛降雨量统计规律与特性，以汛降雨量 P_X 作为联系代表小区与流域的纽带，可以改善或消除不同系列水文周期性的影响及点面的差异。修正的前提是代表小区系列的汛降雨量和流域系列的汛降雨量分布参数基本一致，$P_{代表小区} \sim P_{流域}$ 相关关系良好。通过点绘北洛河流域汛期降雨量频率曲线(见图 8-21)及 $P_{代表小区} \sim P_{流域}$ 相关图检验(见图 8-22)，基本满足修正条件，可以进行修正。修正方法可采用下述"雨量对应法"。

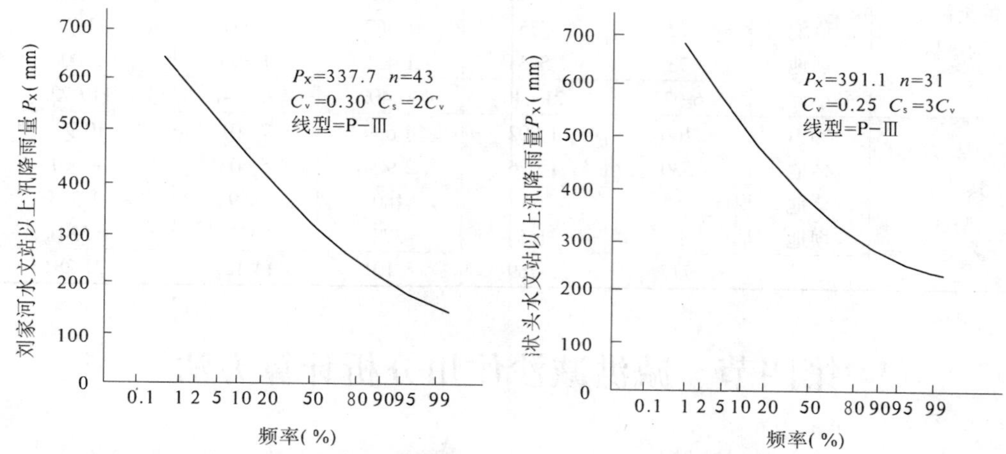

图 8-21 北洛河流域刘家河水文站及洑头水文站以上汛降雨量频率曲线

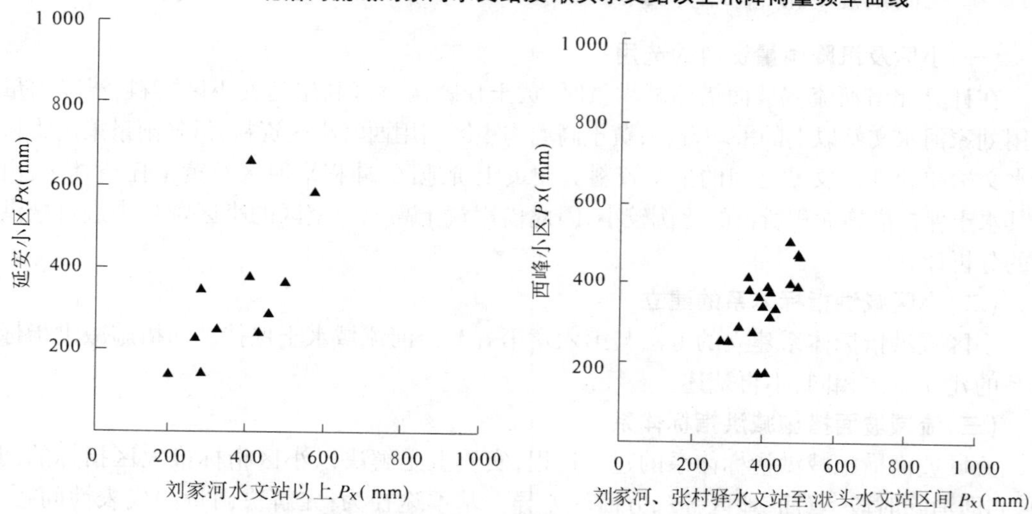

图 8-22 北洛河流域分区汛雨量—小区汛雨量相关图

由于北洛河流域计算分区与所对应的代表小区的汛降雨量统计参数(主要为均值)有一定的差距,因此要进行点面雨量及减洪量修正,即用汛期降雨量点面修正系数 α 分别对代表小区系列雨量及措施减洪指标进行修正,相当于重新构造了代表小区减洪量系列。然后用北洛河流域某一年份的汛降雨量值以同雨量对应法查得 $\Delta R'$ 值。

北洛河流域减洪量的计算是按黄土丘陵沟壑区、黄土高塬沟壑区和其他类型区共三个区来分区计算的。北洛河流域黄土丘陵沟壑区的多年平均汛降雨量为 349.5 mm,小区多年平均汛降雨量为 356.9 mm,因此用于黄土丘陵沟壑区计算的小区点面修正系数为 0.98。同理,用于黄土高塬沟壑区计算的小区点面修正系数为 1.077。其他类型区借用西峰小区的资料。用点面修正系数统一对小区系列汛降雨量及相应的减洪指标进行修正后,得到北洛河流域各分区新的减洪指标体系见表 8-9。

表 8-9　**北洛河流域进行小区点面修正后的减洪指标**　(单位:万 m^3/km^2)

频率(%)	黄土丘陵沟壑区				黄土高塬沟壑区				其他区域			
	汛降雨(mm)	梯田	人工林	人工草	汛降雨(mm)	梯田	人工林	人工草	汛降雨(mm)	梯田	人工林	人工草
5	754.1	9.6	5.7	3.3	575.1	7.9	3.8	2.3	575.1	7.9	3.8	2.3
10	556.3	8.1	6.7	2.7	523.4	4.5	2.7	2.0	523.4	4.5	2.7	2.0
20	447.6	6.3	5.3	2.6	466.3	2.9	2.0	1.5	466.3	2.9	2.0	1.5
30	356.5	4.8	3.5	2.4	427.6	2.1	1.5	1.2	427.6	2.1	1.5	1.2
40	319.3	3.6	2.6	2.2	398.5	1.7	1.2	1.0	398.5	1.7	1.2	1.0
50	279.1	2.6	2.2	2.0	369.4	1.5	0.8	0.9	369.4	1.5	0.8	0.9
60	243.9	2.1	1.7	1.6	342.5	1.2	0.5	0.8	342.5	1.2	0.5	0.8
70	211.5	1.4	1.3	1.2	312.3	0.9	0.3	0.5	312.3	0.9	0.3	0.5
80	180.2	0.9	0.9	0.9	280.0	0.5	0.1	0.3	280.0	0.5	0.1	0.3
90	146.9	0.3	0.3	0.4	241.2	0.2	0.1	0.2	241.2	0.2	0.1	0.2
系列均值	349.5	4.0	3.0	1.9	393.6	2.3	1.3	1.9	393.6	2.3	1.3	1.9

2. 地区差异的消除

用上述方法 查取的 $\Delta R'$ 值,没有考虑地区降雨产洪水平的差异。消除方法为:$\Delta R = X \cdot \Delta R'$,其中 $X = M_{流域}/M_{小区}$,$M_{流域}$及 $M_{小区}$分别为流域及代表小区所在地区的多年平均洪量模数。延安地区多年平均洪量模数采用水利部第二期黄河水沙变化研究基金项目“河龙区间水土保持措施减水减沙作用分析”中统计的数值,为 21 451 m^3/km^2,西峰小区所在的黄土高塬沟壑区多年平均洪量模数为 13 110 m^3/km^2,刘家河水文站以上的黄土丘陵沟壑区第二副区多年平均洪量模数为 18 336 m^3/km^2,洑头站的多年平均洪量模数为 14 090 m^3/km^2,因此用于北洛河流域黄土丘陵沟壑区第二副区和黄土高塬沟壑区的地区差异修正系数分别为 0.855 和 0.955。用上述方法消除地区性差异后,得到北洛河流域新的坡面措施减洪指标体系见表 8-10。

表 8-10　　北洛河流域进行地区差异修正后的减洪指标　　（单位：万 m^3/km^2）

频率(%)	黄土丘陵沟壑区				黄土高塬沟壑区				其他区域			
	汛降雨(mm)	梯田	人工林	人工草	汛降雨(mm)	梯田	人工林	人工草	汛降雨(mm)	梯田	人工林	人工草
5	754.1	8.22	4.86	2.85	575.1	7.53	3.60	2.16	575.1	7.53	3.60	2.16
10	556.3	6.95	5.69	2.34	523.4	4.32	2.57	1.95	523.4	4.32	2.57	1.95
20	447.6	5.38	4.52	2.26	466.3	2.80	1.95	1.44	466.3	2.80	1.95	1.44
30	356.5	4.08	3.01	2.09	427.6	2.01	1.44	1.13	427.6	2.01	1.44	1.13
40	319.3	3.12	2.26	1.84	398.5	1.65	1.13	0.93	398.5	1.65	1.13	0.93
50	279.1	2.26	1.84	1.67	369.4	1.39	0.72	0.82	369.4	1.39	0.72	0.82
60	243.9	1.76	1.42	1.34	342.5	1.16	0.51	0.72	342.5	1.16	0.51	0.72
70	211.5	1.17	1.09	1.00	312.3	0.82	0.31	0.51	312.3	0.82	0.31	0.51
80	180.2	0.75	0.75	0.75	280.0	0.51	0.10	0.31	280.0	0.51	0.10	0.31
90	146.9	0.25	0.25	0.33	241.2	0.21	0.05	0.21	241.2	0.21	0.05	0.21
系列均值	349.5	3.39	2.57	1.65	393.6	2.24	1.24	1.80	393.6	2.24	1.24	1.80

(四)减洪量的计算

流域坡面措施减洪量计算采用下式：

$$W = \sum \Delta W \tag{8-8}$$

$$\Delta W = \Delta R \cdot F \tag{8-9}$$

式中：W 为流域坡面措施减洪量；ΔW 为单项坡面措施减洪量；ΔR 为单项坡面措施减洪指标；F 为核实的单项坡面措施面积。

二、“以洪算沙”模型

坡面措施减沙量根据“以洪算沙”模型进行计算。

(一)建立“以洪算沙”模型的基本依据

根据黄河中游地区流域的产洪产沙规律：①黄河中游各地径流小区径流量系列具有较好的统计规律，且代表性很好；②黄河中游地区流域产沙具有年内高度集中性，泥沙主要来自洪水期，约占年沙量的95%以上，无洪水期泥沙量小而稳定；③流域在未治理情况下，通过对分析因子的优选拟合，洪水和泥沙具有良好的相关性，存在 $W_S = KW^{\alpha}$ 的函数关系；含沙量与流量之间的一个突出特点是：当流量超过某一值时，含沙量接近一个常值；坡面及沟道的流量与输沙率有特定的关系：当流量较大时，点据自聚成线，各曲线趋于重合。以上三点可以作为建立“以洪算沙”模型的基本依据。

(二)“以洪算沙”模型的结构及原理

由于在未治理情况下，流域洪水与泥沙存在 $W_s = KW^{\alpha}$ 的关系，因此“以洪算沙”模型的公式原型为：

$$W'_S + \Delta W_S = K(W' + \Delta W)^{\alpha} \tag{8-10}$$

式中：W'、W'_S 分别为流域出口站实测洪水径流量、实测洪水输沙量；ΔW、ΔW_S 分别为流域洪水径流变化量、洪水泥沙变化量，即分别包括水利、水土保持措施减洪(沙)量、人为增洪(沙)量及河道冲淤变化量等;K、α 分别为系数、指数。

以洪算沙实用计算模型为:

$$(W_S)_n = K[W' + (n-1)\sum\Delta W]^\alpha \tag{8-11}$$

$$\Delta W_S = (W_S)_n - (W_S)_{n-1} \tag{8-12}$$

式中:W' 为流域实测洪水量;$\sum\Delta W$ 为各种水土保持措施减洪量之和;n 为试算次数;$(W_S)_n$ 为中间变量;ΔW_S 为水土保持措施减沙量。

北洛河流域 1969 年以前的洪水泥沙关系见表 8-11。按前述计算方法分区进行坡面水土保持措施减沙量计算时,刘家河、张村驿水文站至 洑头水文站区间的沙量为负值(即用 洑头水文站的沙量减去刘家河水文站和张村驿水文站的沙量后为负值),其中 1969 年以前有 3 年出现负值,1959 ~ 1996 年共有 12 年出现负值,其洪水洪沙关系点据比较散乱(见图 8-23 ~ 图 8-26)。此外,从北洛河流域的洪水情况总体来看,各个测站的洪水统计亦存在此类问题。1994 年 8 月 30 ~ 31 日发生在北洛河上游的暴雨,其产生的洪水量在刘家河水文站为 23 775 万 m^3,到达 洑头水文站时则只有 13 481 万 m^3,洪水沿程的损失较大。由于区间沙量为负,因此无法用“以洪算沙”的方法来进行该区间水土保持坡面措施减沙量的计算。但从 洑头水文站以上全流域来看,其洪水洪沙关系相对较好,因此对北洛河流域减沙量按刘家河水文站以上黄土丘陵沟壑区和 洑头水文站以上全流域统一进行计算,其中前者的计算结果包含在后者之内。

表 8-11 北洛河流域治理前各站洪沙关系

水文站名或区间	洪沙关系	相关系数	资料年限
刘家河水文站以上	$W_S = 0.092\,6 W_H^{1.194\,1}$	0.983 8	1959 ~ 1969
张村驿水文站以上	$W_S = 2\times10^{-5} W_H^{1.715\,9}$	0.830 5	1959 ~ 1969
洑头水文站以上	$W_S = 0.003 W_H^{1.427\,4}$	0.883 0	1954 ~ 1969

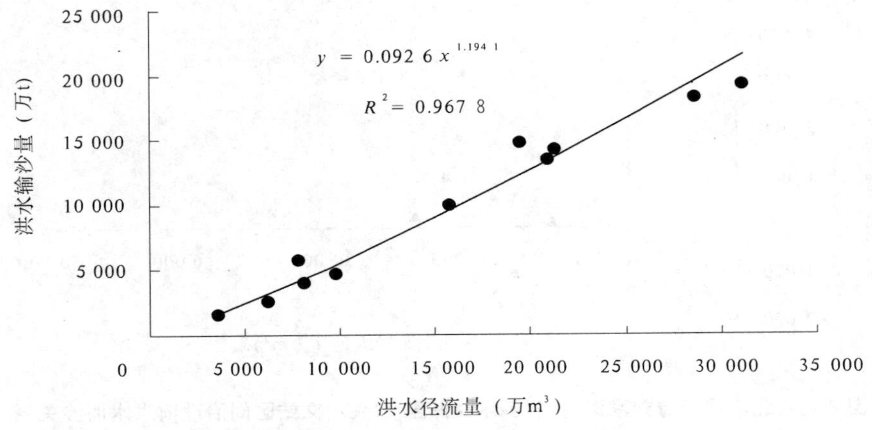

图 8-23 北洛河流域刘家河水文站治理前洪水泥沙关系

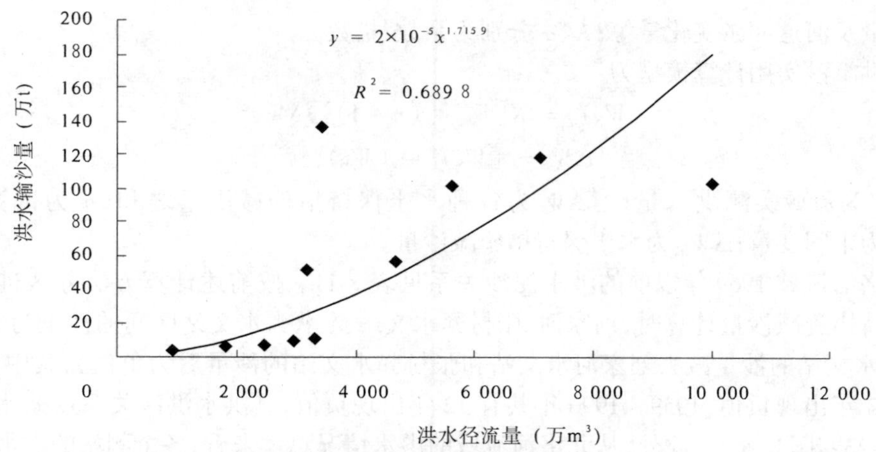

图 8-24 北洛河流域张村驿水文站治理前洪水泥沙关系

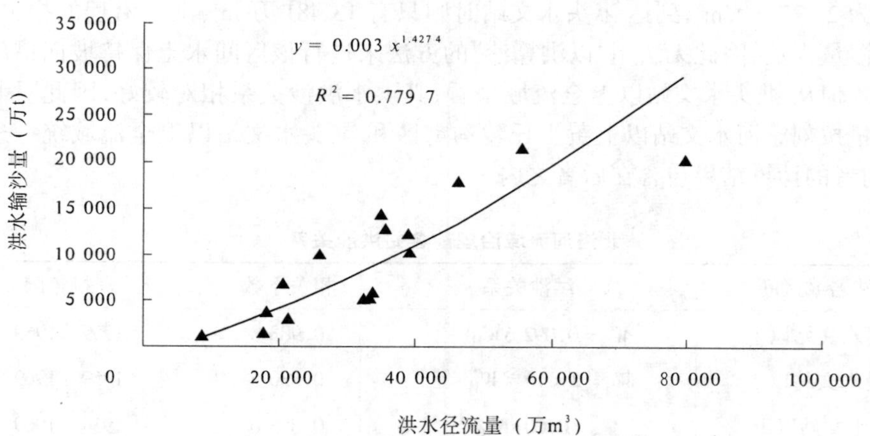

图 8-25 北洛河流域洑头水文站治理前洪水泥沙关系

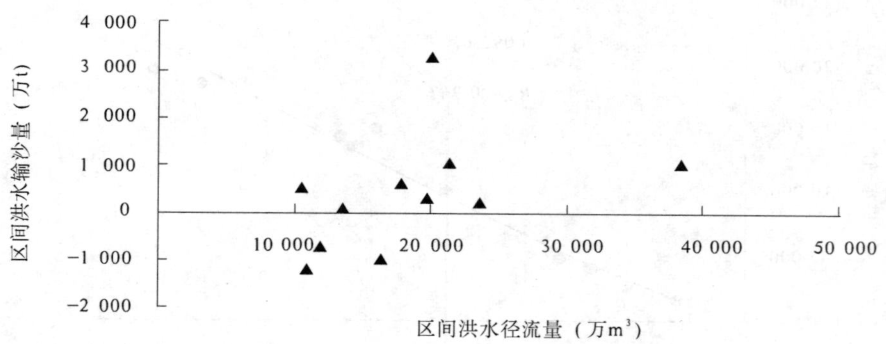

图 8-26 北洛河流域刘家河、张村驿水文站至洑头水文站区间治理前洪水泥沙关系

（三）坡面措施总减沙量的确定

由公式 $\Delta W_S = (W_S)_n - (W_S)_{n-1}$ 求出的流域减沙量 ΔW_S 包括以下几部分：

(1)淤地坝拦沙量 $\Delta W_{S坝}$；

(2)坡面措施在其拦蓄能力以内的减沙量 $\Delta W'_{S坡}$；

(3)坡面措施因减洪而对减少沟道侵蚀的贡献量 $\Delta W'_{S}$。

即
$$\Delta W_S = \Delta W'_{S坡} + \Delta W'_S + \Delta W_{S坝} \tag{8-13}$$

本次研究认为，$\Delta W'_S$ 这部分沙量具有明确的物理意义：它正是由于坡面措施减洪而减少对沟道侵蚀的贡献量，"以洪算沙"的意义正在于此。因此，坡面措施总减沙量 $\Delta W_{S坡}$ 由两部分构成：

$$\Delta W_{S坡} = \Delta W'_{S坡} + \Delta W'_S \tag{8-14}$$

其中，
$$\Delta W'_{S坡} = \frac{(\Delta W_{HT} + \Delta W_{HL} + \Delta W_{HC})}{\sum_{i=1}^{n} \Delta W_H} \times \Delta W_S \tag{8-15}$$

式中：$\sum_{i=1}^{n} \Delta W_H$ 为流域内水土保持措施总减洪量；ΔW_{HT}、ΔW_{HL}、ΔW_{HC}分别为流域内单项坡面措施梯田、林地、草地之减洪量。

单项坡面措施减沙量根据流域洪沙线性关系按式(8-15)分配确定。

由于 $\Delta W_{S坡} = \Delta W_S - \Delta W_{S坝}$，而 $\Delta W_{S坝}$可由淤地坝减沙量计算公式求出，则

$$\Delta W'_S = \Delta W_{S坡} - \Delta W'_{S坡} \tag{8-16}$$

三、淤地坝减洪减沙量计算方法[10]

(一)淤地坝减沙量的计算

淤地坝减沙量包括淤地坝的拦泥量、减轻沟蚀量以及由于坝地滞洪及流速减小对坝下游沟道侵蚀的影响减少量。目前拦泥量、减蚀量可以通过一定的方法来进行计算，削峰滞洪对下游沟道的影响减少量还无法计算，因此仅计算前两部分量。

1. 拦泥量的计算

北洛河流域淤地坝总拦泥量的计算分两部分：

第一部分是截至 1996 年，已淤成坝地部分的拦泥量。采用下式计算，即

$$W_{sg1} = fM_s(1 - \alpha_1)(1 - \alpha_2) \tag{8-17}$$

式中：W_{sg1}为截至 1996 年，已淤成坝地的拦泥量，万 t；f 为 1996 年坝地的累积面积，hm^2；M_s 为拦泥定额，即单位面积坝地的拦泥量，万 t/hm^2；α_1 为人工填垫及坝地两岸坍塌所形成的坝地面积占坝地总面积的比例，北洛河流域取 $\alpha_1 = 0.2$；α_2 为推移质在坝地拦泥量中所占的比例系数，北洛河流域取 $\alpha_2 = 0.15$。

北洛河流域涉及黄土丘陵沟壑区(简称丘陵沟壑区)、黄土高塬沟壑区(简称高塬沟壑区)及其他地貌类型区。由于不同类型区的沟道形状及输沙模数不同，因而拦泥定额也不相同。根据典型调查收集到的北洛河流域不同类型区的淤地坝资料，结合黄河中游水沙变化研究已有的成果，综合确定出各类型区的拦泥定额为：丘陵沟壑区 61 725 t/hm^2，高塬沟壑区 57 900 t/hm^2，其他类型区 33 300 t/hm^2。至此，根据不同地貌类型区的坝地累积面积及相应拦泥定额，即可求出北洛河流域已淤成坝地的拦泥量。

第二部分是截至 1996 年，未淤成坝地部分的拦泥量。计算方法同泾河流域。计算公式为：

$$W_{sg2}=\frac{1}{13}\left(\sum_{i=1}^{12}f_i-12f\right)\cdot M_s(1-\alpha_1)(1-\alpha_2) \tag{8-18}$$

式中：W_{sg2}为截至1996年，未淤成坝地部分的拦泥量；f_i 为1996年后预测年每年"淤成"的坝地面积，hm^2。

由此可得淤地坝总拦泥量为：

$$\Delta W_{sg}=W_{sg1}+W_{sg2} \tag{8-19}$$

式中：ΔW_{sg}为截至1996年淤地坝累积拦泥量，万 t。

各年拦泥量的分配方法同泾河流域。

2. 减蚀量的计算

淤地坝的减蚀作用在沟道建坝后即行开始。其减蚀量一般与沟壑密度、沟道比降及沟谷侵蚀模数等因素有关，其数量包括被坝内泥沙淤积物覆盖下的原沟谷侵蚀量及波及影响的淤泥面以上沟道侵蚀的减少量。后一部分的数量较难确定，通常是在计算前一部分的基础上乘一扩大系数。减蚀量的计算公式是：

$$\Delta W_{sj}=F\cdot W_{si}\cdot k_1\cdot k_2 \tag{8-20}$$

式中各字母的含义及系数取值同泾河流域。淤地坝的减沙量 $\Delta W_{s坝}$为：

$$\Delta W_{s坝}=\Delta W_{sg}+\Delta W_{sj} \tag{8-21}$$

(二)淤地坝减洪量计算

淤地坝的减洪量计算包括两部分：一部分是计算已经淤平后作为农地利用的坝地减洪量，另一部分是计算仍在拦洪时期的淤地坝减洪量。

1. 淤平坝地减洪量计算

淤平坝地减洪量的计算公式为：

$$\Delta W_1=f_i\cdot W_i \tag{8-22}$$

式中：ΔW_1 为已淤平坝地的减洪量，万 m^3；f_i 为计算年流域坝地的面积，km^2；W_i 为计算年流域坡耕地的径流模数，m^3/km^2。

采用式(8-22)计算时，需要确定出坡耕地的年径流模数，其确定方法与梯田"二步到位"计算方法中的有关内容相同。

2. 仍在拦洪时期淤地坝减洪量计算

仍在拦洪时期的淤地坝，其减洪量可根据淤地坝的总拦泥量 ΔW_{sg}反推。计算公式为

$$\Delta W_2=K\cdot\Delta W_{sg}/\gamma_s \tag{8-23}$$

式中：ΔW_2 为仍在拦洪时期淤地坝的减洪量，万 m^3；K 为流域淤地坝拦洪时的洪沙比；γ_s 为淤泥干容重，取 $\gamma_s=1.35\ t/m^3$。

对于 K 值，根据黄委会绥德水土保持站对韭园沟实测资料的分析，丘陵沟壑区淤地坝拦洪时的洪沙体积重量比为1.977:1，即1.977 m^3 的洪水挟带1 m^3 的淤泥；1991年绥德水土保持站对三次洪水后的10座淤地坝进行了典型调查，得出淤地坝拦泥后的洪沙体积重量比为1.797:1。根据上述资料，最后综合确定出淤地坝拦洪时的洪沙体积比为2.652。

由此可以求出淤地坝的减洪量 $\Delta W_{坝}$ 为：

$$\Delta W_{坝}=\Delta W_1+\Delta W_2 \tag{8-24}$$

北洛河流域淤地坝减洪减沙量计算成果见表8-12。

由表8-12可知,1970~1996年,北洛河流域淤地坝年均拦泥443万t,减蚀26.4万t,减蚀量占减沙总量的5.6%;在减蚀总量中,丘陵沟壑区所占比重最大,高塬沟壑区次之,其他类型区最小,三个类型区减蚀量分别占总减蚀量的72.2%、15.3%和12.5%。

1970~1996年,北洛河流域淤地坝年均总减洪量为1 351万m^3,其中拦洪时期淤地坝减洪量占总减洪量的94.1%,淤平坝地减洪量仅占总减洪量的5.9%。

表8-12 北洛河流域淤地坝减洪减沙量计算成果

时段(年)	减沙量(万t)								
	拦泥量				减蚀量				合计
	丘陵沟壑区区	高塬沟壑区	其他类型区	小计	丘陵沟壑区	高塬沟壑区	其他类型区	小计	
1956~1969	206.94	189.14	54.47	450.55	5.23	0.35	0.58	6.16	456.72
1970~1979	297.74	260.36	78.37	636.48	18.75	3.86	4.18	26.79	663.27
1980~1989	57.44	52.50	15.12	125.06	16.43	1.75	1.96	20.14	145.19
1990~1996	285.37	260.83	75.12	621.32	23.29	7.63	3.90	34.83	656.15
1970~1996	205.53	183.50	54.10	443.13	19.07	4.05	3.29	26.41	469.54
1956~1996	206.01	185.43	54.23	445.67	14.34	2.79	2.36	19.50	465.16
时段(年)	减洪量(万m^3)								
	淤平坝地减洪量				拦洪时期坝地减洪量				合计
	丘陵沟壑区	高塬沟壑区	其他类型区	小计	丘陵沟壑区	高塬沟壑区	其他类型区	小计	
1956~1969	8.45	5.25	1.40	15.10	548.80	465.90	143.42	1 158.12	1 173.22
1970~1979	43.73	24.31	6.47	74.51	789.61	721.70	206.30	1 717.61	1 792.12
1980~1989	43.98	38.17	10.16	92.31	152.32	139.22	54.55	346.09	438.40
1990~1996	44.13	21.79	5.80	71.71	898.57	821.29	233.05	1 952.91	2 024.63
1970~1996	43.93	28.79	7.66	80.38	581.83	531.79	157.03	1 270.65	1 351.02
1956~1996	31.81	20.75	5.52	58.09	570.55	509.29	152.38	1 232.22	1 290.31

四、水库、灌溉减水减沙量计算方法

(一)水库减水减沙量计算

北洛河流域共有水库78座,总库容23 408万m^3。其中百万立方米以上的水库19座,总库容14 728万m^3,百万立方米以下的水库59座,总库容8 678.6万m^3。在本次研究中,由于未能收集齐全北洛河流域水库详尽的测验资料,因此对有观测资料的水库其减水减沙量按下述方法进行计算,而对未能收集到观测资料的水库则根据其他水库的计算结果进行推算。

1.水库减水量计算方法

水库的减水量可分两项计算,一是水库的蓄水量,二是水库的蒸发量。水库的蓄水量包括两部分,其一是用于灌溉的水量,可按灌溉面积单独进行计算;其二是水库的蓄水变量。

水库蒸发量按下式计算：

$$\Delta W_K = 0.1 \cdot F \cdot [E - (P - R)] \tag{8-25}$$

式中：ΔW_K 为水库蒸发量，万 m^3；F 为水库水面年平均面积，km^2；E 为水库年水面蒸发量，mm；P 为库区年均降水量，mm；R 为库区实测年径流深，mm。

水库蓄水变量根据下式计算：

$$\Delta W_X = V_b - V_a \tag{8-26}$$

式中：ΔW_X 为水库蓄水变量；V_b 为年终水库蓄水量；V_a 为年初蓄水量。

水库减水量 ΔW_H 依下式求得：

$$\Delta W_H = \Delta W_K + \Delta W_X \tag{8-27}$$

2. 水库减沙量计算方法

水库减沙量一般可根据其淤积资料求得。水库有淤积实测资料时按实测值计算减沙量，无淤积资料时其淤积量的大小采用下述方法计算：根据典型调查收集到的部分资料及已有的研究成果，截至1996年，北洛河流域库容在100万 m^3 以上的水库淤积量占总库容的24.5%，小型水库淤积量占总库容的27.5%。由此计算出水库总淤积量，再按各年代年均洪水量占多年平均洪水量的百分比分配到各年代。

有了水库淤积量，其减沙量可按下式计算：

$$\Delta W_{sh} = (1 - \alpha) \cdot \Delta V \cdot \gamma \tag{8-28}$$

式中：ΔW_{sh}为水库减沙量；α 为水库中推移质所占比重，取 $\alpha = 0.1 \sim 0.2$；γ 为水库淤积体的干容重，北洛河流域取 $\gamma = 1.4\ t/m^3$。

北洛河流域水库减水减沙量计算成果见表8-13。

表8-13　　北洛河流域水库减水减沙量计算成果

时段（年）	减水量（万 m^3）			减沙量（万 t）		
	洪水	常水	小计	洪沙	常沙	小计
1956～1969	40.30	32.97	73.27	16.20	1.80	18.00
1970～1979	223.02	182.47	405.48	236.97	26.33	263.30
1980～1989	506.20	414.16	920.36	304.53	33.84	338.37
1990～1996	268.25	219.48	487.73	330.04	36.67	366.71
1970～1996	339.62	277.87	617.50	286.12	31.79	317.91
1956～1996	237.42	194.25	431.67	193.95	21.55	215.51

（二）灌溉减水减沙量计算

北洛河流域内较大的灌区为洛惠渠及富（县）张（村驿）渠，1989年以前的减水减沙量来自参考文献[2]，1990～1996年的减水减沙量根据流域灌溉面积、灌溉引水定额和灌溉引水含沙量分别计算，计算方法如下。

1. 灌溉面积的确定

根据北洛河流域各县年报统计资料及各县在流域内的面积比例，分别计算出各年份的灌溉面积,并参考土地详查资料加以核实。经核实,截至1996年,北洛河流域有效灌溉面积为6.284万 hm^2,其中洛惠渠灌溉总面积为5.13万 hm^2,在大荔县内的灌溉面积为2.8万 hm^2。

2. 灌溉减水量计算

灌溉减水量按下式计算:

$$\Delta W_L = (1 - K) \cdot \omega \cdot F \tag{8-29}$$

式中:ΔW_L 为灌溉减水量,万 m^3;K 为灌溉引水回归系数,取 $K = 0.15$;ω 为灌溉引水定额,根据调查,北洛河流域 ω 取4 480 m^3/hm^2;F 为有效灌溉面积,hm^2。

3. 灌溉减沙量计算

灌溉减沙量按下式计算:

$$\Delta W_{gs} = 0.001 \Delta W_L \cdot \rho \tag{8-30}$$

式中:ΔW_{gs} 为灌溉减沙量,万 t;ρ 为灌溉引水含沙量,kg/m^3。北洛河流域 ρ 取值时主要考虑洑头(二)站3~5月及9~10月河水含沙量两个因素,计算时取其平均值为17.0 kg/m^3。

北洛河流域洛惠渠及富张渠灌溉引水引沙量根据渠首实测资料进行统计,其引水引沙量计算成果见表8-14。

表8-14 北洛河流域洛惠渠及富张渠灌溉引水引沙量计算成果

时段(年)	灌溉引水(万 m^3)				
	洛惠渠	富张渠	合计	其中	
				洪水	常水
1956~1969	871.43	194.57	1 066.00	319.80	746.20
1970~1979	24 404.00	1 693.70	26 097.70	7 829.31	18 268.39
1980~1989	22 279.00	510.50	22 789.50	6 836.85	15 952.65
1990~1996	27 070.43	420.46	27 490.89	8 247.27	19 243.62
1970~1996	243 08.26	925.38	25 233.64	7 570.09	17 663.55
1956~1996	16 305.44	675.83	16 981.27	5 094.38	11 886.89

时段(年)	灌溉引沙(万 t)				
	洛惠渠	富张渠	合计	其中	
				洪沙	常沙
1956~1969	22.79	0.37	23.15	13.89	9.26
1970~1979	937.40	1.45	938.85	563.31	375.54
1980~1989	439.02	0.56	439.58	263.75	175.83
1990~1996	541.44	0.69	542.13	325.28	216.85
1970~1996	650.16	0.92	651.08	390.65	260.43
1956~1996	435.93	0.73	436.67	262.00	174.67

另据计算,90年代北洛河除两大灌区以外的其他灌溉减水量为2 585万 m^3,灌溉引沙

量为 43.9 万 t。

五、河道冲淤量计算

河道冲淤变化是影响流域水沙变化的重要因素。河道发生淤积,河口输沙量将会小于流域产沙量;河道发生冲刷,河口输沙量将会大于流域产沙量。本次研究,北洛河流域河道冲淤量借用黄河流域第一期水保基金中"断面法"计算成果,即 70 年代年均淤积 146 万 t,80 年代年均淤积 190 万 t。由于未能取得 1990 ~ 1996 年北洛河流域各水文测站的实测大断面资料,加之北洛河流域 90 年代发生了百年不遇的"94·8"大洪水,1996 年葫芦河流域又发生了千年一遇大洪水,因此 70、80 年代的持续淤积到 90 年代有可能转为冲刷,故该时段的河道冲淤量有理由按冲淤平衡对待。

六、工业及城镇生活用水量计算

随着工业生产的发展和城镇人口的增长,北洛河流域各年代用水量增长幅度较大。在计算北洛河流域 90 年代工业及城镇生活用水量时,首先根据水利年报资料,统计流域内各县工业及城镇生活用水取水总量中河川径流量所占比例及数量,再按各县在流域内所占的面积比例分配到流域后,逐年计算出 1990 ~ 1996 年北洛河流域的工业及城镇生活用水量,该值应乘以耗散系数进行折减。耗散系数等于(取水量 - 排水量)/取水量,北洛河流域取此值为 0.50。由此计算得到北洛河流域 1990 ~ 1996 年工业与城镇生活年均用水1 460万 m^3,其余各年代用水量则参照流域内的工业产值及城镇人口变化情况确定,50、60 年代为 501 万 m^3,70 年代为 750 万 m^3,80 年代为 835 万 m^3。

七、人类活动新增水土流失量的计算

北洛河流域人类活动对河流泥沙影响较为突出的类型和项目主要有陡坡开荒、毁林开荒、修路、开矿等。随着经济的发展,人口的高速增长,北洛河流域植被破坏严重。位于子午岭林区的富县,1949 ~ 1985 年人口年均增长率达 3.1%,30 多年来,因开荒使境内林线年均后退 2.4 km,近 10 年来林线年均后退 2.5 km。据宜君县水利水土保持局调查,该县在北洛河流域因烧柴、乱砍滥伐等对林业的不合理损耗每年达 26 500 m^3,相当于林业年自然生长量的 65%,许多地方的林线后退 3 ~ 5 km。流域内农户开荒种地,屡禁不止。山区的一些村、组长期实行广种薄收,轮山倒种,撂荒土地,形成地表裸露,植被难以恢复,加剧了水土流失。另外,北洛河流域内的基本建设、开矿等也产生了大量的水土流失,严重地破坏了水土资源和生态环境。

郑粉莉对北洛河流域子午岭林区林地开垦后坡沟侵蚀产沙关系的研究[11]表明:子午岭林地开垦后,沟坡接收上方来水来沙的侵蚀产沙量是沟坡不接受上方来水来沙量的 1.95 ~ 3.9 倍;全坡面侵蚀产沙在梁坡来水来沙的影响下,侵蚀产沙量增加 10% ~ 35%;受人类活动强烈影响的梁坡,可造成 68% 左右的侵蚀产沙量。中国科学院、水利部水土保持研究所在子午岭林区进行的人工降雨试验表明[12],一旦林地被开垦,土壤侵蚀模数将由 406 t/(km²·a)增长到 11 450 t/(km²·a)。因此,北洛河流域林区因毁林开荒造成的人为新增水土流失量十分巨大,加强林区管护刻不容缓。

(一)陡坡开荒增洪增沙量计算

根据收集到的北洛河流域各县土地详查及土地面积变更资料,按大于 25°的坡耕地面积作为陡坡开荒的面积。根据资料统计,截至 1996 年,北洛河流域陡坡开荒面积已达 7.3 万 hm²,各年的陡坡开荒面积参照流域内农业人口增长比例确定。根据增沙模数和陡坡开荒面积求其乘积,即可得到陡坡开荒增沙量。

增水增沙模数的确定,是根据坡耕地小区与天然荒坡小区比较求得的。本次计算,采用了黄委会绥德水土保持科学试验站 1958 ~ 1963 年径流场观测的 40 个小区年资料(其中坡耕地和天然荒坡各 20 个小区);山西省水土保持研究所 1959 ~ 1966 年的小区资料。将各年内的小区观测资料进行平均,经对比分析可知,天然荒坡径流量与坡耕地基本相同,因此可以认为荒坡开垦后基本不增水;而坡耕地与天然荒坡年冲刷量相比,黄委会绥德水土保持科学试验站观测资料前者比后者大6 570 t/km²,山西省水土保持研究所观测资料则大 6 600 t/km²,说明陡坡开荒两地增沙量大致相同。本次计算,北洛河流域陡坡开荒增沙模数采用 6 570 t/km²。

(二)毁林开荒增洪增沙量计算

1.毁林开荒增沙评估

"毁林开荒破坏植被,扰动表土,从而导致侵蚀产沙量增加,遇到大暴雨时产沙剧增。研究表明,开荒对侵蚀的影响主要是通过降低有保土和涵水作用的植被覆盖,增大地面径流与冲刷;同时扰动翻松土体,降低土壤抗冲蚀性能;且这种影响随开垦坡度的增大而急剧增大,尤其是在黄土和沙黄土地带。所以,因开荒而增加的侵蚀产沙量不仅与开荒面积有关,而且与开荒发生的地形坡度及其组成物质等条件密切相关。"以上是参考文献[13]对毁林开荒增沙机理研究归纳的主要结论。

另据参考文献[14],根据在北洛河支流葫芦河和河龙区间南片的汾川河用航片抽样调查的结果,在降雨相同的条件下,两林区因毁林开荒,其输沙量分别比 1970 年以前增加了14.5 万 t 和 8.6 万 t(见表 8-15);新垦地年均产沙模数($\Delta S/F$)分别达到2 113 t/(km²·a)和2 214 t/(km²·a)。若包括原坝拦蓄量和沟道植被拦淤量,实际侵蚀增量更大。

表 8-15　　葫芦河与汾川河流域毁林开荒增沙量计算成果

流域	水文测站	控制面积(km²)	1957 ~ 1970 年		1971 ~ 1984 年			1958 ~ 1978 年毁林开荒面积 F(km²)	输沙增量 ΔS(万 t)	开荒年均产沙模数(t/(km²))
			降雨量 P_1(mm)	输沙量 S_1(万 t)	降雨量 P_2(mm)	输沙量 S_2(万 t)	推算输沙量 S_3(万 t)			
葫芦河	张村驿	4 715	637.4	49.7	603.8	60.9	64.3	69.1	14.6	2 113
汾川河	临　镇	1 121	540.3	51.1	568.0	62.7	59.6	38.4	8.5	2 214

注:本表来自参考文献[14],有补充。对原表计算上的疏漏已全部更正。$S_3 = S_2 \cdot P_1/P_2$,$\Delta S = S_3 - S_1$。

2.毁林开荒增洪增沙量计算

北洛河流域的毁林开荒主要是在流域中上游的子午岭林区和黄龙山林区，据1954年《黄河综合利用规划技术经济报告》记载，当时北洛河流域的天然林面积有10 370 km^2。新中国成立50余年来，林区遭到了严重的破坏。据陕西省水土保持局调查，延安地区天然林面积80年代比50年代减少46.4%，按此比例推算，至1996年流域内天然林面积比50年代减少55.7%。减少比较多的是志丹县，该县1949年以前有天然林面积21.17万hm^2，1958年降为12.22万hm^2，1970年再次降为8.47万hm^2，到1980年仅剩下6.38万hm^2，30多年减少了14.79万hm^2，占原有天然林面积的70%[15]。北洛河流域有91%的面积即2.3万km^2属延安地区。按延安地区天然林减少面积的比例并结合本次研究典型调查结果推算，北洛河流域天然林面积80年代比50年代减少4 812 km^2，到1996年比50年代减少达5 774 km^2。天然林遭到严重破坏后，将失去涵养水源的作用，会产生大量的水土流失，这一点可以从处于林区的张村驿水文站实测输沙量的变化看出。1964年张村驿测站以上流域的洪水量为9 986万m^3，其输沙量只有115万t；1977年洪水量为2 860万m^3，输沙量为398万t；1996年发生千年一遇洪水，其洪水量为6 037万m^3，输沙量高达643万t，出现了张村驿设站以来的最大沙量，是张村驿测站多年平均输沙量99万t的6.5倍。从张村驿测站各时段的沙量变化看，其年输沙量从1969年前的年均59万t，增加到70年代的67万t，90年代更剧增为215万t。当然，流域内的洪水及输沙量的变化与雨量、雨强等因素有较大的关系，但输沙量的陡增与天然林遭到严重破坏密不可分。随着林区内毁林开荒面积的逐年增加，水土流失不断加剧。根据刘家河以上黄土丘陵沟壑区和张村驿以上黄土丘陵林区降雨、径流资料对比分析（见表8-16），林区每平方公里产生的年径流量，70年代比丘陵区少1.34万m^3、80年代比丘陵区少0.89万m^3、1990～1996年比丘陵区少1.57万m^3。换言之，破坏1 km^2的天然林，70年代平均每年将会增加1.34万m^3，80年代平均每年将会增加0.89万m^3、1990～1996年平均每年将会增加1.57万m^3的水量流失。另据分析，每平方公里人工林70年代年均减沙0.28万t、80年代年均减沙0.21万t，1990～1996年年均减沙0.37万t。假定北洛河流域减少的天然林面积有1/2（即2 406 km^2）是1970年以后破坏的，则按照上述数据计算，70年代全流域年均增水量为$1.34\times 2\ 406/2=1\ 612$万$m^3$，增沙量为$0.28\times 2\ 406/2=337$万t。80年代年均增加水量为2 141万$m^3$，增加沙量为505万t[15]。1990～1996年年均增水量为4 532万m^3，增沙量为1 068万t。

表8-16　　北洛河流域林区减水量计算成果

时段（年）	刘家河水文站以上（7 325 km^2）			张村驿水文站以上（4 715 km^2）			林区减水量（万m^3/km^2）
	年均降水量（mm）	年均径流量		年均降水量（mm）	年均径流量		
		亿m^3	万m^3/km^2		亿m^3	万m^3/km^2	
1959～1969	507.7	2.699	3.19	603.1	1.169	2.08	1.11
1970～1979	437.2	2.466	3.00	520.9	0.927	1.66	1.34
1980～1989	400.8	2.189	2.75	551.1	1.208	1.86	0.89
1990～1996	362.3	2.928	4.00	535.5	1.148	2.43	1.57

注：本表1989年前的数字引自参考文献[15]。

(三)开矿、修路增沙量计算

根据各县(市)的统计年报资料及部分设计施工技术资料和水土保持部门对公路、农路建设专题调查,分析确定公路、农路里程、面积,其弃土弃石量可按下式计算:

$$\Delta W_{sq} = \zeta_1 \Delta V_q \tag{8-31}$$

$$\Delta V_q = L \cdot G_q \tag{8-32}$$

式中:ΔW_{sq}为修路弃土弃石流失量,t;ΔV_q 为弃土弃石量,t;ζ_1 为流失系数;L 为修路里程;G_q 为单位里程弃土弃石量,t/km。

1. 道路弃土量计算

根据流域内调查,修公路每公里移动土方 2.0 万 ~ 5.0 万 m^3,乡村道路每公里移动土方 1.0 万 m^3。修路总弃土量的计算方法是:根据土地详查资料,分别确定出公路及乡村道路的面积。截至 1996 年,北洛河流域公路占地 2 820 hm^2,村道占地 10 280 hm^2。再将公路按平均宽度 12 m,村道按 8 m 分别计算出道路长度,然后根据单位公里长度移动土石方量求出修路弃土量。在公路、村道的建设过程中,通过挖填平衡后,约有 30%的移动土方弃于坡面或沟道;在弃土中,村道弃土流失率为 25%,公路弃土流失率为 38%,弃土干容重按 1.35 t/m^3 计算。经详细计算,北洛河流域乡村道路弃土流失量为 1 301 万 t,公路为 1 266 万 t。

2. 修铁路弃土流失量的计算

途经北洛河流域的西(安)—延(安)铁路,南起临潼新丰镇,经蒲城、白水、澄城、宜君、黄陵、洛川、富县、甘泉到达延安,全程 334 km,现已全线通车。该铁路进入蒲城秦家川后,沿洛河而上。从秦家川到道镇的 93 km 线路中,桥隧长就占 47%[2]。根据调查,修铁路每公里移动土石方约 4.33 万 m^3,弃土量占移动土方的 30%,流失率为 20%。经计算,因西延铁路修筑在北洛河流域的弃土总流失量为 117 万 t。

3. 开矿弃土流失量的计算

开矿不仅破坏表土,而且会造成大量的弃土弃石,弃土弃石直接进入河道,一遇洪水就造成新的水土流失。据在北洛河流域的调查,长庆油田 90 年代在北洛河上游的吴旗、志丹两县打井(油井及水井)总数为 1 200 口左右,按单井弃土量约为 2.0 万 m^3、流失率为 15%计算,其流失量为 486 万 t 左右。

对于以上所计算出的开荒、修路、开矿等人为新增水土流失总量,根据调查情况,按 60 年代约占 15%、70 年代约占 20%、80 年代约占 25%,1990 ~ 1996 年约占 40%进行分配,各年代内则按洪量模数进行分配。

(四)开矿、修路等增洪量的计算

开矿、修路破坏了原地表植被,造成地表抗蚀力降低,使其成为径流的一个主要来源区。根据陕北、陇东地区及晋西北的一些观测资料,矿区、道路的平均径流模数为 6.118 万 $m^3/(km^2 \cdot a)$,与荒坡、农地相比,增水模数为 2.08 万 $m^3/(km^2 \cdot a)$,以此计算其增水量。

由表 8-17 可知,1970 ~ 1996 年开荒(包括陡坡开荒和毁林开荒)增沙量占人为活动增沙总量的 88.8%,开荒增洪量占人为活动增洪总量的 92.7%。从各年代变化情况看,开荒增沙量占总增沙量的百分比(占比)逐年代下降,但开荒增洪占比变化甚小。

表 8-17　　北洛河流域人类活动增水增沙量计算成果

时段（年）	增沙量(万 t)						
	乡村道路	公路	开矿	铁路	陡坡开荒	毁林开荒	小计
1956～1969	-18.08	-17.58	-6.75	—	-289.01	—	-331.42
1970～1979	-26.02	-25.32	-9.72	—	-379.99	-337.00	-778.05
1980～1989	-32.53	-31.65	-12.15	-36.87	-421.32	-505.00	-1 039.52
1990～1996	-74.38	-72.48	-27.83	-65.00	-460.21	-1 068.00	-1 767.89
1970～1996	-40.97	-39.89	-15.31	-30.51	-416.10	-588.74	-1 131.52
1956～1996	-33.15	-32.27	-12.39	-20.09	-372.70	-387.71	-858.31

时段（年）	增洪量(万 m^3)					
	乡村道路	公路	开矿	铁路	毁林开荒	小计
1956～1969	-51.97	-14.26	-18.00	—	—	-84.23
1970～1979	-74.84	-20.53	-25.92	—	-1 612.00	-1 733.29
1980～1989	-93.55	-25.66	-32.40	-11.99	-2 141.00	-2 304.60
1990～1996	-213.82	-58.66	-74.20	-27.47	-4 532.00	-4 906.15
1970～1996	-117.80	-32.31	-40.84	-11.56	-2 564.96	-2 767.48
1956～1996	-95.32	-26.15	-33.04	-7.61	-1 689.12	-1 851.25

第五节　计算结果与分析

一、减水减沙量的构成

(一)减洪量的构成

北洛河流域“水保法”减洪量 ΔW_{JH} 由以下 7 项构成：

$$\Delta W_{JH} = \Delta W_{梯} + \Delta W_{林} + \Delta W_{草} + \Delta W_{坝} + \Delta W_{H} + \Delta W_{L} + \Delta W_{人} \tag{8-33}$$

式中：$\Delta W_{梯}$、$\Delta W_{林}$、$\Delta W_{草}$、$\Delta W_{坝}$、ΔW_{H}、ΔW_{L} 及 $\Delta W_{人}$ 分别代表梯田、林地、草地、淤地坝、水库、灌溉减洪量和人为增洪量。

减洪效益按下式计算：

$$\eta_1 = \Delta W_{JH}/(W_{H实} + \Delta W_{JH}) \times 100\% \tag{8-34}$$

式中：ΔW_{JH} 为流域“水保法”减洪量，万 m^3；$W_{H实}$ 为流域实测洪水量，万 m^3；η_1 为减洪效益，%。

(二)减水量的构成

北洛河流域“水保法”减水量 ΔW_J 由以下 8 项构成：

$$\Delta W_J = \Delta W_{梯} + \Delta W_{林} + \Delta W_{草} + \Delta W_{坝} + \Delta W_{H} + \Delta W_{L} + \Delta W_{G} + \Delta W_{人} \tag{8-35}$$

式中：ΔW_G 代表工业及城镇生活用水量；其余符号代表意义同前。

减水作用按下式计算：

$$\eta_2 = \Delta W_J/(W_{实} + \Delta W_J) \times 100\% \tag{8-36}$$

式中：ΔW_J 为流域“水保法”减水量，万 m^3；$W_{实}$ 为流域实测年径流量，万 m^3；η_2 为减水作用，%。

(三)减洪沙量的构成

北洛河流域“水保法”减洪沙量ΔW_{JHS}由以下8项构成:

$$\Delta W_{JHS} = \Delta W_{HS梯} + \Delta W_{HS林} + \Delta W_{HS草} + \Delta W_{HS坝} + \Delta W_{SY} + \Delta W_{gS} + \Delta W_{SH} + \Delta W_{S人} \quad (8\text{-}37)$$

式中:$\Delta W_{HS梯}$、$\Delta W_{HS林}$、$\Delta W_{HS草}$、$\Delta W_{HS坝}$、ΔW_{SY}、ΔW_{gS}、ΔW_{SH}及$\Delta W_{S人}$分别代表梯田、林地、草地、淤地坝、河道冲淤、灌溉、水库及人类活动减少的洪沙量。其中$\Delta W_{S人}$为负值。当河道淤积时,ΔW_{SY}为正,冲刷时ΔW_{SY}为负。

减洪沙效益按下式计算:

$$\eta_3 = \Delta W_{JHS}/(W_{HS实} + \Delta W_{JHS}) \times 100\% \quad (8\text{-}38)$$

式中:ΔW_{JHS}为流域“水保法”减洪沙量,万t;$W_{HS实}$为流域实测洪水输沙量,万t;η_3为减洪沙效益,%。

(四)减沙量的构成

北洛河流域“水保法”减沙量ΔW_{JS}由以下8项构成:

$$\Delta W_{JS} = \Delta W_{HS梯} + \Delta W_{HS林} + \Delta W_{HS草} + \Delta W_{HS坝} + \Delta W_{SY} + \Delta W_{gS} + \Delta W_{SH} + \Delta W_{S人} \quad (8\text{-}39)$$

式中:ΔW_{SH}、ΔW_{gS}分别代表水库、灌溉减沙量(即减少的洪沙与常沙量之和);其余符号代表意义同前。

减沙作用按下式计算:

$$\eta_4 = \Delta W_{JS}/(W_{S实} + \Delta W_{JS}) \times 100\% \quad (8\text{-}40)$$

式中:ΔW_{JS}为流域“水保法”减沙量,万t;$W_{S实}$为流域实测年输沙量,万t;η_4为减沙作用,%。

北洛河流域“水保法”减水减沙作用计算成果汇总见表8-18、表8-19。其中洑头水文站以上作为北洛河全流域的计算结果;刘家河水文站以上由于地处黄土丘陵沟壑区,是北洛河流域泥沙的主要来源区,故将其计算结果单独列出,洑头水文站以上的计算结果包括此值。“水保法”减水减沙作用计算的分界年份为1970年。

二、计算成果的分析

(一)减水量计算成果分析

由“水保法”减水作用计算成果汇总表8-18可知,北洛河流域(洑头水文站以上)1970~1996年水利水土保持措施及人类活动年均减少洪水量8 417万m^3,减洪效益21.4%;年均减水27 793万m^3,减水作用24.7%。其中刘家河水文站以上的黄土丘陵沟壑区同期年均减少洪水量1 454万m^3,减洪效益10.4%;年均减水2 739万m^3,减水作用9.9%。

(1)就分年代计算结果看,70年代和80年代洑头水文站以上年均分别减少洪水量9 425万m^3和7 305万m^3,减洪效益分别为25.6%和17.6%;其中刘家河水文站以上70年代和80年代年均分别减少洪水量1 591万m^3和1 128万m^3,减洪效益分别为11.2%和10.8%。1990~1996年洑头水文站以上年均减少洪水量8 567万m^3,减洪效益为21.5%;其中刘家河水文站以上年均减少洪水量1 722万m^3,减洪效益为9.2%。

由此可见,70、80、90年代洑头水文站以上减洪效益变化呈马鞍形,两头大,中间小;刘家河水文站以上减洪效益则呈下降趋势,这显然与90年代几次发生大洪水有关。

表 8-18　　北洛河流域“水保法”减水作用计算成果　　(单位:万 m^3)

分区	时段(年)	年降水量(mm)	实测洪量	计算洪量	实测年径流量	计算年径流量	水土保持措施减洪量				
							梯田	造林	种草	坝地	小计
刘家河水文站以上	1959～1969	475.1	15 681	16 485	26 990	28 018	36.7	148.8	4.1	588.2	777.8
	1970～1979	449.4	12 648	14 239	24 656	27 444	180.7	303.1	19.3	833.3	1 336.4
	1980～1989	409.6	9 299	10 427	21 891	24 200	243.5	419.7	41.2	196.3	900.7
	1990～1996	362.3	16 919	18 641	29 282	32 565	281.9	499.0	50.4	942.7	1 774.0
	1970～1996	412.1	12 515	13 968	24 831	27 570	230.2	397.1	35.5	625.8	1 288.5
洑头水文站以上	1956～1969	559.8	36 546	38 436	94 461	97 632	68.0	367.0	5.6	1 173.2	1 613.8
	1970～1979	499.4	27 407	36 832	83 487	112 112	415.3	865.9	32.2	1 792.1	3 105.5
	1980～1989	511.0	34 094	41 398	92 150	116 656	559.9	1 199.0	68.7	438.4	2 266.0
	1990～1996	445.8	31 272	39 839	76 488	107 788	647.9	1 425.8	84.0	2 024.6	4 182.4
	1970～1996	489.8	30 886	39 303	84 881	112 674	529.2	1 134.4	59.2	1 351.0	3 073.8

分区	时段(年)	水利措施减水量					工业生活用水	人为增洪	减洪效益		减水作用	
		灌溉		水库		小计						
		洪水	常水	洪水	常水				减少量	%	减少量	%
刘家河水文站以上	1959～1969	20.4	47.5	16.4	13.4	97.7	162.8	－10.7	803.9	4.9	1 027.5	3.7
	1970～1979	391.5	913.4	71.4	58.4	1 434.6	225.0	－208.0	1 591.2	11.2	2 788.0	10.2
	1980～1989	341.8	797.6	162.0	132.5	1 434.0	250.5	－276.6	1 128.0	10.8	2 308.7	9.5
	1990～1996	451.1	1 052.7	85.8	70.2	1 659.9	438.0	－588.7	1 722.2	9.2	3 283.1	10.1
	1970～1996	388.6	906.6	108.7	88.9	1 492.8	289.7	－332.1	1453.6	10.4	2 738.8	9.9
洑头水文站以上	1956～1969	319.8	746.2	40.3	33.0	1 139.3	501.3	－84.2	1 889.7	4.9	3 170.1	3.2
	1970～1979	7 829.3	18 268.4	223.0	182.5	26 503.2	750.0	－1 733.3	9 424.6	25.6	28 625.4	25.5
	1980～1989	6 836.9	15 952.7	506.2	414.2	23 709.9	835.0	－2 304.6	7 304.5	17.6	24 506.3	21.0
	1990～1996	9 022.8	21 053.1	268.3	219.5	30 563.6	1 460.0	－4 906.1	8 567.2	21.5	31 299.8	29.0
	1970～1996	7 771.1	18 132.7	339.6	277.9	26 521.3	965.6	－2 767.5	8 417.1	21.4	27 793.2	24.7

表 8-19　　北洛河流域“水保法”减沙作用计算成果　　(单位:万 t)

分区	时段(年)	年降水量(mm)	实测洪沙量	计算洪沙量	实测年沙量	计算年沙量	水土保持措施减沙量				
							梯田	造林	种草	坝地	小计
刘家河水文站以上	1959～1969	475.1	9 822	10 319	9 917	10 419	33.5	274.2	3.8	224.6	536.2
	1970～1979	449.4	7 362	8 184	7 386	8 331	102.8	249.2	11.2	316.5	679.7
	1980～1989	409.6	4 659	5 352	4 693	5 452	151.9	401.5	26.6	73.9	654.0
	1990～1996	362.3	8 151	9 089	8 352	9 369	173.4	462.9	35.0	308.7	980.0
	1970～1996	412.1	6 566	7 370	6 639	7 534	139.3	361.0	23.1	224.6	748.1
洑头水文站以上	1956～1969	559.8	10 423	11 053	10 780	11 421	63.2	406.1	4.8	456.7	930.8
	1970～1979	499.4	7 917	9 516	9 725	11 726	250.8	498.4	18.7	663.3	1 431.2
	1980～1989	511.0	4 970	6 052	5 415	6 707	370.6	803.1	44.4	145.2	1 363.2
	1990～1996	445.8	7 990	8 967	8 749	9 997	423.0	925.8	58.4	656.2	2 063.3
	1970～1996	489.8	6 844	8 091	7 876	9 419	339.8	722.0	38.5	469.5	1 569.9

分区	时段(年)	水利措施减沙量					河道冲淤	人为增沙	减洪沙效益		减沙作用	
		灌溉		水库		小计						
		洪沙	常沙	洪沙	常沙				减少量	%	减少量	%
刘家河水文站以上	1959～1969	5.3	3.5	7.8	0.9	17.5	—	－51.7	497.6	4.8	502.0	4.8
	1970～1979	169.0	112.7	90.0	10.0	381.7	—	－116.7	822.1	10.0	944.7	11.3
	1980～1989	79.1	52.7	115.7	12.9	260.5	—	－155.9	692.9	12.9	758.5	13.9
	1990～1996	97.6	65.1	125.4	13.9	302.0	—	－265.2	937.8	10.3	1 016.8	10.9
	1970～1996	117.2	78.1	108.7	12.1	316.1	—	－169.7	804.2	10.9	894.5	11.9
洑头水文站以上	1956～1969	13.9	9.3	16.2	1.8	41.2	—	－331.4	629.4	5.7	640.5	5.6
	1970～1979	563.3	375.5	237.0	26.3	1 202.2	146.0	－778.1	1 599.4	16.8	2 001.3	17.1
	1980～1989	263.7	175.8	304.5	33.8	777.9	190.0	－1 039.5	1 082.0	17.9	1 291.7	19.3
	1990～1996	351.6	234.4	330.0	36.7	952.7	0.0	－1 767.9	977.1	10.9	1 248.2	12.5
	1970～1996	397.5	265.0	286.1	31.8	980.4	124.4	－1 131.5	1 246.4	15.4	1 543.2	16.4

(2)就分年代计算结果看,70 年代和 80 年代 洑头水文站以上年均分别减水 28 625 万 m^3 和24 506万 m^3,减水作用分别为 25.5%和 21.0%;其中刘家河水文站以上 70 年代和 80 年代年均分别减少 2 788 万 m^3 和 2 309 万 m^3,减水作用分别为 10.2%和 9.5%。1990 ~ 1996 年 洑头水文站以上年均减水 31 300 万 m^3,减水作用为 29.0%;其中刘家河水文站以上年均减水 3 283 万 m^3,减水作用为 10.1%。

显然,洑头水文站以上减水作用变化仍呈马鞍形,两头大,中间小;但与减洪效益变化不同的是,90 年代减水作用最大,而减洪效益是 70 年代最大。刘家河水文站以上减水作用变化呈驼峰状,中间大,两头小,与减洪效益变化明显不一致。

(二)减沙量计算成果分析

由"水保法"减沙作用计算成果汇总表 8-19 可知,北洛河流域(洑头水文站以上)1970 ~ 1996 年水利水土保持措施年均减洪沙 1 246 万 t,减洪沙效益 15.4%;年均减沙 1 543 万 t,减沙作用 16.4%。其中刘家河水文站以上年均减洪沙 804 万 t,减洪沙效益 10.9%;年均减沙 895 万 t,减沙作用 11.9%。

(1)北洛河流域(洑头水文站以上)70 年代和 80 年代年均分别减洪沙 1 599 万 t 和 1 082 万 t,减洪沙效益分别为 16.8%和 17.9%;其中刘家河水文站以上 70 年代和 80 年代年均分别减洪沙 822 万 t 和 693 万 t,减洪沙效益分别为 10.0%和 12.9%;1990 ~ 1996 年 洑头水文站以上年均减洪沙 977 万 t,减洪沙效益 10.9%;其中刘家河水文站以上年均减洪沙 938 万 t,减洪沙效益 10.3%。

由此可见,洑头水文站以上和刘家河水文站以上减洪沙效益各年代变化均呈驼峰状,中间大,两头小。但洑头水文站以上是 70 年代大于 90 年代,而刘家河水文站以上却是 70 年代小于 90 年代(但差距很小)。

(2)北洛河流域(洑头水文站以上)70 年代和 80 年代年均分别减沙 2 001 万 t 和 1 292 万 t,减沙作用分别为 17.1%和 19.3%;其中刘家河水文站以上 70 年代和 80 年代分别减沙 945 万 t 和 759 万 t,减沙作用分别为 11.3%和 13.9%。1990 ~ 1996 年 洑头水文站以上年均减沙 1 248 万 t,减沙作用 12.5%;其中刘家河水文站以上年均减沙 1 017 万 t,减沙作用 10.9%。

显然,洑头水文站以上和刘家河水文站以上减沙作用呈相似的驼峰状变化趋势,中间大,两头小,变幅明显。

(三)各项水土保持措施减洪减沙量在总量中所占的比重分析

(1)1970 ~ 1996 年,北洛河流域 洑头水文站以上四大水土保持措施(梯、林、草、坝)年均减洪3 074 万 m^3,占 洑头水文站以上减洪总量的 36.5%,其中梯田年均减少 529 万 m^3,占减洪总量的6.3%;林地年均减少 1 134 万 m^3,占减洪总量的 13.5%;草地年均减少 59 万 m^3,占减洪总量的 0.7%;坝地年均减少 1 351 万 m^3,占减洪总量的 16.1%;水利措施(灌溉、水库)年均减少 8 111 万 m^3,占减洪总量的 96.4%;人为活动增洪量为 2 768 万 m^3,占 -32.9%。但刘家河水文站以上的黄土丘陵沟壑区与全流域相比却存在较大差异:四大水土保持措施(梯、林、草、坝)年均减洪 1 289 万 m^3,占刘家河水文站以上减洪总量的 88.6%,其中梯田年均减少 230 万 m^3,占减洪总量的 15.8%;林地年均减少 397 万 m^3,占减洪总量的 27.3%;草地年均减少 36 万 m^3,占减洪总量的 2.4%;坝地年均减少 626 万 m^3,占减洪总量的 43.0%;水利措施(灌溉、水库)年均减少 497 万 m^3,占减洪总量的 34.2%;人为活动增洪量为 332 万 m^3,占 -22.8%。从以上占比变化可以看出,刘家河水文站以上的黄土丘陵沟壑区,以淤地坝减洪所占的比例最高,其次为水利措施。而从全流域来看,由于富张渠和洛惠渠的引水量较大,因而水利措施占了绝对比例。此外,人为活动引起的增洪量也不容忽视。刘家河水文站以上的人为活动增洪量抵消了坝地减洪量的一半。从北洛河全流域来看,人为活动增洪量已远远大于淤地坝减洪量,接近四大水土保持措施的减洪量。

(2)1970~1996 年,北洛河流域 洑头水文站以上四大水土保持措施(梯、林、草、坝)年均减洪沙 1 570 万 t,占 洑头水文站以上减洪沙总量的 126.0%,其中梯田年均减少 340 万 t,占减洪沙总量的 27.3%;林地年均减少 722 万 t,占减洪沙总量的 57.9%;草地年均减少 39 万 t,占减洪沙总量的 3.1%;坝地年均减少 470 万 t,占减洪沙总量的 37.7%;水利措施(灌溉、水库)年均减少 684 万 t,占减洪沙总量的 54.8%;人为活动增沙量 1 132 万 t,占 -90.8%。刘家河水文站以上的黄土丘陵沟壑区,四大水土保持措施(梯、林、草、坝)年均减洪沙 748 万 t,占刘家河水文站以上减洪沙总量的 93.0%,其中梯田年均减少 139 万 t,占减洪沙总量的 17.3%;林地年均减少 361 万 t,占减洪沙总量的 44.9%;草地年均减少23 万 t,占减洪沙总量的2.9%;坝地年均减少 225 万 t,占减洪沙总量的 27.9%;水利措施(灌溉、水库)年均减少 226 万 t,占减洪沙总量的 28.1%;人为活动增沙量170 万 t,占 -21.1%。从以上占比变化可以看出,北洛河流域减沙量以林地所占的比例最大,其次为水利措施。由于北洛河流域新中国成立后的毁林开荒十分严重,人为活动引起的增沙量所占比例很大,比梯、林、草的减沙量还要大。因此,加强林区森林资源的保护刻不容缓。

(3)1970~1996 年,北洛河流域 洑头水文站以上四大水土保持措施年均减水 3 074 万 m^3,占减水总量的 11.1%;水利措施年均减水 26 521 万 m^3,占减水总量的95.4%;工业及生活用水占 3.5%;人为活动增洪量占 -10.0%。

(4)1970~1996 年,北洛河流域 洑头水文站以上四大水土保持措施年均减沙 1 570 万 t,占减沙总量的 101.7%;水利措施年均减沙 980 万 t,占减沙总量的 63.5%;河道年均淤积 124.4 万 t,占减沙总量的 8.1%;人为活动增沙量占减沙总量的 -73.3%。人为活动增沙抵消了 70%多的减沙量,的确令人触目惊心。北洛河流域尤其是林区和刘家河水文站以上,制止人为新增水土流失的任务和预防监督工作任重道远。

(四)各种水土保持措施不同年代减洪减沙变化分析

1. 坡面措施减洪减沙变化

坡面措施减洪减沙量均依年代递增,70 年代 洑头水文站以上坡面措施年均减洪 1 313 万 m^3,80 年代年均减洪量 1 828 万 m^3,1990~1996 年年均为 2 158 万 m^3。在坡面措施减洪量中,以林地减洪量为最大,梯田次之,草地最小。从 1970~1996 年来看,林地年均减洪量占坡面措施总减洪量的 65.8%,梯田占 30.7%,草地只占 3.4%。从坡面措施减沙量来看,也呈现出相同的变化趋势,70 年代、80 年代及 1990~1996 年坡面措施年均减洪沙量分别为 768 万 t、1 218 万 t 和 1 407 万 t,林地年均减沙占坡面措施减沙量的比例分别为64.9%、65.9%和 65.8%,与其减洪量所占比例基本一致。林地减洪减沙占主导地位,与其面积较大有关。截至 1996 年底,北洛河流域林地保存面积达 18.26 万 hm^2,其面积是梯田面积的 3.9 倍,草地面积的 4.6 倍。坡面措施减洪减沙量的逐年递增同样与坡面措施的保存面积逐年代递增有关,1996 年梯、林、草面积是 1989 年面积的 1.5 倍,是 1979 年面积的 3.1 倍,是 1969 年面积的 5.8 倍。刘家河水文站以上的黄土丘陵沟壑区坡面措施减洪减沙量所占比例与全流域的变化情况一致。

2. 淤地坝减洪减沙变化

北洛河流域洑头水文站以上淤地坝70年代年均减洪1 792万m^3,年均减沙663万t;80年代年均减洪438万m^3,年均减沙145万t;1990~1996年年均减洪2 025万m^3,年均减沙656万t。80年代的减洪减沙量在三个年代中属最小,与该时段的暴雨少于其他各时段有关。暴雨是产沙的动力,是产沙的决定因素,没有暴雨产不了沙,拦沙也就无从谈起。1970~1996年淤地坝年均减沙470万t,其中减蚀量年均26万t,减蚀量占坝地总减沙量的5.6%。

3. 灌溉减洪减沙变化

北洛河流域因灌溉70年代年均减水22 790万m^3,年均减沙939万t;80年代年均减水26 098万m^3,年均减沙440万t;1990~1996年年均减水30 076万m^3,年均减沙586万t。北洛河流域由于有洛惠渠及富张渠两个较大的灌区存在,其灌溉减水减沙量在流域水土保持措施减水减沙作用计算尤其是减水作用计算中占有重要地位,其减水量是淤地坝的19倍,其减沙量是淤地坝的1.4倍。

北洛河流域泥沙引入灌区,既肥沃了灌区土壤,也减少了下游河床的淤积,是一举两得的好事情。洛惠渠引用高含沙水流灌溉的问题研究已有进展。估计今后洛惠渠灌区通过改造挖潜,在引水量增加不大的情况下,引沙量可能有较大增加。

北洛河流域1970~1996年"水保法"计算的各项因素年均减沙量占比柱状图见图8-27;不同年代各项因素年均减沙占比变化过程柱状图见图8-28。

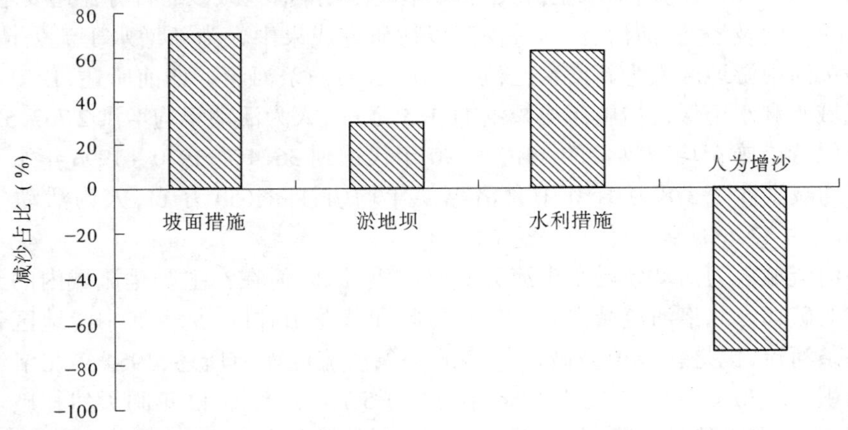

图8-27 北洛河流域1970~1996年各项因素年均减沙量占比柱状图

4. 人为活动增洪增沙变化

人为活动增洪增沙量从70年代至1990~1996年,随时段呈明显的递增趋势。北洛河流域洑头水文站以上人为活动70年代年均增洪1 733万m^3,80年代增大到2 305万m^3,1990~1996年年均剧增为4 906万m^3,比80年代增大了一倍多。在显著增洪的同时,人类活动增沙量的增幅也随着时间的延续呈逐年代明显上升的趋势,70年代、80年代及1990~1996年人为活动年均增沙量分别为778万t、1 040万t和1 768万t,90年代比80年代增大了70%。与人为活动增洪量占水利水土保持措施减洪量的百分比(三个时段分别为15.5%、24.0%和36.4%)相比,人类活动增沙量占水利水土保持措施减洪沙量的百分比显著增大,70年代为32.7%,80年代为49.0%,1990~1996年为64.4%。

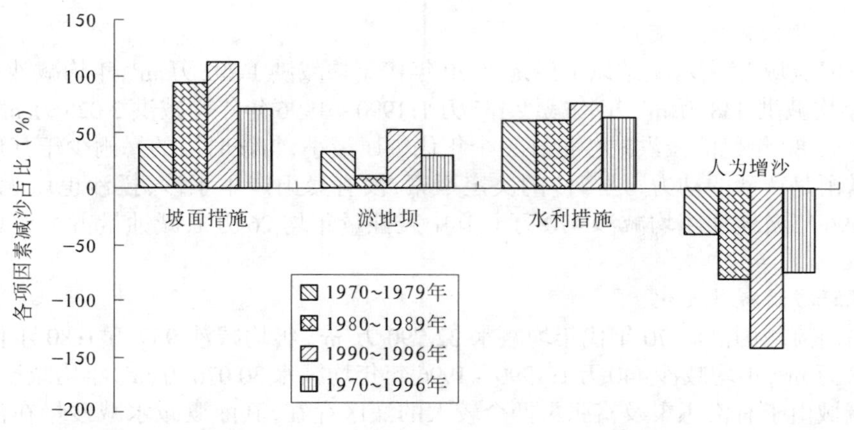

图 8-28　北洛河流域不同年代各项因素年均减沙占比变化过程柱状图

北洛河流域最大的增洪增沙项目是毁林开荒，其次是陡坡开荒。在 90 年代年均人为增沙总量中，毁林开荒和陡坡开荒增沙量分别占 60.5% 和 26%，修路和开矿增沙量分别占 12% 和 1.5%。因此，预防人为新增水土流失，搞好水土保持预防监督工作刻不容缓。如果边治理、边破坏甚至破坏大于治理的现象不能有效遏制，那么，随着 21 世纪北洛河流域经济的高速发展，人为新增水土流失占水利水土保持措施减沙的百分比还要增大。

从河龙区间及泾河、渭河、汾河等支流以往研究成果中人为新增水土流失情况来看，北洛河是黄河中游地区人为新增水土流失最严重的一条河流。如前所述，1970～1996 年北洛河流域水利水土保持措施年均减洪 11 185 万 m^3，人为活动年均增洪 2 767.5 万 m^3，占水利水土保持措施年均减洪量的 24.7%，90 年代达到 36.4%；1970～1996 年水利水土保持措施年均减洪沙 2 378 万 t（其中含洛惠渠年均引沙量 650 万 t），人为活动年均增沙 1 131.5万 t，占 47.6%，90 年代更高达 64.4%。

北洛河流域人为活动新增水土流失如此严重，原因何在？主要是流域内的天然林遭到了严重的破坏。北洛河流域内有子午岭林区和黄龙山林区，是黄河中游地区森林面积最多的一条河流，也是森林植被破坏最多的一条河流。如前所述，1954 年北洛河流域有天然林面积 10 370 km^2，90 年代比 1954 年减少了5 774 km^2，即 42 年间天然林破坏面积为 5 774 km^2，占原有天然林面积的 55.7%。根据本次研究成果，1959 年底北洛河流域四大水土保持措施保存面积为 1.246 7 万 hm^2，1996 年底增加到 27.319 万 hm^2，38 年间增加了 26.072 3万 hm^2，合 2 607.23 km^2。新增加的四大水土保持措施全部面积抵不上森林破坏面积的一半，水土流失如此严重就不足为奇了。如果不是洛惠渠年均引沙 650 万 t，北洛河流域人为新增水土流失量占比还要增大，甚至成为一条增沙河流也有可能。

毁林开荒的增洪增沙作用和造林的减水减沙作用一样，也有滞后现象。因为缓坡上的森林被破坏后，两侧和下部陡坡上的灌丛和草丛还存在，还有一定的滤沙保土作用。待到灌丛和草丛也被破坏，或者遇到特大暴雨时，毁林的严重后果就会被充分显示出来[15]。1992 年汛期，位于子午岭林区的北洛河支流葫芦河，继 1977 年之后又发生了一次大暴雨，一个汛期产生的沙量（310 万 t）占 80 年代张村驿水文站 10 年实测输沙量总和（490 万 t）的 63.3%就是一个明证。如果说 80 年代北洛河流域森林被破坏的恶果还只是初露端倪，那么随着 90 年代几场大洪水尤其是北洛河刘家河以上的“94·8”大洪水和葫芦河“96·7”千年一遇大洪水的来临，其恶果就更是触目惊心了。在惨痛的教训面前，人们进一步认识到了人为新增水土流失的严重性和危害性。令人欣慰的是，在北洛河流域水土保持措施的典型调查过程中，富县、洛川、黄陵、宜君等县水利水土保持部门对人为新增水土流失的预防监督工作非常重视，出台的一系列措施操作性强，预防监督管理工作比较到位；流域内的广大人民群众也开始认识到，毁林垦荒就是断子孙后代的生存之路，由抵触开始转变为护林育林，栽树种草。正像 1999 年 8 月上旬朱镕基总理在延安市考察陕北地区水土保持工作时所要求的那样，要把过去的“兄妹开荒”变为如今的“兄妹种树”；“退耕还林(草)，封山绿化，个体承包，以粮代赈”十六字方针，是北洛河流域尤其是其中上游地区今后水土保持工作的发展方向。要搞好北洛河流域的水土保持工作，必须坚决制止毁林垦荒和其他人为破坏，必须加强水土保持预防监督工作并切实加以落实。

5. 工业及生活用水

北洛河流域工业及生活用水量，70 年代年均为 750 万 m^3，80 年代年均为 835 万 m^3，1990～1996 年年均增至 1 460 万 m^3，其占总减水量的比例从 70 年代的 2.6%、80 年代的 3.4%，增大到 1990～1996 年的 4.7%。因此，工业及生活的用水耗水量不容忽视。今后，随着北洛河流域工业及社会经济的不断发展，工业及城镇生活用水量必然会进一步增加，在枯水季节出现的农业、工业和城镇生活用水的矛盾，以后会更加尖锐。大力提倡节约用水，合理开发利用宝贵的地表及地下水资源，大力发展雨水收集和集水农业，工业用水实行循环利用，很有必要，这也是北洛河流域今后水资源开发利用的方向。

三、减洪减沙作用比与年降水量的关系分析

北洛河流域自 1970 年以后开始了大规模的水土流失治理，其水土保持减洪减沙作用有何变化趋势是以往研究未曾涉及的。本次研究根据北洛河流域减洪减沙作用比与年降水量的关系进行了初步分析。所谓“减洪减沙作用比”，是指北洛河流域 1970 年以后历年“水保法”计算的年减水减沙量与实测年来水来沙量的比值。点绘北洛河流域年降水量与减洪减沙作用比关系散点图如图 8-29～图 8-32。由此可以看出有以下特点：

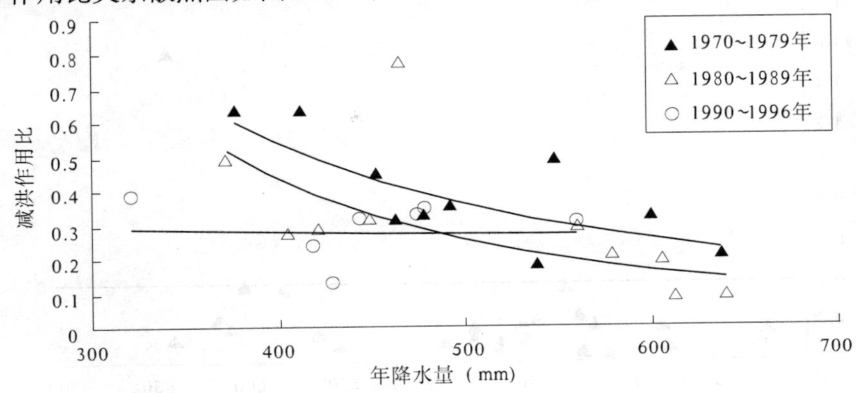

图 8-29 北洛河流域减洪作用比与年降水量关系

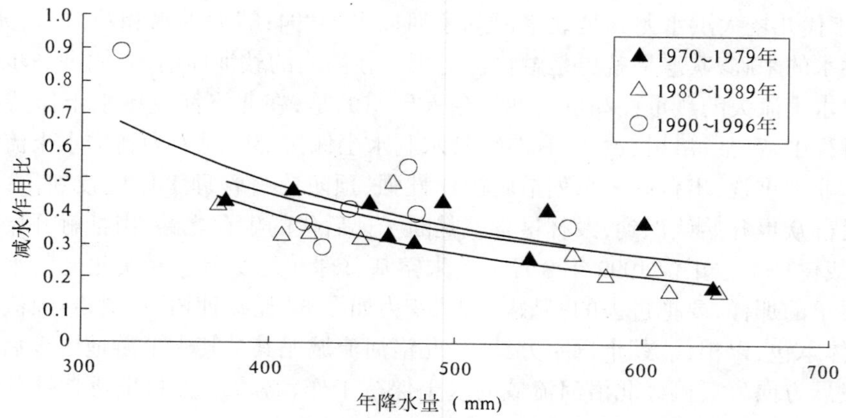

图 8-30　北洛河流域减水作用比与年降水量关系

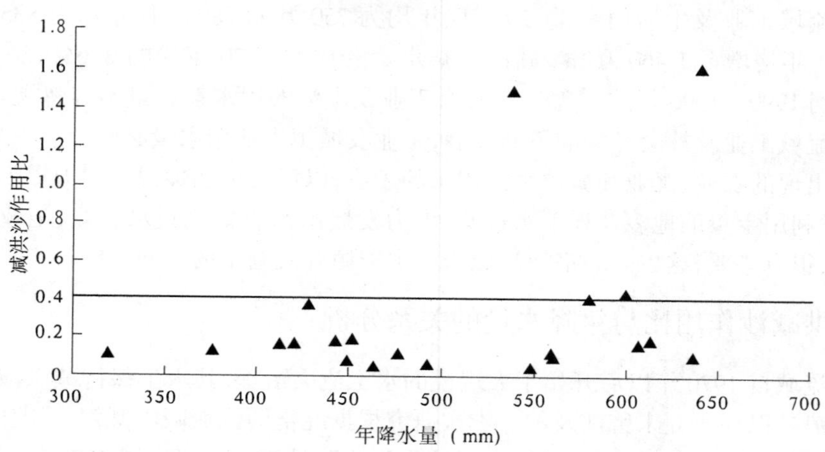

图 8-31　北洛河流域减洪沙作用比与年降水量关系

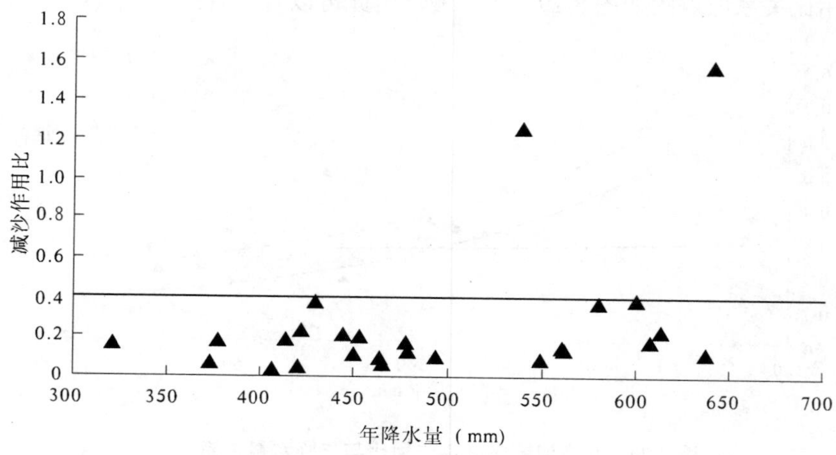

图 8-32　北洛河流域减沙作用比与年降水量关系

(1)减水作用比与年降水量成负相关。其关系式见表 8-20。

表 8-20　　北洛河流域减洪作用比、减水作用比与年降水量关系

时段(年)	y_1 与 x 关系	R^2	y 与 x 关系	R^2
1970 ~ 1979	$y_1 = 27\,090/x^{1.805\,8}$	0.522 7	$y = 986/x^{1.281\,8}$	0.449 2
1980 ~ 1989	$y_1 = 697\,950/x^{2.382\,9}$	0.520 9	$y = 7\,436/x^{1.641}$	0.728 0
1990 ~ 1996	$y_1 = 0.575/x^{0.117\,5}$	—	$y = 2\,632/x^{1.432\,8}$	0.448 2

注:y_1 代表减洪作用比;y 代表减水作用比;x 代表流域年平均降水量(mm);R 代表相关系数。

由此可见,虽然减水作用比与年降水量的相关性不好(其中 90 年代减洪作用比 y_1 与年降雨量 x 的相关性最差),但 x 的指数均为负值,二者的负相关趋势明显。

(2)减沙作用比与年降水量成正相关,但趋势不太明显。当年降水量在 300 ~ 600 mm 之间变化时,减沙作用比在 0.1 ~ 0.4 之间变化。

(3)以 0.4 为界,90%左右的年份减沙作用比在 0.4 以内;以 0.3 为界,80%左右的年份减沙作用比在 0.3 以内。两条水平线把点群划分为三个区域。

从北洛河流域年降水量与减沙作用比关系图 8-31、图 8-32 可以看出,只有两个年份点据孤悬于众点群上方,偏离很远。这两个年份 70、80 年代各有一年,分别是:1983 年的减沙作用比最大,为 1.57;其次是 1976 年,减沙作用比为 1.26。二者分别比 0.4 偏大3.9 倍和 3.2 倍。减沙作用比大于 1.0,说明当年"水保法"计算的年减水减沙量大于实测年来水来沙量,水土保持措施拦蓄作用占主导地位。对减沙作用比与年降水量的关系有待进一步深入研究。

四、水土保持综合治理措施对洪水洪沙关系的影响

水土保持综合治理措施实施后对流域洪水洪沙关系的影响如何是人们关注的问题。尤其是在黄土丘陵沟壑区,研究这一问题更为重要。北洛河流域刘家河水文站以上流域治理前后的洪水洪沙关系见图 8-33。以 1970 年作为治理前后的分界年,其洪水洪沙线性关系如下。

(1)治理前(1959 ~ 1969 年)的线性关系为

$$y = 0.676\,3x - 783.42 \tag{8-41}$$

式中:y 为洪水输沙量,万 t;x 为洪水径流量,万 m^3;相关系数 $R = 0.986$。

(2)治理后(1970 ~ 1996 年)的线性关系为

$$y = 0.595\,3x - 657.44 \tag{8-42}$$

式中:相关系数 $R = 0.975$。

显然,刘家河水文站以上流域治理后的洪水洪沙线性关系式的斜率变小,洪水洪沙关系线偏于下方,说明在洪水来量相同的情况下,洪水输沙量减少;随着洪水来量的增大,水土保持措施减少洪水输沙量作用愈加明显。由图 8-33 还可以看出,当刘家河水文站以上洪水量大于5 000万 m^3 以后,水土保持措施开始发挥减沙作用;当洪水量等于 2 亿 m^3 时,水土保持综合治理措施减少洪沙量约为 1 490 万 t。因此,水土保持综合治理措施减水的本质

是减少洪水，进而减少洪沙。在黄河中游黄土丘陵沟壑区，水土保持依然是减少入黄泥沙的根本措施。

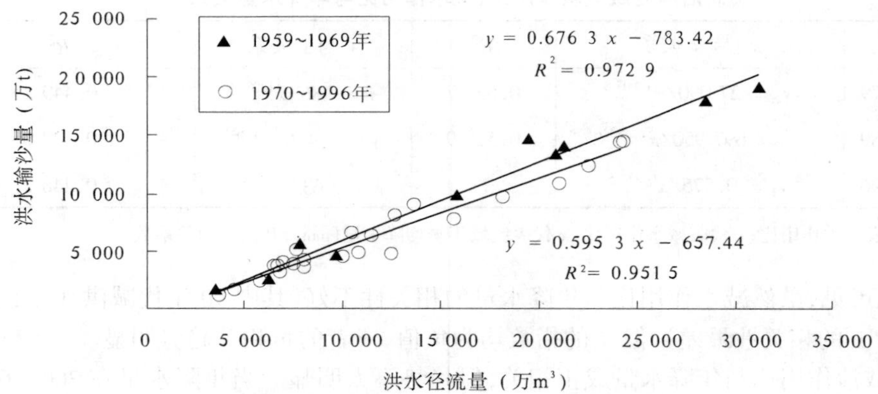

图 8-33　刘家河水文站治理前后洪水洪沙关系

五、已有研究成果的对比

北洛河流域已有研究成果对比一览见表 8-21。

表 8-21　北洛河流域水沙变化研究已有成果对比一览表

时段(年)	研究者	水文法		水保法	
		减水(亿 m^3)	减沙(亿 t)	减水(亿 m^3)	减沙(亿 t)
1970 ~ 1979	水沙基金①(陈景梁)	3.810 0	0.134 0	2.530 0	0.225 0
	水保基金(张胜利)	1.207 0	0.044 2	2.595 4	0.162 5
	自然基金(熊贵枢)	0.005 0	0.055 3	—	0.216 6
	水沙基金②	—	—	2.862 5	0.200 1
1980 ~ 1989	水沙基金①(陈景梁)	1.970 0	0.384 0	2.260 0	0.121 0
	水保基金(张胜利)	0.143 0	0.343 4	2.229 3	0.070 5
	自然基金(熊贵枢)	− 0.950 0	0.303 5	—	0.086 6
	水沙基金②	—	—	2.450 6	0.129 2
1990 ~ 1996	水沙基金②	—	—	3.130 0	0.124 8

注：表中 70、80 年代数据来自参考文献[16]；水沙基金②代表本次研究。

六、三门峡库区北洛河库段冲淤变化情况[17]

北洛河在赵渡镇以东穿过黄淤 45 断面向南汇入渭河。黄淤 45 断面与渭淤 1 断面到潼关黄淤 41 断面，为黄河、渭河、北洛河汇流区，冲淤变化频繁。北洛河下游河道为弯曲性河流，弯曲系数 1.5。由于经常发生高含沙洪水，塑造了窄深河槽。洪水漫滩时滩地淤积，河槽冲刷。窄深河槽是指随着流量增加而宽深比 $\sqrt{B}/h$ 值逐渐变小的河槽。在窄深河槽中,随着流量的增加,单宽流量增大,水流挟沙能力迅速提高。齐璞等人的研究结果表明[18],在含沙量为 100~800 kg/m^3 范围内,当单宽流量大于 5 m^3/(s·m)时,窄深河道输沙特性与输沙渠道相似,多来多排不多淤,河槽具有极强的输沙能力;北洛河下游河道不淤临界流量为 300 m^3/s,渭河下游为 1 500 m^3/s,三门峡水库潼关以下约为 3 500 m^3/s,黄河艾山以下河道为 3 000 m^3/s。三门峡水库建库前十多年北洛河下游河槽未发生明显淤积。三门峡建库后,北洛河下游河道有不同程度的淤积:水库蓄水拦沙运用阶段北洛河仅淤 0.119 亿 m^3,而 1966 年 5~10 月北洛河淤积量达 0.653 1 亿 m^3;渭河口淤塞的 1967 年,北洛河汛期仅淤积 0.084 亿 m^3。1968~1990 年北洛河略有淤积。1990 年 10 月~1995 年 10 月由于洑头出现大洪水,淤积量达 1.274 亿 m^3,年均淤积 0.255 亿 m^3[17]。因此,通过加强北洛河流域水土保持生态工程建设,控制流域出现大洪水;或者使下游河道达到不淤的临界流量和单宽流量,是减轻北洛河下游河道淤积、降低潼关高程的两种有效途径。而减淤的根本措施仍是流域水土保持综合治理。

第六节　存在的问题及建议

一、存在的问题

北洛河流域水土保持措施减水减沙作用研究本身非常复杂,又受许多自然因素和社会因素的影响,难度很大。由于本次研究的时间短(研究时间只有一年半),要求高,需要进行大量的资料收集及分析整理工作,加之我们水平有限,研究不足之处在所难免。本次研究中存在的问题有以下几点:

(1)北洛河流域水沙变化研究中,90 年代的水文资料由陕西省水文水资源局管理,其收集难度相当大,而取得的资料中有少部分是未经整编的实测原始资料,其中存在的问题在所难免。加强水文基础资料的统一利用是今后深入开展北洛河流域水沙变化研究工作的重要环节。

(2)刘家河水文站 1994 年年输沙量特征值,收集到的资料记载为 2 530 万 t,但此数值明显有错。由于 1994 年 7~8 月刘家河水文站以上连续发生了几次大洪水,尤其是 8 月 31 日大洪水为百年一遇。刘家河水文站实测洪水量高达 23 800 万 m^3,洪峰流量高达 8 800 m^3/s,是 1939 年以来的最大值[19]。如此大的洪水,输沙量仅为 2 530 万 t 是不可能的。经多方考证,刘家河水文站 1994 年实测年输沙量至少应在 2.0 亿 t 以上。本次计算最后采用值为 2.325 亿 t,但此数值有待进一步考证并与正确的实测资料相核对。

(3)由于水文资料所限,未能进行北洛河流域各年代尤其是 90 年代"水文法"减水减沙作用计算与分析。

(4)水土保持措施减水减沙作用计算方法虽有重大改进,但仍有不足,需要在今后的研究中进一步补充完善。

二、建议

对今后北洛河流域水沙变化研究提以下几点建议:

(1)进一步收集、分析小流域单项水土保持措施减水减沙作用资料,分析其减水减沙作用,使研究工作有扎实可靠的基础。

(2)水土保持措施的保存面积是"水保法"计算的基本依据。本次研究根据北洛河流域1989年土地详查资料、1996年土地面积变更调查资料,并结合在流域调查得到的数据进行了详细分析,较以往的研究有了长足的进步。但由于水土保持措施面积基础数据利用的是流域内各县的年报资料,其真实性较难考证。今后若再进行深化研究,其精度仍显不够,需要采取措施,进一步加强北洛河流域各个时段水土保持措施保存面积的核实工作。

(3)北洛河流域上游地处多沙粗沙区,地方经济发展水平较低,群众生活相对贫困,许多县为国家核定的贫困县。在这种情况下,没有国家集中连续的投入,搞大规模的治理开发是不现实的。因此,应将该区列入国家基本建设项目区,加大投资力度,以促进该地区的经济发展和北洛河流域的治理开发。

(4)北洛河流域刘家河水文站以上总面积7 325 km^2,其中多沙粗沙区面积6 308 km^2;金佛坪水文站以上3 842 km^2全为多沙粗沙区[9]。鉴于刘家河水文站以上为北洛河流域泥沙的主要来源区,建议集中治理这一区域,以收到事半功倍之效。

(5)在西部大开发的新形势下,对子午岭林区和黄龙山林区必须采取切实有效的措施加以保护。要坚决制止新的毁林垦荒,坚决实行陡坡地退耕还林还草,使陕西省实施的"山川秀美工程"在北洛河流域见到成效。

(6)21世纪是黄河中游多沙粗沙区经济与社会高度发展的时期,北洛河流域的开发建设所带来的环境问题及其对水沙变化的影响,将十分复杂。因此,应继续加强对该流域水土保持措施减水减沙作用及水沙变化原因的分析研究,根据新情况,探讨新问题,为这一地区的开发治理决策提供科学依据。

参考文献与资料

[1] 蔺生睿,张遂业.黄河·上游·水沙.郑州:黄河水利出版社,1999
[2] 张胜利,等.北洛河流域水利水土保持措施减水减沙作用及水沙变化趋势预测的研究.黄委会黄河水利科学研究院,1991
[3] 王坤平.黄河流域水土保持基本资料.黄委会黄河上中游管理局,2001
[4] 张胜利,等.黄河中游多沙粗沙区1994年暴雨后水利水保工程作用和问题的调查报告.黄河水利委员会中游调查组,1994
[5] 陕西省澄城县洛河流域水土保持实施规划.澄城县水利水土保持局,1997
[6] 陕西省富县洛河流域水土保持实施规划.富县水利水土保持局,1997
[7] 陕西省白水县洛河流域水土保持实施规划.白水县水利水土保持局,1997
[8] 陕西省宜君县洛河流域水土保持实施规划.宜君县水利水土保持局,1997
[9] 徐建华,牛玉国.水利水保工程对黄河中游多沙粗沙区径流泥沙影响研究.郑州:黄河水利出版社,2000
[10] 冉大川,等.黄河中游河口镇至龙门区间水土保持与水沙变化.郑州:黄河水利出版社,2000
[11] 郑粉莉,等.林地开垦后坡沟侵蚀产沙关系的研究.中国水土保持,1994(8)
[12] 孟庆枚.黄土高原水土保持.郑州:黄河水利出版社,1996
[13] 唐克丽.黄河流域的侵蚀与径流泥沙变化.北京:中国科学技术出版社,1993
[14] 蔡庆,唐克丽.植被对土壤侵蚀影响的动态分析.水土保持学报,1992(2)

[15] 于一鸣.黄河中游多沙粗沙区水土保持减水减沙效益及水沙变化趋势研究报告. 黄河流域水土保持科研基金第四攻关课题组,1993
[16] 冉大川.黄河中游河龙区间水沙变化研究综述.泥沙研究,2000(3)
[17] 程龙渊,等.三门峡库区水文泥沙实验研究.郑州:黄河水利出版社,1999
[18] 齐璞,赵文林,杨美卿.黄河高含沙水流运动规律及应用前景.北京;科学出版社,1993
[19] 于一鸣.从 1994 年 8 月陕北暴雨看水土保持减洪减沙作用.水土保持科技信息,1995(3)

第九章　皇甫川流域水土保持措施减洪减沙作用研究

第一节　已有研究综述

一、引言

皇甫川为黄河中游河龙区间右岸最北端的一条支流，发源于内蒙古自治区鄂尔多斯市准格尔旗点畔沟，流经准格尔旗和陕西省榆林市府谷县，于府谷县川口村汇入黄河。干流长 137 km，河道平均比降 2.7‰；流域面积 3 246 km^2，其中水土流失面积 3 215 km^2，占流域总面积的 99.0%。皇甫川流域多年平均（1956 ~ 1999 年）降水量 386.3 mm，径流量 1.504 亿 m^3，输沙量 0.494 亿 t。流域内可分为砒砂岩丘陵沟壑区、黄土丘陵沟壑区及沙化黄土丘陵沟壑区等三个地貌类型区。皇甫川流域是黄河中游多沙粗沙区的一条主要支流，在黄河中游河口镇至龙门区间的诸多支流中来沙组成最粗。

选择我国以及世界上罕见的多沙、粗沙、水土流失剧烈、影响极大的皇甫川作为河龙区间典型支流，分析水土保持综合治理的水沙响应，研究其水沙变化趋势及治理方略，对于先粗后细、集中力量治理河龙区间粗泥沙集中来源区，构筑减少黄河粗泥沙的第一道防线，对于合理开发利用流域水资源、减少粗泥沙排放、降低潼关高程，对于三门峡库区治理和减轻黄河下游河道淤积，对于构建河龙区间典型支流和谐的水沙响应关系，为黄河水沙调控体系建设和黄河中游地区淤地坝建设以及粮食安全、水资源安全和生态安全提供科技支撑，均具有重要的现实意义。

二、已有研究综述

（一）对皇甫川流域粗泥沙及治理对策研究开始较早

皇甫川流域水沙特性分析、水土保持综合治理的水沙响应及治理方略研究历来为多方所关注。我国已故著名河流泥沙专家、中国科学院学部委员（院士）钱宁先生早在 20 世纪 60 年代就开始了对皇甫川流域粗泥沙的研究。他所主持的"黄河中游粗泥沙来源区及其对黄河下游冲淤的影响"研究，其研究成果被认为是"治黄指导思想上的重大突破"，荣获 1982 年国家自然科学二等奖。在这一重大研究中，钱宁先生认为，第一，"黄河的泥沙主要来源于黄河中游黄土地区。在皇甫川、窟野河以及无定河、北洛河、马莲河的河源区，新黄土中值粒径为 0.045 mm，而在渭河上游则中径减细到 0.015 mm 左右。"第二，"根据 1965 年黄河水利委员会绘制的黄河中游输沙模数图及同一时期的实测悬移质级配资料，可以绘出粗泥沙的输沙模数图。大于 0.05 mm 的粗泥沙，主要集中在两个区域内：其中，第一区为皇甫川至秃尾河等各条支流的中下游地区，粗泥沙输沙模数达到 10 000

$t/(km^2 \cdot a)$；另一个区域为无定河中下游（粗泥沙输沙模数在 6 000～8 000 $t/(km^2 \cdot a)$之间）及广义的白于山河源区（粗泥沙输沙模数在 6 000 $t/(km^2 \cdot a)$左右）。”研究结果表明：黄河下游的严重淤积主要是粗泥沙来源区的洪水造成的；淤积物主要是由粒径大于 0.05 mm 的粗颗粒泥沙组成。这些粗泥沙中的相当一部分来自黄河中游河口镇至无定河口的区间和白于山河源区这两个地区。集中治理这个地区，对减少黄河下游的淤积具有重要意义。钱宁先生的研究为后人研究皇甫川流域粗泥沙和水沙变化奠定了坚实基础，至今仍具有重要的指导意义。

在钱宁先生的影响下，皇甫川流域水沙变化自 20 世纪 70 年代后期开始逐步得到关注和重视，研究增多。黄委会黄河水利科学研究院张胜利等于 1978 年 9 月完成的“皇甫川水沙特性及对黄河天桥水电站影响的初步分析”一文，是较早分析皇甫川流域水沙特性的报告之一。该研究分析了皇甫川流域的水沙特性及对黄河天桥水电站的影响；对皇甫川水文（二）站断面冲刷厚度与水力、泥沙因子的关系进行了细致的研究。1980 年，张胜利教授和孟庆枚教授（已故）合作在《人民黄河》1980 年第 3 期上发表了“皇甫川高含沙水流特性初步分析”一文，从高含沙水流的流变特性、输沙特性、冲淤特性等三个方面分析了皇甫川高含沙水流的水力特性与输沙特性。根据 1964 年大理河流域资料，绘出了 1964 年大理河干沟曹坪水文站的含沙量与流量关系图和 1964 年大理河流域各测站输沙率与流量关系图。这两个著名的关系图分别表明：

（1）黄河中游黄土丘陵沟壑区含沙量变幅与流量大小有关。在小流量时含沙量变幅极大；当流量超过某一值时，含沙量就接近一个定常值。

（2）由于含沙量与流量的这种特定关系，使得黄土丘陵沟壑区的流量与输沙率关系也自具特色：坡面及各级沟道的流量与输沙率点据自聚成线，关系式为 $Q_s = KQ^n$，且曲线上都有两个转折点；在低流量时指数 n 视不同沟道而异，沟道的级差越大，其值相差越大；当流量较大时，各曲线趋于重合，n 值接近于 1。

（二）水利部黄河水沙变化研究基金会研究工作综述

1987 年，水利部成立了黄河水沙变化研究基金会；1988 年开始进行黄河中游水沙变化研究（第一期）。自此，黄河中游水沙变化研究进入了一个全新的时期。第一期黄河水沙变化研究基金课题由水利部徐乾清院士和水利部水利水电规划设计研究总院顾文书共同主持，历时 5 年。黄委会黄河水利科学研究院焦恩泽在第一期黄河水沙变化研究基金课题中具体承担了皇甫川、孤山川、窟野河、秃尾河等 4 条入黄一级支流的研究任务。在“皇甫川流域水沙变化趋势分析”项目中，对流域降雨特性、水沙关系、水沙特性、冲淤变化、产流与产沙、水利水保措施减水减沙量等进行了认真研究，预估了 2000 年流域的水沙情况。该研究是皇甫川流域水沙变化分析初期较全面的研究，但“水保法”研究的深度不够。1989 年，焦恩泽结合第一期黄河水沙变化研究皇甫川项目，又对皇甫川流域 1971～1976 年基本水文断面冲淤变化进行了分析。1991 年，焦恩泽在《人民黄河》1991 年第 4 期上发表论文“皇甫川高含沙水流与断面冲淤变化”。该文主要结论如下：

（1）皇甫川流域高含沙水流以 600 kg/m^3 含沙量作为划分标准；

（2）冲刷区发生在含沙量大于 600 kg/m^3 以上的宾汉高沙区和含沙量小于 100 kg/m^3 以下的一般水流挟沙区；淤积区主要出现在含沙量为 100～600 kg/m^3 的宾汉低沙区；

(3)在含沙量 $S = 100 \sim 600\ kg/m^3$ 的宾汉体低沙区发生淤积,根据宾汉极限剪切力 τ_B 的大小有三种情况存在。

焦恩泽的研究将皇甫川流域水沙变化与断面冲淤变化相联系,与泥沙运动力学相结合,在流域水沙变化精深研究方面具有创新性。

(三)黄河流域水土保持科研基金研究工作综述

为了加强黄河流域水土保持科研工作,贯彻1986年12月召开的"黄河中游水土保持科研工作座谈会"精神,落实时任水利部部长杨振怀的指示,经水利部批准,黄河流域水土保持科研基金于1987年设立。从1988年开始,由黄委会水土保持局于一鸣主持的第一期黄河流域水土保持科研基金项目第四攻关课题组,对黄河中游多沙粗沙区水土保持减水减沙效益及水沙变化趋势进行了历时5年的研究。由黄委会绥德水土保持科学试验站郝建忠、田永宏、熊运阜等人具体承担完成的"皇甫川流域水利水土保持措施减水减沙效益及水沙变化趋势预测研究",是首次根据"水文法"、"水保法"对皇甫川流域水利水保措施减水减沙效益及水沙变化趋势预测的全面研究,尤其是研究者身处基层一线,距离皇甫川流域很近,情况熟悉,资料丰富,"水保法"研究很有特色。

(四)国家自然科学基金研究工作综述

1988年,国家自然科学基金委员会批准设立"黄河流域环境演变与水沙运行规律"研究课题,作为国家自然科学基金重大基础研究项目,由著名地理学家、中国科学院、国家计划委员会地理研究所(现更名为中国科学院地理科学与资源研究所)研究员左大康(已故)和叶青超共同主持,开展黄河基础科学研究,历时5年。由黄委会黄河水资源保护研究所熊贵枢、李世明、徐建华等承担的该重大项目课题二"流域侵蚀产沙规律及水利水保减沙效益分析",对黄河中游的侵蚀与径流泥沙变化、水利水保措施现状减沙效益及发展趋势进行了分析和预估;"水文法"、"水保法"研究双管齐下;对大型煤田开采增加入黄泥沙量的研究和淤地坝淤积形态、水库群拦沙等研究有一定深度。该项目荣获1994年度中国科学院自然科学一等奖,皇甫川是该项研究的重要支流之一。日后通常以"水沙基金"、"水保基金"和"自然基金"简称的这"三大基金"相应研究,开创了皇甫川流域大规模水沙变化分析的先河,对后来的研究产生了重大影响。

(五)国家"八五"重点科技攻关项目(85-926-03-01)研究概况

进入20世纪90年代后,黄河中游水沙变化研究方兴未艾,皇甫川流域水沙变化及水土保持水沙响应研究更为活跃。1993年,由张胜利、李倬、赵文林共同主持的国家"八五"重点科技攻关项目"黄河中游多沙粗沙区治理研究"第一专题——"多沙粗沙区水沙变化原因分析及发展趋势预测"(85-926-03-01)研究,历时三年。采用重点研究和面上研究相结合的方法,把皇甫川、窟野河、无定河、三川河等四条支流作为重点支流进行研究,河龙区间其余17条支流作为一般支流研究。以分析20世纪80年代以来黄河中游多沙粗沙区水沙变化原因为中心内容,并采用"水文法"与"水保法"相结合的方法,预测了2000~2020年水沙变化趋势。本次研究是黄委会西峰、绥德、天水水土保持科学试验站第一次承担国家科技攻关研究任务。研究的两大特点是:重视基本资料的收集、整理和核实;计算方法有新的改进和突破。该项目研究先后荣获黄委会1997年度科技进步一等奖,水利部1998年度科技进步三等奖。

(六)黄河上中游管理局黄河中游水土保持措施减洪减沙效益研究综述

1991年,黄委会黄河上中游管理局从工作所需出发,由李倬、郑新民共同主持,组织所属的西峰、绥德、天水水土保持科学试验站,开展了该局"八五"重点课题"黄河中游河口镇至龙门区间水土保持措施减洪减沙效益研究",其中皇甫川为重点研究支流。通过历时5年的研究,在以下几个方面取得了重大进展。

(1)收集、整理、核实了河龙区间治理面积、坝库情况等大量基本资料;对降雨资料进行了插补展延、系列化处理和代表性分析。

(2)深入研究区域,对不同类型区、不同地貌进行典型调查,收集河龙区间所属45县(市、旗)的"土地详查"等基本资料,使水土保持四项基本措施(梯、林、草、坝)数量有了进一步的落实。

(3)在"水文法"研究中,针对不同流域研制了降雨产流产沙数学模型,较好地反映了降雨和下垫面时空分布不均匀的特性;在"水文法"统计分析中,采用了有效雨量、有效雨强、7~8月降雨量及汛期降雨量等不同指标进行对比分析;在径流变化分析计算中将洪水、常水分开研究,再合并说明径流变化情况。

(4)在"水保法"研究中,充分利用了河龙区间及黄委会天水、西峰、绥德三个水土保持试验站长期积累的小区观测资料,建立了一套新的"水保法"小区坡面措施减洪指标体系;首次把数理统计方法运用于"水保法"坡面措施减洪减沙效益计算。在消除了流域与小区减洪指标存在的时段差异、地区差异和点面差异后,用"同频率对应"将小区减洪指标运用于流域水保坡面措施减洪效益的计算。通过建立流域治理前的洪水泥沙关系(水文统计模型),提出了坡面措施减沙量计算的新方法——"以洪算沙"法。

(5)对淤地坝减洪减沙效益计算方法有新的改进,提出以减沙量依流域洪沙比推算淤地坝减洪量的新的计算方法,并得到较为成功的应用。

(6)首次绘制了河龙区间梯田、造林、种草、淤地坝四大水保措施密度分布图及密度分布等值线图。

(7)对未控区水保措施减洪减沙效益及人为活动增洪增沙量进行了推算。

由于该项目研究有重大突破和进展;研究者长期身居基层一线,具有比较丰富的实践经验;研究的基础资料来源可靠,研究方法有重大创新;研究结果为各方所公认,该项目荣获陕西省1998年度科技进步二等奖。

(七)水利部第二期黄河水沙变化研究综述

黄河中游水沙变化研究有一个跟踪研究的任务,上述五大研究的研究时段均截止于1989年。但自1990年以来,随着国家对生态环境保护的重视,黄河流域面上的水利水保工程又有了较大的发展。特别是干流龙羊峡水库投入运用后,黄河中下游来水来沙发生了很大变化:黄河下游出现连年断流,河道主槽淤积严重,中常洪水位超过历史最高水位,河道泄洪能力衰减,增加了防洪抢险的难度,对黄河水沙变化研究提出了更高的要求。有鉴于此,水利部决定自1995年开始进行黄河水沙变化研究第二期工作。1996年10月,水利部第二期黄河水沙变化研究基金项目开始启动。其中,黄委会黄河上中游管理局于德广、冉大川、柳林旺、赵力仪等4人共同主持"河龙区间水土保持措施减水减沙作用分析";内蒙古鄂尔多斯市水土保持办公室韩学士等承担"皇甫川流域水沙变化现状和发展趋势的研究”;黄委会水文局徐建华、李雪梅,黄委会黄河水利科学研究院戴明英等3人共同主持“不同降雨条件下河龙区间水利水保工程减水减沙效益分析”;黄河水利科学研究院李勇、潘贤娣,黄委会水文局董雪娜共同主持“黄河水沙特性变化综合分析”;黄委会黄河水利科学研究院钱意颖、国际泥沙研究培训中心徐明权共同主持“黄河中游河口镇到潼关地区水利水保工程对洪水的影响”。以上五大项目研究的资料系列均延长至1996年。研究历时三年,1999年结束。取得的主要成果为:

(1)对1990~1996年水利水保措施减水减沙作用提出了新成果,并进行了成因分析。

(2)从河流学和河床演变学出发分析,黄河中游干流主要水文站的水沙变化反映出1 500 m^3/s以下小流量级的历时和输沙量增大,水流输沙能力降低,这是造成河道萎缩、主槽淤积的主要原因。1986年以来,干支流泥沙粒径有随着输沙总量减少而粒径变细的趋势。

(3)首次提出了黄河中游水利水保工程对洪水的定性分析。

(4)对基本资料进行了广泛收集、比较分析、插补延长和调查落实。

(5)计算方法有所改进和创新。

(八)黄河联合研究基金重点项目(项目编号:50239080)研究成果综述

2001年,黄委会黄河水利科学研究院姚文艺教授、西安理工大学李占斌教授等共同承担了国家自然科学基金委员会和水利部黄河水利委员会联合资助的黄河联合研究基金重点项目“基于气候地貌植被耦合的黄河中游侵蚀过程”(项目编号:50239080)研究。该项目设立了气候－植被－侵蚀相互作用与耦合关系、坡面－沟道耦合关系及其产沙效应、水土保持减沙效益临界规律等专题,开展了深入研究。由姚文艺、李占斌、康玲玲著,科学出版社2005年6月出版的专著《黄土高原土壤侵蚀治理的生态环境效应》,集中反映了该项目的研究成果。在该项目研究中,对黄河中游流域土壤侵蚀治理的洪水泥沙响应过程进行了重点研究;对水土流失治理对流域产洪产沙的影响,包括入渗、产流过程、洪水过程、产沙等相关因子对流域治理的响应特点及规律研究比较深入细致。皇甫川是该项目研究的重点支流之一。主要研究结论如下:

(1)水土保持措施尤其是林草措施对土壤物理性质有较大影响。水土保持措施对产洪影响的物理过程主要表现在增加土壤孔隙率,提高土壤入渗能力,拦蓄地表径流,减缓汇流速度,降低洪水流量。对产沙影响的物理过程主要是在一定条件下可以减小降雨雨滴击溅作用,增大径流床面糙率,降低径流速度,提高土壤的抗冲刷能力,减轻径流的冲刷作用及挟运泥沙的作用。

(2)流域治理可以明显减小洪水径流系数。根据皇甫川流域资料分析,自20世纪80年代以后,径流系数较其前期减幅在0.11以上。流域治理对径流系数影响的大小与流域治理度有关。如从治理流域与非治理对比流域的治理度差值同径流系数变化关系看,流域治理度差值越大,治理流域的径流系数减少得越多。就统计而言,治理度差值约大于50%以后,随治理度差值增大,径流系数减少率明显增大。

(3)流域治理对洪水的影响存在着降雨阈值。在一定的治理措施条件下,水土保持措施只能对一定降雨过程的洪水才有较明显的影响。根据皇甫川流域资料分析,该阈值为面平均降雨量约小于35 mm,中心最大日降雨量小于50 mm。因此,分析时段皇甫川流域治理措施的作用是有限的,在高强度暴雨下对滞洪的作用很小,产流状况仍主要取决于降雨因子。

(4)流域治理后,在一定的洪峰流量范围内,可使洪水平均含沙量降低,并减小含沙量的上限值;同时,可减小含沙量的变幅。但是,当洪峰流量较大时,最大含沙量降低不明显。另外,流域治理并不能明显改变低洪峰流量的含沙量变幅大、高洪峰流量的含沙量变幅小的产沙特征。如果流域治理措施体系配置不合理,尽管在一般降雨条件下可以减少洪水产沙量,但大暴雨条件下的产沙量不会明显减少。

(5)流域治理效应是一种非线性的高阶响应过程,水土保持措施类型的配置体系不同,流域治理的效应将有很大差异,即流域治理效应与水土保持治理措施配置方案有关。对皇甫川流域而言,当淤地坝坝地配置比 $<2\%$ 时,流域治理的减沙效益很低;若坝库控制面积约小于流域总面积的 10%,尽管其他措施的治理度达到 45%左右,但对于面平均降雨量大于 35 mm、最大日降雨量大于 50 mm 的暴雨洪水,流域治理措施体系的控制作用仍不明显。

(九)其他研究概述

1999 年,黄河流域(片)防洪规划中设立了"黄河中游水土保持减水减沙作用分析"项目,黄河水利科学研究院王云璋、兰华林、彭乃志共同负责,对皇甫川、无定河等流域水土保持减水减沙作用从规划基准年和从规划水平年两个角度再次进行了分析和评估。在肯定水土保持减水减沙作用的同时,指出了现阶段水土保持减水减沙作用的脆弱性;当遭遇较大暴雨时,发生较大洪水的可能性依然存在。2000 年,黄河水利科学研究院彭乃志、姚文艺、张胜利等对皇甫川流域治理前后洪水动量变化及其冲淤特征进行了分析。研究认为,皇甫川流域 1979 年以前水土保持治理时断时续,治理面积也比较小,1980 年以后水土保持治理得到了稳步发展,1997 年各种水土保持治理面积近 9 万 hm^2。水土保持治理对皇甫川流域的洪水特性及其冲淤特征等生态环境问题产生了一定的影响,主要表现在:治理后不可利用流量的天数越来越多,洪水的含沙量降低,流速增大,流量增大,动量增大,洪水单位动量冲刷厚度减小,而单位动量淤积厚度增大。这些问题的形成原因有待今后进一步研究。

(十)研究存在的不足

以上各大项目研究(其中前三项通称为"三大基金"研究),已经解决了许多问题,取得了重大进展,提出了完整系统的研究成果,难能可贵,是对治黄工作的一大贡献。黄河水沙变化研究是一项庞大的系统工程,其变化原因复杂,涉及的因素多,牵扯面广。在以上研究中,尽管各家对黄河中游水沙变化规律进行了多方面的探讨,对计算方法进行了多方面的改进,有的研究甚至有重大突破,填补了以前研究的空白,但仍存在一些不足之处:一是计算方法不统一,欠严密;二是水保措施保存面积和减沙指标存在较大差异;三是基本资料不全,基础数据欠准确,难以进行精确定量分析。其中"三大基金"由于分析计算所采用的基本资料不统一,计算方法不完善,研究成果差异较大。尤其是在水保措施拦蓄指标和水保措施量的统计方面差距更大。前述六大项目对 90 年代以来黄河水沙变化研究中的一些新情况、新问题均未能深入剖析;在特大暴雨情况下水土保持措施减洪减沙效益研究均属比较薄弱的环节；对小流域水保治理资料均未能充分利用；人为活动增洪增沙研究始终是一个薄弱环节，没有大的进展。

综观以往研究，大部分只是侧重于某一方面，且众说纷纭；研究成果普遍在定性上存在共识，定量上存在差异；大部分研究成果的资料系列截至 1989 年，对 20 世纪 90 年代很少涉及。尤其是对皇甫川流域水土保持措施的水沙响应及治理方略进行全面、系统研究的成果尚不多见。以上诸多不完善之处，应是今后黄河中游水土保持综合治理的水沙响应研究的主攻方向。作为黄河中游最受关注的重点支流，对皇甫川流域的研究尤为重要和迫切。

第二节　水土流失环境特征及变化趋势

一、流域概况及水土流失特点

皇甫川流域位于黄河中游河口镇至龙门区间的右岸上段，地处鄂尔多斯高原与黄土高原的过渡地带，位于北纬 39°12′～39°54′、东经 110°18′～111°12′之间，地跨陕西、内蒙古两省（区），海拔 833.0～1 413.8 m。皇甫川发源于内蒙古自治区达拉特旗南部敖包梁和准格尔旗西北部的点畔沟一带，在陕西省府谷县巴兔坪汇入黄河，干流长137 km，河道平均比降 2.7‰；流域水系主要由干流纳林川和支流十里长川组成；流域面积3 246 km^2，其中水土流失面积 3 215 km^2，占流域总面积的 99.0%。皇甫川是黄河中游多沙粗沙区的主要支流之一，水土流失极为严重，多年平均（1956～1999 年）径流量 15 040 万 m^3，多年平均输沙量 4 940 万 t；多年平均径流模数 46 330 m^3/km^2，多年平均输沙模数15 220 t/km^2。

皇甫川流域属于黄土丘陵沟壑区第一副区，按照侵蚀程度和地表土层覆盖的差异，大致可分为以下三个水土流失类型区：

（1）砒砂岩丘陵沟壑区。主要分布于流域西北部纳林川两岸的虎石沟、圪秋沟、干昌板沟和尔架麻沟，面积 948 km^2，占皇甫川流域总面积的 29.2%，沟壑密度平均为 7.42 km/km^2。该区水土流失极为严重，地形切割十分破碎，坡陡沟深，植被覆盖度很低，基岩大面积外露。区内侵蚀以水蚀为主，复合重力侵蚀。

（2）黄土丘陵沟壑区。主要分布于流域的东部和西南部，面积 1 756 km^2，占流域总面积的 54.1%，沟壑密度在 5～9 km/km^2 之间。该区黄土层较厚，呈现较典型的黄土梁峁和黄土沟谷地貌，除部分梁峁和缓坡地为耕地外，多为天然草场，植被覆盖度为 20% 左右。区内土壤侵蚀以水蚀为主，水蚀、风蚀和重力侵蚀交替发生。

（3）沙化黄土丘陵沟壑区。面积 542 km^2，占流域总面积的 16.7%，主要分布在纳林川中下游以东到长川以西地区和库布齐沙漠边缘，平均沟壑密度为 4.2 km/km^2，地表沙化严重，以风蚀为主要侵蚀方式，呈现出风蚀、水蚀复合侵蚀的景观。

皇甫川流域水系分布及水土流失类型分区见图 9-1。

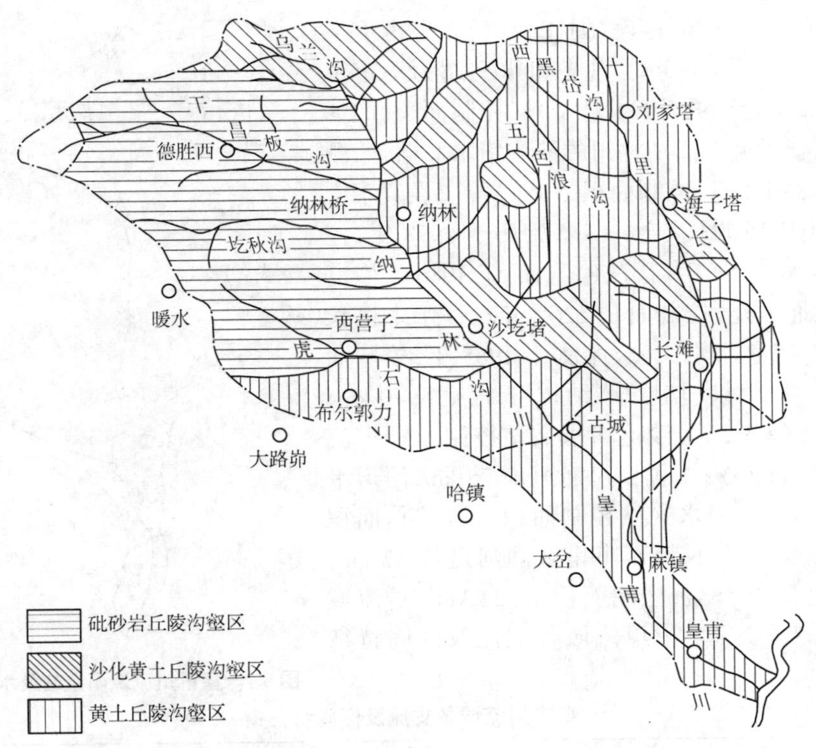

图 9-1　皇甫川流域水系分布及水土流失类型分区

二、降雨、径流、泥沙特性

(一)雨量站及水文站布设概况

皇甫川流域自 1954 年开始设立雨量站,起初仅有皇甫 1 个雨量站,以后陆续增加,1966 年增至 6 个,1976 年增至 10 个,20 世纪 70 年代以后才有比较完善的雨量资料。截至 1999 年底,共有 15 个雨量站。皇甫川流域各雨量站的区域分布及设站年份见表 9-1。皇甫川流域雨量站及水文站分布见图 9-2。

表 9-1　皇甫川流域各雨量站的区域分布及设站年份

设站年份	沙圪堵以上区域	长滩以上区域	沙圪堵—长滩—皇甫区间
1953 年			皇甫
1960 年	沙圪堵		二道河湾
1965 年	纳林(奎洞布拉)		
1966 年		海子塔,长滩	哈镇(在区间南部边缘)
1973 年	乌兰沟		
1976 年	德胜西		古城,西营子
1977 年	乌拉素	刘家塔	
1977 年以后	后山神庙	贺家圪堣	

皇甫川流域于1953年7月12日设立皇甫水文站,开始观测,后几经变动,现把口水文站为皇甫水文(三)站,始测于1977年1月1日,控制面积3 199 km^2。设置于干流上段纳林川的沙圪堵水文站,始测于1959年8月1日,控制面积1 351 km^2。设置于支流十里长川中段的长滩水文站,始测于1978年,控制面积524 km^2,1981年因故停测,后于1986年恢复观测,但站址下迁,控制面积626 km^2。位于十里长川上游的贺家圪塄水文站,始测于1985年,控制面积56 km^2。干流沙圪堵以上(纳林川)河道长70 km,河道平均比降4.3‰,沙圪堵水文站控制面积占流域总面积的41.6%;十里长川河道长75 km,河道平均比降5.7‰,长滩水文站控制面积占流域总面积的19.3%;沙圪堵、长滩至皇甫区间河道长67 km,河道平均比降2.55‰,区间面积1 222 km^2,占流域总面积的37.6%。皇甫川流域各支流及区间特征值见表9-2。

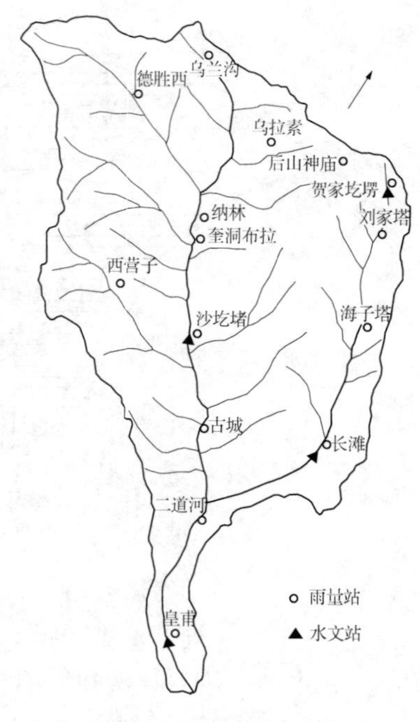

图9-2 皇甫川流域雨量站及水文站分布

表9-2 皇甫川流域各支流及区间特征值

河流名称	区域范围	河长(km)	控制面积(km^2)	河道比降(‰)	多年平均输沙模数[t/(km^2·a)]
纳林川	沙圪堵以上	70	1 351	4.3	17 320
十里长川	长滩以上	75	626	5.7	16 400
沙圪堵、长滩至皇甫区间		67	1 222	2.55	12 850
皇甫川	皇甫以上	137	3 199	2.7	15 220

由表9-2可知,皇甫川流域自上游至下游水土流失逐渐减弱,但各支流及区间的多年平均输沙模数均在12 000 t/(km^2·a)以上。纳林川沙圪堵以上水土流失最为严重,多年平均输沙模数高达17 320 t/(km^2·a);沙圪堵、长滩至皇甫区间水土流失相对较轻,但多年平均输沙模数也有12 850 t/(km^2·a)。皇甫川流域水土流失之严重由此可见一斑。

皇甫川流域水文泥沙特征值统计见表9-3。

表9-3 皇甫川流域水文泥沙特征值统计

水文站名	时段(年)	P_N(mm)	P_X(mm)	W_N(万 m^3)	W_X(万 m^3)	W_H(万 m^3)	W_S(万 t)	W_{XS}(万 t)
皇甫	1956~1969	430.0	323.6	19 210	14 720	13 860	6 200	6 050
	1970~1979	372.0	313.3	17 580	15 010	13 720	6 250	6 230
	1980~1989	343.0	268.6	12 710	10 880	9 230	4 280	4 240
	1990~1999	382.7	280.8	9 030	8 135	7 260	2 560	2 540
	1956~1999	386.3	299.0	15 040	12 410	11 270	4 940	4 880

注:P_N、P_X分别代表年降水量和汛期降雨量;W_N、W_X、W_H分别代表年径流量、汛期径流量和洪水径流量;W_S、W_{XS}分别代表年输沙量和汛期输沙量。

(二)降水特性

皇甫川流域多年平均降水量 386.3 mm,降水分布总的趋势是由东南向西北递减。最大降水月份一般出现在 7 月,最小降水月份出现在 11 月,连续四个月最大降水均出现在汛期,汛期降雨量占年降水量的 78%以上。降雨时空分布特征是:流域的西北部干昌板沟、圪秋沟一带雨量偏多,自刘家塔至沙圪堵沿皇甫川干流一带也偏多。乌兰沟、乌拉素以及长川上游一带偏少。50%~60%的降雨量集中在 7、8 两月。

1. 暴雨概况

皇甫川流域和窟野河一带是河龙区间的暴雨中心之一。皇甫川暴雨最明显的特征是:历时短,笼罩面积小,强度大,年际变化大。一次降雨过程的洪水、泥沙特征很大程度上依赖于暴雨,暴雨是产洪产沙的原动力。皇甫川暴雨大多数降落在纳林川,暴雨中心多出现在流域的西北部。如 1989 年 7 月 21 日出现在皇甫川流域田圪坦的一场暴雨,15 分钟降雨量高达 106 mm,创中国北方同期(同历时)最高雨量记录。皇甫水文(二)站由此出现有实测资料以来的最大洪峰流量 11 600 m^3/s。

皇甫川暴雨空间分布不均。同一场暴雨,在几十公里的范围内往往差别很大,有很强的局地性。仍以皇甫川流域"1989.7.21"暴雨为例,其雨量站时段降雨量摘录见表 9-4。

表 9-4　皇甫川流域 1989 年 7 月 21 日时段降雨量摘录　(单位:mm)

时:分	乌兰沟	德胜西	田圪坦	纳林	准旗	二道包	长滩	古城	皇甫	海子塔
7:15~7:30	23	—	—	56	15	11	3	7	—	8
7:30~7:45	1	38	106	2	5	3	1	12	—	4
7:45~8:00	2	1	—	—	7	10	2	9	—	4

注:本表摘自参考文献[1]。

从表 9-4 中可以看出,相邻雨量站间雨量相差甚远。乌兰沟和德胜西属相邻雨量站,而德胜西 15 分钟降雨量是乌兰沟同时段降雨量的 38 倍,田圪坦又是德胜西的 2.8 倍。

皇甫川流域经常出现暴雨,日雨量大于 50 mm 的暴雨最多年份可出现 4 次,一般情况两年出现一次,70 年代以后出现次数有增加趋势。每逢暴雨都相应地出现较大洪水和高含沙水流。表 9-5 列出 4 次暴雨产洪产沙特征值,从中可以看出,暴雨强度大,产洪量占汛期水量的 24.3%~76.7%,产沙量占汛期沙量的 37.6%~95.3%[2]。

皇甫川流域的暴雨季节性强,强度大,时空分布不均,并具有突发性。全年 80%以上的暴雨集中在 7~8 月份,比长江、淮河暴雨集中率偏高 45%。皇甫川暴雨的突发性表现在:在暴雨前几小时,暴雨区及邻近地区往往还是大范围的晴空少云区,并且大部分发生于夜晚,凌晨最强[3]。

表 9-5　　**皇甫川流域几次典型暴雨洪水特征值**

时间(年·月·日)	暴雨中心			皇甫(二)站			
	雨量站名	雨量(mm)	雨强(mm/h)	Q_{max} (m^3/s)	S_{max} (kg/m^3)	$W_{洪}/W_{汛}$ (%)	$W_{S洪}/W_{S汛}$ (%)
1972.7.19	纳林	120.0	27.3	8 400	1 200	76.7	95.3
1979.8.12	德胜西	133.6	14.8	5 990	1 280	24.3	37.6
1988.8.4	奎洞布拉	114.0	8.0	6 790	1 000	37.5	47.1
1989.7.21	田圪坦	136.0	181.0	11 600*	984	47.5	63.4

注：* 本表来自参考文献[2]，原数据为 10 600 m^3/s 。另见黄委会水文局冯相明、李一寰的论文——黄河河口镇至吴堡区间区域性暴雨洪水分析（刊于《人民黄河》1991 年第 5 期）。该文指出：1989 年 7 月 21 日，皇甫水文（二）站出现有实测资料以来的最大洪峰流量 10 600 m^3/s。但此后有许多参考文献中该数值为 11 600 m^3/s，如黄委会水文局所属黄河中游水文水资源局薛耀文的论文——窟野河神木—温家川区间输沙模数合理性分析（刊于《人民黄河》1996 年第 10 期）中，该数值即为 11 600 m^3/s，其改变原因有待调查。本文该数据统一采用 11 600 m^3/s。

2. 暴雨洪水关系

黄委会水文局徐建华等人在“河龙区间水利水保工程对暴雨洪水的影响”研究中[3]，通过点绘皇甫川流域洪峰流量与流域次暴雨的面平均雨量关系后发现：皇甫川面平均雨量超过 60 mm 以后，其洪峰流量增加的梯度比面平均雨量小于 60 mm 以前明显增大；通过点绘流域洪峰流量与流域内次暴雨中心的雨强关系后发现：皇甫川流域洪峰随雨强的增加而快速增加的转折点在 15 mm/h。

(三)径流特性

皇甫川流域多年平均径流量 15 040 万 m^3，径流深 46.3 mm。河川径流主要来自大气降水，河川径流的分布与降水的地带变化趋势基本吻合，由东南向西北递减。皇甫川流域地面径流发育，沙圪堵以上的砒砂岩区地下径流占年径流的比例仅为 18.7%。皇甫川流域径流的特点是：蒸发旺盛，径流量小，产流不均匀，年际变化大，年内分配很不均匀。径流泥沙不仅集中在汛期，而且多集中在几次大洪水。多年平均汛期径流量占年径流量的 82.6%，洪水径流量占 74.9%；纳林川沙圪堵站以上流域，一场占年均雨量 38.6% 的暴雨，可产生占年均径流量 66% 的径流。由于砒砂岩地区的下渗率、地面透水性及其蓄水能力均较低，降水强度大，产流大，侵蚀也大，因而极易形成较大的洪水灾害。如 1988 年 8 月的暴雨，冲毁总库容合计为 2 890 万 m^3 的水库两座；1989 年 7 月的暴雨洪水淹没河滩地 400 余公顷。

(四)泥沙特性

皇甫川流域是黄河粗泥沙（粒径大于 0.05 mm）的主要来源区之一。皇甫川流域泥沙特点是：产区集中，侵蚀强度大，洪水含沙量高。流域气候干燥，多年平均降水量仅为 386.3 mm，缺水严重，地貌组成不一，暴雨集中，风暴频繁，加上土层深厚，质地疏松，植被稀少，水土流失十分严重，生态环境十分脆弱。根据皇甫水文（三）站多年平均（1956～1999 年）实测资料统计，流域多年平均输沙量 4 940 万 t，多年平均输沙模数 15 220 t/(km^2·a)，其中治理前（1969 年以前）多年平均天然输沙模数为 19 400 t/(km^2·a)。支流纳林川沙圪堵以上全长 70 km,流域面积 1 351 km^2,多年平均输沙量 2 340 万 t,多年平均输沙模数高达 17 320 t/(km^2·a);支流十里长川流域面积 702 km^2,年输沙量 1 030 万 t,年输沙模数 14 670 t/(km^2·a)。流域汛期输沙量占年输沙量的 98.8%,洪水输沙量占 98.6%。纳林川一场暴雨的产沙量可达年产沙量的 95%。由于皇甫川流域多年平均泥沙输移比接近于 1.0,故流域多年平均输沙量近似为多年平均土壤侵蚀量,流域输沙模数近似为侵蚀模数。

皇甫川流域经常出现高含沙水流,基岩风化壳和黄土区是皇甫川流域泥沙的主要产区,其中基岩风化壳则是粗泥沙的主要来源区,而黄土和深度风化的页岩提供了一定数量的细颗粒泥沙,从而形成了产生高含沙水流的有利条件。皇甫川高含沙水流最大含沙量为 1 570 kg/m^3,洪水平均含沙量达 422 kg/m^3,悬沙粒径大于 0.05 mm 的粗沙多年平均(1956~1999 年)来量为 2 880 万 t,占对应多年平均产沙量的 58.3%,在河龙区间诸多支流中来沙组成最粗。

(五)下垫面对暴雨产流产沙的影响

皇甫川暴雨的产流产沙与下垫面状况密切相关。在砒砂岩区的纳林川沙圪堵站,1972 年 7 月 19 日,24 小时降雨量为 156.4 mm,占多年平均年降水量的 38.6%,产生的径流量为5 110 万 m^3,占年径流总量的 71%。黄河中游地区实测资料表明,在黄土覆盖区,2 小时内的降水量超过 1.5 mm 就可产流;占年降水量 10% 的一场降水,其产生的径流量可占年径流量的 50% 以上,其洪峰流量常为平均流量的数百倍;在风沙覆盖地区,在 24 小时降水量小于 10mm 的情况下一般不产流,10~15 mm 时发生中等洪水,大于 50 mm 才可能发生较大的洪水。此外,暴雨的产沙还受下垫面物质分布的影响。皇甫川流域土壤侵蚀量主要来自暴雨,尤其是砒砂岩地区,由于表面物质水解速度快,谷坡陡峻,形成地面径流后汇流速度快,径流集中,产沙强度高,输沙能力大,从而成为黄河中游侵蚀模数最高的地区;在黄土覆盖区,土层深厚,垂直节理发育,质地疏松,抗蚀能力低,因此该区沟壑密度较大,侵蚀模数较高。

皇甫川流域下垫面对暴雨产流产沙的影响很大,暴雨产流产沙的总量也非常大,但在无雨情况下又经常出现断流,从 20 世纪 70 年代到 90 年代,皇甫川断流天数有增加趋势。1985 年以来,年断流天数均超过 100 天,1987 年达 165 天,90 年代年均增加到 300 天左右,较 70 年代以前明显增多。皇甫(三)站流量大于 1 000 m^3/s 的洪峰次数也有增加趋势。1970 年以前,皇甫川实测资料中未发生过大于 4 000 m^3/s 的洪水,但 1970 年以后,尽管年均径流量逐年代减少,但洪峰流量大于 4 000 m^3/s 的暴雨洪水出现次数反而增多,1970~1999 年共发生 6 次。据统计,1980 年以后皇甫川次洪量和次洪沙量占年径流量和年输沙量的比例都有增大,分别达 60%~70% 和 70%~90%,这给流域水资源的开发利用带来了很大困难。

三、不同地貌类型径流泥沙来源分析

(一)全流域径流泥沙来源分析

鉴于皇甫川大规模治理始于 1980 年以后,为比较准确地分析皇甫川流域的径流泥沙来源,选取受人类活动影响较小的资料系列(1960~1979 年),将皇甫川以上分为沙圪堵站控制区和沙圪堵、十里长川至皇甫站等两部分进行资料统计与计算。

根据计算结果,来自沙圪堵以上的水量占皇甫站总来水量的44.7%,沙量占皇甫站总来沙量的51.7%,来自沙圪堵、十里长川至皇甫区间的来水来沙量分别占总来水来沙量的55.3%和48.3%。另据长滩水文站不完整的水文资料(1986～1994年)统计,来自长滩以上的水量占皇甫站对应总来水量的8.5%,沙量占皇甫站对应总来沙量的15.9%,同期来自沙圪堵以上的水量占皇甫站总来水量的40.5%,沙量占48.6%,则来自沙圪堵、长滩至皇甫区间的来水来沙量分别占皇甫站总来水来沙量的51.0%和35.5%,说明皇甫川的径流主要来自沙圪堵、长滩至皇甫区间,其次是沙圪堵以上;泥沙主要来自沙圪堵以上,其次是沙圪堵、长滩至皇甫区间。来自长滩以上的水沙量较少。

(二)坡面与沟道径流泥沙来源分析

小流域是水土流失从坡面至沟道发生发展的基本单元。皇甫川小流域侵蚀地貌与丘(一)区其他小流域很类似,也是以现代沟缘线为界分为沟间地和沟谷地两大区。根据有关资料,皇甫川流域平均沟壑密度为4.2 km/km²,沟间地坡度一般小于25°,沟谷地突变,形成大于45°的沟坡。

根据黄委会绥德水土保持科学试验站郝建忠[4]等人1991年对绥德、米脂、子洲、离石等8条小流域资料分析,求得流域沟壑密度同沟谷地占流域面积比例的关系式为:

$$F_1 = 35.8 + 1.576 G_m \tag{9-1}$$

式中:F_1为沟谷地占流域面积的比例,%;G_m为流域沟壑密度,km/km²。

由式(9-1)求得皇甫川流域沟谷地占流域面积的比例为42.4%,相应沟间地所占比例即为57.6%。

根据韭园沟和王家沟的小区观测资料,求得两流域沟间地平均径流模数为17 133.5 m³/km²,沟谷地平均径流模数为38 367.5 m³/km²;两流域沟间地平均输沙模数为9 551 t/km²,沟谷地平均输沙模数为26 547.5 t/km²。假定皇甫川流域沟谷地与沟间地的径流模数和输沙模数之比(亦即侵蚀模数之比)等于韭园沟与王家沟径流模数和输沙模数平均值之比,根据流域径流泥沙平衡原理,可以分别建立如下的径流量和输沙量平衡方程组:

径流量平衡方程组为

$$\begin{cases} M_1/M_2 = N \\ F_1M_1 + F_2M_2 = M \end{cases} \tag{9-2}$$

式中:M_1为皇甫川流域沟谷地径流模数,m³/km²;M_2为皇甫川流域沟间地径流模数,m³/km²;N为典型小流域(韭园沟与王家沟)沟谷地与沟间地平均径流模数之比,$N=2.24$;F_1为皇甫川流域沟谷地占流域面积的比例,$F_1=0.424$;F_2为皇甫川流域沟间地占流域面积的比例,$F_2=0.576$;M为皇甫川流域平均径流模数,m³/km²,$M=46\ 330$ m³/km²。

输沙量平衡方程组为

$$\begin{cases} M_{1S}/M_{2S} = N_S \\ F_1M_{1S} + F_2M_{2S} = M_S \end{cases} \tag{9-3}$$

式中:M_{1S}为皇甫川流域沟谷地输沙模数,t/km²;M_{2S}为皇甫川流域沟间地输沙模数,t/km²;N_S为典型小流域(韭园沟与王家沟)沟谷地与沟间地平均输沙模数之比,$N_S=2.78$;M_S为皇甫川流域平均输沙模数,t/km²,$M_S=15\ 220$ t/km²。

分别联解径流量和输沙量平衡方程组，即可求得皇甫川流域不同地貌类型径流泥沙来源，计算结果见表 9-6。

表 9-6　　皇甫川流域不同地貌类型径流泥沙来源计算成果(1956～1999 年)

控制面积(km^2)	年均径流量(万 m^3)	年均径流模数(m^3/km^2)	沟谷地径流模数(m^3/km^2)	沟间地径流模数(m^3/km^2)	年均输沙量(万 t)	年均输沙模数(t/km^2)	沟谷地输沙模数(t/km^2)	沟间地输沙模数(t/km^2)
3 199	15 040	46 330	68 020	30 380	4 940	15 220	24 110	8 675

由此可见，皇甫川流域沟谷地是径流、泥沙的主要来源区，沟谷地产流量占流域总产流量的 61.4%，沟谷地产沙量占流域总产沙量的 66.2%，其径流、输沙模数分别是流域径流、输沙模数的 1.5 倍和 1.6 倍，是沟间地的 2.2 倍和 2.8 倍。1956～1999 年，皇甫川流域年均径流量为 15 040 万 m^3，其中沟谷地来水量为 9 230 万 m^3，沟间地来水量为 5 810 万 m^3；年均输沙量 4 940 万 t，其中沟谷地来沙量为 3 270 万 t，沟间地来沙量为 1 670 万 t。

(三)不同出露岩层产粗沙量估算

皇甫川流域是黄河中游河龙区间粗沙的主要来源区。根据景可等人利用粒度分析法的研究成果，皇甫川流域基岩、黄土及风沙产粗沙平均量分别占年均产粗沙总量的 69.5%、30.4%和 0.1%。皇甫川流域多年粗泥沙来量为 2 880 万 t，则基岩、黄土及风沙产粗沙量多年平均分别为 2 002 万 t、875 万 t 和 3.0 万 t，见表 9-7。

表 9-7　　皇甫川流域岩层产粗泥沙量估算　　(单位：万 t)

岩层	基岩	黄土	风沙	合计
多年平均产粗沙量	2 002	875	3.0	2 880
占总(%)	69.5	30.4	0.1	100

另据徐建华等人的最新研究成果[5]，皇甫川流域主要产沙地层为砒砂岩，其次为黄土，风积沙地层产沙较少。其面积分别占流域面积的 54.9%、28.3%和 16.8%，而产沙量却分别占总产沙量的 71.5%、27.2%和 1.3%，则砒砂岩、黄土及风积沙产粗沙量多年平均分别为 2 060 万 t、783 万 t 和 37 万 t。因此，砒砂岩(基岩)地层应成为皇甫川流域今后治理的重中之重。二者相比，主要研究结论基本相同。虽然风沙产沙量差别较大，但仍属同一数量级。

四、流域水沙变化趋势分析

皇甫川流域水沙变化趋势资料统计结果见表 9-8～表 9-10。

(一)降雨变化趋势

由表 9-8 可知，皇甫川流域多年平均(1954～1999 年)汛期降雨量占年降水量的比重达 78.9%，7＋8 月降雨量占年降水量的比重达 54.0%。从各年代的降水量变化情况看，以 1969 年前作为基准期，70、80、90 年代均有不同程度的减少。以年降水为例，减少百分比分别为 8.6%、15.7% 和 5.9%，80 年代减少百分比最大。此外，流域 90 年代降水比 80 年代有所增加，年、汛期及 7+8 月降雨量增幅分别为 11.6%、4.5% 和 1.2%。皇甫川流域年降水量变化过程线见图 9-3。

表 9-8 皇甫川流域水沙变化趋势降雨资料统计

时段	实测降雨量(mm)					相对于基准期减少量(%)		
	1954～1969	1970～1979	1980～1989	1990～1999	1954～1999	1970～1979	1980～1989	1990～1999
年	406.8	372.0	343.0	382.7	380.2	8.6	15.7	5.9
汛期(6～9月)	323.6	313.3	268.6	280.8	300.1	3.2	17.0	13.2
7+8月	221.0	207.4	192.8	195.2	206.3	6.2	12.8	11.7

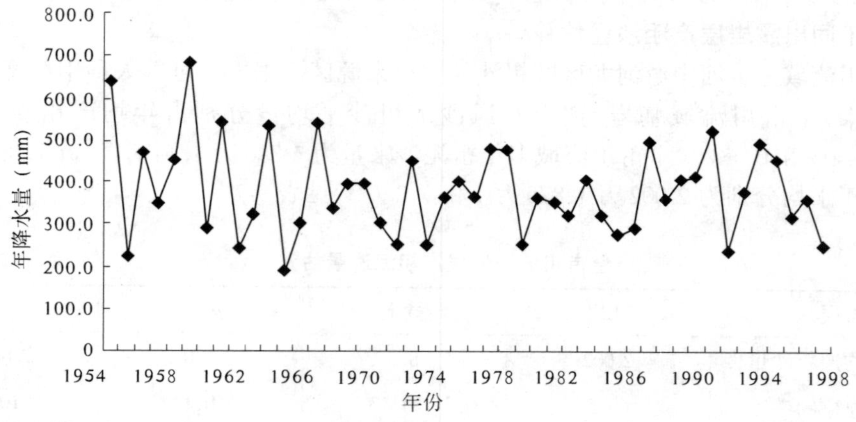

图 9-3 皇甫川流域年降雨量变化过程线

(二)径流变化趋势

由表 9-9 可知，皇甫川流域多年平均汛期径流量占年径流量的比重为 82.0%，7+8 月径流量占年径流量的比重为 61.8%。从各年代径流量变化情况看，以 1969 年前作为基准期，70、80、90 年代年径流量减少的百分比分别为 16.4%、39.6% 和 57.1%，减少幅度依时序迅速增大。90 年代径流量比基准期减少的百分比均在 45% 以上，其中 7+8 月径流量比基准期减少了 47.7%，比 70 年代减少 52.2%，比 80 年代减少 37.4%。在流域 90 年代降雨比 80 年代有所增加的情况下，90 年代各种径流量大幅度减少，位居各年代之末，这一变化值得关注。皇甫川流域年径流量变化过程线见图 9-4。

表 9-9　　　　皇甫川流域水沙变化趋势径流资料统计

时段	实测径流量(万 m^3)					相对于基准期减少量(%)		
	1954～1969	1970～1979	1980～1989	1990～1999	1954～1999	1970～1979	1980～1989	1990～1999
年	21 030	17 580	12 710	9 030	15 860	16.4	39.6	57.1
汛期(6～9月)	16 110	15 010	10 880	8 135	13 000	6.8	32.5	49.5
7+8月	11 120	12 180	9 290	5 820	9 800	－9.5	16.5	47.7

注:"－"号表示增加。

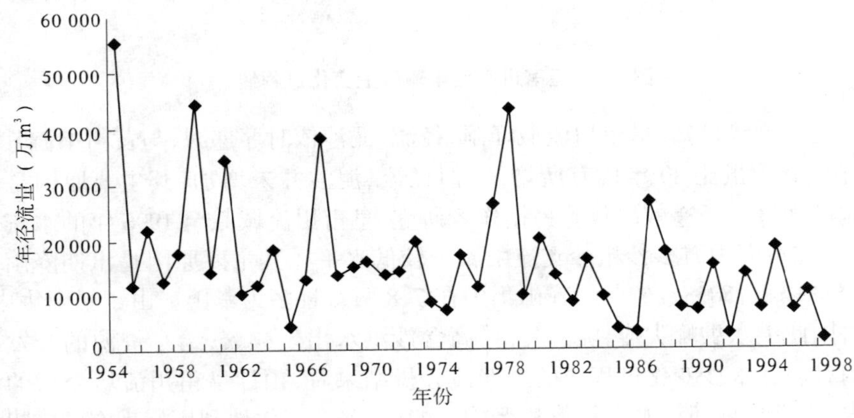

图 9-4　皇甫川流域年径流量变化过程线

(三)泥沙变化趋势

由表 9-10 可知,皇甫川流域多年平均汛期输沙量占年输沙量的比重为 98.6%,7+8 月输沙量占年输沙量的比重为 83.3%。从各年代输沙量变化情况看,以 1969 年前作为基准期,70、80、90 年代年输沙量减少的百分比分别为－1.1%(增沙)、30.7% 和 58.6%。70 年代输沙量比基准期均有不同程度的增加,7+8 月输沙量增幅达 16.0%。90 年代输沙量比基准期减少的百分比均在 55% 以上,减幅高出径流 10 个百分点;7+8 月输沙量比基准期减少 64.0%,比 70 年代减少 69.0%,比 80 年代减少 56.0%。皇甫川流域年输沙量变化过程线见图 9-5。

表 9-10　　　　皇甫川流域水沙变化趋势输沙资料统计

时段	实测输沙量(万 t)					相对于基准期减少量(%)		
	1954～1969	1970～1979	1980～1989	1990～1999	1954～1999	1970～1979	1980～1989	1990～1999
年	6 180	6 250	4 280	2 560	4 995	－1.1	30.7	58.6
汛期(6～9月)	6 030	6 230	4 240	2 540	4 925	－3.3	29.7	57.9
7+8月	4 860	5 640	3 980	1 750	4 160	－16.0	18.1	64.0

注:"－"号表示增加。

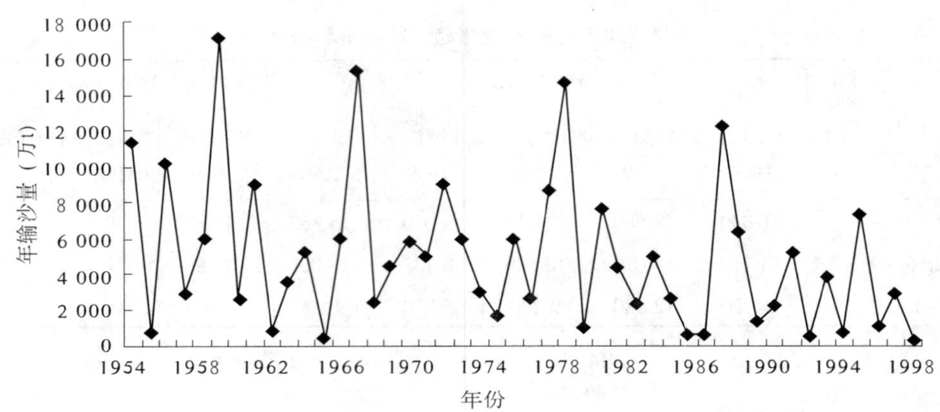

图 9-5　皇甫川流域年输沙量变化过程线

由以上变化趋势可知，皇甫川流域降雨、径流、泥沙依时序递减，与黄河中游其他支流一致。90 年代降雨虽比 80 年代有所增加，但径流、泥沙并未增加，其主要原因是单位毫米降雨产流产沙量仍呈递减趋势。另据作者研究，皇甫川流域截至 1996 年的水资源利用率只有 10%，在黄河中游多沙粗沙支流中属于较低水平。其主要原因是汛期降雨量占年降水量的 78%以上，50%～60%的降雨集中在 7、8 两月且多为暴雨。由于暴雨集中，历时短，强度大，因此洪水洪峰尖瘦，陡涨陡落，高含沙洪水出现频繁，给水资源的开发利用带来了很大困难。从水沙变化过程线的周期性分析结果看，预计皇甫川流域今后的水沙来量仍将减少，生态环境建设水资源形势严峻。如何充分、有效地利用好现有的宝贵水资源（尤其是 7、8 两月降雨）和用洪用沙，将是提高皇甫川流域水资源利用率的关键，也是事关皇甫川流域水土保持生态工程建设能否成功的重大问题。

（四）各年代 7～8 月粗沙所占百分比变化分析

皇甫川流域 7～8 月 $d>0.05$ mm 粗沙各年代所占百分比见表 9-11。由此可见，从 20 世纪 60 年代（1966～1969 年）到 90 年代，粗泥沙所占百分比从 49.5%降至 35.8%，年粗沙量从 2 940 万 t 降至 626 万 t，中值粒径从 0.059 0 mm 降至 0.049 8 mm，平均粒径从 0.152 0 mm 降至 0.104 5 mm，泥沙粒径细化趋势十分明显，其主要原因是流域内水土保持措施的大量实施。这和笔者在甘肃环江流域的研究结论相同[7]。但遇丰水年份，泥沙粒径仍然较粗，如 1998 年，皇甫川最大洪峰流量仅 1 680 m^3/s，但中值粒径高达 0.068 mm，平均粒径达 0.172 mm。说明流域水土保持综合治理措施在丰水年份拦洪拦沙尤其是拦减粗泥沙作用有限；现有的水土保持综合治理措施还不尽完善。

表 9-11　皇甫川流域 7～8 月粗泥沙（$d>0.05$ mm）各年代所占百分比

项目	1966～1969 年	1970～1979 年	1980～1989 年	1990～1999 年
$d>0.05$ mm 所占百分数（%）	49.5	45.4	43.2	35.8
7～8 月输沙量（万 t）	5 930	5 640	3 980	1 750
$d>0.05$ mm 输沙量（万 t）	2 940	2 560	1 720	626
中值粒径（mm）	0.059 0	0.059 0	0.051 0	0.049 8
平均粒径（mm）	0.152 0	0.132 0	0.127 0	0.104 5

注：本表中部分数据来自参考文献[6]，补充了 1996～1999 年的资料。

(五)对河龙区间水沙变化的影响分析

皇甫川流域不同年代来水来沙量占河口镇至府谷区间(以下简称河府区间)及河龙区间来水来沙量的百分比(占比)见表9-12。由此可以看出,皇甫川流域来水来沙量占河府区间来水来沙量的比例较大,从多年平均情况看,水沙来量占比分别为16.1%和40.4%。尤其是来沙量占比,1990~1999年高达66.1%,70、80年代分别为48.1%和43.8%,远远高于同期径流占比。因此,皇甫川流域水沙变化对河府区间水沙变化影响很大,泥沙尤甚。

此外,由表9-12还可以看出,1970~1999年与1956~1969年相比,皇甫川流域、河府区间及河龙区间径流量、输沙量均有明显减少,但皇甫川流域径流所占河府区间的百分比却由11.4%上升到22.5%,所占河龙区间的百分比由2.6%上升到3.0%;泥沙所占河府区间的百分比由31.9%上升到49.1%,所占河龙区间的百分比由6.0%上升到8.2%;粗泥沙所占河龙区间的百分比由8.0%上升到13.4%,说明皇甫川流域径流泥沙尤其是泥沙减少的速率慢于河府区间及河龙区间其他支流[8]。认清这一事实,对黄河中游多沙粗沙区水土保持生态工程建设和治黄决策,对加速皇甫川流域综合治理,具有重大的现实意义。

表9-12　**皇甫川流域不同年代水沙来量影响占比**

项目	区间	1956~1969	1970~1979	1980~1989	1990~1999	1970~1999	多年平均
年径流量(亿 m^3)	皇甫川流域	1.921	1.758	1.271	0.903	1.311	1.504
	河府区间	16.9	7.8	7.0	2.7	5.833	9.354
	河龙区间	72.9	54.1	37.1	41.55	44.25	53.366
占比(%)	河府区间	11.4	22.5	18.2	33.4	22.5	16.1
	河龙区间	2.6	3.2	3.4	2.2	3.0	2.8
年输沙量(万 t)	皇甫川流域	6 200	6 250	4 280	2 560	4 360	4 940
	河府区间	19 440	12 990	9 780	3 870	8 880	12 240
	河龙区间	102 820	75 450	37 250	46 800	53 170	68 970
占比(%)	河府区间	31.9	48.1	43.8	66.1	49.1	40.4
	河龙区间	6.0	8.3	11.5	5.5	8.2	7.2
粗泥沙(万 t)	皇甫川流域	2 690	3 290	2 060	1 215	2 190	2 350
	河龙区间	33 530	22 320	10 470	16 240	16 340	21 810
占比(%)	河龙区间	8.0	14.7	19.7	7.5	13.4	10.8

注:表中河府区间及河龙区间数据来自参考文献[3]。

第三节　水土保持措施的水沙响应及其影响分析

一、降雨产流产沙模型

暴雨对产流产沙作用的基本特性有二：一是暴雨强度，二是对产流产沙有作用的净雨量。根据黄委会绥德、西峰水土保持科学试验站的经验，在日雨量大于 9.0 mm 时即可产流产沙。焦恩泽[2]在皇甫川水沙变化研究中，即采用 9.0 mm/d 以上的降雨量作为有效雨量 P_e，与之相应的雨强 I_e 则称为有效雨强，并由此以 1970 年以前作为基准期，建立了如下的汛期降雨产流产沙模型：

$$W_X = 0.118 \times 10^4 P_e^{0.9} I_e^{2.0} \tag{9-4}$$

$$W_{XS} = 0.46 \times 10^4 P_e^{0.85} I_e^{1.95} \tag{9-5}$$

内蒙古鄂尔多斯市水土保持办公室韩学士[9]等人在水利部第二期黄河水沙变化研究基金项目“皇甫川流域水沙变化现状和发展趋势的研究”工作中，根据皇甫川沙圪堵流域“七下八上”（即 7 月下旬至 8 月上旬）暴雨产沙的特点，以汛期降雨量 P_X 和 7、8 两月降雨量 P_{7+8} 与 6、9 两月降雨量 P_{6+9} 之比作为降雨产沙因子，并首次引入降雨侵蚀力 R 因子，分别与年沙量 W_S 建立了如下的基准期沙圪堵控制区降雨产沙模型：

$$W_S = 0.07 P_X^{1.722} (P_{7+8}/P_{6+9})^{0.443} \quad (r = 0.88) \tag{9-6}$$

$$W_S = 1.862\,5 R^{1.098\,8} \quad (r = 0.80) \tag{9-7}$$

综观以上降雨产洪产沙模型，都突出了暴雨的产洪产沙作用。既考虑了有效降雨，又考虑了有效雨强；既考虑了汛期降雨的影响，又考虑了汛期降雨的分配，突出了 7、8 两月雨量的产洪产沙作用。韩学士等人引入的 R 因子（单位为（MJ·mm）/（hm^2·h·a））中由于含有次暴雨中最大 30 分钟降雨量 I_{30}，因此其比以往研究前进了一步。

二、已有研究成果一览

皇甫川流域第一、第二期重点治理小流域分布图见图 9-6[9]；皇甫川流域库坝分布图见图 9-7[9]。

皇甫川流域水土保持措施减水减沙作用已有研究成果见表 9-13。就已有研究成果而言，“水文法”20 世纪 70 年代减水减沙量有正有负，大趋势不一致；20 世纪 80 年代年均减水量各家计算成果为 0.046 2 亿 ~ 0.466 3 亿 m^3，最大与最小相差 10 倍；年均减沙量为 0.021 0 亿 ~ 0.142 5 亿 t，最大与最小相差 6.8 倍。“水保法”20 世纪 70 年代年均减水量为0.082 9亿 ~ 0.180 1 亿 m^3，年均减沙量为 0.013 4 亿 ~ 0.061 7 亿 t；20 世纪 80 年代年均减水量为 0.190 0 亿 ~ 0.334 4 亿 m^3，年均减沙量为 0.058 0 亿 ~ 0.112 3 亿 t，“水保法”减沙效益并不明显。其原因在于：皇甫川流域地广人稀，暴雨中心在支流纳林川沙圪堵以上，工程措施和生物措施大部分在十里长川和沙圪堵、长滩至皇甫区间，水土保持措施的分布与主要产沙区并不对应，因而水土保持措施对流域洪水泥沙的影响并不大，造成减沙效益并不明显。

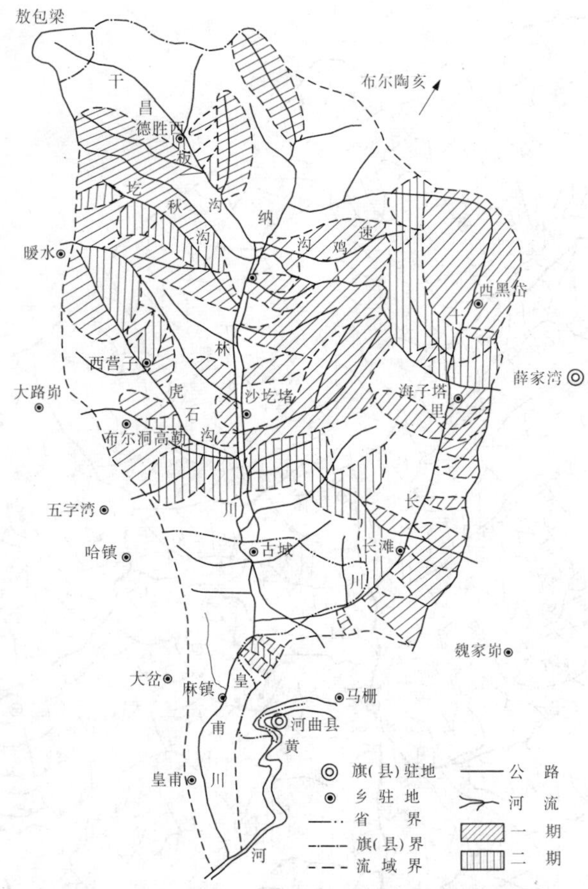

图 9-6　皇甫川流域一、二期重点流域治理分布图

综合以上各家研究成果，结合笔者以往研究成果以及对皇甫川流域多次实地调查情况，推荐皇甫川流域 20 世纪 70、80 年代水土保持措施减水减沙作用研究成果如下：

(1)“水文法”研究成果。70 年代皇甫川流域水土保持综合治理年均减水 0.216 亿 m^3，年均减沙 0.016 亿 t；80 年代流域水土保持综合治理年均减水 0.244 亿 m^3，年均减沙 0.054 亿 t。

(2)“水保法”研究成果。70 年代皇甫川流域水利水土保持措施年均减水 0.135 亿 m^3，年均减沙 0.03 亿 t；80 年代流域水利水土保持措施年均减水 0.277 亿 m^3，年均减沙 0.082 亿 t。

皇甫川流域 90 年代(1990 ~ 1996 年)水土保持措施减水减沙作用只有两家做了研究，结果相差不大，且均为水利部第二期黄河水沙变化研究基金成果，因此推荐的 20 世纪 90 年代皇甫川流域水土保持措施减水减沙作用研究成果为两家研究成果的平均值：

(1)90 年代“水文法”研究流域水土保持综合治理年均减水 0.531 亿 m^3，年均减沙 0.236 亿 t；

(2)90 年代“水保法”研究流域水利水土保持措施年均减 • 0.468 亿 m^3，年均减沙 0.162 亿 t。

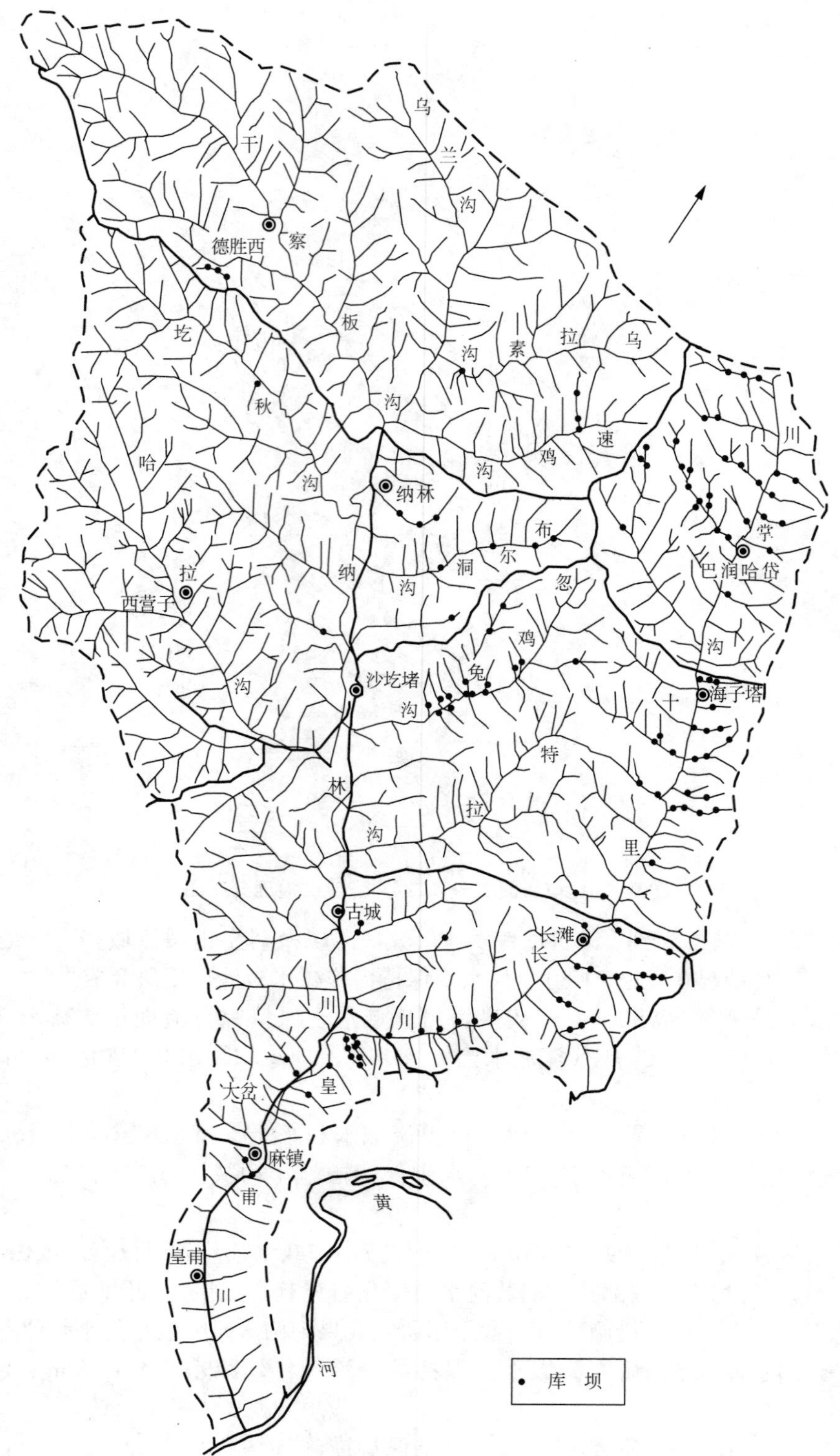

图 9-7　皇甫川流域库坝分布图

表 9-13　　皇甫川流域水土保持措施减水减沙作用已有研究成果一览表[10]

时段(年)	研究者	水文法		水保法	
		减水(亿 m^3)	减沙(亿 t)	减水(亿 m^3)	减沙(亿 t)
1970~1979	焦恩泽(水沙基金①)	0.488 2	0.044 4	0.113 2	0.013 4
	于一鸣(水保基金)	-0.154 6	-0.043 6	0.180 1	0.061 7
	熊贵枢(自然基金)	1.248 8	0.342 5	—	—
	张胜利("八五"攻关)	0.160 0	-0.022 6	0.160 0	0.047 2
	李倬(黄河上中游管理局)	0.037 6	0.015 6	0.134 4	0.024 3
	冉大川(水沙基金②)	0.037 6	0.015 6	0.130 8(串) 0.142 2(并)	0.015 6(串) 0.017 9(并)
	韩学士(水沙基金②)	0.081 5	-0.124 4	0.082 9	0.029 0
1980~1989	焦恩泽(水沙基金①)	0.466 3	0.070 2	0.329 9	0.058 0
	于一鸣(水保基金)	0.053 4	0.021 0	0.215 6	0.078 7
	熊贵枢(自然基金)	0.363 6	0.066 8	—	—
	张胜利("八五"攻关)	0.190 0	0.027 2	0.190 0	0.063 8
	李倬(黄河上中游管理局)	0.046 2	0.031 2	0.334 4	0.112 3
	冉大川(水沙基金②)	0.177 4	0.022 0	0.277 5(串) 0.305 6(并)	0.075 7(串) 0.097 5(并)
	韩学士(水沙基金②)	0.237 5	0.142 5	0.284 3	0.085 0
1990~1996	冉大川(水沙基金②)	0.600 6	0.281 5	0.406 5(串) 0.414 4(并)	0.162 5(串) 0.162 7(并)
	韩学士(水沙基金②)	0.461 4	0.190 7	0.524 9	0.161 2

注:"水沙基金①"代表水利部第一期黄河水沙变化研究基金成果;"水沙基金②"代表水利部第二期黄河水沙变化研究基金成果;"水保基金"代表[illegible]河流域第一期水保科研基金第四攻关课题研究成果;"自然基金"代表国家自然科学基金研究成果;"八五"攻关代[illegible]重点科技攻关项目(85-926-03-01)研究成果;"黄河上中游管理局"代表黄河上中游管理局"八五"重点课[illegible]项目第一完成人姓名。"串"代表"串联法","并"代表"并联法"。

三、减洪减[illegible]

(一)"水[illegible]

流域水土保[illegible]少洪水,增加基流。本次研究在径流变化研究中将洪水、基流分开研究,并[illegible]的研究,使流域水土保持措施减水的内涵得以充分揭示,又不妨碍合并后对于径流[illegible]的说明。

黄委会黄河上中游管理局在水利部第二期黄河水沙变化研究基金项目"河龙区间水土保持措施减水减沙作用分析"研究中,以大于等于 10 mm/d 降雨量作为有效降雨量,并统计了皇甫川流域的最大 7 日降雨量,建立了如下的基准期降雨产洪产沙模型[11]:

$$W_H = 0.025\,9 P_{7d}^{2.484} \quad (r = 0.94) \tag{9-8}$$

$$W_{HS} = 0.062\,1 P_{7d}^{2.174} \quad (r = 0.94) \tag{9-9}$$

式中:W_H 代表年洪水量;W_{HS}代表年洪水输沙量,P_{7d}代表流域最大 7d 降雨量。所建模型相关性很好,说明皇甫川流域最大 7d 降雨量对产洪产沙的影响很大。

由于黄河上中游管理局所建模型结构简单,精度高且应用方便,为保持研究的连续性，本次研究仍采用以上所建的基准期降雨产洪产沙模型进行皇甫川流域“水文法”减洪减沙量计算。其计算成果见表 9-14。

表 9-14　　皇甫川流域人类活动减洪减沙量计算成果

项目	时段(年)	总减少量	人类活动	占总(%)	降雨影响	占总(%)	效益(%)
减洪量(万 m^3)	1970～1979	826	376	45.5	450	54.5	2.7
	1980～1989	5 310	460	8.7	4 850	91.3	4.8
	1990～1999	6 150	5 690	92.5	460	7.5	38.2
	1970～1999	4 095	2 175	53.1	1 920	46.9	15.2
减沙量(万 t)	1970～1979	234	156	66.7	78	33.3	2.5
	1980～1989	2 200	312	14.2	1 888	85.8	6.9
	1990～1999	3 120	2 990	95.8	130	4.2	48.5
	1970～1999	1 850	1 150	62.2	700	37.8	19.3

1. 减洪效益

1970～1999 年，皇甫川流域年均总减洪量为 4 095 万 m^3，其中人类活动(包括水土保持综合治理)年均减洪 2 175 万 m^3，占总减洪量的 53.1%，减洪效益 15.2%；降雨影响年均减洪 1 920 万 m^3，占总减洪量的 46.9%。人类活动年均减洪虽居主导地位，但与降雨影响相差不大。

2. 减沙效益

1970～1999 年，皇甫川流域年均总减沙量为 1 850 万 t，其中人类活动(包括水土保持综合治理)年均减沙 1 150 万 t，占总减沙量的 62.2%，减沙效益 19.3%；降雨影响年均减沙 700 万 t，占总减沙量的 37.8%。

3. 减沙成果的合理性分析

皇甫川流域 90 年代(1990～1999 年)“水文法”年均减沙量 2 990 万 t，比 90 年代该流域年均输沙量 2 560 万 t 还大 430 万 t，计算结果明显偏大，经分析，其原因有以下两个：

(1)皇甫川流域建立基准期(1954～1969 年)降雨产流产沙模型时，1969 年以前的雨量资料太少。降雨资料的一致性和可靠性受到很大限制。

(2)1969 年以前资料的代表性不强。皇甫川流域 1970 年以前实测最大洪峰流量为 2 900 m^3/s(1959 年 8 月 3 日)，而 1970 年以后分别出现过 11 600 m^3/s(1989 年 7 月 21 日)、8 400 m^3/s(1972 年 7 月 19 日)和 6 790 m^3/s(1988 年 7 月 21 日)等大于 2 900 m^3/s 的洪水 10 次。要想用 1970 年以前的资料所建立的降雨产流产沙模型来模拟计算这些大洪水，相当困难。

以上两点是皇甫川流域降雨产流产沙模型建立过程中带有根本性的薄弱环节，也是“水文法”减水减沙计算成果差异很大的主要原因。因此，提高建模时所采用的降雨洪水资料的代表性、一致性和可靠性，仍是皇甫川流域“水文法”研究的重要内容。

(二)"水保法"减洪减沙效益分析

1. 减洪效益分析

皇甫川流域水利水土保持措施减洪效益计算成果见表 9-15。

表 9-15 **皇甫川流域"水保法"减洪效益计算成果** (单位:万 m^3)

时段(年)	水保措施减洪量					水利措施减洪量				
	梯田	林地	草地	坝地	小计	灌溉		水库		小计
						洪水	常水	洪水	常水	
1970~1979	42	404	15	360	821	119	323	8	8	458
1980~1989	31	612	20	1 282	1 945	185	499	37	37	758
1990~1999	112	1 126	78	2 142	3 458	168	412	54	54	688
1970~1999	62	714	38	1 262	2 076	157	411	33	33	634

时段(年)	工业、生活用水	人为增洪	减洪效益		减水作用	
			减少量	效益(%)	减少量	作用(%)
1970~1979	64	-32	980	7.2	1 311	8.4
1980~1989	102	-26	2 243	19.8	2 779	22.6
1990~1999	188	-11	3 857	31.5	4 323	30.4
1970~1999	118	-23	2 361	19.5	2 805	20.5

由此可知,1970~1999 年皇甫川流域水利水土保持措施等年均减水 2 805 万 m^3,减水作用 20.5%。其中,坡面措施(梯、林、草)年均减洪 814 万 m^3,占总减水量的 29.0%,淤地坝年均减洪 1 262 万 m^3,占总减水量的 45.0%,四大水土保持措施累计年均减洪 2 076 万 m^3,占总减水量的 74.0%;水利措施中水库年均减水 66 万 m^3,灌溉年均用水 568 万 m^3,分别占总减水量的 2.4% 和 20.2%,水利措施合计年均减水 634 万 m^3,占总减水量的 22.6%;工业及城镇生活年均耗水 118 万 m^3,占总减水量的 4.2%,人为年均增加洪水 23 万 m^3,占总减水量的 -0.8%。因此,水土保持措施是减洪的主体,尤其是沟道工程淤地坝,其年均减洪量占总减水量的 45.0%。坡面措施中以林地减洪量为主,林地年均减洪 714 万 m^3,占坡面措施年均总减洪量的 87.7%。根据黄委会黄河水利科学研究院彭乃志等人的有关研究成果[12],水土保持林草植被覆盖度在 15% 以下时减水减沙效益很弱,覆盖度达到 30% 以上时才有较为显著的减水减沙效益。因此,在皇甫川流域大力实施水土保持生态建设并且使林草等植被的覆盖度达到 30% 以上,在黄土丘陵沟壑区的沟道大量兴建淤地坝,生物措施与工程措施有机结合,近期突出工程措施,兼顾林草等坡面措施,充分发挥水土保持措施配置的整体最大减沙效应,应该是今后皇甫川流域水土保持综合治理措施配置的方向。

2. 减沙效益分析

皇甫川流域"水保法"减沙效益计算成果见表 9-16。

表 9-16　皇甫川流域"水保法"减沙效益计算成果　（单位：万 t）

时段（年）	水保措施减沙量					水利措施减沙量				
	梯田	林地	草地	坝地	小计	灌溉		水库		小计
						洪沙	常沙	洪沙	常沙	
1970～1979	20	196	7	189	412	4	3	8	1	16
1980～1989	9	201	6	580	796	8	5	36	5	54
1990～1999	42	440	25	960	1 467	12	8	22	3	45
1970～1999	24	279	13	576	892	8	5	22	3	38

时段（年）	河道冲淤	人为增沙	减洪沙效益		减沙效益	
			减少量	效益（%）	减少量	效益（%）
1970～1979	－140	－135	149	2.5	153	2.5
1980～1989	15	－105	750	15.5	760	15.5
1990～1999	120	－44	1 577	36.0	1 588	36.0
1970～1999	－2	－95	825	18.0	833	18.0

由此可知，皇甫川流域 1970～1999 年水利水土保持措施年均减沙 930 万 t，其中水土保持措施年均减沙 892 万 t，占水利水土保持措施年均减沙总量的 96%，水利措施年均减沙 38 万 t，仅占 4%。水土保持措施中梯田年均减沙 24 万 t，占水土保持措施年均总减沙量的 2.7%；林地年均减沙 279 万 t，占 31.3%；草地年均减沙 13 万 t，占 1.4%；坡面措施合计年均减沙 316 万 t，占 35.4%；淤地坝年均减沙 576 万 t，占 64.6%。同减水一样，淤地坝仍然是水土保持措施减沙的主体。因此，皇甫川流域近期治理的基本思路应以沟道坝系建设为重点。

皇甫川流域 1970～1999 年水利水土保持措施、河道冲淤、人为增沙等合计年均总减沙 833 万 t，减沙效益 18.0%。1970～1999 年皇甫川流域河道呈微弱冲刷状态，年均冲刷 2 万 t，占总减沙量的－0.2%；人为新增水土流失年均增沙 95 万 t，占－11.4%。人为新增水土流失所占比例较大，不容忽视。

（三）现状水资源利用率估算

皇甫川流域治理后多年平均（1970～1999 年）径流量为 13 110 万 m^3，水利水土保持措施多年平均（1970～1999 年）减水量为 2 710 万 m^3，则皇甫川流域地表水资源总量 W_d 为：

$$W_d = 13\ 110 + 2\ 710 = 15\ 820(万\ m^3)$$

皇甫川流域水利水土保持措施蓄水量按 0.1 的回归系数折算后，其实际蓄水量即生态用水量为 $2\ 710 \times (1 - 0.1) = 2\ 439$（万 m^3）。流域多年平均（1970～1999 年）工业与生活用水量为 118 万 m^3，则流域总用水量 W_c 为：

$$W_c = 2\ 439 + 118 = 2\ 557(万\ m^3)$$

故皇甫川流域水资源利用率 η 为：

$$\eta = W_c / W_d \times 100\% = 2\ 557/15\ 820 \times 100\% = 16.2\%$$

因此,皇甫川流域的水资源利用率很低。其主要原因是汛期降雨量占年降水量的77%以上,50%～60%的降雨集中在7、8两月且多为暴雨。由于暴雨集中,历时短,强度大,突发性强,因此洪水洪峰尖瘦,陡涨陡落,高含沙洪水出现频繁,给水资源的开发利用带来了很大困难。从水沙变化过程线的周期性分析结果看,预计皇甫川流域今后的水沙来量仍将减少,生态环境建设水资源形势严峻。如何充分、有效地利用好现有的宝贵水资源(尤其是7、8两月降雨)和用洪用沙,将是提高皇甫川流域水资源利用率的关键。

(四)不同降雨条件下水利水土保持措施减水减沙效益分析

根据徐建华[1]等人的研究,河龙区间水利水土保持措施减水减沙效益比(即减水减沙量与实际入黄水沙量的相对比值)有如下变化规律:

(1)水利水保措施减水效益比与降雨成正相关。但皇甫川流域的产流以地表径流为主,产流方式为超渗产流,因而枯水年的减水效益比要比平水年和丰水年高。

(2)减沙效益比与降雨成负相关。因此,皇甫川流域枯水年水土保持措施减沙效益比高于平水年和丰水年。

(3)降水量在300～500 mm之间时,流域的减沙效益无论是绝对量还是相对量都是较高的。皇甫川流域多年平均降水量为386.3 mm,因此加强该流域水土流失的治理强度和速度,是减少入黄泥沙尤其是粗泥沙的重要途径。

(五)植被覆盖度与侵蚀产沙关系

中国科学院、水利部水土保持研究所唐克丽[13]等在黄河中游泥沙主要来源区,选择了13个代表流域区间,比较了各区间现存森林覆盖率(林率)与其产流产沙的关系,发现林率与径流泥沙呈线性关系,相关性显著:

$$y = 8\ 575.756 - 91.796x \quad (r = 0.922) \tag{9-10}$$

当林率 x 大于80%时,输沙模数 y 在500 t/(km^2·a)以下;林率 x 大于95%时,输沙模数接近于零。

中国科学院、水利部水土保持研究所江忠善[13]依据观测资料进行了侵蚀量与林地覆盖度的回归分析,得出林地侵蚀量 y 与林地覆盖度 x 呈二次多项式关系:

$$y = 10\ 377.87 - 271.65x + 1.78x^2 \quad (r = 0.997) \tag{9-11}$$

当林地的覆盖度达60%以上时,减少侵蚀量的效益即可达90%以上。显然,只要林地的覆盖度达到一定的百分数,其减沙效益非常显著。

皇甫川流域最大的问题是植被问题。据调查[11],20世纪90年代皇甫川流域林草措施保存率分别为65.2%和36.1%;河龙区间覆盖度在40%以下的三类林地占林地总面积的42%;盖度小于45%的三类草地占草地总面积的52%。因此,尽快恢复灌草植被,有计划地退耕还林还草,实施大面积封禁保护,提高植被覆盖度以减少侵蚀,是皇甫川流域水土保持生态建设的当务之急。

四、水土保持措施的减沙减淤作用分析

(一)对三门峡库区淤积的影响

根据本次研究"水保法"计算结果,20世纪90年代皇甫川流域水利水土保持措施年均减沙1 512万t,亦即每年减少入黄泥沙1 512万t,占90年代皇甫川流域实测年均输沙

量 2 560 万 t 的 59%(几乎为 60%),减沙效益 36%。按皇甫川流域 90 年代粗沙量占年输沙量的百分比 44.6% 计算,可减少入黄粗泥沙 674 万 t。黄河“粗泥沙”具有特定含义:①它主要是指由于黄河上中游水土流失所产生的泥沙,通过河道输移到下游河道(含三门峡水库);②在淤积物中,特别是主槽中占多数的粗粒径泥沙[3]。据统计,皇甫川流域泥沙多年平均(1956~1999 年)中值粒径为 0.049 mm,平均粒径为 0.132 mm。90 年代是三门峡库区淤积比较严重的时期,1990~1999 年,年均淤积泥沙达 1.18 亿 t,$d \geqslant 0.025$ mm、$d \geqslant 0.05$ mm 和 $d \geqslant 0.10$ mm 泥沙所占淤积物的比例分别为 52.5%、21.4% 和 7.8%,同期黄河下游年均淤积量达 2.46 亿 t,其中 $d \geqslant 0.025$ mm、$d \geqslant 0.05$ mm 和 $d \geqslant 0.10$ mm 的泥沙占总淤积量的比例分别为 68.0%、36.4% 和 9.8%,淤积物细化现象十分严重,这主要是来水量偏少所致,也与河龙区间水土保持综合治理有关。据此比例推算,90 年代皇甫川流域因水土保持综合治理年均减少的入黄粗泥沙(674 万 t)占三门峡库区 90 年代粗泥沙总淤积量 0.252 5 亿 t(即 1.18×21.4%)的 26.7%,占黄河下游粗泥沙总淤积量 0.895 4 亿 t(即 2.46×36.4%)的 7.5%,水土保持综合治理功不可没。皇甫川流域 90 年代实际年均入黄沙量为 2 560 万 t,其中粗泥沙为 1 142 万 t,占三门峡库区 90 年代粗泥沙总淤积量的 45.2%,占黄河下游同期粗泥沙总淤积量的 12.8%。

(二)对减轻黄河下游河道淤积的影响

1995 年,黄委会黄河水利科学研究院程秀文教授等在国家“八五”重点科技攻关项目研究中,通过对黄河中游拦减粗泥沙对黄河下游河道冲淤影响的分析计算,得出如下结论[14]:

(1)当河龙区间吴堡以上减沙 1 亿 t 时,黄河下游河道减淤 0.7 亿~0.9 亿 t;龙门以上减沙 1 亿 t 时,下游河道减淤为 0.5 亿~0.7 亿 t。

(2)当三门峡、黑石关和小董站粗泥沙来量减少 1 亿 t 时,下游河道淤积减少约 1 亿 t;当全沙减少 1 亿 t 时,下游河道淤积减少约 0.8 亿 t。

黄河中游河龙区间干流吴堡水文站多年平均(1952~1999 年)输沙量 4.7 亿 t,皇甫川流域多年平均(1954~1999 年)输沙量 4 995 万 t,占吴堡水文站多年平均输沙量的 10.6%。根据水利部第二期黄河水沙变化研究基金项目“河龙区间水土保持措施减水减沙作用分析”研究成果[11],1970~1996 年吴堡以上(包括皇甫川、孤山川、窟野河、秃尾河、佳芦河、浑河、偏关河、县川河、朱家川、岚漪河、蔚汾河、湫水河等 12 条入黄一级支流)“水保法”年均减沙 6 200 万 t,“两川两河”(即皇甫川、孤山川、窟野河和秃尾河)“水保法”年均减沙2 580 万 t,皇甫川流域 1970~1999 年“水保法”年均减沙 833 万 t。按照程秀文计算成果的比例推算(取其平均值为 0.8 亿 t),吴堡以上年均减沙 6 200 万 t 时,下游可减淤 0.496 亿 t;“两川两河”年均减沙 2 580 万 t 时,下游可减淤 0.206 4 亿 t;皇甫川流域年均减沙 833 万 t 时,下游可减淤 0.066 6 亿 t。皇甫川流域减淤量(0.066 6 亿 t)占吴堡以上因水利水土保持措施减沙为黄河下游带来的可减淤量 0.496 亿 t 的 13.4%,“两川两河” 减淤量(0.206 4 亿 t)则占 41.6%。因此,皇甫川和“两川两河”能否实施大规模、高投入的水土保持综合治理,对黄河下游减淤至关重要。将其列入黄河中游水土保持生态工程近期建设的重点支流和标志性工程,加大投资力度和治理规模,以期为多沙粗沙区的全面治理开发奠定基础,积累经验,实乃治本之举。

第四节 生态建设用水分析及治理对策

一、流域生态建设用水分析

根据水利部第二期黄河水沙变化研究基金项目“河龙区间水土保持措施减水减沙作用分析”研究成果[11]，黄河中游河龙区间(含未控区)四大水土保持措施年均保存面积及年均减水量分别见表 9-17、表 9-18。

表 9-17 河龙区间(含未控区)四大水土保持措施年均保存面积 (单位:万 hm^2)

时段(年)	梯田	林地	草地	坝地	合计
1969 年以前	7.445	24.681	3.701	0.907	36.734
1970～1979	17.314	61.207	7.138	2.742	88.401
1980～1989	28.768	143.399	15.797	4.790	192.754
1990～1996	41.536	226.174	22.613	6.226	296.549
1970～1996	27.836	134.418	14.357	4.404	181.015

表 9-18 河龙区间(含未控区)四大水土保持措施年均减水量 (单位:万 m^3)

时段(年)	梯田	林地	草地	坝地	合计
1969 年以前	1 810	5 890	342	11 540	19 582
1970～1979	4 280	6 960	565	34 945	46 750
1980～1989	5 640	16 410	1 050	25 500	48 600
1990～1996	7 580	24 210	1 790	24 700	58 280
1970～1996	5 640	14 930	1 060	28 790	50 420

根据表 9-17、表 9-18 计算结果，求出河龙区间四大水土保持措施年均减水指标(即单位面积减水量)见表 9-19。

表 9-19 河龙区间四大水土保持措施年均减水指标 (单位:$m^3/(hm^2 \cdot a)$)

时段(年)	梯田	林地	草地	坝地
1969 年以前	243	239	92.4	12 720
1970～1979	247	114	79.2	12 740
1980～1989	196	114	66.5	5 320
1990～1996	182	107	79.2	3 970
1970～1996	203	111	73.8	6 540

根据《黄河近期重点治理开发规划》[15]确定的黄河中游多沙粗沙区主要支流到2010年水土保持措施规划面积，皇甫川流域到2010年规划治沟骨干工程503座，淤地坝2 332座；坡面治理规划面积中，水土保持林为8.56万hm^2，人工种草为2.07万hm^2，生态修复3.72万hm^2，基本农田0.58万hm^2；治理面积达到1 493 km^2。

根据黄河中游多沙粗沙区典型小流域坝系建设成果[16]，在沟道坝系中，骨干坝数量占总量的14%，平均单坝可淤地9.533 hm^2；中型淤地坝占总量的24%，平均单坝可淤地2.6 hm^2；小型淤地坝占总量的62%，平均单坝可淤地0.667 hm^2。骨干坝、中型淤地坝、小型淤地坝数量占总量的比例为1.4:2.4:6.2。由此可以推出皇甫川流域到2010年规划的坝地面积为：503×9.533（骨干坝面积）+2 332×2.6×[2.4/(2.4+6.2)]（中型淤地坝面积）+2 332×0.667×[6.2/(2.4+6.2)]（小型淤地坝面积）=7 608（hm^2）

由以上皇甫川流域到2010年水土保持措施规划面积及1970～1996年河龙区间四大水土保持措施年均减水指标，即可计算出到2010年皇甫川流域水土保持生态建设用水量，计算结果见表9-20。由此可见，到2010年，皇甫川流域水土保持生态建设用水总量为6 470万m^3。

表9-20　皇甫川流域2010年水土保持生态建设用水量计算结果

类别	梯田	林地	草地	坝地	合计
1970～1996年年均减水指标（$m^3/(hm^2\cdot a)$）	203	111	73.8	6 540	
2010年水保措施面积（万hm^2）	0.58	8.56	5.79（2.07+3.72）	0.760 8	15.690 8
2010年水保措施用水量（万m^3）	118	950	427	4 976	6 471

注：生态修复面积归并到草地面积中计算用水量。

二、近期治理方略及治理重点

皇甫川流域自1983年开始进行大规模治理至今，成效显著。但由于水土保持措施修建早、标准低，已经达到或超过使用年限。尤其是沟道工程，效益的新增和减退同步，泥沙问题仍然没有得到根本解决。随着西部大开发战略的实施和黄河中游水土保持生态工程建设项目的启动，按照黄土高原水土保持生态建设"防治结合、保护优先、强化治理"的基本思路，皇甫川流域近期治理方略应该是：以沟道坝系建设为切入点，加大以治沟骨干工程为主的沟道坝系建设力度；因地制宜，积极推进林草植被建设，退耕还林还草；对砒砂岩地区实行大面积封禁治理，充分发挥生态系统的自我修复功能。

为实现上述治理方略，对皇甫川流域水土保持生态工程建设提出如下建议：

（1）砒砂岩地区应作为皇甫川流域水土保持生态工程建设的重中之重。该区应加速以沙棘、柠条、沙打旺等为主的林草植被建设，实行封禁治理。为使砒砂岩地区林草植被具有较为显著的蓄水减沙效益，皇甫川流域林草植被覆盖度至少应在30%以上。

（2）沟谷地应作为皇甫川流域布置拦截泥沙工程的主要地带；在黄土丘陵沟壑区应以沟道坝系建设为重点，大量兴建淤地坝，建坝密度必须达到相当规模。

(3)水土保持措施的配置应贯彻“因地制宜”的原则。当前以突出工程措施为主，与生物措施实行短、中、长期的有机结合。

(4)结合黄委会“数字黄河”的建设，将皇甫川流域作为重点支流，对其水沙变化进行动态监测。

为千方百计减少入黄泥沙，减少黄河下游输沙用水，实现下游“河床不抬高”，充分发挥水土保持措施的最大减沙能力和整体结构减沙效益，建设秀美山川，皇甫川流域近期至2010年，治理的重点建议放在沟壑密度大、侵蚀严重且人口相对集中的十里长川、沙圪堵至皇甫区间和沙圪堵以上的纳林川左岸。以上区域控制总面积2 350 km^2，年均来沙量约3 700万t。若按照年均来沙量的80%控制，并考虑按每3 km^2布设一座治沟骨干工程(单座库容按150万m^3计算)，1 km^2布设一座淤地坝(单座库容按50万m^3计算)，可布设治沟骨干工程381座，淤地坝1 143座；可安排坡面治理措施75 700 hm^2。参照《黄河流域水土保持生态建设规划》及相关区域投资定额，按坡面治理50万元/km^2、治沟骨干工程91万元/座、淤地坝20万元/座的投资定额计算，总投资需要9.538亿元。上述投入和治理目标如能实现，期末可减少入黄泥沙3 000万t，其中可减少粗泥沙1 750万t[17]。在该区进行以治沟骨干工程为主的沟道坝系建设，不仅能有效地减少入黄粗泥沙，而且能形成较为稳定的高产稳产基本农田，对加速退耕还林还草工作进程，实施封禁治理，改善当地生态环境，具有积极的促进作用和显著的生态效益及社会效益。将皇甫川流域列入黄河中游水土保持生态工程近期建设的重点支流和标志性工程，加大投资力度和治理规模，以期为多沙粗沙区的全面治理开发奠定基础，积累经验，是最终实现黄河下游“河床不抬高”治黄目标的重大举措，更是治本之举。

皇甫川流域水土保持生态工程建设应特别加强科技支撑，开展水土保持生态工程技术试验研究，如坝库减蚀作用研究、大面积植被恢复中乔灌草配置模式研究、坝系相对平衡的物理模型研究等，注重已有科技成果的推广与应用。黄委会黄河上中游管理局毕慈芬[18]等于1995~1999年开展了《砒砂岩地区植物“柔性坝”试验研究》，结果表明：在砒砂岩地区支毛沟上游沟段，建立沙棘植物“柔性坝”系，可拦截暴雨产生的高含沙洪水所挟带的粗泥沙，能起到集拦沙、泄流、削峰、缓洪、抬高侵蚀基点和生态恢复功能于一体的特殊作用；年平均泥沙淤积厚度0.3~0.4 m；沙棘植物“柔性坝”年均拦沙量占同期流域产沙量的88%，拦沙量中粗沙占78%，是一项费省效宏的生物治沟措施。同时，沙棘植物“柔性坝”与下游布置的土坝相配合，保证了稳定蓄水，对砒砂岩地区开发利用暴雨洪水资源是有益的启示。这项研究成果可在皇甫川流域水土保持生态工程建设中大力推广，并与工程措施有机结合。

第五节　结　论

(1)皇甫川流域的径流主要来自沙圪堵、长滩至皇甫区间，泥沙主要来自沙圪堵以上。来自沙圪堵以上的水量占皇甫站总来水量的44.7%，沙量占皇甫站总来沙量的51.7%；来自沙圪堵、十里长川至皇甫区间的来水来沙量分别占总来水来沙量的55.3%和48.3%。流域主要产沙地层为砒砂岩。沟谷地是径流、泥沙的主要来源区。沟谷地产流量占流域总产流量的61.4%，沟谷地产沙量占流域总产沙量的66.2%。

(2)皇甫川流域降雨、径流、泥沙依时序递减，生态工程建设水资源形势严峻。流域内水土保持措施大量实施后，泥沙粒径细化趋势明显；水土保持措施减沙及减淤作用十分显著。流域水沙变化对河府区间水沙变化影响很大，泥沙尤甚；流域泥沙减少的速率慢于河府区间及河龙区间其他支流。

(3)综合以往各家研究成果，推荐提出了皇甫川流域20世纪70、80、90年代(1990～1996年)水土保持措施减水减沙效益研究成果。

①"水文法"研究成果：20世纪70年代皇甫川流域水土保持综合治理年均减水0.216亿m^3，年均减沙0.016亿t；80年代流域水土保持综合治理年均减水0.244亿m^3，年均减沙0.054亿t；90年代流域水土保持综合治理年均减水0.531亿m^3，年均减沙0.236亿t。

②"水保法"研究成果：20世纪70年代皇甫川流域水利水土保持措施年均减水0.135亿m^3，年均减沙0.03亿t；80年代流域水利水土保持措施年均减水0.277亿m^3，年均减沙0.082亿t；90年代流域水利水土保持措施年均减水0.468亿m^3，年均减沙0.162亿t。

(4)在延长水文及水土保持资料系列至1999年的基础上，突出了水土保持措施减水减沙的本质——减洪减沙，区分了降雨影响和人类活动影响所占比例，提出了1970～1999年皇甫川流域水土保持措施减洪减沙效益新的研究成果。

①"水文法"研究成果：1970～1999年，皇甫川流域年均总减洪量为4 095万m^3，其中人类活动(包括水土保持综合治理)年均减洪2 175万m^3，占总减洪量的53.1%，减洪效益15.2%；降雨影响年均减洪1 920万m^3，占总减洪量的46.9%。人类活动年均减洪虽居主导地位，但与降雨影响相差不大。1970～1999年，皇甫川流域年均总减沙量为1 850万t，其中人类活动(包括水土保持综合治理)年均减沙1 150万t，占总减沙量的62.2%，减沙效益19.3%；降雨影响年均减沙700万t，占总减沙量的37.8%。

②"水保法"研究成果：1970～1999年，皇甫川流域水利水土保持措施等年均减水2 805万m^3，减水效益20.5%。水土保持措施是减洪的主体，尤其是沟道工程淤地坝，其年均减洪量占总减水量的45.0%。1970～1999年，皇甫川流域水利水土保持措施年均减沙930万t，其中四大水土保持措施年均减沙892万t，占水利水土保持措施年均减沙总量的96%，水利措施年均减沙38万t，仅占4%。淤地坝年均减沙576万t，占四大水土保持措施年均总减沙量的64.6%，是水土保持措施减沙的绝对主体。人为新增水土流失年均增沙95万t，占流域年均总减沙量的－11.4%，比例较大，不容忽视。

(5)皇甫川流域治理后多年平均水资源利用率为16.2%。20世纪90年代皇甫川流域水利水土保持措施年均减沙1 512万t，占90年代皇甫川流域实测年均输沙量的近60%，减沙效益36%。90年代皇甫川流域因水土保持综合治理年均减少入黄粗泥沙674万t，占三门峡库区90年代粗泥沙总淤积量的26.7%，占黄河下游粗泥沙总淤积量的7.5%。

(6)根据计算，当皇甫川流域年均减沙833万t时，下游可减淤0.066 6亿t；"两川两河"年均减沙2 580万t时，下游可减淤0.206 4亿t；吴堡以上年均减沙6 200万t时，下游可减淤0.496亿t。皇甫川流域减淤量占吴堡以上可减淤量的13.4%，"两川两河"减淤量则占41.6%。因此，皇甫川和"两川两河"能否实施大规模、高投入的水土保持综合治理，对黄河下游减淤至关重要。

(7)对皇甫川流域水土保持生态建设用水分析结果为:到 2010 年,皇甫川流域水土保持生态建设用水总量为 6 470 万 m^3。按照黄土高原水土保持生态建设“防治结合、保护优先、强化治理”的基本思路,提出皇甫川流域近期治理方略应该是:以沟道坝系建设为切入点,加大以治沟骨干工程为主的沟道坝系建设力度;因地制宜,积极推进林草植被建设,退耕还林还草;对砒砂岩地区实行大面积封禁治理,充分发挥生态系统的自我修复功能。流域近期至 2010 年,治理的重点建议放在十里长川、沙圪堵至皇甫区间和沙圪堵以上的纳林川左岸。

参考文献与资料

[1] 徐建华,等 . 不同降雨条件下河龙区间水利水保工程减水减沙效益分析 . 黄河水利委员会水文局,1998

[2] 焦恩泽 . 皇甫川流域水沙变化趋势分析 . 黄河水沙变化研究论文集第三卷 . 黄河水沙变化研究基金会,1993

[3] 徐建华,牛玉国,等 . 水利水保工程对黄河中游多沙粗沙区径流泥沙影响研究 . 郑州:黄河水利出版社,2000

[4] 郝建忠,等 . 皇甫川流域水利水土保持措施减水减沙效益及水沙变化趋势预测的研究 . 黄河水利委员会绥德水土保持科学试验站,1991

[5] 徐建华,吕光圻,张胜利,等 . 黄河中游多沙粗沙区区域界定及产沙输沙规律研究 . 郑州:黄河水利出版社,2000

[6] 潘贤娣,董雪娜,李勇,等 . 黄河水沙特性变化综合分析 . 见:汪岗,范昭 . 黄河水沙变化研究(第二卷). 郑州:黄河水利出版社,2002

[7] 冉大川 . 环江流域高含沙洪水特性研究 . 泥沙研究,1994(4):86 ~ 93

[8] 黄自强 . 抓住“两川两河”治理,建设西部水土保持生态环境的标志性工程 . 人民黄河,2001(1):21 ~ 23

[9] 韩学士,王正文,赵昕,等 . 皇甫川流域水沙变化现状和发展趋势研究 . 见:汪岗,范昭主编 . 黄河水沙变化研究(第二卷). 郑州:黄河水利出版社,2002

[10] 冉大川 . 黄河中游河龙区间水沙变化研究综述 . 泥沙研究,2000(3):72 ~ 81

[11] 冉大川,柳林旺,赵力仪,等 . 黄河中游河口镇至龙门区间水土保持与水沙变化 . 郑州:黄河水利出版社,2000

[12] 彭乃志,姚文艺,张胜利,等 . 皇甫川流域治理前后洪水动量变化及其冲淤特征分析 . 水土保持学报,2000(3):18 ~ 21

[13] 唐克丽 . 黄河流域的侵蚀与径流泥沙变化 . 北京:中国科学技术出版社,1993

[14] 张仁,程秀文,熊贵枢,等 . 拦减粗泥沙对黄河河道冲淤变化的影响 . 郑州:黄河水利出版社,1998

[15] 水利部黄河水利委员会 . 黄河近期重点治理开发规划 . 郑州:黄河水利出版社,2002

[16] 冉大川,王正杲,胡建军,等 . 基于粮食需求的黄土高原地区淤地坝建设规模与论证 . 干旱地区农业研究,2005,23(2):130 ~ 136

[17] 水利部黄河水利委员会 . 黄河中游多沙粗沙区皇甫川、孤山川、窟野河、秃尾河情况汇报 .2000

[18] 毕慈芬,等 . 砒砂岩地区植物“柔性坝”试验研究 . 水利部黄委会黄河上中游管理局,1999

后　记

拙著《黄河中游典型支流水土保持措施减洪减沙作用研究》终于在丙戌年新春付梓，感慨万千。本书的构思与写作长达三年，中间因为工作繁忙，交稿日期一拖再拖。现在看来，终稿质量比初稿还是有了较大提高。三年来，为了完成本书的写作，大家齐心协力，认真负责。作为本书第一作者，我几乎利用了所有的节假日，经历了不同寻常的艰辛。尤其是2004年初我考入西安理工大学，在职攻读工程硕士研究生学位，学业繁重；自2002年开始作为项目第一负责人主持的黄委会"十五"重大治黄科技项目水土保持专项"大理河流域水土保持生态工程建设的减沙作用研究"（项目编号：2002SZ08）也进入了攻坚阶段，工作繁忙。2004年下半年，家庭连遭变故。感谢家人、同事的关心和安慰，使我度过了那段终生难忘的日子，并最终坚持完成了本书的编写和统稿工作。2005年1月，我应聘担任黄委会黄河水利科学研究院水土保持研究所总工程师，在不惑之年调离曾经工作了21年的黄委会西峰水土保持科学试验站，开始了人生新的历程。随着时间的推移和岁月的流逝，回顾自己从事黄河中游水沙变化研究18年的工作经历，对黄河中游水土保持措施减洪减沙作用研究的认识有了一定的升华，所思所想力求在书中体现。个别观点和论述可能有待商榷，见仁见智，热忱期待广大读者批评指正。

本书也是作者从事黄河中游水沙变化研究18年心血的结晶。虽然文出多人，稿经数易，但能终得集合众长，统一条理，成为一家之言；积年余之功，竟初创之业，并非易事。这与项目组全体同仁的努力和支持分不开，更离不开关心黄河中游水沙变化研究的许多老前辈、老专家的支持和鼓励。一部50余万字的专著，要想反映黄河中游水土保持措施减洪减沙作用研究这样一个十分复杂的问题，不可能面面俱到，必定有所取舍。但取舍详略之际，考虑间有未周，在所难免；对黄河中游水土保持措施尤其是淤地坝减洪减沙作用的综合分析、淤地坝拦减粗泥沙量的计算等，笔者虽力求做到有质有文，陈言大去，新意迭见，严谨切实，表述明白晓畅，究难悉当；而对黄河中游水沙变化的认识与看法，许多也属管中窥豹，一孔之见。但愿本书的出版能为黄河中游水沙变化情势研究和黄河中游水土保持生态工程建设提供一定的技术支撑。如此，则幸甚！

感谢黄委会西峰水土保持科学试验站站长毛效嗣，西安理工大学科技处处长、博士生导师李占斌教授，黄河水利科学研究院院长、教授级高级工程师时明立，党委书记、高级工程师高航，副院长、教授级高级工程师姜乃迁，总工程师、教授级高级工程师姚文艺，泥沙研究所所长、教授级高级工程师李勇，水土保持研究所所长、高级工程师史学建等在本书写作期间给予的关心和指导。一枝一叶总关情！对此我铭记在心，并再次表示最诚挚的谢意！

本书的出版得到黄河水利科学研究院黄河河情年度咨询及跟踪研究课题部分资助，谨致谢意！

“衣带渐宽终不悔，为伊消得人憔悴”！今后，本人将继续以“治黄不止、研究不息”的精神，为黄河中游水沙变化研究继续尽一份绵薄之力。寸草春晖，尽在其中！

冉大川

2006年新春于郑州